Mit über fünfundzwanzig internationalen Bestsellern gehört
Victoria Holt zu den populärsten und beliebtesten Romanautorinnen
der Welt. Schon ihr Vater, ein englischer Kaufmann, fühlte sich zu
Büchern stärker hingezogen als zu seinen Geschäften. In ihrem
Domizil hoch über den Dächern von London schrieb sie die
spannenden, geheimnisumwitterten Geschichten aus vergangenen
Zeiten, in denen sich der milde Glanz der Nostalgie, interessante
Charaktere und aufregende Vorgänge aufs glücklichste ergänzen.
Victoria Holt starb am 18. Januar 1993 auf einer Schiffsreise.

D0718279

Victoria Holt

Die
Ashington-Perlen

Roman

Aus dem Englischen von
Margarete Längsfeld

Von Victoria Holt sind außerdem erschienen:

Der Teufel zu Pferde (Band 60181)
Der Schloßherr (Band 60182)
Meine Feindin, die Königin (Band 60183)
Tanz der Masken (Band 60185)
Verlorene Spur (Band 60186)
Unter dem Herbstmond (Band 60187)
Das Vermächtnis der Landowers (Band 60188)
Die Insel Eden (Band 60189)
Geheimnis einer Nachtigall (Band 60190)
Fluch der Seide (Band 60191)
Der indische Fächer (Band 60192)
Die Lady und der Dämon (Band 1455)

Dieses Buch wurde auf chlor- und säurefreiem Papier gedruckt.

Vollständige Taschenbuchausgabe 1984, 14. Auflage 1993
© 1980 Droemersche Verlagsanstalt Th. Knaur Nachf., München
Titel der Originalausgabe »The Spring of the Tiger«
© 1979 Victoria Holt
Originalverlag William Collins Sons & Co.Ltd., London
Umschlaggestaltung: Agentur Zero, München
Umschlagfoto: Mauritius/Grafica
Satz: Ventura Publisher im Verlag
Druck und Bindung: Elsnerdruck, Berlin
Printed in Germany
ISBN 3-426-60184-2

2 4 5 3 1

Inhalt

In England

Am Denton Square

Wenn ich auf all jene Ereignisse zurückblicke, die mich in dieses Haus mit seinen drückenden Geheimnissen, seiner unheimlichen Bedrohung, den gespenstischen Echos und der allgegenwärtigen Gefahr brachten, so staune ich noch heute über die Naivität jugendlicher Unerfahrenheit und frage mich, wieso es mir, einem Mädchen aus einem ganz anderen, in der Nachbarschaft der Theater gelegenen Hause, nie in den Sinn kam, den unkonventionellen Lebensstil, den ich von Geburt an gewöhnt war, in Frage zu stellen.

Ich erinnere mich, wie ich in der Dämmerung an meinem Fenster auf den Laternenanzünder wartete, der die Lichter auf dem Platz ansteckte, und wie ich morgens von den Geräuschen auf der Straße erwachte: dem Klappern der Pferdehufe auf dem Pflaster oder dem plötzlichen Auflachen eines Dienstmädchens, das mit dem Milchmann schäkerte, während die Kannen gefüllt wurden. Das Schrubben der Eingangsstufen und das Polieren der Messingknöpfe hatte dagegen leise und diskret zu geschehen, damit die feinen Leute sich in dem Glauben wiegen konnten – falls sie überhaupt darüber nachdachten –, alles, was zu ihrer Bequemlichkeit vonnöten sei, geschehe durch Zauberei.

In unserem Haus am Denton Square mußten wir uns meiner Mutter wegen morgens besonders still verhalten. Sie stand selten vor Mittag auf, weil sie erst in den frühen Morgenstunden zu Bett ging. Ihre Ruhe war heilig, denn meine Mutter war der Mittelpunkt unseres Haushalts. Unsere Existenz hing von ihr ab, und ihre Laune bestimmte die Atmosphäre im Haus. War sie fröhlich, so waren wir sehr fröhlich; und wenn sie kränkelte oder deprimiert war, was zuweilen vorkam, so schlichen wir auf Zehenspitzen umher, unterhielten uns flüsternd und ängstlich angespannt; ähnlich jenen Leuten, sagte ich zu Meg Marlow, die am Fuß eines Vulkans leben und auf den Ausbruch warten. Ich verschlang damals ein Buch nach dem anderen und hatte kurz zuvor etwas über den Untergang Pompejis gelesen.

Meg erwiderte: »Wir müssen nachsichtig sein. Ihre Kunst ist schuld daran.« Tatsächlich rief sie nämlich, wenn sie nicht »ruhte«, ihre Kunst allabendlich und manchmal auch nachmittags ins Theater. Ihre Ruhepausen aber waren es, die ich als Zeiten drohender Ausbrüche betrachtete – obwohl wir ihren Zorn weniger fürchteten als ihre Depressionen. Es war ein Segen, daß keine ihrer Stimmungen lange anhielt.

»Ich muß dich wohl daran erinnern, wer sie ist«, sagte Meg jedesmal, wenn einer von uns in seiner Bewunderung nachließ.

Meine Mutter war Irene Rushton – so lautete jedenfalls ihr Künstlername. Eigentlich hieß sie Irene Ashington; sie war die Gattin von Ralph Ashington, den sie verlassen hatte, als ich zwei Jahre alt war.

Meg – sie war die Garderobiere meiner Mutter, ihre Zofe, zeitweilige Köchin und ergebene Sklavin – machte mich stolz und glücklich, als sie mir erzählte, wie meine Mutter auf und davon gegangen war: »Sie hat's nicht mehr ausgehalten. Und, o Wunder, sie hatte dich dabei. Das war vielleicht 'n Ding! Ein kleines Kind war nicht gerade günstig für ihre Karriere, oder? Und sie hatte dich dabei.«

Das wurde der Kernsatz meiner Jugend: »Sie hatte dich dabei.«

»Laß dir das gesagt sein«, erklärte Meg einmal, »anders wäre es vielleicht besser gewesen.«

Ich war verwirrt und wollte wissen, wo ich denn geblieben wäre, wenn sie mich zurückgelassen hätte.

»Irgendwo im Ausland«, ließ Meg mich wissen, als ich sie bedrängte. »Sie hätte nie weggehen sollen. Das war kein Leben

10

für eine wie sie, also wirklich. Heiß … und gar nicht wie in England. Überall Krabbeltiere. Spinnen. Igitt!«

Meg hatte eine panische Angst vor Spinnen. Einmal hatte sie auf dem Land übernachtet, als meine Mutter auf Tournee war, und dort war eine Spinne in ihrem Bett gewesen. Meg wurde nie müde, ihren Schrecken zu schildern. »Es geht nichts über London«, schloß sie jedesmal, als gebe es ein Gesetz, das Spinnen aus der Hauptstadt verbannte.

»Dann kam sie nach Hause und hatte dich dabei. Sie war freilich schon berühmt, bevor sie wegging, und die Agenten empfingen sie mit offenen Armen, als sie wieder da war.«

»Und sie hatte mich dabei!«

»Ich weiß, daß sie's nie bereut hat. Einmal hat sie zu mir gesagt: ›Ich komme immer so gern nach Hause. Ich habe wirklich das Gefühl, heimzukehren, weil ich zu meiner kleinen Siddons heimkommen kann.‹« Mein Name war tatsächlich Sarah Siddons Ashington, denn sie hatte mich nach jener Berufskollegin benannt, die sie für die größte Zierde dieser Profession hielt: nach Sarah Siddons.

Wenn sie guter Laune war, rief sie mich Little Siddons. Das weckte in mir zuweilen böse Vorahnungen, fürchtete ich doch, sie wolle aus mir ihre Nachfolgerin im Rampenlicht machen, in einem Gewerbe, für das ich, dessen war ich sicher, nicht die geringste Eignung besaß.

Meg konnte mir wenig über das Eheleben meiner Mutter erzählen, denn sie war damals nicht bei ihr. Meg war ihre Garderobiere gewesen, bevor sie heiratete, und als meine Mutter nach England zurückkehrte, trat Meg ihre alte Stelle wieder an. Dazwischen aber lagen drei Jahre. »Ich bleib' dabei, sie hätte nicht weggehen sollen«, sagte Meg. »Heiraten: ja … aber doch nicht so einen. Ich hab' immer auf einen mit 'nem Landsitz und 'nem hübschen Haus in der Stadt getippt, und womöglich noch mit 'nem Titel. Na, das wäre doch was gewesen. Aber dann fliegt sie auf diesen Ralph Ashington … Gute Familie, das schon.

11

Großes Landgut, allerdings kein Stadthaus ... bloß dieses Dingsda im Ausland. Sie spricht nicht viel darüber, und das will was heißen. ›Und das ist Irene Rushton‹, hab' ich zu mir gesagt. Also, wenn man bedenkt, wie's hätte kommen können ... Ich wäre nicht im geringsten überrascht gewesen, wenn sie 'nen Herzog genommen hätte ... und dann kommt dieser Mister Ralph Ashington, ich bitte dich, Teepflanzer oder so was am Ende der Welt.«

»Mein Vater.«

»Nun ja, er ist dein Vater, na wenn schon.« Sie blickte mich angewidert an. »Und nicht etwa ein junger Mann. Witwer. Also wirklich, wie konnte sie nur!«

»Hast du ihn gesehen, Meg? Hast du meinen Vater gesehen?«

»Zweimal. Einmal am Bühnenausgang, einmal an ihrer Garderobe. Sie hatte 'n regelrechtes Gefolge. Der war der letzte, auf den ich mein Geld gesetzt hätte. Aber sie hat's nun mal so gewollt ... fix ... basta ... einfach so. Du kennst sie ja. ›Es bleibt dabei‹, sagt sie und geht durch wie 'n wildes Pferd ... rennt los und guckt nicht, wo's langgeht.«

»Er muß sehr nett gewesen sein, wenn sie ihm vor all den Herzögen und so den Vorrang gegeben hat.«

»Das hab' ich nie begriffen. Bis zum heutigen Tag nicht. Na, sie hat ihren Fehler ja bald eingesehen. ›Ich bedaure nichts‹, sagte sie immer, ›schließlich hat er mir Little Siddons geschenkt.‹«

Ich bedrängte Meg wieder und wieder, mir die Geschichte zu erzählen, nur um den letzten Satz zu hören.

Dann gehörte noch Janet zu unserem Haushalt. Sie war Megs Schwester. Janet wäre nie bei uns geblieben, hätte es Meg nicht gegeben. Sie war das Gegenteil ihrer Schwester: mürrisch, aber äußerst tüchtig. Sie konnte sich mit unserem Haushalt nicht abfinden. Sie war gute Stellungen gewöhnt, gab sie uns zu verstehen, wo man einen Butler, einen Lakaien und eine Schar Dienstmädchen hatte – und selbstverständlich eine eigene Kutsche. Eines Tages, beteuerte sie, würde sie mit Meg zu ihrer

Schwester Ethel ziehen, die ein hübsches kleines Anwesen auf dem Land besaß, wo sie Hühner hielt und frische Eier, Obst und Gemüse verkaufte. Ethel wollte in ihrem Haus eine Pension für Reisende einrichten, doch dazu brauchte sie die Hilfe ihrer Schwestern.

»Janet wäre weg wie der Blitz«, sagte Meg, »aber ich könnte es nie über mich bringen, meine Lady zu verlassen, und Janet bringt es nicht fertig, mich zu verlassen. Drum bleiben wir hier.«

Das war also unser Haushalt: nur wir vier, Janet, Meg, meine Mutter und ich. Natürlich gab es da noch Onkel Everard, aber der wohnte eigentlich nicht bei uns. Er hielt sich ab und zu bei uns auf, und meine Mutter und er liebten sich sehr.

»Eigentlich sollten sie heiraten«, bemerkte Meg, »und sie würden es gewiß tun, wenn er und sie nicht wären.«

Er war mein Vater, der noch mit meiner Mutter verheiratet war, und sie war Everards Gattin, von der er noch immer nicht geschieden war. Diese zwei verschwommenen Gestalten standen zwischen uns und einem ordentlichen Haushalt, den Janet vielleicht gebilligt hätte, wenn er nicht viel zu bescheiden gewesen wäre, um sie voll und ganz zufriedenzustellen. Meg war da weniger konventionell.

»Wir sind nun mal bei Irene Rushton«, sagte sie. »Bei Theaterleuten ist es eben anders. Das mußt du halt verstehen ... wenn einer fürs Theater lebt.«

Meine Mutter, wollte nicht, daß ich eine Schule besuchte. Dann hätte sie ja keine Little Siddons gehabt, zu der sie heimkommen konnte. Aber ich mußte natürlich etwas lernen, und deshalb gehörte gewissermaßen noch eine weitere Person zu unserem Haushalt, nämlich Toby Mander, ein junger Mann, der soeben sein Examen in Oxford gemacht hatte und Schauspieler geworden wäre, wenn er auch nur ein bißchen Talent gehabt hätte.

»Einer der vielen«, sagte meine Mutter. »Liebe Little Siddons, sie sind Legion. Sie haben eine Leidenschaft fürs Theater. Sie sind die Nicht-ganz-Brigade. Sie können fast spielen, aber nicht ganz. Sie können beinahe Stücke schreiben, aber nicht ganz. Mit dem entsprechenden Talent könnten sie Regie führen oder eine Inszenierung ausstatten, aber sie haben keins … nicht ganz.« Zu denen also gehörte Toby. Er war in meine Mutter verliebt. »Und das«, bemerkte Meg, »ist ein Leiden, so verbreitet wie die Masern. Sie kommen ihr zu nahe und stecken sich an, könnte man sagen. So stark wie deine Mutter haben's nicht viele.«

»Du meinst die Fähigkeit, jemanden anzustecken?«

»Genau. Ich hab' nie jemanden gekannt, der's so dicke hat wie deine Mutter, und ich hab' mein ganzes Leben beim Theater verbracht.«

»Man könnte die Krankheit beim Theater als endemisch bezeichnen«, sagte ich, denn ich hatte zu dieser Zeit eine Vorliebe für hochtrabende Worte und las beständig im Lexikon, um neue Ausdrücke zu finden, die ich dann ausprobierte. »Wie Beriberi in Afrika«, fügte ich hinzu. »Du und deine großen Worte«, schnaubte Meg. »Ich weiß gar nicht, wo du die her hast. Von deiner Mutter jedenfalls nicht.«

Das war ein Vorwurf. Was nicht von meiner Mutter ererbt war, das war nichts wert.

Toby – Tobias Mander – war also der ergebene Sklave meiner Mutter. Sie hatte ihm zu einer oder zwei Statistenrollen verholfen, und er konnte seine Dankbarkeit gar nicht genug zeigen. Er tat dies unter anderem, indem er jeden Vormittag ihre Tochter unterrichtete. Wegen meiner Liebe zum Wort war ich eine begabte Schülerin und freute mich auf unsere gemeinsamen Sitzungen. Wir bildeten ein Verschwörerpaar, da darauf aus war, meine Mutter zu überraschen. Wir hätten jedoch wissen müssen, daß kein noch so hoher akademischer Grad, den ich erwarb, ihr imponieren würde. Denn obwohl sie an den Tafeln der Elite, wo sie ganz lässig auftrat, sehr begehrt war, stellte sie doch kein großes Licht dar. Im Grunde wünschte sie, daß Toby mich nach ihrem Ebenbild formte. Sie war ehrlich um mein Wohl besorgt, und ich glaube, ich bedeutete ihr mehr als alle anderen – Everard natürlich ausgenommen. Und manchmal dachte ich, wir beide lieferten uns ein Kopf-an-Kopf-Rennen.

Die Tage am Denton Square vergingen angenehm. Es war eine beschauliche Welt: behaglich dank Toby Manders und Meg Marlows Gesellschaft sowie Janets Tüchtigkeit und verklärt von der strahlenden Gegenwart meiner Mutter.

Ich sammelte alle Auskünfte, die ich von Meg ergattern konnte, und das versetzte mich in ständige Erregung. Die Vergangenheit war wie ein Puzzlespiel mit großen Lücken, die zur Vervollständigung des Bildes unbedingt geschlossen werden mußten. Onkel Everard war eine gütige, schemenhafte Gestalt im Hintergrund. Er war etwas Bedeutendes im »House«, das, wie ich im Lauf der Zeit erfuhr, das Parlament war. Vom obersten Mansardenfenster aus konnten wir die Vorderseite des Big Ben sehen, und wir schauten nach, ob das Licht auf der Spitze brannte, denn das bedeutete, daß im Parlament eine Sitzung stattfand und Onkel Everard beschäftigt war. Er besaß, erfuhr ich, ein kleines Haus in Westminster und ein Gut auf dem Lande. Er brachte mir ständig mit vielen bunten Bändern verzierte Pralinenschachteln mit. Die Bänder durfte ich behalten, doch die Pralinen wurden meistens mit dem Hinweis konfisziert, sie seien schlecht für meine Zähne.

Mit ungefähr acht Jahren muß mir klargeworden sein, daß ein Komplott geschmiedet wurde, um mich meiner Mutter gleich zu machen. Meine Zähne, bisher durch einen Apfelschnitz, der am Abend als letztes gegessen werden mußte, auf Anordnung meiner Mutter gepflegt, wurden mit einer Spange gebändigt, weil die vorderen sich zu weit nach vorn wagten. »Wir wollen doch nicht, daß sich Little Siddons in ein Kaninchen verwandelt, nicht wahr?« sagte meine Mutter, und eine Zeitlang wurde ich deshalb Little Rabbit oder einfach Bunny gerufen. Meine Mutter besaß einen reichen Vorrat an Spitznamen. Ich haßte die Zahnspange. Und dann war da noch mein Haar. »Glatt wie 'n Strang Kerzen«, nörgelte Meg. Die Haare meiner Mutter fielen in

15

lockigen Wellen auf ihren Rücken und waren so lang, daß sie sich darauf setzen konnte. Daß mein Haar so anders war, schmerzte meine Mutter, und während der Ruhepausen wickelte es Meg vor dem Zubettgehen um kleine Stoffläppchen. Die blieben selten an Ort und Stelle, und weil sie mich störten, zog ich sie heraus, und am Morgen bot ich, halb glatt und halb gelockt, einen sonderbaren Anblick. »Aus dir wird nie eine Schönheit«, lamentierte Meg, worauf ich erwiderte, daß ich mich schön bedanke, wenn man dafür die nächtliche Tortur, auf Stoffknäueln zu liegen, erdulden müsse. Dann bliebe ich eben lieber häßlich.

»Dafür brauchst du dich dann bei niemandem zu bedanken«, sagte Meg beleidigt.

Ich hatte Spaß an Streitgesprächen. Das verdankte ich Toby. Er war überzeugt vom geistigen Training, und eine unserer Übungen bestand darin, uns ein Thema vorzunehmen, mit dem wir gar nicht einverstanden waren, um gegen das, was wir wirklich glaubten, zu argumentieren. Eine seiner Theorien lautete, daß nichts vollkommen schwarz oder weiß sei. Jedes Problem habe viele Seiten, und wenn man etwas rückhaltlos ablehne, so solle man dennoch versuchen, ihm ein paar Pluspunkte abzugewinnen.

»Das ist gut für den Geist«, meinte Toby.

Er begleitete mich zum Reiten. Meine Mutter hatte gesagt, ich müsse lernen, mit einem Pferd umzugehen, weshalb ich auf eine Reitschule geschickt wurde, wo ich auf zahmen alten Kleppern ausritt und mit einer Gruppe junger Leute in meinem Alter meine Runden drehte, bis man mir genügend Sicherheit zutraute. Darauf folgten die Ausritte mit Toby. Die machten mir viel Spaß. Toby konnte sehr ulkig sein, wenn er nicht gerade darüber nachgrübelte, daß seine Fähigkeiten für die Bühne nicht ganz reichten. Mit seinen Lobeshymnen auf meine Mutter war ich einverstanden, weil ich darin mit ihm übereinstimmte.

Die friedlichsten und glücklichsten Stunden jener Jahre verbrachte ich in Tobys Gesellschaft.

Wir lasen viel gemeinsam, und war mein Verständnis für Mathematik auch gleich Null, so besaß ich doch gute Grundkenntnisse in der französischen, deutschen und englischen Literatur.

Toby lehrte mich, das Leben zu genießen. Ihm zufolge war Anpassung das einzig richtige. »Wenn du etwas nicht haben kannst, mußt du lernen, ohne es auszukommen, und dir etwas suchen, das du haben kannst«, sagte er immer.

Ich widersprach, dies sei ein schwacher Standpunkt, und wenn man etwas wollte, so solle man hingehen und es sich nehmen.

»Dadurch würdest du andere behelligen«, erklärte er. »Du darfst aber niemals rücksichtslos gegen andere sein.«

Er war damals für wahr mein Schulmeister.

Ich bemühte mich, seine Theorien auf mein Leben anzuwenden. Wenn nach Ablauf der Spielzeit eine Pause eintrat, war meine Mutter, während sie darauf wartete, daß ihr eine neue Rolle angeboten wurde, ziemlich oft zu Hause. Anfangs war es himmlisch, sie häufiger zu sehen, doch dann merkte ich, daß sie nicht ganz dieselbe Persönlichkeit war wie jene, von der man in seltenen Momenten nur einen flüchtigen Blick erhaschen konnte. Die Launen setzten ein. Manchmal hörte ich, wie sie Meg anschrie und Meg zurückschrie: »Wenn das so weitergeht, hau' ich ab.« Meg muckte immer gegen sie auf, aber sie nahm das Gezanke nicht ernst. »Sturmwarnung«, sagte sie augenzwinkernd zu mir, und dann wußte ich, daß es das beste war, meiner Mutter aus dem Weg zu gehen.

Man brachte ihr Stücke ins Haus, die sie lesen sollte, um zu sehen, ob ihr eine Rolle zusagte. Tom Mellor, der Agent, ging ständig ein und aus. Zuweilen wurde sie wütend, weil ihr die angebotene Rolle nicht gut genug war. Abgebrühte Produzenten, verstörte Autoren, Schauspieler mit unterschiedlichem Erfolg – sie alle kamen ins Haus. Es war eine turbulente Zeit.

Und dann war alles vorbei, und sie arbeitete wieder. Im Haus wurde es still und leer. Das konnte bedrückend sein.

Toby ging mit mir aus, und wir schlenderten die Shaftesbury Avenue entlang, an den Theatern vorüber, bis wir zu demjenigen kamen, in dem sie spielte. Wir lasen verzückt ihren Namen – sehr groß, und immer obenan. Sie bestand darauf. Irene Rushton in »Das blonde Mädchen« von Dion Boucicault.

Der Gedanke, daß Irene Rushton meine Mutter war, erfüllte mich mit glühendem Stolz.

Einmal führte mich Toby zum Lunch ins Café Royal, und unter der scharlachroten und goldenen Dekoration machte er mich auf berühmte Leute aufmerksam. Dies war eines der denkwürdigen Ereignisse in meinem damaligen Leben, das jedoch durch das plötzliche Auftauchen meiner Mutter in Begleitung eines bläßlichen Herrn mit geblümter Krawatte und Monokel beträchtlich gestört wurde. (»Einer vom Hochadel«, erklärte mir Meg später, als ich ihn beschrieb. »Lord Lummy oder so ähnlich. Wenn ich bedenke, wen sie sich hätte angeln können, und sie geht hin und heiratet diesen Ralph Ashington!«)

Toby lief rot an und stotterte: »Ich ... ich dachte, es würde Sarah amüsieren.«

»Das ist kaum der richtige Ort für ein ... Kind.«

Dann rauschte sie unter den neugierigen Blicken der Leute hinaus. »Das ist Irene Rushton.« – »Was, *die* Irene Rushton?« – »Ja, natürlich. Sie spielt im ›Blonden Mädchen‹. Fabelhaft, wie man hört.«

Toby fühlte sich miserabel – unser Ausflug war verdorben, weil er ihr mißfallen hatte.

Mir wollte nicht einleuchten, was sie dagegen haben konnte. Toby hatte mich so gründlich in der Kunst, den Dingen auf den Grund zu gehen, unterwiesen, daß ich es herausfinden mußte. Zwei unbefriedigende Lösungen kamen mir in den Sinn. Die eine lautete, daß Toby mich offensichtlich gern hatte; bei meinem ersten Versuch, Champagner zu kosten, mußten wir furcht-

18

bar lachen, und da schneite sie herein, und es paßte ihr nicht, daß er in Gesellschaft einer anderen – und sei es ihrer Tochter – so ausgelassen war. Die andere Lösung lautete, daß ihr womöglich die Vorstellung nicht behagte, daß ich erwachsen wurde und alt genug war, ins Café Royal zum Lunch ausgeführt zu werden. Sie war sich ihres Alters sehr wohl bewußt und gab sich seit etlichen Jahren für sechsundzwanzig aus.

Dies warf ein neues Licht auf das Verhältnis zwischen ihr und mir. Es sah ganz so aus, als könnte ich ein Hindernis für sie werden.

Toby war sehr zerknirscht, und als er sie das nächste Mal sah, entschuldigte er sich. Doch wir hatten sie anscheinend mißverstanden. Sie lachte nur.

»Es ist so lieb von Ihnen, daß Sie sich um sie kümmern, Toby«, sagte sie. »Ich hoffe, Sie fanden es nicht allzu langweilig.«

Toby versicherte ihr überschwenglich, es sei alles andere als langweilig gewesen. Es war sein vergnüglichster Lunch, seit … seit … Seit sie von ihren Höhen herabgestiegen war und an seinem Tisch gesessen hatte. Hinterher sagte sie zu mir: »Du trittst also in die Welt hinaus, was, Siddons? Na ja, unser gutmütiger kleiner Toby ist ein harmloser Begleiter.«

Gutmütig! Das klang verächtlich. Als gutmütig hätte ich ihn schwerlich bezeichnet. Und klein! Er war einen Meter dreiundachtzig groß. Wir haben uns über seine Länge lustig gemacht. »Sieh mal zu, daß du noch ein paar Zentimeter wächst«, sagte er immer. »Ich bekomme Rückenschmerzen, weil ich mich dauernd zu dir hinunterbeugen muß.«

Das Glück jener Tage erfaßte ich erst, als sie vorüber waren. Ich sollte mich künftig oft an Tobys Lehren erinnern und mich fragen, warum man immer erst merkt, wie gut man es hatte, wenn es vorbei ist. Das gehört wohl zu den Absonderlichkeiten der menschlichen Natur, vermutete ich. Oder erscheint etwas im Rückblick oft in jenem rosigen Licht, das nur die glücklichen Zeiten erhellt?

Ja, es waren zweifellos glückliche Zeiten. Alles machte Spaß: das aufregend geschäftige Leben meiner Mutter und die Seligkeit, wenn sie ein bißchen Zeit für mich hatte; Megs deftige Cockney-Bemerkungen über das Leben im allgemeinen und meine Mutter im besonderen. Sogar Janets verschrobene Äußerungen über gewisse »Vorgänge« im Haus belustigten mich, ebenso ihre düsteren Prophezeiungen über Leute, die es noch einmal bitter bereuen würden, daß sie herumtändelten, während Rom schon in Flammen stand, und ihre Andeutungen, daß dies zu nichts Gutem führen werde. In Janets beschränkter Ausdrucksweise schien »nichts Gutes« das schlimmste Unheil zu bedeuten. Und immer war Toby da – als selbstverständlich hingenommen, fürchte ich –, mein nachsichtiger Hauslehrer, der diese Tätigkeit aus bloßer Liebe zu meiner Mutter und, wie mir später klar wurde, auch zu mir, verrichtete. Sein Vater war das, was man einen Industriellen nennt – ein Mann, der ein Vermögen gemacht hat und nicht aufhören kann, es zu vermehren.

»Aufgestiegen aus dem Nichts«, sagte Meg verächtlich.

Natürlich verteidigte ich ihn. »Um so beachtlicher«, erklärte ich. »Es gehört schon Tüchtigkeit dazu, es zu etwas zu bringen, wenn man aus dem Nichts kommt.«

»Das kann nicht gutgehen«, beharrte Meg.

Und auch Janet lieferte ihren knappen Kommentar. »Von Pantinen zu Reichtum, vom Reichtum zu Pantinen.«

»Sie meint«, erklärte Meg, »seine Nachkommen verlieren, was er zusammengerafft hat, und laufen wieder in Pantinen herum.«

»Ich kann mir Toby nicht in Pantinen vorstellen«, sagte ich kichernd. »Außerdem hat auch Mister Mander nie welche angehabt. Er hat früher Zeitungen am Piccadilly Circus verkauft. Das hat Toby erzählt.«

»Es ist ein Sprichwort«, erläuterte Janet würdevoll. »Und glaube mir, es wird einmal soweit kommen.«

Toby lachte, als ich es ihm erzählte. »Eine Rückkehr zu den

Pantinen kommt nicht in Frage, zumindest nicht für unsere Familie«, sagte er. »Mein Vater legt alles sicher an. In finanziellen Dingen ist er ein Hexenmeister.«

»Du bist aber nicht so, Toby.«

»Oh, ich bin gar nicht so übel; zwar kein Hexenmeister – eher ein lebhafter Kobold.«

Wir lachten viel, Toby und ich, aber über unseren Büchern konnten wir sehr ernst sein. Er schilderte mir seine Familie. Er war der einzige Sohn – und für den alten Herrn gewissermaßen eine Enttäuschung. Ich tröstete Toby. »Der Hexenmeister wäre nur mit einem Hexenmeister zufrieden, der noch gerissener ist als er selbst«, versicherte ich ihm.

Von da an hieß sein Vater der »Hexenmeister«. Er war ein bärbeißiger alter Herr, ein ungeschliffener Diamant, meinte Toby. Danach nannte ich ihn »Diamant«.

»Er scheint ein Genie im Sammeln zu sein«, stellte ich fest, »erst von Reichtum; jetzt von Spitznamen: ›Hexenmeister‹, ›Diamant‹. Und was kommt dann?«

»Die Arbeit wurde bei ihm zur Manie«, erklärte Toby. »Meine Mutter wäre mit weniger zufrieden gewesen, aber als er einmal angefangen hatte, mußte er weitermachen.«

»Und so schuf er ein unermeßliches Vermögen. Ich schätze, er ist Millionär.«

»Das glaube ich auch.«

»Eines Tages wirst du reich sein, Toby.«

»Alles in Wertpapieren und so angelegt, gebündelt für meine Kinder und deren Kinder und so fort für die nächsten tausend Jahre.«

Ich fand das ungeheuer komisch. Ich war damals leicht zum Lachen zu bringen. Ich stellte mir vor, wie das ganze Vermögen fest in Säcke gebündelt war und nach und nach Toby, seinen Kindern und seinen Enkelkindern ausgehändigt wurde. Der Gedanke, daß Toby einmal Kinder haben würde, war allerdings noch lustiger als die Vorstellung von den Säcken.

Er war ein bißchen beleidigt, als ich ihm das sagte. Ich hatte ihn noch nie so verstimmt gesehen.

Der »Hexenmeister« schien doch nicht so übel zu sein. Er hieß ebenfalls Toby, wurde aber immer Tobias genannt, was auch gut zu ihm paßte. Während er kaum über etwas anderes nachdenken oder reden konnte als über Geld und wie es sich vermehren ließ, sprach Toby gern über das griechische Drama, über die Philosophen und über die einmalige Begabung Shakespeares. Die beiden verstanden sich deshalb nicht besonders, weshalb Tobias der »Hexenmeister« und Toby der Sohn sich nicht so häufig sahen, wie es in einer harmonischeren Beziehung wünschenswert gewesen wäre; doch ich erfuhr, daß sie, wenn sie sich trafen, einander mit Höflichkeit, Respekt und Sympathie begegneten, wobei der »Hexenmeister« seine Enttäuschung verbarg und Toby sich bemühte, seine Unkenntnis und sein mangelndes Interesse an der Kunst des Reichwerdens nicht zu zeigen.

Im Schulzimmer sitzen, im Park reiten, die Plakate aus der Welt des Theaters betrachten, endlose Gespräche führen – ein Tag glich dem anderen so sehr, daß sie unbemerkt dahinglitten.

»Das blonde Mädchen« wurde nach einer aufreibenden Spielzeit abgesetzt. Die Zeitungen hatten zu melden gewußt, daß Irene Rushton noch nie so hinreißend und so gut gewesen war. Die letzte Vorstellung war ein großer Erfolg gewesen, und es hatte Glückwünsche, Blumen und ein Abschiedsdiner gegeben. Das war nun vorbei, und es herrschte wieder Ruhepause.

Sie verlief nach bewährtem Muster, und die ersten Tage waren herrlich. Am Tag nach dem Diner bat ich um die Erlaubnis, meiner Mutter mittags Kaffee und Brötchen bringen zu dürfen. Sie schlief noch, und ich stellte das Tablett auf den Tisch und blickte auf sie hinunter. Sie war sehr schön. Ihr braunes Haar hatte einen kastanienroten Schimmer; sie hatte ein schmales, herzförmiges Gesicht, und wenn sie die Augen schloß, lagen ihre Wimpern wie Fächer auf ihrer blassen Haut. Im Schlaf sah sie sehr jung aus – fast wie ein Kind. Ich hatte einen ähnlichen Teint wie sie, aber nicht die delikaten Züge. Mein Gesicht neigte, wie Meg es ausdrückte, zur Plumpheit. Meine Nase war zu lang, mein Mund zu groß, und dann war da natürlich dieses nicht zu bändigende Haar. Allerdings hatte ich ihre dichten Wimpern und Augenbrauen geerbt. Meine waren sogar voller als ihre, was wohl ein Vorzug war, denn sie benutzte einen Stift, um die ihren voller und dunkler erscheinen zu lassen.

Sie öffnete die Augen und lachte mich an.

»Was machst du da, Little Siddons?«

»Dich bewundern. Du siehst so hübsch aus und so … jung.«

Sie war über alle Maßen entzückt. Sie liebte Komplimente und wurde ihrer nie überdrüssig, obwohl sie gewiß unzählige bekam. Ich muß das richtige Wort getroffen haben, als ich sagte, sie sehe jung aus. Ich hatte den Eindruck, daß ihr Leben ein ständiger Kampf gegen das Altern war, ich aber hielt es für falsch, so viele Geschütze aufzufahren, um gegen einen einzigen Feind zu kämpfen, der noch kaum in Erscheinung getreten war – und der, sobald er sich zeigte, zwangsläufig Sieger sein würde.

»Kaffee!« sagte sie. »Ah, du bist ein Engel.«

»Soll ich dir einschenken?«

»O ja, bitte.« Sie reckte sich. »Ach, welch ein Luxus! War das ein Abend! Hast du die Blumen gesehen?«

»Man kann vor lauter Blumen das Wohnzimmer nicht sehen. Das sind ja ganze Wälder.«

»Himmlisch!«

»Janet sagt, die Blätter fallen auf den Teppich, und Meg ist überzeugt, daß sich in den Blüten Insekten verstecken.«

»Sag ihr, ich hoffe, sie sind voller Spinnen oder Taranteln, die sich nachts in ihr Bett schleichen.«

»So schön und so grausam«, spottete ich.

»Tom Mellor sagt, ich muß mindestens ein halbes Dutzend Texte durchsehen. Mir scheint, meine Ruhepause wird diesmal nur kurz.« Sie lächelte zufrieden. »Ich glaube, diesmal würde mir eine hübsche tragische Rolle gefallen.«

Sie plauderte eine Weile über Rollen und ihre Erfolge. Dann schien sie mich plötzlich zum erstenmal richtig wahrzunehmen. »Du hast dein Haar aufgesteckt«, sagte sie. Ihre Miene verfinsterte sich.

»Gefällt es dir nicht?«

»Nein Sarah, überhaupt nicht.«

Wenn sie mich Sarah nannte, war sie wirklich verstimmt.

Ich nahm die Spangen aus meinem Haar und schüttelte es.

»So ist's besser. Du bist viel zu jung, um dein Haar aufzustecken. Das hast du frühestens in fünf Jahren nötig.«

Meine Haare hatten sie aufrichtig betrübt. Das glückliche Leuchten, welches beim Geplauder über ihre Erfolge ihr Gesicht umspielt hatte, war verschwunden. Sie sah verängstigt aus, als blicke sie in eine Zukunft, in der eine Tochter mit aufgestecktem Haar der Welt verkündete, daß Irene Rushton alt wurde.

»Dann bin ich neunzehn«, eröffnete ich ihr, denn ich hatte die ärgerliche Angewohnheit, alles, was mir in den Sinn kam, laut zu äußern. Ich solle doch versuchen, mir das abzugewöhnen, hatte Meg mich gewarnt.

Es war töricht von mir gewesen, das zu sagen. Sie wollte, daß ich ewig vierzehn bliebe. Eine Woge der Zärtlichkeit überkam mich; denn sie hätte mich ja ebensogut bei diesem zwielichtigen Ralph Ashington lassen können, und dann wäre ich mit zunehmendem Alter kein Hindernis für sie gewesen.

Einen Augenblick lang wurde sie nachdenklich. Dann sagte sie ernst: »Ist es wahr? Neunzehn.« Sie sprach die Worte, als sei die Tatsache, daß ich einmal dieses Alter erreiche, ein großes Unglück wie der Krimkrieg oder der Aufstand in Indien. Ich überlegte, womit ich sie trösten könnte, und versuchte, mich auf eine von Tobys oder gar Megs oder Janets Moralpredigten zu besinnen.

Hatte nicht jemand mal gesagt, Erfahrung sei der Lohn des

Alters oder so ähnlich? Doch ich spürte, daß eine solche Bemerkung kaum den erforderlichen Trost spenden würde.

Dann sagte sie langsam: »Also vierzehn Jahre sind es her …«

Ihre Augen bekamen einen verträumten Glanz, und ich sah, daß ihre Erinnerung zum Tag meiner Geburt zurückgekehrt war. Wie oft hatte ich sie mir ausgemalt, meine Geburt in der Fremde, wo es von Insekten wimmelte, wo Mr. Ralph Ashington residierte und wo meine Mutter es nicht ausgehalten hatte, so daß sie, als ich zwei Jahre alt war, auf und davon ging.

Vielleicht vermittelte ihr der Umstand, daß ich mit aufgestecktem Haar erschienen war – bloß, damit es mir nicht in die Augen fiel –, das Gefühl, es sei an der Zeit, mir mehr über meine Herkunft zu erzählen. Oder aber sie war wieder in dieser pessimistischen Stimmung, die in ihr jedesmal den Wunsch erweckte, ihren Mißmut durch die Erinnerung an jene Zeit noch zu steigern. Ich war mir nicht sicher; jedenfalls fing sie zu erzählen an, und an diesem Morgen erfuhr ich mehr über meinen Ursprung als je zuvor.

»Vierzehn Jahre«, grübelte sie. »Dann habe ich deinen Vater also vor fünfzehn Jahren kennengelernt.«

Sie schlürfte versonnen ihren Kaffee, und ich verhielt mich mucksmäuschenstill, um sie nur ja nicht von ihren Gedanken abzulenken. »Ich war noch nicht ganz siebzehn«, fuhr sie wie in einem Selbstgespräch fort. Das war ein Zeichen, daß sie nicht auf der Hut war. Wenn meine mathematischen Kenntnisse auch nicht gut waren, so wußte ich doch, daß fünfzehn plus siebzehn nicht sechsundzwanzig ergab, das Alter also, zu dem sie sich bekannte.

»Das war eine aufregende Zeit«, sagte sie. »Ich fiel überall auf. Kein Mädchen hatte mehr Verehrer als ich.«

»Natürlich nicht«, meinte ich aufmunternd.

»Ich war jung und frivol. Wenn ich bedenke, was für eine Partie ich hätte machen können …«

Lord Lummy, dachte ich. Der Herzog von Denton Square, der

Graf von Edmonton, der Prinz von Putney ... ja, sie hatte gewiß recht.

»Andere Mädchen haben jemanden vom Hochadel geheiratet«, sagte sie. »Ich nicht. Ich frage mich, warum.«

Und ich fragte mich, wie ich wohl gewesen wäre, wenn ich einen Aristokraten anstatt Mr. Ralph Ashington zum Vater gehabt hätte.

»Es ging alles so schnell«, erzählte sie weiter. Ich beugte mich vor. Ich wollte kein einziges Wort verpassen. Wollte ich doch schon immer, so lange ich denken konnte, dies alles ergründen. Sie schwieg, und ich stieß sanft nach: »Wie war er denn ... mein Vater?«

»Anders«, erwiderte sie. »Gar nicht wie die anderen. Er hatte etwas Trauriges an sich ... so einen tragischen Blick, der mich faszinierte.«

»Hast du herausgefunden, warum er so tragisch dreinblickte?«

»Seine Frau war erst kurz zuvor gestorben. Er war nach England gekommen, um seinen Kummer zu überwinden. Eines Abends nahm ein Freund ihn mit ins Theater. Er ist mir im Parkett aufgefallen. Seine Augen waren die ganze Zeit auf mich gerichtet. Am nächsten Abend war er wieder da ... und am folgenden auch.«

Daran war nichts Ungewöhnliches. Ich hörte oft von diesen Männern, die Abend für Abend ins Theater gingen, um die Angebetete anzustarren. Das gehörte zum Klischee der Theater-Johnnys, wie Meg sie titulierte.

»Aber er hatte etwas, das anders war«, half ich nach.

»O ja, ganz anders. Er sah sehr fremdartig aus. Seine Haut war gebräunt, sein Haar von der Sonne gebleicht. Das machte ihn ...«

»Außergewöhnlich«, ergänzte ich, »und sehr attraktiv.«

Sie schien die Unterbrechung nicht gehört zu haben. »Wir soupierten zusammen.«

»Im Café Royal«, stieß ich hervor.

Sie nickte. »Und er redete. Er war ein blendender Unterhalter, wenn er aus sich herausging, und es lag ihm viel daran, mit mir zu reden. Seine Familie hatte Besitzungen in der Nähe von Epping Forest, doch er war selten dort. Er hatte eine Teeplantage in Ceylon und hielt sich nur kurze Zeit in England auf. Er erzählte viel von der Plantage und … nach zwei Wochen machte er mir einen Heiratsantrag.«

»Sehr romantisch«, sagte ich.

»Romantisch? Kein Mensch fand das romantisch. Meg war richtig gehässig. Sie war ganz und gar dagegen. Sie war erst seit einem Jahr meine Garderobiere, man hätte aber meinen können, sie habe mich geschaffen … und besessen. Sie machte mir bittere Vorwürfe. ›Alle meine Gnädigen haben in den Hochadel eingeheiratet‹, hielt sie mir fortwährend vor.« Meine Mutter lachte, und ich stimmte ein. Sie fuhr fort: »Ich sagte zu ihr: ›Tut mir leid, Meg, selbst wenn dein Ruf darunter leidet, ich heirate, wen ich will.‹ Manchmal glaube ich, ich habe mich bloß Meg zum Trotz da hineingestürzt.«

»Bestimmt nicht. Du mußt ihn innig geliebt haben.«

»Wie sentimental du bist, Siddons! *Ich* bin überhaupt nicht sentimental, mein Kind. Ich habe mich da hineingestürzt, ohne richtig nachzudenken. Ich war fasziniert von dem heißen, dumpfigen Land, von dem er soviel erzählte. Ich wollte es mit eigenen Augen sehen. Die prächtigen Farben, das türkisblaue Meer, die Korallenriffe und die wogenden Palmen. Er verstand sich auf Worte. Manchmal glaube ich, das hast du von ihm geerbt. Alle sagten, ich würde mich wegwerfen. Aber ich wollte in dieses Land. Ich erinnere mich noch ganz deutlich … die Aufregung bei den Vorbereitungen, das Schiff, das uns forttrug. Dunkle Nächte mit Sternen, wie Gold auf mitternachtsblauem Samt … genau wie mein Samtkleid, du weißt schon, das eine. Wenn ich es trage, denke ich immer an das Schiff, mit dem wir damals reisten. Das war alles so romantisch und aufregend. Und dann … war ich da. Ich weiß noch, wie ich das Haus das erste

Mal sah. Als ich eintrat, schauderte ich trotz der tropischen Hitze. Wir kamen um sieben Uhr abends an, und die Sonne war untergegangen ... ganz plötzlich. Die Dunkelheit kommt schnell ... nicht so wie hier. Es gibt keine Dämmerung. In der einen Minute ist noch Tag, und in der nächsten ... Nacht. Zu beiden Seiten der Tür brannten Laternen. Die Luft war vom Summen der Insekten erfüllt. Das Haus leuchtete weiß hinter den Büschen und Bäumen. Alles wächst dort viel schneller als hier. Ein dumpfer Geruch steigt von der Erde auf. Wie eine heiße, feuchte Decke.«

»Es muß überwältigend gewesen sein«, flüsterte ich.

Sie schwieg ein paar Sekunden, dann sagte sie heftig: »Ich hab's bald gehaßt. Ich dachte an Dinge, aus denen ich mir zu Hause nie viel gemacht hatte. Der Regen ... der sanfte Regen, nicht diese plötzlichen Güsse. Ich wollte die Droschken vorbeirattern hören, ich wollte die Pferdebahnen sehen, die Blumenfrauen und die Obstbuden. Ich wollte die Läden und den Lärm und den Verkehr ... selbst einen Erbsensuppennebel hätte ich freudig begrüßt. Ich wollte heim. Ich fühlte mich gefangen ... das war es ... wie in einer Falle. Ach, warum erzähle ich dir das alles, Siddons?«

»Weil ich es wissen muß«, sagte ich. »Es gehört zu meinem Leben. Ich bin dort in diesem Haus geboren, in dieser Luft, die wie eine heiße, feuchte Decke ist.«

»Ich habe einen großen Fehler gemacht«, fuhr sie fort, »einen schrecklichen Fehler. Als ich merkte, daß ich ein Kind bekam, wußte ich nicht, was ich tun sollte. Wenn das nicht gewesen wäre, hätte ich fortgehen können. Drei Monate dort waren genug.«

»Tut mir leid. Es war meine Schuld.«

Sie lachte. »Nun, du wurdest in dieser Sache nicht viel gefragt. Du warst ein braves Kind, als du erst einmal da warst. Die alte Sheba hatte prophezeit, es würde gutgehen, und du würdest mir keine großen Schwierigkeiten machen.«

28

»Es freut mich, daß ich so rücksichtsvoll war.«

»Das war nicht dein Verdienst, mein Kind.«

»Wer war die alte Sheba?«

»Ein boshaftes altes Weib. Ich haßte sie. Sie führte den Haushalt. Ich wäre sie gern losgeworden, aber sie war recht nützlich. Sie schlich leise herum … Die waren dort alle so leise und immer auf der Lauer. Wenn man aufblickte, stand sie da. ›Missie hat gerufen?‹ fragte sie dann. Es überlief mich eiskalt. Aber sie war nützlich. *Ich* hätte den Haushalt nicht bewältigen können. Ich bin sicher, sie hat in meinen Sachen herumgeschnüffelt und was gesucht … ich weiß nicht, was. Irgendwas Nachteiliges, dessen bin ich sicher. Ich spürte, daß ich verrückt würde, wenn ich nicht zum Theater zurück könnte. Ralph war häufig außer Haus. Die Plantage ging über alles. In Kandy gab es einen Club und auch ein paar Engländer, aber nicht von der Sorte, mit der ich mich verstand. Siddons, ich hatte das Gefühl, daß ich verrückt würde. Ich hab' jeden Abend gebetet. Du kannst dir vorstellen, wie verzweifelt ich war. Ich und beten! Laß etwas geschehen, flehte ich. Und dann geschah etwas. Du!«

»Na, immerhin etwas.«

»Schließ die Schublade auf, Siddons. Da drüben liegt ein Schlüsselbund. Hast du ihn? Der da ist es, der kleine. Komm, gib her! Der hier. Mach die obere Schublade auf, da liegt ein Päckchen drin, in Seidenpapier eingewickelt. Bring's mir her!«

Das war eine atemberaubende Enthüllung. Nie hatte ich sie so ausführlich über die Vergangenheit sprechen hören. Zu Beginn der Ruhepausen war sie mir immer nahe, und das währte eine Woche, zuweilen auch länger, bis sie sich wieder nach ihrer Arbeit sehnte und mich vergaß. Jetzt aber enthüllte sie mehr als je zuvor. Es war, als habe mein Anblick mit aufgestecktem Haar in ihr den Wunsch geweckt, sich mir mitzuteilen.

Ich brachte ihr das eingewickelte Päckchen, und sie machte es langsam auf. Ich saß auf dem Bett und sah zu. Aus dem Seidenpapier kam ein Bild von ihr zum Vorschein. Es war nicht groß, aber wunderschön. Die Farben waren ausgezeichnet, und obwohl die Miniatur nur bis zur Taille ging, erkannte ich, daß meine Mutter einen Sari trug. Eine Schulter war nackt, und über die andere fielen Kaskaden von lavendelfarbenem, mit kleinen silbernen Sternen übersätem Tüll. Ich kannte viele Bilder von ihr – sie wurde unentwegt fotografiert –, aber ein schöneres als dieses hatte ich nie gesehen.

»Drei Monate nachdem ich dich empfing«, sagte sie. »Siehst du die mütterliche Innigkeit in meinen Augen?«

»Nein«, erwiderte ich.

»Die stellte sich erst später ein. In diesem Stadium wurdest du mir unbequem und hinderlich. Du warst ein richtiges kleines Scheusal. Es schien Jahre zu dauern, bist du dich bequemen wolltest, in Erscheinung zu treten und mich von meinem Übel zu erlösen.«

»Ich mußte allerdings die vorgeschriebene Frist einhalten.«

Plötzlich lachte sie. »Als ich dich sah, dachte ich, du seist bestimmt das häßlichste Baby der Welt. Ganz rot im Gesicht, zappelig … eine kleine Kröte warst du.«

»Du hättest doch einen Seraphim verdient«, sagte ich. »Einen kleinen goldgelockten Engel.«

»Du hast dich ganz gut entwickelt, wenn auch nicht nach seraphischen Maßstäben. Weißt du, mit der Zeit vernarrte ich mich richtig in dich.«

»Das war das Wunder der Mutterschaft«, sagte ich. Ich nahm das Bild in die Hand und betrachtete es. »Die Perlen stehen dir gut. Heute trägst du nie Perlen.«

»Perlen? Das sind die Ashington-Perlen.«

»Kostbar?« fragte ich leichthin.

»Das kann man wohl sagen.«

»Wo sind sie? Ich hab' sie nie gesehen.«

»Sie gehörten mir nicht. Ich durfte sie nur tragen. Sie gehörten zu einer ganzen Familiensage. Ich wollte sie nicht haben, das darfst du mir glauben. Eine Zeitlang, ja, da wollte ich sie, aber dann ...«

»Erzähl mir mehr über die Perlen!«

»Das ist eine lange Geschichte. Du hast keine Ahnung, wie stolz diese Ashingtons sind. Die tun gerade so, als stammten sie in direkter Linie vom Königshaus ab. Ralph war nicht so ... aber die anderen. Die Geschichte der Perlen kannte ich bald. Bevor dein Vater und ich nach Ceylon gingen, verbrachte ich drei Wochen auf Ashington Grange, dem Familiensitz bei Epping Forest. Ich kann dir sagen, das waren nicht gerade die drei angenehmsten Wochen meines Lebens. Ich hatte nur den einen Wunsch, wegzukommen von der stickigen Atmosphäre aus Tugendhaftigkeit und Familienstolz und von den unaufhörlichen Andeutungen, welch ein Glück es für mich sei, eine Ashington zu werden. Dort habe ich zum erstenmal die Geschichte von den Perlen gehört. Meine ältere Schwägerin – die schrecklichere von beiden – hat sie mir feierlichst erzählt. Man hätte meinen können, ich legte eine Art frommes Gelübde ab. Die Perlen sind das Heiligtum der Ashingtons. Sie waren seit hundert Jahren in Familienbesitz. Ein Colonel Ashington hatte in Ceylon gedient, als zwischen England und Holland Streit ausbrach und es in Ceylon zu Kämpfen kam. Martha Ashington sagte ihren Spruch auf, als habe sie ihn gut geübt. Und so war es auch. Sie muß diese Szene hundertmal gespielt haben. Alles drehte sich um die Tugenden der Briten, insbesondere um die Verdienste Colonel Ashingtons. Es ging irgendwie darum, daß die Könige von Kandy despotisch und so entsetzlich grausam waren, daß die Singhalesen sich danach sehnten, unter die britische Flagge zu kommen, und eben das hat dieser tapfere Colonel getan ... Er brachte die Singhalesen unter die britische Flagge, um sie zu retten. Ich habe an dieser Stelle nicht richtig zugehört. Mich interessierten nur die Perlen.«

»Das hört sich wie ein Theaterstück an.«

»Es kam mir auch wie ein Stück vor, als ich in diesem Dschungel

31

in der Falle saß. Allerdings wie eine Tragödie ... und ich wünschte mir eine Komödie. Ich entnahm der Schilderung, daß die von dem Colonel angeführten tapferen Soldaten den Tyrannen von Kandy gefangengenommen und für den Rest seines Lebens ins Exil geschickt hatten. Seine Familie war zweitausend Jahre lang an der Regierung gewesen. An diesen Teil der Geschichte erinnere ich mich gut. Er ist sozusagen die letzte Zeile des zweiten Aktes, bevor der Vorhang fällt. Und nun tritt der Colonel auf. Er verstand viel von Medizin. Das war auch nötig, denn viel gefährlicher als die Gefolgsleute des bösen Königs von Kandy waren die Krankheiten, von denen die Fremden in diesem Land heimgesucht wurden. Nun, einer von den mächtigen Nabobs hatte einen Sohn, der von einer Kobra gebissen wurde. Der Colonel erschien genau im richtigen Augenblick und tötete die Kobra, doch alle dachten, das Kind müsse sterben. Zum Glück rettete eines der Kräuter aus des Colonels Arzneikiste dem Kind das Leben. Ja, ich glaube, man sollte wirklich ein Stück darüber schreiben. Die Ashington-Perlen! Das wäre ein guter Titel. Perlen, Diamanten, Rubine, die haben schon ihren Reiz, findest du nicht?«

Ich pflichtete ihr bei und wartete ungeduldig darauf, mehr zu erfahren.

»Wie dem auch sei«, fuhr sie fort, »die Geschichte nahm den üblichen Verlauf. Du ahnst sicher schon, wie sie ausgeht. Der dankbare, mächtige Nabob fragt sich, was als Entgelt für das Leben seines Sohnes in Frage kommt. Nichts ist ihm so wertvoll wie dieses, und es würde den Göttern gar nicht gefallen, wenn er ihnen nicht seine Dankbarkeit erwies, weil sie den Colonel im rechten Augenblick geschickt haben. Er ringt mit sich. Welcher Gegenstand ist ihm, abgesehen von seinen Söhnen und Töchtern, am teuersten? Die Perlen. Also schenkte er deinem Urururur... – ich weiß nicht genau, wie viele Urs – ...großvater die Perlen. Das ist die ganze Geschichte, und das auf dem Bild hier sind die Perlen. Es gab da gewisse Bedingungen. Die Perlen waren unschätzbar, ein Vermögen wert. Die Ashingtons waren nicht nur tapfere Soldaten, sondern auch tüchtige Geschäftsleute. Sie versuchten, die Perlen schätzen zu lassen. Jede einzelne war vollkommen und von beachtlicher Größe, und der Verschluß mit Diamanten und Smaragden ist ein künstlerisches Meisterwerk. Dieser Nabob von Kandy hielt eine Rede, wie sie bei derartigen Übereignungszeremonien wohl angemessen ist. Die Perlen würden Unglück bringen, wenn sie in die falschen Hände gerieten. Nur das Blut eines ältesten Sohnes sei mit ihrem Wert zu vergleichen. Der Nabob hatte gezögert, sich von ihnen zu trennen; denn er fürchtete, er könne sich dadurch ins Verderben stürzen … Doch die unvergleichlichen Perlen waren der einzige Gegenstand, der ihm kostbar genug schien, als Lohn für das Leben seines Sohnes zu gelten.«

»Wie wundervoll«, sagte ich begeistert.

Sie lächelte mich an. »Liebe Little Siddons, was bist du doch für ein Kind.«

Meiner Mutter zuliebe war ich bereit, dies unwidersprochen hinzunehmen, da es sie in die richtige Stimmung versetzte, um fortzufahren.

»Ich durfte die Perlen eine Zeitlang haben. Die erste Frau deines Vaters hatte sie getragen, und dann bekam ich sie … aber nicht für immer. Niemand darf die Perlen behalten. Das gehört zu den Bestimmungen. Ich trug sie, wie du siehst, während mein Porträt gemalt wurde.« Sie schloß die Augen. »Es gab dort ein Zimmer, in dem das Licht genau richtig war. Es war nämlich ein dunkles Haus. Die Büsche und Bäume rundherum wuchsen so dicht. Bevor ich fortging, träumte ich immer, daß sie sich nachts, während ich schlief, vermehrten und mich einschlossen, so daß ich dort auf ewig gefangen war. Daran siehst du, welche Wirkung der Ort auf mich hatte.«

»Aber du bist geflohen und hast mich mitgenommen. Erzähl mir mehr über die Perlen!«

»Sobald sie meine Haut berührten, verspürte ich eine gewisse

Faszination. Ich mußte an diesen Edelmann aus Kandy und an all die Frauen denken, die das Halsband vor mir getragen hatten. Der Künstler, der mich malte, war ein netter junger Engländer. Er verliebte sich in mich. Er sagte, die Perlen seien wie meine Haut: makellos. Er malte mich vortrefflich, aber mit den Perlen war er nie zufrieden. Er behauptete, sie veränderten sich, wechselten sogar ihre Schattierung, während er sie zu malen versuchte. Als das Bild fertig war, fuhr er mit einem Boot über den Mahaweli Ganga aufs Meer. Das Boot kam zurück, aber ohne ihn. Sheba sagte, die Perlen hätten ihm Unglück gebracht. Oder ich. Ich hatte ihn nie richtig ernst genommen, wenn er von seiner Liebe zu mir sprach.«

»Und danach hast du die Perlen nicht mehr gemocht?«

»Nein, nie mehr.«

»Wo sind sie jetzt?«

»Clytie hat sie vermutlich. Sie fallen ihr zu, es sei denn, dein Vater heiratet wieder und bekommt einen Sohn … aber wie sollte er, wenn ich noch lebe? Eine Scheidung kommt nicht in Frage. Das würden die Ashingtons nie zulassen. Also ist Clytie jetzt wohl die Auserwählte … obwohl das irgendwie gegen die Regeln verstößt. Sie ist eine Ashington, und wenn sie heiratet und einen Sohn hat, dann bekommt die Frau ihres Sohnes die Perlen.«

»Das ist ja hochinteressant. Wer ist Clytie?«

»Meine Stieftochter, die Tochter der ersten Frau deines Vaters. Als ich dorthin kam, war sie ein Jahr alt.«

»Erzähl mir mehr von Clytie! Wie ist sie?«

»Sie war vier, als ich fortging. Ich habe sie selten gesehen. Sie war die ganze Zeit bei ihrem Kindermädchen. Als du geboren wurdest, hattet ihr das Kinderzimmer gemeinsam. Sheba hat sich um euch beide gekümmert.«

»Irene Rushton«, sagte ich feierlich, »ist dir eigentlich klar, daß ich soeben erfahren habe, daß ich eine Schwester habe?«

»Eine Halbschwester.«

»Ich habe mir immer eine Schwester gewünscht. Clytie! Ein ungewöhnlicher Name.«

»Dein Vater sagte, als sie geboren wurde, war sie wie eine Sonnenblume.«

»Ich weiß. Clytie war eine Wassernymphe, und Apollo verliebte sich in sie. Er verwandelte sie in eine Sonnenblume, damit sie ihm bei seiner täglichen Reise über das Firmament stets zugewandt war.«

»So ein Unsinn«, sagte meine Mutter.

»Er hat sie bestimmt zärtlich geliebt«, erwiderte ich leise.

»Du bist ein romantischer Dummkopf.«

»Im Augenblick komme ich mir eher ein bißchen verwirrt vor. Ich bin so aufgeregt. Ich habe eine Schwester. Wenn ich sie doch nur sehen könnte!«

Das hätte ich nicht sagen sollen. Es war meiner Mutter deutlich anzusehen, daß sie bedauerte, mir soviel erzählt zu haben. Ihr Mund war grimmig verkniffen. Sie wickelte das Bild wieder ein und gab mir den Schlüssel. »Sperr es weg«, sagte sie. Das hörte sich sehr endgültig an. Das Bild war ein Symbol. Sie hatte an diesem Vormittag zuviel aus den verborgenen Schubladen der Erinnerung hervorgeholt. Sie würde nicht noch einmal so unbesonnen sein.

Ich hatte recht: Sie war nie wieder so unbesonnen.

Es kam, wie es kommen mußte. Die Depressionen setzten ein, dann kamen die Launen. »Sie ist wie 'n Bär mit 'nem Brummschädel«, sagte Meg. »Mit zwei Brummschädeln«, ergänzte Janet und fügte hintergründig hinzu: »Ich schätze, wir könnten aus der Pension schon was Feines machen, Meg.«

Dann kam Tom Mellor mit einem Stück, und diesmal war es das richtige. Die Proben begannen; Wutanfälle begleiteten das lästige Auswendiglernen der Texte, während die Persönlichkeit meiner Mutter sich allmählich in den Charakter verwandelte, den sie zu spielen hatte.

»Eines Tages spielt sie eine Mörderin«, sagte Meg, »und wir müssen uns alle vorsehen.«

»Dann siehst du mich aber wie der Blitz aus diesem Haus flitzen«, bemerkte Janet, und ich hatte den Eindruck, daß es ihr gar nicht ungelegen gewesen wäre, wenn meine Mutter eine solche Rolle übernommen hätte.

Aber sie spielte die verführerische Sirene, was vorzüglich zu ihr paßte, und nach ein paar Wochen, nach den Aufregungen der Premiere und der qualvollen Lektüre der Rezensionen am nächsten Tag – voller Angst, daß irgendeine Kritik sie verletzten könnte –, vergingen die Tage wie eh und je.

Das normale Leben war wieder eingekehrt, und über Clytie wurde kein weiteres Wort gesprochen.

Aber ich konnte sie nicht vergessen.

Ich dachte viel über meine Familie nach und hätte gern mehr über sie erfahren. Aber außer meiner Mutter gab es niemanden, den ich fragen konnte, und wenn ich gelegentlich darauf zu sprechen kam, zeigte sie mir deutlich, daß sie nicht die Absicht hatte, mir mehr zu erzählen. Obendrein ließ sie es sich anmerken, wie sehr sie es bereute, so viel verraten zu haben, so daß mir nichts anderes übrigblieb, als auf einen günstigen Augenblick zu warten.

Ich versuchte Meg auszufragen. Ich war sicher, daß sie reden würde, falls sie etwas wußte. Sie konnte mir aber nur erzählen, was mir ohnehin bekannt war: Meine Mutter hatte alle Welt in Erstaunen versetzt, als sie einen Teepflanzer ehelichte und nach Ceylon ging, von wo sie drei Jahre später mit einem Kind – nämlich mit mir – zurückkehrte.

»Die Leute hatten sie nicht vergessen. Dafür waren drei Jahre zu kurz. Sie wurde mit offenen Armen empfangen, wie man so sagt. Sie sei reifer geworden, hieß es. Dieser Ausdruck gefiel ihr aber nicht. Zur Vollkommenheit erblüht, das klang besser. Nun, sie hat dieses … wie man's auch nennt … was die Leute in

Scharen anlockt, weil sie sie sehen wollen. Wenn sie auf der Bühne ist, guckt keiner jemand anderen an. Ob das den anderen Darstellern gefällt? Ich glaube kaum. Aber sie ist eben vom Scheitel bis zur Sohle Schauspielerin. So eine kommt spielend durchs Leben, jawohl.«

Alles, was ich von Meg über sie erfahren konnte, war die Geschichte ihrer Triumphe und der verpaßten Chancen. Ich wollte mit Toby über sie sprechen, doch der wußte nichts. Er hatte sie vor achtzehn Monaten zum erstenmal gesehen und war ihrem Zauber verfallen – so sehr, daß er sich ihr auf die einzige ihm mögliche Art unentbehrlich machte: indem er ihre Tochter unterrichtete.

Ich war sehr viel mit ihm zusammen, auch außerhalb der morgendlichen Unterrichtsstunden. Er zeigte mit London. Einmal schlichen wir frühmorgens aus dem Haus zum Covent Garden. Es war alles so aufregend: das Obst und die Blumen und die geschäftigen Händler. In den Kensington Gardens beobachteten wir, wie die Kinder – und auch ein paar Erwachsene – ihre Schiffchen schwimmen ließen; wir gingen in die Orangerie und wanderten durch die Allee mit ihren verflochtenen Bäumen; wir spazierten durch die Kensington Gardens, den Hyde Park, Green Park und St. James – überall Rasen inmitten der City, so daß uns nur der angenehm gedämpfte Verkehrslärm daran erinnerte, daß wir uns im Herzen einer Großstadt befanden. Wir schlenderten die Pall Mall entlang, wo Charles II. das Spiel gespielt hatte, welches der Straße ihren Namen gab, und wir zollten Whitehall unseren Respekt, wo sein Vater, Charles I., enthauptet worden war. Auf der Themse fuhren wir nach Hampton Court und Windsor.

Wir spielten gern selbsterfundene Spiele. Einer von uns summte ein paar Takte, und der andere mußte die Melodie erraten. Wir hatten uns ein Sprichwörterspiel ausgedacht, bei dem wir zu einem bestimmten Stichwort einen Reim oder einen Spruch finden mußten. Die mit den Tieren gefielen mir am besten.

Wenn einer von uns »Esel« rief, antwortete der andere: »Das Gesetz ist ein Esel.« Oder »Bär«, und die Antwort lautete: »Man muß den Bären fangen, bevor man sein Fell verkauft.« Ein großer Teil dieser Sprüche stammte aus der Literatur, in der Toby bestens bewandert war; wir gaben uns Punkte für richtige Antworten und durften dasselbe Sprichwort nicht zweimal verwenden. Auf »Tiger« fiel uns anfangs immer nur »Tiger, Tiger steht in Flammen« ein, bis Toby mit einem Zitat kam, das mir im Gedächtnis haften blieb und auf das ich mich später wieder besinnen sollte:

> Und ihre Rach' ist wie des Tigers Satz,
> Schnell, tödlich und zermalmend …

»Wessen Rache?« wollte ich wissen, und er zitierte die Verse aus Byrons »Don Juan«:

> O Weibes Liebe! Seligkeit und Pein!
> Du schöner, aber unheilschwangrer Schatz!
> Sie setzt auf einen Wurf ihr Alles ein,
> Und, wenn der fehlschlägt, gibt es nie Ersatz:
> Dann beut die Welt ihr nichts als leeren Schein,
> Und ihre Rach' ist wie des Tigers Satz,
> Schnell, tödlich und zermalmend – dennoch wühlt sie
> Im eignen Fleisch; was sie verhängt, das fühlt sie.*

Ich war sehr beeindruckt, und wir lasen nun oft Byron.
Ich nahm ihn einfach hin, jenen lieblichen Sommer, der aber das Schlußkapitel eines Lebensabschnittes bildete. In den folgenden Jahren sollte ich mich schmerzlich an ihn erinnern.
Ich war im Grunde meines Herzens ein Kind, ob ich nun mein

---

* Die Wiedergabe der Verse aus Byrons »Don Juan« in der Übersetzung von Otto Gildemeister erfolgt mit freundlicher Genehmigung des Winkler-Verlages aus : George N.G. Lord Byron. Sämtliche Werke in 3 Bänden, Hg. v. Siegfried Schmitz, Bd. 2, Winkler-Verlag, München 1977, S. 116

Haar aufsteckte oder nicht, und es kam mir nie in den Sinn, daß die Wende auf mich lauerte wie ein Tiger auf dem Sprung. Ich dachte – sofern ich überhaupt dachte –, daß diese Sommertage ewig dauern und wir unsere Lektionen auch in den kommenden Jahren fortsetzen würden.

Das neue Stück hatte eine außergewöhnlich lange Spielzeit. Sie würde ein Rekord werden, sagten alle. Wäre sie kürzer gewesen, hätte sich meine Mutter vielleicht wegen meines häufigen Zusammenseins mit Toby Gedanken gemacht. Sie hatte es gern, wenn ihre Bewunderer stets auf Abruf zur Verfügung standen. Nicht, daß Toby sie weniger verehrte. Er hatte nur entdeckt, daß er ihr auf eine Weise dienen konnte, die sich als sehr vergnüglich erwies.

Einmal – es war höchst gewagt – nahm Toby mich mit ins Theater. Wir sagten meiner Mutter nichts davon. Es war die Abendvorstellung, weil Toby fand, am Abend habe das Theater etwas Gewisses, das am Nachmittag fehle. Ich zog ein Kleid meiner Mutter an. Ich war ebenso groß wie sie. »Du wirst 'ne richtige Bohnenstange, ehrlich«, sagte Meg. »Nichts als Haut und Knochen«, fügte Janet hinzu.

»Unsinn«, widersprach Toby. »Du wirst groß und elegant.«

Welch ein Trost war Toby doch!

Es war ein schlichtes blaues Kleid – meine Mutter hatte es in einer Naivenrolle getragen –, das meinen grüngrauen Augen einen bläulichen Schimmer verlieh. Ich steckte mein Haar auf – o schreckliche Sünde –, und wir nahmen eine Droschke.

Welch ein Abend! Wie haben wir uns gefreut! Wir faßten uns an den Händen, wenn meine Mutter auf der Bühne erschien, und waren beide bei ihrem Anblick von Rührung übermannt.

Sie war eine großartige Schauspielerin. Es wunderte mich nicht, daß so viele Leute kamen, um sie zu sehen, und daß man sie bei ihrer Rückkehr »mit offenen Armen« empfangen hatte. Wir entdeckten Everard im Parkett. Er mußte achtgeben, daß er kein Aufsehen erregte, denn er war aufgrund seiner Stellung im

Parlament sehr bekannt. Sicher wird er meine Mutter heimbringen und dort bleiben, mutmaßte ich. Ich fand das Stück hinreißend. Ich weinte, wenn Tränen angebracht waren, und Toby reichte mir sein Taschentuch, damit ich mir die Augen trocknen konnte. Es war bezeichnend für mich, daß ich keines mitgenommen hatte. Sobald das Stück zu Ende war und die Darsteller sich verbeugten, drängte Toby mich hinaus.

»Ich würde dich ja gern zum Essen ausführen, um den Abend abzurunden«, sagte er. »Aber wir kommen dann ein bißchen unter Zeitdruck.« Ich pflichtete ihm bei. Ich malte mir aus, wie wir nach Hause kommen würden, wenn meine Mutter bereits dort wäre. Ich wußte, ihr Zorn würde fürchterlich sein, denn ich hatte nicht nur mein Haar aufgesteckt, sondern sah wirklich wie eine Siebzehnjährige aus.

Es war aufregend, inmitten der Menge hinauszugehen. Wir sahen sogar den Prinzen von Wales in der königlichen Equipage. »Diesmal hat er die Prinzessin bei sich«, bemerkte Toby. »Keine aus seinem Harem.«

Ich lachte und kam mir überaus weltklug vor, als wir, über unser Erlebnis kichernd, in der Droschke davonfuhren.

Janet sah uns heimkommen. Sie enthielt sich eines Kommentars, doch ich bemerkte das grimmig-zufriedene Lächeln auf ihren Lippen und wußte, daß sie an meine Mutter dachte, der sie, wie mir inzwischen klargeworden war, keine besondere Sympathie entgegenbrachte. Sie verübelte ihr Megs »Knechtschaft« und stellte unaufhörlich Vergleiche an zwischen dem von ihr so betitelten »verpesteten London«, dem sie und ihre Schwester unnötigerweise ausgeliefert waren, und der frischen Landluft, die sie, wären sie nur ein bißchen vernünftig, genießen könnten.

Ich konnte an diesem Abend nicht einschlafen. Ich lag in meinem Bett und dachte, wie aufregend das Leben war und wie herrlich es war, erwachsen zu werden.

Ich hörte meine Mutter nach Hause kommen. Everard war bei

ihr. Ich lag immer noch wach und stellte mir vor, wie sie meinen Vater kennenlernte und in dieses seltsame Haus in Ceylon zog, das ihr, wie ich annahm, ziemlich Angst eingeflößt hatte. Ich dachte an Colonel Ashington und die Perlen, und am allermeisten dachte ich an Clytie. Ich fragte mich, ob ich ihr wohl eines Tages begegnen würde. Aber selbst jetzt dachte ich nicht an eine Wende in meinem Leben.

Wenige Tage nach jenem Theaterbesuch bemerkte ich die Frau in dem schwarzen Umhang. Ich blickte aus meinem Schlafzimmerfenster, und da sah ich sie. Sie fiel mir auf, weil sie das Haus zu beobachten schien. Ich konnte ihr Gesicht nicht gut erkennen, da es von der weit vorgezogenen Kapuze des Umhangs zum großen Teil verdeckt war.

Ich wandte mich vom Fenster ab, räumte meine Kleider weg und war so etwa zehn Minuten beschäftigt. Danach ging ich wieder ans Fenster. Die Frau war noch immer da.

Ich verspürte einen unwiderstehlichen Drang, hinunterzugehen und sie zu fragen, ob sie etwas wünsche. Dann wurde mir bewußt, wie kindisch das wäre. Sie war vermutlich mit jemandem verabredet, oder sie wollte irgendwohin und war zu früh gekommen.

»Du bist 'n richtiger Draufgänger«, hatte Meg einmal gesagt. »Du überlegst nicht lange. Was dir in den Sinn kommt, das sagst du oder tust du. Dann ist es gesagt und getan, und es gibt kein Zurück.«

Am Denton Square waren viele Menschen unterwegs. Es war nicht gerade eine abgelegene Gegend. Dann kam ich drauf: Die Frau war natürlich eine Verehrerin meiner Mutter. Das war die Lösung. Eine, die ehrfürchtig das Haus anstarrte, in dem *sie* wohnte.

Während ich die Frau beobachtete, sah ich Meg heimwärts eilen. Sie kramte ihren Schlüssel hervor, und da überquerte die Frau die Straße und sprach sie an. Meg nickte und wechselte ein paar Worte mit ihr, dann kam sie herein.

Ich blieb am Fenster stehen, nachdem sich die Tür hinter Meg geschlossen hatte. Die Frau war wieder auf die andere Straßenseite gegangen und betrachtete noch eine Weile das Haus. Dann muß sie mich wohl hinter den Spitzengardinen bemerkt haben, denn ihre Augen schienen auf das Fenster gerichtet zu sein.

Ich wußte nicht, warum, aber plötzlich rieselte mir ein Schauer das Rückgrat hinab, und während ich dort stand, überkam mich eine unerklärliche Furcht. Janet hätte gesagt, es sei, als ob »jemand über dein Grab schreitet«.

Es kam mir wie eine Ewigkeit vor – dabei konnte es sich nur um Sekunden handeln –, bis die Frau sich umwandte und rasch davonging. Mein Herz hämmerte wild, als ich ihr nachblickte. Ich spürte, daß irgend etwas mit ihr nicht stimmte. Ich spürte es so heftig, daß ich mich augenblicklich auf die Suche nach Meg begab.

Sie war in der Küche und packte ein paar Schönheitsmittel und etliche Bänder aus, die sie für meine Mutter gekauft hatte.

»Guck dir das an«, sagte sie und hielt ein zartmauvefarbenes Band in die Höhe. »Was Passenderes konnte ich nicht kriegen. Ich glaube nicht, daß es der Gnädigen gefällt. Ich hab' die ganze Bond Street abgeklappert und nichts Besseres gefunden.«

»Es ist wunderhübsch, Meg«, sagte ich. »Wer war denn die Frau da draußen?«

»Frau?«

Meg war völlig auf Bänder eingestellt und auf die Schwierigkeit, in der ganzen Bond Street nach der richtigen Farbe zu suchen.

»Frau?« wiederholte sie. »Nein, ich glaube nicht, daß es ihr gefällt. Zuviel Rot in dem Mauve. Der hübsche bläuliche Ton ist ihr lieber. Wie bitte?«

»Die Frau«, sagte ich. »Wer war denn die Frau?«

»Ach die … Wollte wissen, ob Irene Rushton hier wohnt. Schon wieder so eine. Die geraten schon in Verzückung, wenn sie bloß die gleiche Straße entlanglatschen, auf der *ihre* zierlichen Füßchen hergeschritten sind.«

»Sie sah … anders aus.«

»Die kommen in allen Ausgaben und Größen vor, Herzchen. Du würdest dich wundern über manche Gestalten, die ich an den Bühneneingängen rumlungern sah. Millionäre, die wie Landstreicher aussahen, und bettelarme Jünglinge, die man für die vornehmsten Herren im ganzen Land halten konnte. Nach dem Aussehen darfst du nicht gehen.«

»Ja«, sagte ich nachdenklich. »Dann war's also bloß eine von Irene Rushtons Bewunderinnen.«

»Jawohl«, bestätigte Meg.

Ich konnte aber die Frau nicht so bald vergessen. Ihr Bild kam mir immer wieder in den Sinn. Dann jedoch vergaß ich sie völlig, weil sich etwas überaus Erschütterndes ereignete.

Ich saß mit Toby im Schulzimmer am Arbeitstisch, als er plötzlich sagte: »Ich verlasse England, Sarah.«

Es war, als sei die Uhr auf dem Kaminsims stehengeblieben; jemand hatte dem Puzzle meines Lebens, das ich so mühevoll zusammenfügte, einen Fußtritt versetzt. Bis zu diesem Augenblick hatte ich nicht gewußt, welch eine große Rolle Toby darin spielte. Es war wie das Ende meiner Welt.

Er lächelte beinahe entschuldigend. »Je nun«, meinte er, »es hätte ja nicht immer so weitergehen können. Ich muß … etwas *tun* … als Sohn meines Vaters und so. Natürlich erwartete er von mir, daß ich irgendwann etwas tun würde. Für ihn befand ich mich sozusagen in der Probezeit, bis sich etwas Geeignetes fand.«

»Toby! Du kannst doch nicht einfach weggehen! Und was wird aus mir? Wer wird mir Unterricht geben?«

Er lächelte, doch es war ein trauriges Lächeln. »Du wirst eine tüchtige Gouvernante oder einen richtigen Hauslehrer bekommen. Es wird höchste Zeit. Ich war doch nur ein Notbehelf, oder? Das war nichts Ernstes …«

»Nichts Ernstes! Ich hab' von dir mehr gelernt als von sonst jemandem. Ach Toby, du darfst nicht fortgehen!«

43

Er schüttelte den Kopf. »Ich muß. Mein Vater hat sehr ernst mit mir gesprochen. ›Tobias‹, hat er gesagt. Er nennt mich nämlich immer Tobias. Ich glaube, er wurde als junger Mann Bias gerufen. Ein seltsamer Name. Bias! Vielleicht bildet er sich deswegen so viel auf seine gerechte Gesinnung ein. Er betrachtet nämlich jede Sache von zwei Seiten.« Er plapperte drauflos, als wolle er mich von dem Schock ablenken, den ich, wie er gewiß wußte, empfinden mußte.

»Wohin?« fragte ich.

»Nach Indien … Zu einer unserer Firmen dort.«

»*Unserer* Firmen? Du meinst, die von deinem Vater.«

Das gab er bescheiden zu, und da erkannte ich, daß Toby einen vielschichtigen Charakter besaß. Wie ich bereits sagte, diskutierte er mit Vorliebe über das Thema, daß nichts ganz so ist, wie es scheint. Ich hatte in ihm einen der weniger bedeutenden Verehrer meiner Mutter gesehen – nicht ganz geeignet für die Bühne, nicht ganz so gut, als daß er sie hätte begleiten dürfen, nicht ganz im richtigen Alter … Mister Nichtganz, wie sie ihn einmal genannt hatte. Ich war wütend, weil ich so blind gewesen war. Toby mit seiner leidenschaftlichen Liebe zur Literatur, der beste Kamerad der Welt, mit dem ich lachen und reden konnte wie mit niemandem sonst, er war mehr wert als alle ihre anderen Verehrer zusammen – einschließlich Everard. Und dabei war er die ganze Zeit von solcher Wichtigkeit gewesen; er war der Sohn des reichen Tobias (in seiner Jugend Bias genannt), der seine Hand bei allen möglichen finanziellen Transaktionen im Spiel hatte und dessen Lebensziel – das Geldverdienen stand erst an zweiter Stelle – es war, Toby zu seinem Ebenbild zu machen.

Ich kam mir lächerlich kindisch vor und fand, daß es sehr lange dauert, bis man erwachsen wird.

»Er hat den richtigen Zeitpunkt abgewartet«, erklärte Toby. »Jetzt ist es soweit.«

»Toby«, sagte ich traurig, »wann?«

»In drei Wochen.«

Ich warf mich in seine Arme und klammerte mich an ihn.

»Beruhige dich«, sagte er und klopfte mir unbeholfen auf den Rücken, als hätte ich mich verschluckt. »Komm, beruhige dich, Sarah!«

»Geh nicht fort«, flehte ich.

»Ich muß, Sarah. Ich muß etwas *tun*. Ich kann nicht mein Leben lang so weitermachen wie bisher.«

»Warum nicht?«

»Als Sohn meines Vaters ... Es geht eben nicht. Ich muß seiner würdig werden.«

»Damit du 'nen Haufen Geld verdienen und es für deine Söhne und Enkelkinder fest anlegen kannst.«

»Es geht um mehr als das. Für den alten Herrn ist es wie ein Spiel. Es kommt nicht darauf an, reicher und reicher zu werden. Geld bringt Verantwortung. Das hier war für mich nur eine Wartezeit ... eine Art Spielplatz.«

Ich war nicht fähig, mehr zu ertragen, das fühlte ich. Ich wagte nicht, mir vorzustellen, wie es sein würde, wenn Toby nicht mehr da war. Die Neuigkeit von seiner bevorstehenden Abreise wurde unterschiedlich aufgenommen. Meine Mutter war verärgert. Toby war recht brauchbar gewesen, und sie haßte es, einen Verehrer zu verlieren. »Dieser blöde alte Kerl«, sagte sie. »Eltern sollten sich nicht einmischen!« Sie übertrug ihre Verachtung auf Toby. »Ich fürchte, seine Kühnheit reicht *nicht ganz*, um zu tun, was er vorhat.«

Meg sagte: »Es wird Zeit, daß er geht. Immer um sie herumtändeln ... kein Leben für 'nen jungen Mann. Aber traurig ist es doch, nichts für ungut. Ich hatte ihn wirklich gern.«

Janet schnaubte vor Befriedigung. »Hat die sich etwa eingebildet, er tanzt zeit seines Lebens nach ihrer Pfeife? Da war sie aber auf dem Holzweg.«

Ich war untröstlich.

Während der letzten Wochen dachte er sich alle möglichen Belustigungen für mich aus, aber das machte es nur noch schlimmer. Die Flüstergalerie von St. Paul, die Grabmäler der Westminsterabtei oder das Entenfüttern im St. James Park bereiteten kein Vergnügen, wenn man wußte, daß man zum letztenmal zusammen dort war. Eines Abends ging er mit mir ins Theater – nicht in das Stück, in dem meine Mutter auftrat, sondern in ein großes Melodrama mit den Titel »Der Silberkönig«, das mich in Verzückung versetzte; doch die konnte nur wenige selige Sekunden anhalten, und schon besann ich mich, daß ich nie wieder mit Toby ins Theater gehen würde.

Auch er war traurig. Ich vermutete, er dachte an die Trennung von meiner Mutter. Wir fuhren in unserer Droschke heim, und es war uns einerlei, ob wir rechtzeitig zu Hause waren.

Meg ließ uns wie eine Verschwörerin ein.

»Sie sind noch nicht zurück. Marsch, rauf mit dir.«

Ich ging in mein Zimmer, trat ans Fenster und blickte der Droschke nach, die Toby davontrug.

In dieser Nacht konnte ich nicht schlafen. Es war beinahe Vollmond, doch schwere Wolken und ein ziemlich heftiger Wind ließen nur ab und an ein Licht in mein Zimmer fallen. Mir war entsetzlich jämmerlich zumute. Wegen Toby.

Meine Mutter war noch nicht heimgekommen. Es war eine halbe Stunde nach Mitternacht. Sie war wohl nach der Vorstellung mit Everard irgendwohin zum Essen gegangen.

Was hatte es für einen Sinn dazuliegen, wenn man nicht schlafen konnte? Ich stand auf, zog meinen Morgenmantel an und ging zum Fenster. Da hielt ich in plötzlichem Schrecken den Atem an. Auf der anderen Straßenseite stand ein Mann, genau an derselben Stelle, an der ich die Frau gesehen hatte. Ich konnte sein Gesicht nicht deutlich erkennen, schätzte aber, daß er in den mittleren Jahren war. Harrte er darauf, einen Blick auf die Göttin zu werfen, fragte ich mich. Er sah aber nicht aus wie einer, der an Bühneneingängen wartete.

Ich trat von den Spitzengardinen, die vor dem Fenster hingen, zurück und zog die Samtvorhänge zu. Der Mann konnte mich natürlich nicht sehen, weil im Schlafzimmer kein Licht brannte, dafür sah ich ihn im Schein der Straßenlaterne.

Er wartete wohl, um einen Blick auf meine Mutter werfen zu können. Ich legte mich wieder ins Bett, konnte aber nicht schlafen. Ich dachte fortwährend daran, wie es in Zukunft ohne Toby sein mochte. Meine Mutter würde wohl eine Gouvernante engagieren. Der Gedanke, mich auf eine Schule zu schicken, lag ihr fern, verspürte sie doch zuweilen – wenn auch selten genug – den Wunsch, zu ihrer Little Siddons heimzukommen.

Hufeklappern. Die Droschke kam die Straße entlang. Im Nu war ich am Fenster. Meine Mutter und Everard stiegen aus. Sie gingen ins Haus, und die Tür schloß sich hinter ihnen. Die Droschke entfernte sich. Der Mann stand immer noch auf der anderen Straßenseite. Ich fragte mich, was er wohl empfunden haben mochte, als er meine Mutter mit einem anderen Mann ins Haus gehen sah.

Ich weiß nicht, warum mich dieser wartende Mann und die Frau, die gewartet hatte, mit bösen Vorahnungen erfüllten, aber dieses Gefühl war nun einmal da. Sie waren auch nicht anders, redete ich mir ein, als die Leute, die am Bühneneingang ausharrten, um einen Blick auf meine Mutter werfen zu können.

Immer noch lag ich schlaflos im Bett. Meine Phantasie begann mich zu quälen. Ich bildete mir ein, der Mann da unten sei wahnsinnig in Irene Rushton verliebt und habe sich vorgenommen, sie oder Everard zu erschießen, wenn sie aus dem Haus kamen. Ich befand mich in einem Zustand solcher Beklemmung, daß ich am liebsten zu Meg gegangen wäre, um bei ihr Zuflucht zu suchen. Ich hätte es vielleicht getan, wenn sie nicht mit Janet ein Zimmer geteilt hätte. Ich war sicher, daß die beiden mit ihrer schlagfertigen Cockney-Art meine fiebrigen Phantasien bald mit einer Dusche aus gesundem Menschenverstand abgekühlt hätten.

Ungefähr eine Stunde, nachdem Everard und meine Mutter

47

gekommen waren, lag ich immer noch wach. Was half es da, daß ich ans Fenster trat und sah, daß der Mann immer noch da war? Was macht er denn da? fragte ich mich. Ich wollte es Meg am Morgen erzählen.

Ich döste ein wenig. In der Dämmerung wachte ich auf, weil die Tür geräuschvoll ins Schloß fiel, als Everard das Haus verließ.

Ich trat ans Fenster und sah ihm nach. Er ging die Straße entlang; groß, wie er war, sah er sehr distinguiert aus. Meg hatte einmal gesagt: »Ich schätze, der wird eines Tages Premierminister. Jammerschade, daß er sie hat. Obwohl ich nicht weiß, ob unsere Gnädigste die geeignete Gattin für einen Premierminister wäre. Schauspielerinnen heiraten normalerweise in den Hochadel, und das ist ein ganz anderes Leben, wenn du mich fragst.«

Dann sah ich den Mann aus dem Schatten der Bäume hervortreten. Er mußte die ganze Nacht dort gestanden haben. Langsam ging er in der entgegengesetzten Richtung, welche Everard eingeschlagen hatte, davon.

Ich war unendlich erleichtert, weil er fort war, fragte mich jedoch, warum er so lange gewartet hatte. Ich schlief auf der Stelle ein.

Meg kam um halb neun und wollte wissen, ob ich beschlossen hätte, den Tag im Bett zu verbringen.

Die Sonne flutete durchs Fenster. Wie Tageslicht doch alles verändert! Es war, als schließe eine liebevolle alte Amme die bösen Schatten in eine Schublade, aus der sie nicht wieder hervorkamen, bevor die Dunkelheit hereinbrach.

Ich wollte Meg schon von dem Mann berichten, doch dann besann ich mich anders.

Er war sicher nur einer von den Bewunderern, denen es Vergnügen bereitete, das Haus zu betrachten, in welchem die Angebetete wohnte. Dies alles gehörte eben zum Leben, wenn man die Tochter einer berühmten Schauspielerin war.

Der Skandal

Zwei Wochen später reiste Toby ab. Er kam nicht, um mir Lebewohl zu sagen. Er hatte erklärt, daß Abschiedsszenen unerträglich seien und daß alte Freunde wie wir es nicht nötig hätten, sich ewiger Freundschaft zu versichern.

Ich fühlte mich entsetzlich einsam.

Meg versuchte, mich zu trösten. »Es mußte so kommen. Ein junger Mann wie er kann nicht sein Leben lang nur spielen, weißt du. Es war für ihn wie ein Urlaub … ein langer Urlaub … aber es gibt ernsthaftere Dinge im Leben. Er hat ja nur gespielt, daß er Lehrer war. Jetzt fängt der Ernst des Lebens an. Du brauchst einen richtigen Lehrer.«

Janet sagte: »Ich halte nichts von diesen hochnäsigen Gouvernanten, das kann ich dir sagen. Die speisen auf ihrem Zimmer … sind zu hoch und erhaben, um mit unsereins zu essen. Dieser Haushalt ist für so was nicht geeignet. In so 'nem kleinen Haus ist kein Platz für eine Gouvernante.«

»Das einzig Wahre wäre eine Schule«, meinte Meg, »aber das würde unserer kleinen Sarah nicht gefallen und *ihr* auch nicht.«

»Ich sage dir, das Haus ist nicht groß genug, und in Null Komma nix wäre ich weg. Ich hab' heute morgen einen langen Brief von Ethel bekommen …«

Meg lauschte dem Loblied auf die Freuden des Landlebens, nickte weise – und war nach wie vor fest entschlossen, bei meiner Mutter zu bleiben.

»Ach Meg«, jammerte ich, »ich könnte es nicht ertragen, auch dich noch zu verlieren.« Das freute Meg natürlich, wenn sie auch murrte: »Je nun, du mußt dich eben zusammennehmen, kapiert?«

Janet verdrehte die Augen zur Decke, als stünde sie mit dem Allerhöchsten in Verbindung, und murmelte dann in den Teig, den sie gerade anrührte, daß gewisse Leute – womit, vermute ich, meine Mutter, aber auch ich und Meg gemeint waren – ihr unbegreiflich seien.

Dann brach der Sturm los.

Everards Frau wollte sich scheiden lassen. Ein zu diesem Zweck angestellter Detektiv hatte Everards Kommen und Gehen bei uns beobachtet. Infolgedessen sollte meine Mutter vorgeladen werden, und aufgrund der Berühmtheit meiner Mutter und Everards Stellung im Parlament stand ein Skandal bevor.

Everard war mir immer als ein Mann erschienen, der keine Gefühlsregungen zeigte, gleichgültig, in welcher Situation er sich befand. Toby und ich hatten uns darüber lustig gemacht. Ich sagte, wenn Everard erführe, daß sein Haus in Flammen stehe, würde er lediglich ein wenig überrascht dreinblicken und äußern: »Du bliebe Güte, wie unangenehm.« Wir stellten uns Everard in dramatischen Lebenslagen vor und malten uns aus, wie er reagieren werde. Das war sicherlich recht kindisch, aber es bereitete ungeheures Vergnügen. Meg hörte uns zu, und ihre Lippen verzogen sich zu einem schwachen Lächeln. »Ihr zwei!« sagte sie. »Ich sollte euch vielleicht 'n paar Bauklötze zum Spielen besorgen.« Doch ich weiß, daß sie uns gern lachen hörte, und auch sie amüsierte sich über Everards Gleichmut. Eines Tages meinte sie: »Es ist mir unbegreiflich, wie so ein Mann da hineingeraten konnte.« Dann fügte sie düster hinzu: »Männer! Es gibt nicht viel, das ich nicht über sie wüßte. Persönlich hatte ich nicht viel mit ihnen zu schaffen. Aber ich hab' 'ne Menge zu sehen gekriegt, jawohl … und es heißt doch, der Zuschauer sieht das Beste vom Spiel, oder?«

Everard war also in diese schreckliche Situation geraten. Bloßgestellt! Die Welt der Politik würde von der Liaison mit einer berühmten Schauspielerin erfahren, und solches Treiben (Megs Worte) war nicht das, was die Leute von ihrem zukünftigen Premierminister erwarteten. »Ich wette ein Pfund gegen einen Penny«, prophezeite Janet, »daß dies sein Ende im Unterhaus bedeutet.«

Ich wünschte, Toby wäre hier gewesen, um mit mir darüber zu diskutieren und mir zu erklären, welche Folgen die Sache haben würde.

Ich erfuhr, daß es Beweise gab … unwiderlegbare Beweise, beigebracht von einem Detektiv, der Everard das Haus um halb eins betreten und um sechs verlassen sah … nicht einmal, sondern mehrmals.

Meine Mutter reagierte, wie zu erwarten war, dramatisch. Sie schritt in ihrem Schlafzimmer auf und ab – diesmal eine Tragödin. »Und wie wird sich das auf den Theaterbesuch auswirken?« wollte sie wissen. »Ich schätze, es treibt die Massen nur so herein«, meinte Meg. »Die wollen doch alle 'nen Blick auf die anstößige Person werfen.«

Meine Mutter war wütend. Es gehe nicht um ihren Ruf, sagte sie. Oh, wie sie die Frau haßte, die das alles angezettelt hatte. Jemand mußte sie dazu angestiftet haben. Darauf konnte man Gift nehmen. *Die* war nicht selbst auf die Idee gekommen, dazu war sie nicht schlau genug.

Everard tat mir wirklich leid. Ich konnte mir vorstellen, was ein Skandal für ihn bedeutete. Erst kurz zuvor war Sir Charles Dilke zum Ergötzen seiner Feinde und zum Schrecken seiner Freunde in einen anrüchigen Scheidungsfall verwickelt gewesen, und auch für ihn hatte der Sessel des Premierministers auf dem Spiel gestanden. Der Fall hatte seine Karriere ruiniert.

Everard kam nicht mehr zum Denton Square. Meine Mutter war verdrießlich, reizbar und nervös.

Eines Abends kam sie allein vom Theater nach Hause. Das war, bevor die Geschichte erst richtig losging. Meg war im Theater, und Janet nörgelte die ganze Zeit nicht ohne eine gewisse

Befriedigung und deutete an, daß unser Haushalt nun wohl aufgelöst werde. Meine Mutter müsse ein normaleres Leben führen, rieb sie mir hin, ein bißchen zur Ruhe kommen. Vielleicht sollte sie zu ihrem Gatten zurückkehren. Da gehöre sie schließlich hin. Das würde natürlich bedeuten, daß Janet mit Meg an ihrer Seite jenen Hafen erreichte, den man als Mekka, Walhalla oder die elysischen Gefilde bezeichnen konnte, je nachdem, wie man sich den Idealzustand vorstellte.

Meine Mutter begab sich geradewegs in ihr Zimmer im ersten Stock, und bald darauf kam sie zu mir. Noch nie hatte ich sie so erregt gesehen.

Ich lag bereits im Bett. Sie setzte sich in einen Sessel und sah zu mir herüber. Sie musterte mich eine Weile, und schließlich sagte sie: »Wir sind in einen bösen Schlamassel geraten, Siddons.«

Ich nickte.

»Das wird ziemlich ekelhaft. Die Leute können so gemein sein. Gut, daß du nicht zur Schule gehst. Kinder sind manchmal schrecklich grausam untereinander. Aber du hast nichts zu befürchten. Nur diejenigen, die in der Öffentlichkeit stehen, trifft das ganze Ausmaß der Gehässigkeit.«

Ich wartete.

»Es wird sich alles anders anhören, als es in Wirklichkeit ist. Ich liebe Everard, mußt du wissen.«

Ich glaube, sie liebte ihn wirklich. Er war nicht so wie die anderen Verehrer. Er bildete den ruhigen Pol in ihrem Dasein, den sie, wie sie in ernsteren Momenten eingestand, brauchte.

»Natürlich«, fuhr sie fort, »war er immer besorgt wegen dieser Situation. Er legte so großen Wert darauf, ein geregeltes und konventionelles Leben zu führen. Er *ist* konventionell. Es war ihm zuwider, daß unsere Beziehung so sein mußte. Aber siehst du, wir liebten uns. Ich weiß, wie verschieden wir waren – im Charakter und so –, aber wir paßten zusammen. Versteht du?«

»Ja, natürlich.«

»Man wird scheußliche Sachen sagen. Ich weiß nicht, wie sich das im einzelnen auswirkt. Es ist das Ende seiner Karriere. Was glaubst du wohl, wie mir zumute ist … Ich bin dafür verantwortlich!«

»Jeder ist für alles, was er tut, selbst verantwortlich, niemand anderes«, sagte ich, Toby zitierend.

Sie blickte mich nachdenklich an. »Little Siddons«, meinte sie versonnen, »so klein bist du gar nicht mehr … wirst schnell erwachsen. Lernst das Leben kennen. Wer hat dir das gesagt? Toby vermutlich.«

»Ich habe so viel von ihm gelernt«, gab ich zu.

Sie ballte zornig ihre Hand zur Faust. »Er hätte nicht fortgehen sollen. Hätte er nur den Mumm gehabt, sich gegen seinen Vater aufzulehnen. Er besaß eine gewisse Courage, aber die hat nie ganz gereicht.«

»Wie kannst du so etwas sagen!« rief ich empört. »Vielleicht brauchte er mehr Mut zum Weggehen als zum Bleiben. Er konnte schließlich nicht ewig seine Zeit vertrödeln. Außerdem hat er seinen Vater sehr gern. Niemand sollte über die Handlungen anderer urteilen, wenn er nicht alle Beweggründe kennt.«

Sie sah mich erstaunt an, dann lächelte sie schwach. »Du sprichst ein wahres Wort, mein liebes Kind. Du wirst in den kommenden Wochen noch daran denken. Ich möchte dir alles erklären. Wir reden nicht gerade viel miteinander, nicht wahr?«

Darin konnte ich ihr widerspruchslos zustimmen.

»Everard war der einzige Mann, aus dem ich mir wirklich etwas machte«, sagte sie.

Ich mußte an meinen Vater denken, und sie spürte es.

»Das«, fuhr sie fort, »war nur eine momentane Verwirrung. Was weiß ein siebzehnjähriges Mädchen schon von Liebe? Ich gebe zu, daß ich Liebhaber hatte, aber Everard war anders. Wir haben uns immer wieder ausgemalt, wie es wäre, wenn *sie* stirbt. Wir wollten heiraten und uns auf seinem Landsitz niederlassen, und in Westminster hätten wir ein Stadthaus gehabt. Ich hätte eine gute Parlamentariergattin abgeben. Du guckst so skeptisch. Es war jedenfalls schön, darüber zu reden, und Everard glaubte, daß es in Erfüllung gehen würde ... irgendwann. Sie war schließlich da ... Sie war immer da. Er war an sie gefesselt.«

»Er hat sie geheiratet. Er muß sie irgendwann geliebt haben.«

»Es war mehr oder weniger eine abgesprochene Partie. Zwei Familien aus der Politik ... reicher Landadel. Du weißt, wie das vor sich geht. Er war damals sehr jung und wußte nichts von dieser Veranlagung zum Wahnsinn in ihrer Familie. Die machte sich kurz nach den Flitterwochen bemerkbar. Sie brauchte oft eine Pflegerin, und zeitweise mußte man sie in eine Anstalt bringen. Stell dir vor, ein Mann wie Everard ... zu Höherem berufen, parlamentarischer Ehren sicher, und dann an so eine Frau gefesselt.«

»Armer Everard. Ich fand oft, daß er traurig aussah.«

»Seine Traurigkeit war es, die mich anfangs so anzog. Merkwürdig. Bei deinem Vater war es auch die Traurigkeit, die mich auf ihn aufmerksam machte. Vielleicht zieht mich Traurigkeit an. Ja, tatsächlich. Ich wollte die Ärmsten zum Lachen bringen und fröhlich machen. Und dann erkannte ich, was für ein vortrefflicher Mensch Everard war. Intelligent, anders als die anderen. Vielleicht lag es daran, daß Gegensätze sich anziehen ... Jedenfalls war es da ... ein starkes eisernes Band, das uns zusammenhielt. Wir lieben uns so sehr, Siddons, daß wir trotz dieser Bedrohung nichts bereuen.«

»Und was wird nun passieren?«

»Sie werden es mächtig aufbauschen, mit Schlagzeilen in den Zeitungen. Neulich war da die Sache mit Sir Charles Dilke. Du weißt nichts davon.«

»Doch.«

»Nun, dann weißt du auch, daß er danach erledigt war. Und das hier wird Everard erledigen. Er hat Feinde im Parlament. Das ist doch klar. Ein angesehener Mann hat immer Feinde. Seine politischen Gegner werden eine Verfolgungsjagd in Gang set-

zen. Und weißt du, auch ich habe Feinde. Unseren Feinden steht
ein Festtag bevor.«

Ich versuchte, sie zu trösten, und meinte, mit der Zeit werde alles
wieder gut. »Nein«, widersprach sie. »Es wird sich einiges ändern. Irgend jemand steckt dahinter … der treibt sie dazu. Sie
hätte es nie aus eigener Kraft tun können. Sie ist bloß ein
Werkzeug. Das macht alles noch schlimmer, glaub' mir.«

Ich bemerkte, es sei ihr gar nicht ähnlich, so schwarz zu sehen.
Vielleicht komme es am Ende gar nicht soweit. Vielleicht ließe
sich alles rückgängig machen. Das kam doch bei solchen Dingen zuweilen vor, nicht wahr?

Ich brachte sie zu Bett und deckte sie zu. Ich gab ihr heiße Milch
mit einem Schlafmittel von Meg, die sich auf dergleichen verstand, und wartete, bis sie eingeschlummert war.

Als ich wieder ins Bett ging, fragte ich mich, wohin das alles
führen mochte. Eines wußte ich sicher: Es würde eine Wende
eintreten.

Am Anfang waren es nur eine oder zwei Zeilen in den Zeitungen – ziemlich zurückhaltend. Die Gattin eines bekannten Poli-
tikers wollte sich scheiden lassen. »Man munkelt, daß eine
berühmte Schauspielerin beteiligt ist.«

Nach ein paar Tagen aber brach es dann über die Welt herein.
Ich hörte die Zeitungsjungen auf den Straßen rufen: »Irene
Rushton in Scheidungsfall verwickelt. Prominenter Politiker
beteiligt.«

Meine Mutter schloß sich in ihrem Zimmer ein und las die
Zeitungen. Janet triumphierte. »So! Da siehst du, was dabei
herauskommt, wenn man für eine Schauspielerin arbeitet«, hielt
sie ihrer Schwester vor. Meg kniff die Lippen zusammen. Ihre
anderen Damen hatten alle wohlanständig geheiratet, und keine
hatte sich mit weniger als einem Ritter abgefunden. Und nun
das! »Eine schöne Bescherung«, bemerkte sie.

Zeitungsreporter lauerten meiner Mutter auf. Sie warteten vor dem Haus, bis sie heimkam. Sie stürmten das Theater. Wie Meg gesagt hatte: Es war gut für das Stück. Die Leute strömten ins Theater, um sie zu sehen.

Sie machte weiter, als sei nichts geschehen. Sie war eben die geborene Schauspielerin und fand sogar eine gewisse Befriedigung in der Rolle, die sie nun verkörperte. An einem Tag war sie die verworfene Hure, am nächsten die gekränkte Unschuld, dann wieder die von den Umständen überwältigte tapfere Frau. Sie fand durchaus Genuß daran. Ich war der Meinung, sie hätte in jeder Rolle, in die sie sich hineinversetzte, eine gewisse Befriedigung gefunden.

Sie sprach viel mehr mit mir als früher. Ich weiß nicht, ob sie meinte, da ich nun erwachsen wurde, sollte ich auch erfahren, was vorging, oder ob sie einfach Everards Gesellschaft vermißte und jemanden brauchte, dem sie sich anvertrauen konnte.

Everard hatte ihr geschrieben. Wenn dieser Alptraum vorüber und er frei sei, würden sie zusammen fortgehen, teilte er ihr mit. Natürlich könnten sie, meines Vaters wegen, nicht heiraten, aber er frage sich, ob man mit ihm nicht zu einer Übereinkunft kommen könne.

»Armer Everard«, seufzte sie. »Er ist die Anständigkeit in Person. Stell dir vor, was das hier für ihn bedeutet. Es beweist, wie sehr er mich liebt, sonst hätte er sich nie auf eine solche Beziehung eingelassen. Lieber, lieber Everard! Vielleicht wird eines Tages alles gut. Aber zunächst steht uns diese schreckliche Prüfung bevor. Wir müssen uns darauf gefaßt machen, daß man in unserer Vergangenheit herumwühlt, und zwar auf ganz gehässige Weise. Ach Siddons, das wird für uns alle eine schlimme Prüfung.«

»Am schlimmsten wird's für Everard«, bemerkte ich. »Mit seiner Karriere ist es vorbei.«

Sie nickte heftig. »Er muß zurücktreten, das ist klar. Er hatte sein Leben lang mit Politik zu tun. Das hier ist sein Ende.«

Ich dachte: Ein Weltuntergang aus Liebe! Und ich fragte mich, wie ihm wohl jetzt zumute war. Daß er meine Mutter von Herzen liebte, daran zweifelte ich nicht; doch solange die Liebesaffäre geheimgehalten wurde, konnte er seiner Karriere nachstreben – er hatte zwar gefährlich gelebt, aber nun hatte die Gefahr ihn eingeholt.

Eine schwermütige Stimmung hatte sich über das Haus gesenkt. Alles war so anders geworden. Nur Janet war zufrieden, gewahrte sie doch eine günstige Chance, daß Megs Dienste nicht mehr benötigt würden, und dann könnten sie auf schnellstem Wege zu Ethels ländlichem Paradies aufbrechen.

Meine Mutter spielte vor überfüllten Häusern, doch als sie eines Abends das Theater verließ, erhoben sich etliche feindselige Stimmen gegen sie, und man bezeichnete sie mit unmißverständlichen Ausdrücken als sittenloses Weibsbild. Sie, so sehr an Bewunderung gewöhnt, war ganz außer sich.

Sie weinte, als sie heimkam; Meg braute einen Schlaftrunk, und ich bürstete ihr Haar und band es mit rosa Bändern hoch, ehe ich sie zu Bett brachte.

Sie fügte sich in die unterschiedlichen Rollen, die im Augenblick von ihr verlangt wurden: die Frau, die sich gegen die Gesellschaft versündigt hatte, die Maria Magdalena mit einem Herzen aus Gold, die Unschuld, die ins grelle Licht der Öffentlichkeit geraten war und sich wunderte, was das alles sollte; die Büßerin, die fortan ein Leben in Frömmigkeit führen wollte … Sie probierte sie alle. Doch nun waren die nüchternen Tatsachen nicht mehr zu übersehen, und als sie sich mit der Realität konfrontiert sah, befiel sie eine tiefe Niedergeschlagenheit. Sie tat mir leid, denn ich erkannte, daß dieses von der Natur verwöhnte Kind nicht begriff, warum das Leben so grausam sein und sich völlig verändern konnte.

»Der Ärger geht erst richtig los, wenn die Verhandlung kommt«, prophezeite Meg.

Janet hob die Augen zur Decke. »Die Zeitungsleute werden nicht zu halten sein. Alles kommt ans Licht. Die machen einen richtigen Pfingstmontag daraus, das kann ich euch flüstern. Wie nett für uns alle … in einem Haus zu leben, wo *so was* passiert ist.«

»Solche Reden bringen uns auch nicht weiter«, gab Meg zurück. »Unsere Gnädige kommt ungeschoren davon, du wirst es sehen.«

»Vielleicht nimmt sie Reißaus«, vermutete Janet. »Das hat sie ja schon mal gemacht.«

»Gar keine schlechte Idee«, bemerkte Meg.

Die Zeit verging. In einer Woche sollte die Verhandlung eröffnet werden. Meine Mutter büßte ein wenig von ihrer Ruhe ein. Ihr wurde bange bei dem Gedanken, was bei Gericht alles herauskommen mochte. Ich hörte Janet mit Meg darüber reden.

»Sie werden alles ans Licht zerren«, sagte Janet. »Ihre Ehe. Warum sie ihren Mann verließ. Es sollte mich nicht wundern, wenn vor der Öffentlichkeit ein Berg schmutziger Wäsche gewaschen würde.«

»Meine Güte! Was da alles rauskommt! Diese Leute halten's mit der Wahrheit nicht immer so genau.«

»Oh, die geben sich schon mit der Wahrheit zufrieden. Ist ja auch kein Wunder«, erwiderte Janet mit einem grimmigen Lachen.

Meine Mutter bekam nun wirklich Angst. Seit einer Woche fühlte sie sich nicht wohl, so daß sie nicht auftreten konnte. Das Stück mußte abgesetzt werden. Die Spannung im Haus war unerträglich. Wir versuchten alle, uns für das, was auf uns zukam, zu wappnen.

Dann kam der Schlag. Ich hörte, wie die Zeitungsjungen es ausriefen, und als ich eine Zeitung kaufte, tanzte mir die schwarze Schlagzeile vor den Augen. Mir wurde übel. Die Szenerie hatte sich dramatisch gewandelt. Ein böser Traum war zum Alpdruck geworden.

Sir Everard Herringford war tot.

Er hatte sich im Arbeitszimmer seines Hauses in Westminster erschossen.

In den ersten Tagen herrschte eine gewisse morbide Erregung. Meg kaufte sämtliche Zeitungen, und wir sahen sie durch, bevor wir sie meiner Mutter brachten.

Zunächst waren die Titelseiten voll mit Meldungen und Bildern von Everard. Die Zeitungen berichteten über seine Zukunftsaussichten, wobei ich mich des Gefühls nicht erwehren konnte, daß diese durch seinen Tod verklärt und glänzender dargestellt wurden, als sie es im Leben waren. Die Möglichkeit, Premierminister zu werden, wurde zur Gewißheit; man zitierte seine witzigen und spitzen Zwischenrufe bei den Debatten. »Alles verloren durch die Liebe zu einer Frau«, lautete eine Schlagzeile; und als feststand, daß diese Frau Irene Rushton war, verfügte man über um so schärfere Munition, um beim Leser Abscheu oder Mitleid zu erwecken, je nachdem, was gerade angemessener schien. In einer Zeitung wurde Everard gar fast wie ein Märtyrer hingestellt: »… im Fieber der Leidenschaft gefangen, der Ehemann, der jahrelang eine kränkelnde Frau umsorgte und sich sodann in eine verliebte, deren Ausstrahlung hinlänglich bekannt ist.« Am gleichen Tag war er aber auch der schurkische Verführer, der seinen Kollegen vorgetäuscht hatte, ein Ehrenmann zu sein.

Ich glaube, damals schlich sich ein gewisser Zynismus in mein Naturell, den ich nie mehr ganz verlor. Ich war erst vierzehn, doch war ich nicht so unerfahren, um daran zu glauben, daß jene Kollegen, die sich nun durch die Enthüllungen so erschüttert zeigten, von dem Verhältnis zwischen Everard und meiner Mutter die ganze Zeit nichts gewußt hatten. Sie war viel zu bekannt, als daß dergleichen unbemerkt geblieben wäre. Zudem war er so oft im Theater gewesen. Schockierend wurde das erst, als seine Frau sich entschloß, die Scheidung einzureichen.

Es galt eine Lektion daraus zu lernen: Es ist zwar in den Augen der Welt bedauerlich, wenn einer sündigt; doch unverzeihlich wird die Sünde erst, wenn sie ans Licht gelangt. Mit anderen Worten, die Sünde selbst ist nicht tadelnswert; daß sie der Öffentlichkeit preisgegeben wird, das erst macht sie so schockierend.

Everard hatte wohl angenommen, es sei für alle das beste, wenn er aus dem Leben scheide. Meine Mutter weinte und sagte, er habe es getan, um sie zu retten. Ich vernahm etwas von ein paar pikanten Briefen, die sie ihm geschrieben und die er aufbewahrt hatte, und die nun den Anwälten in die Hände gefallen waren. So wie ich ihn kannte, war es für ihn wohl Ehrensache gewesen, sich das Leben zu nehmen.

Man brachte Bilder von Herringford Manor, Everard Landsitz in Mittelengland, bei trübem Licht aufgenommen; es sah aus, als würde es jeden Augenblick zu regnen anfangen. Der Wohnsitz, auf dem die kränkelnde Frau lebte, mußte eben düster wirken – und darum wurde er so fotografiert – ein großes, graues steinernes Gebäude, unheimlich und bedrohlich. Ich aber konnte mir blühende Sträucher auf den Rasenflächen und Sonnenschein auf dem grauen Stein vorstellen – ein gänzlich anderes Bild. Doch dies war das Haus der Tragödie, und so hatte es auch auszusehen.

Solche Geschichten sind freilich Eintagsfliegen. Der Lauf der Welt wird kurz unterbrochen, und die Menschen müssen mit den Folgen leben; doch das öffentliche Interesse daran schwindet glücklicherweise schnell dahin.

Nach ungefähr einer Woche wurde die sogenannte Herringford-Rushton-Affäre in den Zeitungen nicht mehr erwähnt. Everard war tot; er konnte die Unterhausabgeordneten nicht mehr mit seinem beißenden Witz ergötzen oder verärgern; er würde nicht mehr ins Theater gehen und mit meiner Mutter heimkommen, würde sie nicht mehr in finanziellen Angelegenheiten beraten oder sie ganz allgemein von seiner Klugheit profitieren lassen. Dessen war sie nun beraubt. Dank Everard war sie nicht ganz mittellos. Er hatte ihr weniges Geld klug angelegt, doch es reichte nicht, um ohne Gage gut leben zu können.

Sie müsse sehr bald wieder arbeiten, sagte sie; und ihr wurde unbehaglich bei dem Gedanken, wie die Leute sie wohl aufnehmen würden. Sie ertrug es nicht, wenn man sie nicht anhimmelte. Ich wußte, daß sie bei einem feindlich gesinnten Publikum die Nerven verlieren würde. Die Zuschauer bei ihrem Auftritt seufzen zu hören, ehe der Applaus losbrach, und den glücklichen Ausdruck auf ihrem Gesicht dabei zu beobachten – das hatte mich jedesmal gerührt, wenn ich meine Mutter auf der Bühne sah. Ich fragte mich, was geschehen würde, wenn diese Anerkennung ausblieb – oder, schlimmer noch, wenn ihr Feindseligkeit entgegenschlug. Ich glaube, das war es, wovor sie sich fürchtete.

Sie hatte eine lange Unterredung mit Tom Mellor. Ich fand, daß er, als Janet ihn hereinführte, nicht sein gewöhnliches Selbstvertrauen an den Tag legte. Er rief nicht wie sonst: »Ich hab's, Reeny. Das ist *das* Stück!« Toby und ich hatten darüber gelacht, und der Satz war für uns zu einer stehenden Redensart geworden. Diesmal war Tom ganz ernst. Er blieb lange bei meiner Mutter im Wohnzimmer. Daß es keine sehr erfolgreiche Besprechung war, erfuhr ich, als er fort war.

Meine Mutter schimpfte, als ich zu ihr hineinkam: »Die Provinz! Kannst du dir das vorstellen, *ich* in der Provinz! Das hat dieser Idiot vorgeschlagen. ›Laß sie sich erst mal beruhigen, Reeny‹, sagt er. ›Sie brauchen ein bißchen … Erholung.‹ Erholung von *mir*. Hat man je so einen Unsinn gehört?«

Ein paar Tage lang wetterte sie gegen Tom. Was war der bloß für ein Agent? Er wollte sie daran hindern, im Westend aufzutreten.

Wir – Meg und ich – beruhigten sie, so gut wir konnten. Mir wurde klar, daß dies für Meg ein fast ebensolcher Schlag war wie für meine Mutter. Wenn Meg an jene Damen dachte, die sie betreut hatte und die nun stolz ihre Diademe und Herzoginnen-

61

kronen zur Schau trugen, so war sie entsetzt über die Vorstellung, daß sie die besten Jahre ihres Lebens einer Schauspielerin gewidmet hatte, deren Agent die Provinz vorschlug.

Wie dem auch sei, für meine Mutter war nichts anderes in Aussicht, und die Düsternis hing so drückend über dem Haus am Denton Square wie ein Erbsensuppennebel.

Dann traten die Tanten in Erscheinung.

Der Brief war an meine Mutter gerichtet, und ich brachte ihn ihr mit dem Frühstückstablett. Die Adresse war mit einer steifen und großen Handschrift geschrieben, und ich hoffte, man biete ihr ein neues Stück an, und zwar genau das, das sie sich wünschte.

Ich sortierte die Rechnungen aus, die mit der gleichen Post gekommen waren, und ging zu meiner Mutter hinein.

Sie schlief; sie war in den letzten Wochen ein wenig gealtert, doch im Schlaf glich sie noch immer einem Kind. Ich stellte das Tablett hin und küßte sie flüchtig. Sie öffnete die Augen und lächelte matt. Ich stopfte Kissen um sie herum und stellte das Tablett, den Brief obenauf plaziert, vor sie hin. Sie griff sogleich nach ihm.

»Wer um alles in der Welt …« Sie schlitzte den Umschlag auf, und während sie las, umspielte ein grimmiges Lächeln ihre Lippen. Plötzlich brach sie in Lachen aus. »Hier, hör dir das an:

> *Liebe Irene,*
> *wir haben natürlich von den erschütternden Ereignissen gehört, und haben wir uns auch lange nicht gesehen, so vergessen wir doch nicht, daß Du zur Familie gehörst. Wir würden Dich gern am dreiundzwanzigsten um vier Uhr aufsuchen …«*

Sie zog eine Grimasse und sagte: »Du lieber Himmel, das ist ja heute!«

»... Wir wohnen für ein paar Tage im Hotel Brown und können uns vorstellen, daß Du angesichts dessen, was geschehen ist, Rat und Hilfe brauchst. Man muß ja auch an das Kind denken.«

Meine Mutter sah mich an und nickte. »An dich!« sagte sie. »Der Brief ist von Martha Ashington unterschrieben. Das ist deine Tante. Das ›Wir‹ ist nicht majestätisch gemeint. Sie sind zu zweit: Martha und Mabel, und Mabel lebt in Marthas Schatten.«
Sie wandte sich wieder dem Brief zu. »Da steht noch ein Postskript:

Wir haben Dir einen Vorschlag zu unterbreiten und werden darüber reden, wenn wir Dich besuchen.«

Ich war erregt über die Aussicht, meine Verwandten kennenzulernen, doch meine Mutter seufzte resigniert.
»Das sieht denen ähnlich«, sagte sie. »Ziemlich anmaßend, findest du nicht? ›Wir würden Dich gern um vier Uhr aufsuchen.‹ Woher wissen die denn, daß ich dann zu Hause bin? Ich hätte große Lust, einfach nicht da zu sein. Das wäre doch spaßig. Stell dir vor, Meg würde zu ihnen sagen: ›Sie hätten sich eher anmelden müssen, um Miss Rushton anzutreffen.‹«
»Aber willst du dir ihren Vorschlag denn nicht anhören?«
»Ich bin sicher, nichts, was von denen kommt, würde mir zusagen.«
»Es muß Jahre her sein, seit du sie gesehen hast. Vielleicht haben sie sich verändert.«
»Die nicht. Die Damen Ashington auf dieser Welt bleiben Säulen der Tugend von neun bis neunzig.«
»Sie sind immerhin die Schwestern meines Vaters.«
Sie blickte mich sinnend an. »Vielleicht ist es doch besser, wenn ich hier bin. Ich sollte dein Haar flechten, dann sieht es ordentlicher aus. Ich weiß nicht, was die von dir halten werden.« Der

Gedanke erheiterte sie, und ich war froh, sie lachen zu sehen wie schon lange nicht mehr.

Wir bereiteten uns den halben Tag auf den Empfang der Tanten vor. Janet buk Teegebäck und Kuchen. Meg kleidete gutgelaunt meine Mutter wieder einmal für eine Rolle an, denn es war klar, daß sie die bevorstehende Begegnung wie eine Szene aus einem Stück empfand. Sie erzählte an diesem Morgen eine ganze Menge von den Tanten und beschrieb sie: Martha, die dominierende, sei wie ein Kriegsschiff, das in die Schlacht zieht, und Mabel sei zwar nicht ganz so furchterregend, doch nichtsdestoweniger eine Macht, mit der man rechnen mußte. »Die Wochen, die ich auf dem Gut der Ashingtons verbrachte, bevor wir nach Ceylon gingen, kamen mir wie Jahre vor«, sagte sie. »Du lieber Himmel, waren die etepetete. Alles, was sie taten, entsprach irgendwelchen Regeln. Es war ein Witz Gottes, ihnen Ralph als Bruder zu geben. Ralph tat immer genau das Gegenteil von dem, was die Regeln verlangen. Aus Rebellion gegen seine Schwestern und diesen gräßlichen alten Landsitz.«

Ich konnte es kaum erwarten, die Tanten zu sehen. Ich trug ein dunkelblaues Sergekleid mit Kragen und Manschetten aus weißem Piqué, und mein Haar war, so gut es ging, in zwei Zöpfen mit marineblauen Schleifen gebändigt.

Punkt vier Uhr fuhr die Droschke vor dem Haus vor, und die beiden Tanten stiegen aus. Sie waren schwarz gekleidet (wie zwei schwarze Krähen, sagte meine Mutter später), groß und hielten sich sehr aufrecht. Sie kamen mir uralt vor, doch das lag vermutlich an meiner Jugend. Sie mußten damals um die fünfzig gewesen sein. Martha war zwei Jahre älter als Mabel.

Martha – ich erkannte sie sofort – marschierte (anders läßt sich ihr militärisches Auftreten nicht beschreiben) auf die Haustür zu, Mabel folgte ihr dicht auf den Fersen. Selbst das Klopfen an der Tür war wie ein herrisches Kommando. Sie wurden von Meg ins Wohnzimmer geführt, und ich harrte auf den Befehl, zu erscheinen, der, wie ich wußte, bald erfolgen würde. Und so war es auch.

Als ich eintrat, war mir sogleich klar, daß dies der Augenblick war, auf den sie gewartet hatten. Ich spürte, wie zwei Paar lebhafte dunkle Augen mich musterten – und dabei gewahrte ich ihren pompösen schwarzen Schmuck. Perlen hoben und senkten sich über ihren beachtlichen Busen und baumelten an ihren Ohren, und große Kameen prangten an ihrem Hals. Die langen schwarzen Röcke schleiften über den Boden. »Das ist also das Kind ... Sarah, glaube ich.«

Tapfer begegnete ich dem kritischen Blick aus den durchdringenden dunkelbraunen Augen.

»Ja«, erwiderte ich, »und Sie sind meine Tante Martha, nehme ich an.« Ich wandte mich der anderen zu. »Und Sie sind meine Tante Mabel.« Tante Martha schien mit meiner prompten Antwort leidlich zufrieden und fuhr fort: »Es ist höchst bedauerlich, daß die Umstände eine frühere Begegnung verhindert haben.«

Mit den »Umständen« war natürlich meine Mutter gemeint, die auf dem Sofa saß und hinreißend aussah – für die Rolle herausstaffiert in einem lavendelfarbenen Nachmittagskleid, das sie in irgendeinem Stück getragen hatte. Die Kostüme, die sie mochte, behielt sie, und ich glaube, wenn sie eines anzog, so nahm sie auch die Rolle an, die sie früher darin gespielt hatte. Dies hier, erinnere ich mich, gehörte zu einem schönen Mädchen einfacher Herkunft, das einen wohlhabenden Mann ehelicht und seiner Familie vorgestellt werden soll. Ich hatte das Stück mehrmals gesehen und wußte, wie sie sich verhalten würde: charmant, verträumt, unverdorben und ein wenig schelmisch gegenüber unsympathischen Verwandten.

Diese ignorierten sie, und Martha sagte zu mir: »Nun, wir dachten, das Kriegsbeil sollte begraben werden. Wir wissen, was hier vorgefallen ist« – Mabel schüttelte ganz leicht den Kopf, eine Geste, die unschwer als Ausdruck von Abscheu und Mißbilligung zu erkennen war –, »und wir hielten es für unsere

Pflicht, vorbeizukommen. Wir haben einen Vorschlag zu machen.«

»Meine Mutter und ich werden ihn mit Interesse vernehmen«, sagte ich. »Und es ist nett von Ihnen, daß Sie gekommen sind.«

Tante Martha sah tatsächlich aus, als trage sie einen Heiligenschein, für meine Augen unsichtbar, weil ich eben so und nicht anders aufgewachsen war. »Es war unsere Pflicht«, sagte sie leise.

Janet brachte den Tee ziemlich mißmutig herein.

»Bediene du unsere Gäste, liebes Kind«, sagte meine Mutter.

Die Augen der Tanten ruhten auf mir, und ich verspürte den Drang, ihnen zu zeigen, daß wir uns trotz unseres Theaterhaushalts und trotz der Tatsache, daß wir jüngst in einen großen Skandal verwickelt waren, zu benehmen wußten. Auch ich spielte eine Rolle. Das half mir in einer Situation, die sich als unangenehm erweisen konnte.

»Sahne? Zucker?« fragte ich – zuerst Tante Martha, dann Tante Mabel, zuletzt meine Mutter.

Meine Mutter schnitt eine Grimasse, als ich ihr die Tasse reichte. »Du hast dich kaum verändert, Irene«, bemerkte Tante Martha.

»Vielen Dank, Miss Ashington. Sie auch nicht.«

»Wir waren sehr betrübt«, warf Mabel ein. »Wir haben die Zeitungen von den Dienstboten ferngehalten … ein Segen, daß der Name Ashington kaum erwähnt wurde.«

»Das ist einer der Vorteile meines Berufes«, sagte meine Mutter leichthin.

»Eigentlich sind wir gekommen«, ergriff Tante Martha rasch wieder das Wort, »um festzustellen, wie du *situiert* bist.«

»Situiert?« fragte meine Mutter.

»Ich vermute, du kannst deinen … hm … Beruf nun nicht mehr ausüben.«

»Wie kommen Sie auf diese Idee?«

»Die Leute müssen doch empört sein, und deine Geschichte mit diesem ... hm ... Politiker ...«

»Die Leute sind ausgesprochen gern empört, Miss Ashington.«

»Ich bin sicher, das ist bei den wenigsten der Fall. Du bist die Gattin unseres Bruders.« Es hörte sich an, als sei dies eine furchtbare Katastrophe. »Und Sarah ist unsere Nichte. Wir sind gekommen, um ihr ein Heim zu bieten. Wir werden dafür sorgen, daß sie eine Bildung erhält, wie sie der Tochter unseres Bruders zukommt, und daß sie so erzogen wird, wie es sich für sie schickt.«

Ich wollte lauthals protestieren. Ich blickte meine Mutter flehend an. »Meine Tochter und ich sind immer zusammen gewesen«, sagte sie, »und so soll es auch bleiben ... bis daß der Tod uns scheidet.«

Nicht ganz der richtige Text für diese Rolle, dachte ich und unterdrückte ein Kichern. Ich stellte mir vor, wie sie aus jenem düsteren Haus im dumpfigen Dschungel schritt und mich in den Armen hielt. Ich konnte Megs Stimme hören: »Es war bestimmt nicht gut für ihre Karriere, aber sie hatte dich dabei.«

»Was kannst du dem Kind hier schon bieten?« fragte Tante Martha.

»Mutterliebe«, erwiderte meine Mutter gefühlvoll.

»Schade, daß du nicht daran gedacht hast, bevor ... bevor ...«, begann Tante Mabel, doch ein Blick von Tante Martha brachte sie zum Schweigen.

»Du solltest es dir überlegen«, sagte sie. »Sie ist Ralphs Tochter. Wir haben eine gewisse Verantwortung.«

»Ich hätte gedacht, die haben er und ich wohl eher als Sie.«

»Es könnte sein, daß du nicht in der Lage bist, deiner Verantwortung nachzukommen«, sagte die respektable Martha. »Und Ralph neigte von jeher zur Leichtfertigkeit. Außerdem ist er weit weg. Seine Tochter sollte auf jeden Fall in England erzogen werden. Wie steht es mit ihrer Bildung? Sie sollte eine Schule besuchen. Hat sie eine Gouvernante? Wenn ja, würden wir sie gern sprechen.«

»Sie wurde von einem … Hauslehrer unterrichtet.«

»Einem Hauslehrer! Einem Mann! Nicht gerade schicklich für ein junges Mädchen, aber vielleicht … in einem Haushalt, wo …« Mabel hatte anscheinend die Gewohnheit, ihre Sätze unvollendet zu lassen, sobald Marthas Blick sie traf.

»Wir sind soeben dabei, eine Gouvernante zu engagieren«, sagte meine Mutter, mehr schuldbewußt als wahrheitsgemäß.

»Gouvernanten sind in einigen Familien durchaus am Platze, aber in einer Situation wie dieser würde ich eine Schule empfehlen. Das heißt, falls Sarah hier bleibt.«

»Falls sie hier bleibt? Dies ist ihr Zuhause!«

»Ja, ja, aber unter diesen Umständen …«, begann Mabel.

»Eine Gouvernante dürfte in Ashington Grange durchaus ihren Zweck erfüllen«, fiel ihr Martha ins Wort. »Ein junges Mädchen gehört in einen ordentlichen Haushalt und in anständige Gesellschaft.«

»Wir führen einen ordentlichen Haushalt«, warf meine Mutter ein.

Tante Martha seufzte. »Es stand so viel in den Zeitungen. Ich versichere dir, Irene, es tut dem Kind nicht gut, wenn es hier bleibt.«

»Ich bleibe bei meiner Mutter«, sagte ich.

Beide Tanten sahen mich an. Tante Martha nickte. »Lobenswert«, meinte sie, »aber unklug. Wir sind gekommen, um unsere Pflicht zu tun. Ich kenne deine finanziellen Verhältnisse nicht, Irene, aber ich nehme an, es steht nicht allzugut damit. Ralph kann dir nicht helfen. Er ist ständig in Geldnot. Ich denke, daß du augenblicklich pausierst … falls man es so nennen will …, und selbst ein Haushalt wie dieser kann kostspielig sein. Du hast diese beiden Frauen … deine ganze Dienerschaft, vermute ich. Sehr einfach und unzureichend, aber trotzdem kostspielig, wenn das Einkommen nicht groß ist.«

»Ich werde bald wieder arbeiten«, sagte meine Mutter. Ich fand, sie sah ein wenig traurig aus, als sie aus ihrer Rolle in die Wirklichkeit schlüpfte. Sie wandte sich an mich. »Sarah, komm her, mein Kind.« Ich ging zu ihr, und sie ergriff meine Hand.

»Deine Tanten bieten dir ein Heim in Ashington Grange – ein schönes altes Anwesen mitten im Wald. Dort könntest du leben, wie es der Tochter deines Vaters zukommt.« Wir befanden uns wieder im Spiel. Ich sah es deutlich. Dies war die Entsagungs- szene, in der das Kind um seines Wohles willen den reichen Verwandten übergeben wird und die schöne Mutter das große Opfer ihres Lebens bringt. »Ja, mein Liebling. Es ist besser für dich. Du wirst ein respektables Leben führen; du wirst erzogen, wie es sich für ein Mitglied der Familie Ashington gehört. Du brauchst mir nur noch Lebewohl zu sagen.«

Sie erwartete, daß ich meine Arme um ihren Hals schlang und jammerte: »Mutter, liebste Mutter, ich werde dich nie verlas- sen.« Sie hatte sich bereits in Positur gesetzt. Die Tanten blick- ten mich an, und ich schaute über das Rampenlicht ins Publi- kum. Fast konnte ich das Wort »Vorhang!« hören.

Ich sagte mit kühler, sachlicher Stimme:»Es ist lieb von Ihnen, Tante Martha und Tante Mabel, mir ein Heim zu bieten, aber ich könnte meine Mutter nie verlassen.«

Meine Mutter machte eine leicht ungeduldige Geste, und die Tanten tranken ihren Tee.

»Du solltest es dir überlegen«, sagte Tante Martha. »Wir sind bis Ende der Woche im Hotel Brown zu erreichen.«

Als sie fort waren, unterhielten wir uns lange miteinander. Mei- ne Mutter sagte: »Ich war ja so stolz auf dich. Wie du sie in ihre Schranken verwiesen hast, das war großartig.«

»Selbstverständlich würde ich dich nie verlassen«, erwiderte ich.

Sie tätschelte meine Hand. »Die waren wie zwei alte Krähen …«

»Und du warst ein Paradiesvogel«, ergänzte ich, »und da wir schon mal im Vogelkäfig sind – was war ich? Vielleicht eine kleine Pfauhenne? Ganz bescheidene Vögel sind das, die ihrem prachtvollen Männchen immer auf dem Fuße folgen. Aber das ist vielleicht nicht ganz passend. Eher ein Zaunkönig.«

»Sie würden dir schon einen Ehemann verschaffen, dessen bin ich sicher. Irgendeinen Adelssprößling, vielleicht eine Säule der Kirche. Oh, ihre Lebensart wäre dir zuwider, Siddons, und doch … und doch …« Ihre Leichtfertigkeit schien einen Augenblick lang von ihr abzufallen. »Es wäre vielleicht das beste.«

»Wie meinst du das?«

»Ich meine, du würdest wirklich die Erziehung genießen, die der Tochter deines Vaters angemessen ist. Du bekämst einen erstklassigen Unterricht, würdest auf den Eintritt in die Gesellschaft vorbereitet und könntest diesen Pfuhl hinter dir lassen.«

Ich starrte sie an. Sie meinte es wirklich ernst.

»Ich denke nur an dich«, fuhr sie fort. »An dein Bestes.« Plötzlich umklammerte sie meine Hand ganz fest. »Tom«, sprach sie weiter, »sieht nicht gerade optimistisch in die Zukunft.«

Kälte beschlich mein Herz. Deutete sie an, daß es kein Engagement für sie gab, daß das Publikum, das ihr neulich noch tosenden Beifall spendete, ihr den Rücken kehrte?

Sie sagte langsam: »Ich könnte ein paar Rollen haben … aber das sind nicht die richtigen. Weißt du, was vorgefallen ist, das war alles nicht gut für meinen … Leumund.«

»Schauspielerinnen sollten ihren Leumund einfach vergessen und spielen«, sagte ich.

»Ach, welch weise Worte«, gab sie zurück. Sie schien eine andere geworden. Ja, da waren Falten um ihre Mundwinkel. Die hatte ich vorher nie bemerkt. Everards Tod war ihr doch sehr nahegegangen. Er hatte seinen Preis gezahlt, und sie glaubte, daß sie nun ihren zahlen müsse. Sie fuhr fort: »Vielleicht bin ich verschwenderisch. Ich habe sehr wenig gespart. Everard hat mir ab und an etwas geschenkt, und das wurde vernünftig angelegt. Immerhin etwas. Ich brauche Kleider … gute Kleider. Ich muß dieses Haus unterhalten. Die Kosten sind hoch, und dann noch Janet und Meg. Weißt du, wenn man nichts verdient ...« Mir schwindelte. Ich hatte bis dahin wenig über Geld nachgedacht. »Du siehst also«, sagte sie langsam, »man darf die Tanten nicht vor den Kopf stoßen.«

Ich nahm sie in die Arme und drückte sie fest an mich. Das schien sie einigermaßen zu trösten. »Als ob ich dich verlassen könnte!« sagte ich.

Damals waren wir uns sehr nahe.

Am nächsten Tag suchte sie Tom auf und ging zu Fuß zurück. Ich glaube, die Unterredung war niederschmetternd, und sie wollte über die Zukunft nachdenken. Sie wurde von einem Regenschauer überrascht und kam durchnäßt nach Hause. Nach ein paar Tagen hatte sie die erste jener starken Erkältungen, die sie von da an häufig befielen. Ihr Gesundheitszustand war angegriffen, denn Everards Tod war ihr weit nähergegangen, als wir anfangs angenommen hatten.

Die Tanten besuchten uns abermals, und da meine Mutter das Bett hütete und ziemlich krank war, redeten sie mit mir allein im Wohnzimmer und gaben mir zu verstehen, daß sie zwar meine Zuneigung und meine Anhänglichkeit gegenüber meiner Mutter würdigten, es jedoch für töricht hielten, wenn ich es ablehnte, zu ihnen zu ziehen.

Ich dankte ihnen, beharrte jedoch darauf, daß mein Platz bei meiner Mutter sei.

»Wir haben deinem Vater geschrieben und ihn über die Vorfälle hier unterrichtet«, sagte Tante Martha. »Er wird sich zweifellos dazu äußern und gewiß wünschen, daß du zu uns kommst.«

»Ich weiß so wenig von meinem Vater«, erwiderte ich. »Ich kann mich überhaupt nicht an ihn erinnern.«

»Wie betrüblich und schandbar ist das doch alles, wenn man bedenkt, wie ...«, begann Tante Mabel.

»Wenn dergleichen geschieht«, unterbrach sie Tante Martha, »ist es immer das beste, diese Ereignisse hinter sich zu lassen und durch beispielhaftes Betragen zu beweisen, daß man sich bemühen will, die angerichtete Verwüstung wiedergutzumachen.«

Da ich mich in keiner Weise dafür verantwortlich fühlte, daß meine Mutter meinen Vater verlassen hatte, noch für das, was zwischen ihr und Everard vorgefallen war, verspürte ich einen leichten Groll; doch ich war sehr besorgt, denn was vor ein paar Tagen noch ganz undenkbar erschien, das rückte nun in den Bereich des Möglichen.

Tante Martha sagte: »Wir reisen Ende der Woche ab. Wenn du uns brauchst, kannst du uns in Ashington Grange erreichen. Mabel, gib ihr unsere Karte.« Mabel reichte mir eine Visitenkarte, die sie ihrer Handtasche entnahm. »Außerdem«, fuhr Tante Martha fort, »kommen wir in ein oder zwei Monaten wieder nach London. Vielleicht kannst du uns bis dahin eine Antwort geben. Wir wohnen dann wieder im Hotel Brown. Doch falls du dich früher mit uns in Verbindung setzen möchtest, erreichst du uns in Ashington Grange.«

Als sie wiederkamen, hatte sich die Lage nicht sehr verändert, außer daß es hieß, meine Mutter solle in einem Ausstattungsstück auftreten – in einer ihrer alten Rollen. Sie war natürlich hocherfreut, und wenn es auch nicht mehr ganz so wie früher sein konnte, so sah es doch so aus, als würden wir jenen entsetzlichen Depressionen entkommen, die uns beschlichen hatten, als sich das Schicksal gegen uns zu wenden schien.

Ich versicherte den Tanten abermals, daß ich meine Mutter niemals verlassen würde. Sie mißbilligten dies und verlangten zu wissen, was für meine Bildung getan werde. Meine Mutter antwortete ausweichend, und Tante Martha sagte, es gehe sie durchaus etwas an, denn es sei undenkbar, daß eine Ashington nicht gebildet sei. Meine Mutter wies darauf hin, daß ich mir im Alter von vier Jahren selbst das Lesen beigebracht hätte und seither mit meiner Nase ständig in einem Buch stecke. Sie glaube, es lasse sich schwerlich ein Mädchen in meinem Alter finden, daß in englischer Literatur so bewandert sei wie ich.

»Es gibt noch andere Fächer«, murmelte Tante Mabel, und Tante Martha stimmte ihr zu. Sie verließen mich ziemlich bekümmert, fand ich.

»Ich glaube, sie möchten mich wirklich gern bei sich haben«, sagte ich.

»Sie wollen dich nach dem Vorbild formen, das sie für richtig halten«, erwiderte meine Mutter. »Sie wollen eine kleine Ashington aus dir machen, das heißt, eine wie sie. Sie haben Ralph immer gesagt, daß er dies und das tun solle. Das war einer der Gründe, warum er froh war, ihnen zu entkommen.«

Ein paar Wochen später sagte sie zu mir: »Weißt du, wegen deiner Bildung haben sie eigentlich recht. Du solltest in eine Schule.«

Ich war verblüfft.

»Ja«, sagte sie, »es muß sein. Es gibt eine sehr gute Schule in der Nähe von York. Die Ashington-Mädchen waren alle dort. Das ist eine Art Familientradition.«

»Du willst mich auf den Arm nehmen.«

»Du gehst im September.«

»Aber das Geld. Ist das nicht furchtbar teuer?«

»Notgroschen«, murmelte sie. »Und das neue Stück. Das wird ein Bombenerfolg. Ich bin wieder da, Siddons. Jetzt brauchen wir uns keine Sorgen mehr zu machen.«

Ich fand mich allmählich mit dem Gedanken an die Schule ab, und als ich schließlich tatsächlich dort war, zog sie mich ganz in ihren Bann. War ich in einigen Fächern auch zurück, so war ich in anderen weit voraus, und zur Freude meiner Lehrer lernte ich mit Begeisterung. Daneben war ich stets für aufregende Abenteuer und Späße zu haben, und das machte mich bei meinen Mitschülerinnen nicht gerade unbeliebt. Es war neu für mich, mit Gleichaltrigen zusammenzusein, und ich war von meinem neuen Leben entzückt. Die Flucht vor den tragischen

Ereignissen, die auf dem Haus am Denton Square lasteten, war mir vollkommen geglückt. Die Schule nahm mich so sehr gefangen, daß ich tagelang nicht an den Denton Square dachte. Das Drama, welche Note ich für meinen Aufsatz bekam und wie es mir in dem bevorstehenden Hockeyspiel ergehen würde, war mir entschieden wichtiger.

Eine ganz alte Lehrerin erinnerte sich an meine Tanten und war erfreut, wieder eine Ashington in der Schule zu haben. »Sie waren sehr gewissenhafte, strebsame Mädchen, und sie haben ein ehrbares Leben geführt«, bemerkte sie. »Laß uns hoffen und beten, Sarah, daß du wie sie wirst!« Das war das letzte, das mir für die Zukunft vorschwebte. In den Weihnachtsferien kam ich nach Hause. Es wurde kein glücklicher Aufenthalt. Das Stück war nur einen Monat gelaufen – ein finanzieller Reinfall für die Geldgeber.

Ich erfuhr es von Meg. »Sie haben deiner Mutter die Schuld gegeben. Sie brauchen ja immer 'nen Sündenbock. Das Stück war schlecht. Das hätte ich denen von Anfang an sagen können. Dann war da noch dieser gemeine Kerl ... Kritiker nennt er sich. Der Star der Herringford-Affäre sei wohl nicht ganz die richtige Besetzung für die Unschuldige in diesem Stück, hat er gesagt. So ein Biest! Du siehst, die sind durchaus nicht bereit, die Sache zu vergessen.«

»Und wie hat sie's aufgenommen?«

»Schlecht. Es hat sich auf ihr Spiel ausgewirkt, denke ich. Jemand hat ein Ei auf sie geworfen, als sie zum Bühneneingang herauskam; es hat ihren Samtumhang verdorben. Das Zeug bringe ich nie wieder raus. Das bleibt für immer drin. Ich muß den Umhang wegschmeißen, wenn ich den Eierfleck loswerden will. Und 'ne schöne Stange Geld hat er gekostet, der Umhang.«

»Meg«, sagte ich ernst, »und was wird nun?«

»Das kann ich dir ebensowenig sagen wie du mir.«

Meine Mutter wollte von nun an klüger sein. Das nächste Mal

würde sie sich ihre Stücke bestimmt sorgfältiger aussuchen, das gelobte sie sich.

Ich blieb einen Monat lang zu Hause. Wir schmückten das Wohnzimmer, wie wir es immer getan hatten. Früher waren die Leute in Scharen ein- und ausgegangen. An den Weihnachtstagen kamen ein paar Freunde, unter ihnen Tom Mellor, doch die Beziehung zwischen ihm und meiner Mutter hatte sich merklich abgekühlt. Sie machten sich gegenseitig für den Mißerfolg verantwortlich.

Ich war froh, wieder zur Schule zu kommen, und das Leben dort nahm mich abermals so gefangen, daß ich mich damit zufrieden gab, nur gelegentlich einen Brief von meiner Mutter zu bekommen. Ich dagegen mußte ihr freilich jede Woche schreiben. Das gehörte zu den Gepflogenheiten der Schule. Später fragte ich mich oft, was meine Mutter sich wohl bei den Berichten über die Hockeymannschaft, über Tennis, Korbball und über meine guten Englischnoten gedacht hat.

Im Sommer stellte ich fest, daß sich zu Hause viel verändert hatte. Meine Mutter war gealtert. Ich erfuhr, daß sie ein paar kleine Rollen bekommen hatte. Die eine sei ein ziemlicher Erfolg gewesen, erzählte sie mir. Janet war verschlossener denn je, und doch konnte sie gleichzeitig eine innere Genugtuung nicht verbergen. Meg und meine Mutter stritten sich unentwegt. Ich war auch diesmal froh, als die Ferien vorüber waren und ich wieder zur Schule konnte.

In der darauffolgenden Weihnachtszeit wurde mir klar, daß etwas nicht stimmte. Meine Mutter sollte die gute Fee in einer Pantomime spielen.

»Pantomime!« sagte Janet mit verächtlichem Grinsen.

Meg sprach wenig.

Es wurde ein stilles Weihnachtsfest, denn meine Mutter mußte am zweiten Feiertag mit der Arbeit beginnen. Sie war erkältet und fühlte sich schlaff. Ich brachte ihr das Frühstück, wie ich es früher des öfteren getan hatte.

Sie gab sich fröhlich, doch nach so langer Abwesenheit konnte mir ihre Veränderung nicht verborgen bleiben. Sie sah zehn Jahre älter aus; sie hatte tiefe Falten der Verbitterung um den Mund. Während sie in der Pantomime auftrat, flackerte der Skandal wieder auf. Lady Herringford, Everards Gattin, war auf Gut Herringford tot aufgefunden worden, mit dem Gesicht nach unten in einem seichten Fluß. Sie war lange krank gewesen, und es bestand kein Verdacht, daß etwas nicht mit rechten Dingen zugegangen sein könnte. »Ihr Tod ruft uns den unglücklichen Sir Everard in Erinnerung, der seiner Karriere und seinem Leben ein Ende setzte, als er in einen Skandal mit einer Schauspielerin verwickelt war ...«

Meine Mutter las den Artikel – er stand nicht auf der Titelseite – und regte sich auf, weil von ihr lediglich als von »einer Schauspielerin« die Rede war.

»Nun, es wäre dir doch nicht recht, wenn man deinen Namen erwähnt hätte«, besänftigte ich sie.

Sie geriet plötzlich ganz außer sich. »Siehst du nicht, was das bedeutet? Sie erwähnen mich nicht, weil ich nicht mehr wichtig bin! ›Eine Schauspielerin!‹ Als würde ich in einem Repertoiretheater auftreten oder ... oder ...«, sie lachte hysterisch, »... in einer Pantomime!«

Es waren auch diesmal unerfreuliche Ferien, und ich war abermals froh, als ich wieder in der Schule war; doch es dauerte über eine Woche, bis ich die Erinnerungen verdrängt hatte.

Der Sommer kam. Mein sechzehnter Geburtstag war vorüber, und noch ehe das Jahr endete, stand mein siebzehnter bevor. Ich war kaum länger als eine Stunde zu Hause, als mir klar wurde, daß das Leben, das ich auf dem Blessington-Lyzeum für junge Damen genoß, vorbei war.

Meine Mutter hatte sich noch mehr verändert. Unter ihren Augen lagen dunkle Schatten.

Meg eröffnete es mir als erste: »Ich gehe. Ich habe bloß abgewartet, bis du nach Hause kommst. Mir reicht's. Ich halte ihre schlechte Laune nicht mehr aus.«

Janet war obenauf. »In zwei Wochen fahren wir zu Ethel«, triumphierte sie. »Sie«, dabei wies sie auf ihre Schwester, »wollte dir Zeit lassen, um irgendwas in die Wege zu leiten.«

»Und meine Mutter?« fragte ich. »Sie sieht nicht gut aus.«

»Sie hat's auf der Brust. Sie kriegt eine Erkältung nach der anderen, aber sie nimmt sie nicht ernst.«

»Die kriegt sie immer, wenn sie mies gelaunt ist«, bemerkte Janet.

»Ja«, bestätigte Meg. »Wenn sie bloß eine richtige Chance bekäme, ich wette, dann wäre ihr ein Comeback sicher.«

Das war an Janet gerichtet, die über den Mißerfolg meiner Mutter frohlockte. Als wir allein waren, sagte Meg zu mir: »Schauspielerinnen wie sie sind oft nur kurze Zeit erfolgreich. Das weiß ich. Ich hab's gesehen. Sie haben einen besonderen Charme. Sie sind jung und hübsch wie Schmetterlinge. Sie flattern über die Bühne, und die Leute lieben sie … Aber das vergeht. Jugend vergeht, verstehst du? Eine glänzende Partie, das wäre das beste für diese Sorte. Sie verlassen die Bühnenbretter und werden Ehefrauen und Mütter. Aber bei ihr ist es von Anfang an schiefgelaufen. Sie hätte nicht heiraten und nach Ceylon gehen sollen. Sie ist aus der Reihe getanzt, wie man so sagt, und dafür muß sie eben büßen.«

»Und deshalb verläßt du sie, Meg«, sagte ich vorwurfsvoll.

»Da ist nichts zu machen. Sie kann uns unseren Lohn nicht zahlen … mir und Janet. Sie kriegt immer weniger Angebote. Bald wird sie dankbar für 'ne Statistenrolle sein.«

»Alles wegen dieser Affäre …«

»Nein, nein, das ist es nicht. Wäre sie eine große Schauspielerin gewesen, so hätte sie den Sturm kinderleicht überstanden. Aber sie ist keine große Schauspielerin. Ihr Erfolg hätte ihre Jugend nicht überdauert. Sie ist durch die Geschichte bloß früher gealtert. Ich hab' ihr damals gesagt, es sei dumm von ihr, daß sie heiratet ... aber sie wollte nicht hören. O nein! Sie wußte alles besser. Nun, sie hat sich verrechnet, basta. Ich ziehe zu Ethel. Dann gibt Janet endlich Ruhe. Ich hab' die Nase voll vom Theater, nach allem, was passiert ist.«

Ich führte ein ernstes Gespräch mit meiner Mutter. Sie lag zu Bett. Ich hatte darauf bestanden, weil sie so blaß aussah.

»Ich weiß nicht, was jetzt werden soll«, sagte sie. »Ich konnte Meg und Janet nicht mehr entlohnen. Wir müssen das Haus aufgeben.«

»Mein Schulgeld muß eine ungeheure Belastung gewesen sein!« rief ich aus.

Sie lachte leise. »Nicht für mich. Das haben deine Tanten bezahlt.« Ich starrte sie an. Dann verdankte ich also ihnen diese zwei Jahre, in denen ich neben meiner Ausbildung ein sorgenfreies Leben genoß! Ich fühlte mich tief in ihrer Schuld und ein wenig beschämt. Ich sagte: »Ich gehe nicht zurück. Wie könnte ich? Wir müssen etwas unternehmen.«

»Was?« fragte meine Mutter.

Was sollte ein Mädchen in meiner Lage tun? War sie allein, wurde sie gewöhnlich Gouvernante oder Gesellschafterin – beides ziemlich unerfreuliche Aussichten, denn gewöhnlich waren die Kinder widerspenstig und die alten Damen unleidlich.

Aber *ich* war nicht allein. Ich mußte meine Mutter unterstützen. Ich sagte: »Als erstes muß ich Tante Martha und Tante Mabel schreiben, daß ich die Schule aufgebe. Ich werde ihnen die Lage erklären.«

»Ich kann mir ihre Genugtuung lebhaft vorstellen«, grollte meine Mutter.

Ich schrieb ihnen noch am gleichen Tag.

Es war nicht nötig, daß mich die Tanten auf unsere schwierige Lage hinwiesen. Ich kannte sie zur Genüge, und nach einer mehrstündigen Unterredung in ihrer Suite im Hotel Brown stimmten meine Mutter und ich der einzigen Lösung unserer Probleme zu.

»Es sei, wie es wolle«, sagte Tante Martha, »Irene ist Mistress Ashington, und du, Sarah, bist die Tochter unseres Bruders.«

Ashington Grange war der Wohnsitz der Familie, und dort hätte mein Vater gelebt, wenn er die Teeplantage nicht gehabt hätte. Das Haus, erklärten sie, gehöre zwar ihnen, dafür habe ihr Vater gesorgt, doch wenn Ralph einen Sohn hätte, so würde es natürlich diesem zufallen.

Irene müsse nach Ashington Grange kommen, wo sie gut versorgt würde, und ich solle wieder zur Schule gehen.

Meine Mutter sah schließlich ein, daß ihr keine andere Wahl blieb. Sie litt unter heftigen Depressionen. Es war schwer für sie, ohne die Verehrung und Bewunderung zu leben, die sie stets als rechtmäßigen Anspruch betrachtet hatte. Davon würde auf Ashington Grange sicher wenig zu spüren sein. Sie sagte, ohne mich wäre sie nicht imstande, das auszuhalten, und das glaubte ich gern. Die Tanten verachteten sie, und sie konnte die Tanten nicht leiden. Von deren Mildtätigkeit zu leben war ihr zuwider – aber nicht so wie die Aussicht, in einer Dachstube zu verhungern. Außerdem, sagte sie, müsse sie an mich denken. Die Vorstellung, daß ich arbeitete, war mehr, als sie ertragen konnte. Überdies gab es auch gar keine Arbeit, die ich hätte verrichten können. Wie wir es auch betrachteten. Es gab nur einen Ausweg, nämlich den, nach Ashington Grange zu ziehen.

Ich entdeckte bald, daß ich es war, der die Sorge der Tanten galt. Ich glaube, sie fanden die Aussicht, eine junge Verwandte im Haus zu haben, höchst aufregend. Sie schmiedeten Pläne für mich, denn Pläneschmieden war etwas, das Tante Martha leidenschaftlich gern tat. Ich merkte ihnen an, daß sie die Zukunft einer Nichte weit interessanter fanden als den Wohltätigkeitsbasar der Kirche oder das Gartenfest, das alljährlich zugunsten des Kirchtumbaus veranstaltet wurde.

Ich bestand darauf, nicht zur Schule zurückkehren zu müssen.

»Lächerlich!« rief Tante Martha. »Die Töchter der Ashingtons haben stets bis zum achtzehnten Lebensjahr die Schule besucht.«

»Ich muß bei meiner Mutter bleiben«, beharrte ich. »Es geht ihr nicht gut.«

»Papperlapapp! Trübsinnig ist sie, weiter nichts.«

»Sie hat ein schweres Unglück erlitten«, gab ich zu bedenken.

»Das ist die Strafe«, murmelte Tante Mabel, »nach allem, was ...«

»Sie müssen wissen«, entgegnete ich, »daß ich nur nach Ashington Grange kommen kann, wenn auch meine Mutter dort gern gesehen ist.«

Ich staunte über mich selbst, daß ich diesen beiden respektheischenden Damen Bedingungen stellte, und ich verspürte eine leise Zärtlichkeit für sie, weil sie so sehr wünschten, mich bei sich zu haben, daß sie sogar auf meine Forderungen eingingen.

»Dann ist es allerdings vonnöten«, meinte Tante Martha, »eine Gouvernante zu engagieren.«

»Dafür bin ich zu alt«, protestierte ich.

»Deine Ausbildung wurde abgebrochen wegen einer ... Marotte!« sagte Tante Martha. »Eine Gouvernante muß sein. Unsere Schwester Margaret war zu zart für die Schule und hatte auch eine Gouvernante ... genauer gesagt, eine ganze Menge. Sie ist gestorben.«

»Hoffentlich nicht aus Überdruß an Gouvernanten«, bemerkte ich kichernd, denn ich verspürte ein unbezähmbares Verlangen, diese Tanten zu necken, was ich aber, wie mir klar wurde, unterdrücken mußte.

»Du bist allzu übermütig, Sarah, und das hier ist eine ernste Angelegenheit.«

Niemand wußte das besser als ich. Immerhin gaben sie nach. Wir wurden uns einig. Meine Mutter kündigte das Mietshaus am Denton Square, und wir zogen nach Ashington Grange.

Schritte im Dunkeln

Ungeachtet der Umstände, die mich nach Ashington Grange führten, empfand ich eine ungeheure Erregung, als ich das Anwesen vor mir erblickte.

Wir hatten den Zug in Epleigh verlassen, wo ein Kutscher uns dienstfertig erwartete. Er werde uns im Brougham zum Haus fahren, erklärte er, und unser Gepäck komme mit dem Lastfuhrwerk nach.

Epleigh war ein von Wäldern umgebenes Dorf – typisch englisch: Eine normannische Kirche, davor ein Rasen und rund herum ein paar verstreute Häuser. Wir kamen die Straße, die durch den Wald führte, entlang, und plötzlich tat sich die bezaubernde Oase vor uns auf, die an diesem lieblichen Septembernachmittag so friedlich dalag. Die Gärten prunkten voll goldener Herbstastern, bronzefarbener Chrysanthemen und prächtig bunter Dahlien. Inmitten der Rasenfläche war ein Teich, daneben stand eine hölzerne Bank, auf der zwei Männer saßen und sich unterhielten. Sie blickten neugierig auf, als die Kutsche vorüberfuhr. Wir kamen am Friedhof vorbei; einige Grabsteine waren neu, andere alt und windschief. Und dann sahen wir einen Gemischtwarenladen, der zugleich das Postamt beherbergte. Auf einer Abzweigung, die von der Rasenfläche wegführte, gelangten wir alsbald zu den Toren von Ashington Grange. Sie standen weit offen, und an der Tür des Pförtnerhauses knickste eine Frau, als wir an ihr vorbeifuhren. Etwa eine Viertelmeile ging es eine Auffahrt entlang, und nach einer Biegung lag das Wohnhaus vor uns.

Es war schön – aus grauem Stein, alt und ehrwürdig. In der Mitte öffnete sich ein überwölbter Torbogen, und am Ende des West-flügels erhob sich ein Turm mit Zinnen und hohen schmalen Fensterschlitzen, der neben dem Haus, das eindeutig aus einer späteren Epoche stammte, ausgesprochen fehl am Platz wirkte. Später erfuhr ich, daß von der normannischen Festung, die einst an dieser Stelle stand, nur dieser Turm übriggeblieben war. Das Haus selbst war während der Herrschaft Charles' I. erbaut worden und hatte wunderbarerweise die Verwüstungen des Bürgerkrieges überstanden. Tante Mabel war sehr stolz auf das Haus und erzählte mir dies alles, als sie merkte, wie sehr es mich interessierte.

Ich war beeindruckt von der Anmut, die der mit Schnecken und klassischen Figuren verzierte symmetrische Renaissance-giebel ausstrahlte. Das Haus war nicht sehr groß, aber wirklich schön. Es war im frühen siebzehnten Jahrhundert entstanden, als die englischen Baumeister gerade erst anfingen, selbständig zu arbeiten, und wies das traditionelle Grund-schema mit Giebelfenstern, hölzernen Pfosten und Bleigittern auf.

Ich war plötzlich von Stolz erfüllt, weil ich denselben Namen trug wie dieses noble Bauwerk.

Wir fuhren unter dem Torbogen hindurch in einen Innenhof. Hier stiegen wir aus und traten geradewegs in die Halle, wo die Tanten uns erwarteten; in ihrer eigenen Umgebung wirkten sie noch ehrfurchtgebietender als am Denton Square oder im Hotel Brown.

»Willkommen zu Hause, Sarah«, begrüßte mich Tante Martha, indem sie meine Hand ergriff und mir einen kalten, flüchtigen Kuß auf die Wange drückte.

»Wie schön, dich endlich hier zu …«, setzte Mabel an.

Zu meiner Mutter waren sie weniger herzlich.

Ich sagte: »Das Haus ist bezaubernd.«

Nichts hätte ihnen mehr schmeicheln können. Vor lauter Freu-de errötete Tante Mabel ein wenig. »Wir hängen an dem Haus«, sagte sie. »Seit mehr als zweihundert Jahren gehört es der Familie.«

»Ihr seid gewiß erschöpft von der Reise«, ließ sich Tante Martha vernehmen. »Jennings soll ihnen ihre Zimmer zeigen, Mabel. Würdest du sie bitte rufen? Eure Sachen müssen jeden Augenblick eintreffen. Dann könnt ihr euch waschen und umziehen, und anschließend wollen wir uns unterhalten.«

Das Gehabe der beiden Tanten verriet einen gewissen Triumph. Sie hießen mich betont freundlich willkommen, und es war klar, daß meine Mutter hier nur geduldet war. Ich fragte mich, wie lange eine so verhätschelte und verwöhnte Frau das ertragen konnte. Glücklicherweise war sie im Augenblick ziemlich geistesabwesend, so daß sie nichts bemerkte.

Jennings erschien und führte uns die hölzerne Treppe mit der kunstvoll geschnitzten Balustrade hinauf.

In der ersten Etage befand sich eine lange Galerie, die sich über die ganze Breite des Hauses erstreckte. Hier hingen die Bilder der Ashingtons. Ich nahm mir vor, sie später eingehend zu betrachten. Meine Vorfahren! Es war aufregend, ihnen von Angesicht zu Angesicht zu begegnen, nachdem ich mein ganzes Leben lang bis zu diesem Tag nichts von ihnen gewußt hatte. An einem Ende der Galerie war eine Empore, wo vermutlich die Musikanten aufspielten, wenn ein Ball stattfand. Ich mußte lächeln, als ich versuchte, mir meine Tanten auf einem Ball vorzustellen.

Mein Zimmer befand sich im nächsten Stockwerk. Es war sehr geräumig; die hohe Decke war mit Putten bemalt und mit Blumenornamenten verziert. Es hatte ein mit blauem Stoff drapiertes Himmelbett, und passende blaue Teppiche bedeckten den Boden. Schwere blaue Vorhänge hingen am Fenster, unter dem sich eine eingemauerte Sitzbank befand. Ich stieß einen freudigen Schrei aus, als ich hinausblickte. Unter mir lagen gepflegte Rasenflächen mit Blumenbeeten, die in herbstlichen Farben glühten. Ich sah Sträucher und einen umzäunten Garten, in dem noch Rosen blühten; ich sah den Küchengarten und in der Ferne den Wald. So einen schönen Ausblick hatte ich noch nie erlebt. Ashington! Die Heimat meiner Familie, dachte ich, und ich war von ungeheurer Erregung erfüllt, bis ich mich zu meiner Mutter umwandte. Sie war bleich, und mit ihrer Munterkeit war auch viel von ihrem Zauber geschwunden. Sie schien eine andere Person zu sein als die Irene Rushton vom Denton Square, die der Mittelpunkt unseres Lebens gewesen war.

Wie selbstsüchtig war ich doch! Natürlich hatte die Erinnerung sie überwältigt. Sie war kurz nach ihrer Hochzeit mit meinem Vater hier gewesen.

»Laß uns dein Zimmer besichtigen«, schlug ich vor.

Es lag eine Etage höher und war viel kleiner als meines. Es enthielt ein schmales Bett mit einem Halbbaldachin. Ich fand das Zimmer bezaubernd, wenn auch weniger vornehm als dasjenige, das man mir zugewiesen hatte. Ich zürnte den Tanten. Sie hätten mir dieses Zimmer und meiner Mutter das andere geben sollen. Vielleicht sollte ich ihnen vorschlagen, die Zimmer zu tauschen.

»Danke«, sagte ich zu Jennings, denn ich verspürte den dringenden Wunsch, mit meiner Mutter allein zu sein. »Ich finde selbst in mein Zimmer zurück.«

Als Jennings gegangen war, warf sich meine Mutter in meine Arme. »Nicht weinen«, sagte ich, »das sieht man doch.«

Das half. Es erinnerte sie an ihr Aussehen, und ihre Züge beruhigten sich.

»Es ist abscheulich!« rief sie aus. »Die zwei sind abscheulich. Ach, Siddons, ich halte es hier nicht aus! Alles … alles andere wäre besser.«

»Aber du hast doch eingesehen, daß wir am Denton Square nicht bleiben konnten, und wo hätten wir sonst hingehen sollen?«

»Sie hassen mich«, sagte sie. »Sie haben mich immer gehaßt. Ich hab's von Anfang an gespürt. Dieses Haus war mir zuwider. Es macht mich schaudern. Fühlst du's, Siddons?«

»Nein«, erwiderte ich. »Es ist nicht gruseliger als andere alte Häuser. Und falls es hier irgendwelche Gespenster gibt, so sind's Verwandte. Ein beruhigender Gedanke.«

»Nicht für mich. Ich bin mit ihnen nur verschwägert.« Sie lachte matt. »Es ist ja nicht für immer«, fuhr sie fort, »nur für eine Ruhepause. Ich werde eine Rolle bekommen. Wenn Tom merkt, daß ich wirklich weg bin, rennt er mir nach. Das ist der Lauf der Welt.«

Ihre Augen glänzten. Sie war ganz euphorisch und sah Tom bereits, die Taschen von Kontrakten ausgebeult, in Ashington Grange eintreffen. In Gedanken ließ sie sich umwerben. Ihr Publikum tobte und verlangte nach ihr. Sollte es nur toben. *Sie* hatte ihm noch nicht verziehen.

Ich ließ sie allein, und als ich mein Zimmer betrat, war ein Teil meines Gepäcks schon angekommen. Jennings fragte, ob sie mir auspacken helfen solle. Ich lehnte ihre Hilfe ab und schickte sie zu meiner Mutter.

Tante Martha war, wie sie von sich selbst sagte, keine Frau, die gern Zeit verlor. Schon am nächsten Tag kam sie auf die Gouvernante zu sprechen.

»Wirklich, Tante Martha«, protestierte ich, »ich bin viel zu alt für eine Gouvernante. Ende November werde ich siebzehn.«

»Und nur zwei von diesen siebzehn Jahren hast du auf der Schule verbracht!«

»Vorher hatte ich einen Hauslehrer.« Ich lächelte, während ich mit einem Anflug von Traurigkeit an Toby dachte. Ich vermißte ihn schmerzlich. »Er war sehr gut«, fügte ich versonnen hinzu.

»Ein Hauslehrer schickt sich nicht für ein junges Mädchen. Margaret, unsere älteste Schwester, hatte eine Gouvernante, weil sie zu zart war, um eine Schule zu besuchen. Sie starb, als sie achtzehn Jahre alt war.«

»Wie traurig, so jung zu sterben.«

»Sie hatte eine schwache Gesundheit, und es war, wie du sagst, traurig. Hör nicht auf die Dienstboten! Sie werden dir erzählen, daß sie in bestimmten Nächten durch die Galerie wandelt und nach ihrem Geliebten Ausschau hält. Das ist ein höchst romantischer Unsinn.«

»Hat sie ihren Geliebten verloren?«

»Sie stand kurz vor der Hochzeit. Es war natürlich der Tod, der sie trennte. Wie ich schon sagte, sie hatte eine Gouvernante. Ich würde dich lieber wieder zur Schule schicken, aber ich habe mit Mabel darüber gesprochen, und wir sind der Meinung, solange deine Mutter hier ist, solltest du vielleicht auch hier sein. Sie bedarf einer gewissen … Beaufsichtigung. Dafür bist du am besten geeignet.«

»Beaufsichtigung! Sie sprechen, als könnte sie einen Tobsuchtsanfall bekommen und eine Zwangsjacke benötigen.«

»Sie war immer leichtsinnig, und das Leben, das sie führte, hat ihren Charakter nicht gefestigt. Vom Standpunkt meines Bruders war es eine unglückselige Ehe. Aber wir wollen nicht vom Thema abweichen. Ich werde mich unverzüglich auf die Suche nach einer Gouvernante begeben. Du kannst dich darauf verlassen, daß ich sie mir der allergrößten Sorgfalt auswählen werde.«

Wie gern wäre ich wieder zur Schule gegangen, aber ich wußte, ich würde dort nicht glücklich werden, wenn ich meine Mutter bei den Tanten zurückließ.

Mabel zeigte mir das Haus. Sie schien verändert, wenn Tante Martha nicht zugegen war, und manchmal vollendete sie sogar ihre Sätze. Die ältere Schwester war eindeutig die dominierende Persönlichkeit.

Mabel war von meinem Interesse für das Haus entzückt. Sie zeigte mir das Wohnzimmer, den Salon, das Speisezimmer, den Wintergarten und sämtliche Schlafzimmer, außerdem die entfernter gelegenen Wirtschaftsräume mit einer weitläufigen Küche, in der eine Köchin mit zahlreichen Untergebenen residierte. Wie sollte ich nur all die Namen behalten, fragte ich mich.

Die Dienerschaft begegnete mir mit großer Neugier. Das war nur natürlich. Ich war eine Ashington, die im fortgeschrittenen Alter von siebzehn Jahren eben erst am Schauplatz erschienen war. Viele von ihnen – es waren nämlich nur wenige junge darunter – erinnerten sich an die überstürzte Heirat Ralph Ashingtons mit einer Londoner Schauspielerin, eine Verbindung, die seinen Schwestern großen Kummer bereitet hatte. Ich fragte mich, wie viele von ihnen wohl von dem Herringford-Skandal gehört haben mochten. Mabel führte mich durch die Waschküche mit Kupferkesseln voll dampfendem Wasser, wo es nach feuchter Wäsche roch; sie zeigte mir die Vorratskammern und das Brauhaus. Es war ein beachtliches Anwesen, größer, als es zunächst den Anschein hatte.

Am meisten interessierte mich die Galerie mit den Porträts der Ashingtons. Ich bemerkte etliche Damen mit Perlen, die denen auf der Miniatur, die meine Mutter mir gezeigt hatte, auffallend glichen.

»Was für herrliche Perlen«, bemerkte ich. »Sie haben einen ganz eigentümlichen Schimmer.«

»Die Ashington-Perlen«, erklärte Mabel. »Sie gehören zur Geschichte der Familie.«

Darauf erzählte sie mir, wie die Perlen in den Besitz der Familie gelangt waren, und alles entsprach genau dem, was ich schon von meiner Mutter gehört hatte.

»Sie müssen in der Familie bleiben, oder sie wird ausgelöscht«, sagte sie. »Es gibt eine Legende, die sich um die Perlen rankt. Einer unserer Vorfahren, der hier«, sie wies auf einen Herrn mit Régencehalsbinde, geschnürtem Rock und paspelierter Weste. Das Gemälde zeigte ihn in voller Größe. Er trug gestreifte Kniehosen und kostbare Schnallen an den Schuhen. »Er hat gespielt, geriet in Schulden und überließ die Perlen einem Geldverleiher. Die Familie mußte sie zurückerwerben.«

»Sie gehören fest zur Familie, nehme ich an.«

»Sie dürfen niemals in fremde Hände geraten. Die Gattin des

jeweils ältesten Sohnes behält sie, bis ihr ältester Sohn heiratet. Dann bekommt seine Frau die Perlen, bis ihr Sohn heiratet. Sie sind stets im Besitz einer Ashington.«

»Und wenn kein Sohn da ist?«

»Das war bisher nie der Fall. Es ist jetzt das erste Mal. Das ist sehr betrüblich. Sonst ist immer ein Sohn dagewesen.«

»Was wird denn jetzt aus den Perlen?«

»Martha glaubt, irgend etwas wird noch geschehen.«

Ich war verwirrt. Falls meinem Vater ein Sohn beschieden sein sollte, der sich dann eine Frau nimmt und so für eine rechtmäßige, wenn auch vorübergehende, Besitzerin der Perlen sorgt – da müßte allerdings eine Menge geschehen. Meine Mutter müßte entweder zu ihm zurückkehren oder sterben, damit er sich eine andere Frau nehmen konnte. So geschickt war auch Tante Martha nicht, um das zu arrangieren.

»Eine höchst unglückliche Entwicklung«, sagte Tante Mabel.

»Das Schicksal hat es nicht sehr gut mit uns gemeint», seufzte ich. »Wäre ein Knabe aus mir geworden, dann sähe alles ganz anders aus.«

»Du wird deine vorlauten Redensarten im Zaume halten müssen, Sarah. Die gefallen Martha ganz und gar nicht.«

»Es tut mir leid, Tante Mabel«, sagte ich folgsam.

Ich wandte mich dem Porträt meines Vaters zu. Er sah gut aus und hatte einen verwegenen Blick.

»Er war zu abenteuerlustig«, bemerkte Mabel, wobei sie die Hände faltete und mit dem Kopf auf das Porträt wies. »Wäre er nicht so … eigensinnig, so impulsiv gewesen … hätte er die Ehe ernster genommen, so wäre dies alles vielleicht nicht geschehen.«

»Was war mit seiner ersten Frau?«

»Wir haben sie nie zu Gesicht bekommen. Als sie starb, kehrte er nach England zurück, und wir glaubten, Gott gebe ihm noch einmal eine Chance. Dann heiratete er deine Mutter. Er war ein Spieler. Dieses Laster liegt in der Familie. Deswegen duldet

Martha keinerlei Spiele im Haus. Ich bin mit ihr einer Meinung. Wer von den Dienstboten beim Kartenspiel ertappt wird, muß seine Sachen packen.«

»Hatte mein Vater Glück im Spiel?«

»Kein Mensch hat jemals Glück im Spiel«, sagte Martha. »Unser Vater war ein überaus frommer Mann. Er mißbilligte Ralphs Neigungen. Deshalb hat er das Gut unserer Obhut übergeben, aber wenn Ralph einen Sohn hätte, dann würde der es natürlich bekommen. Traurig – der Name wird aussterben, es sei denn, Ralph bekommt noch einen Sohn. So eine Enttäuschung. Zwei Töchter! Martha hätte sich so gefreut, wenn du ein Knabe geworden wärst … und ich auch.«

»Das tut mir leid«, sagte ich kleinmütig, »aber ich kann's nicht ändern, fürchte ich.«

»Martha findet, du hast von deinem Vater den Mangel an Ernsthaftigkeit geerbt.«

»Tante Martha will immer alles so einrichten, wie sie es wünscht«, sagte ich, »und sie möchte, daß sich jedermann in das Charakterbild einfügt, das sie für angemessen hält. So läßt sich das Leben nicht gängeln, Tante Mabel, außer in einem Theaterstück, wo der Verfasser seine Figuren so prägt, wie er sie haben will.«

»An deiner Stelle würde ich nicht soviel über Theaterstücke reden, nachdem du diesen Abschnitt deines Lebens hinter dir hast. Martha gefällt das nicht … und mir auch nicht.«

»Du liebe Güte, womöglich werden wir Ihnen noch lästig.«

»So weit dürfen wir es nicht kommen lassen.«

Weil ich mehr über die Porträts erfahren wollte, ließ ich es dabei bewenden.

Ich blieb vor einem Bildnis stehen, das, wie ich erfuhr, Margaret, die Schwester der Tanten, darstellte. Sie unterschied sich sehr von den beiden, und ich hielt es für undenkbar, daß eine von ihnen ihr auch nur im entferntesten ähnelte – selbst in ihrer Jugend nicht. Sie hatte etwa Zierliches an sich, einen Hauch von

Zerbrechlichkeit. Sie war in einem Abendkleid, offenbar aus blauem Chiffon, gemalt; sie hatte sehr helle Haut, fast bernstein- farbene Augen und hellbraunes, feines lockiges Haar.

»Es wurde kurz nach ihrer Verlobung gemalt«, erklärte Mabel. »Sie sieht glücklich aus, und doch ... als sei sie ein wenig unsicher ... gespannt. Ein eigenartiges Bild.«

»Die Dienstboten sind so töricht. Sie behaupten, sie steigt nachts aus dem Rahmen und wandelt durch die Galerie, um nach Edward Sanderton, dem Mann, der sie heiraten wollte, Aus- schau zu halten. Ein Mädchen hat beschworen, es habe sie wandeln gesehen, ganz in blauem Chiffon, und der Rahmen war leer. Welch ein Unsinn! Wir haben das Mädchen auf der Stelle entlassen. Niemand hat Margaret in blauem Chiffon und den Rahmen leer gesehen, seit ...«

»Wann ist sie gestorben?«

»Vor fünfundzwanzig Jahren.«

»Ein sehr junges Gespenst. Gewöhnlich sind sie ein paar hun- dert Jahre alt.«

»Das Volk liebt solche Geschichten. In meiner Kindheit sagten die Leute, daß es im Turm spukt: geheimnisvolle Lichter, sin- gende Stimmen und eine graugekleidete Nonne.«

»Und später haben sie dann das Gespenst in blauem Chiffon bevorzugt?«

Mabel zuckte die Achseln. »Du weißt ja, wie Dienstboten sind. Sie lieben Schauergeschichten. Sie trauen sich nur paarweise zum Saubermachen in die Galerie, und keiner wagt es, sie nach Einbruch der Dunkelheit zu betreten. Martha lacht sie aus, dabei würde das Gespenst, wenn überhaupt jemanden, Martha heimsuchen.«

»So? Und warum wäre sie die Auserwählte?«

Tante Mabel sah mich sekundenlang zögernd an, dann schien sie sich zu sagen, daß ich als Mitglied der Familie in die Geheim- nisse eingeweiht werden dürfe.

»Nun«, fuhr sie fort, »Martha war es, die Edward Sanderton ins

Haus brachte. Sie hatte ihn bei einem Fest auf einem benachbarten Landgut kennengelernt, und sie wurden gute Freunde. Besser gesagt, sie ...«

Ich starrte sie ungläubig an. Martha als Verliebte, das überstieg mein Vorstellungsvermögen.

Mabel blickte ein wenig verschämt drein. »Er sah Margaret, und von Stund an hatte er nur noch Augen für sie.«

Arme Martha, dachte ich. Eine kurzlebige Romanze. Kein Wunder, daß sie ein etwas herbes Naturell hatte.

»Selbstverständlich waren er und Martha nicht versprochen, und binnen kurzem war er mit Margaret verlobt. Die Brautzeit sollte sechs Monate dauern, dann wollten sie heiraten. Martha und ich sollten die Brautjungfern sein. War das eine Aufregung, als die Kleider genäht und die Vorbereitungen getroffen wurden. Margaret war so glücklich. Freilich, sie war immer zart, weswegen sie ja auch nicht mit uns die Schule besuchte. Und hübsch war sie. Ich glaube, ein hübscheres Mädchen als meine Schwester Margaret ist mir nie begegnet.«

»Und dann? Warum fand die Hochzeit nicht statt?«

»Eine Wolke überschattete ihr Glück. Ich glaube, sie konnte nicht vergessen, was sie getan hatte.«

»Was hatte sie denn getan?«

»Sie hat Martha Edward Sanderton weggenommen.«

»Aber er war doch nicht Marthas Bräutigam, oder?«

»Er hätte sich sicher mit ihr verlobt, wenn Margaret nicht gewesen wäre. Er hatte Martha gern. Sie konnten sich über alles unterhalten. Martha hatte immer sehr entschiedene Ansichten ... auch damals schon. Unsere Eltern meinten, daß sie deswegen keinen Mann bekommt. Männer mögen keine Frauen, die allzuviel wissen. Sie wollen die Überlegenen sein. Doch Edward mochte sie. Ihre Ansichten interessierten ihn. Aber dann kam alles ganz anders, weil er sich Hals über Kopf in Margaret verliebte, und ihr wurde plötzlich bewußt, was sie angerichtet hatte. Weißt du, Margaret hatte auch noch andere

Verehrer. Martha hatte keinen außer Edward. Er wäre genau der Richtige für Martha gewesen ... und dann hat ihn Margaret ihr weggeschnappt.«

»Erzählen Sie mir, was ihr zugestoßen ist.«

»Sie hatte Kummer. Sie fürchtete, eine ewig kränkelnde Ehefrau zu werden. Sie wurde krank vor Kummer. Sie war oft krank, aber diesmal wollte und wollte es nicht besser werden. Sie starb eine Woche vor ihrem Hochzeitstag, und statt fröhlichem Geläut grüßten sie die dumpfen Totenglocken.«

»Was für eine furchtbar traurige Geschichte!«

»Aus solchen Geschichten entstehen Legenden. Also, Sarah, wenn du die Dienstboten reden hörst, so hoffe ich, daß du ihrem Geschwätz sofort ein Ende machst.« Sie wechselte abrupt das Thema. »Wir wollen dich malen lassen, Sarah«, sagte sie. »Martha hat gestern abend davon gesprochen.«

»Mein Vater hatte schon eine Frau, bevor er meine Mutter heiratete. Ich erfuhr erst kürzlich, daß ich eine Halbschwester habe.«

Mabels Mundwinkel strafften sich.

»Haben Sie sie kennengelernt?«

»Nein.« Mabels Lippen schlossen sich noch fester, als dürfe ihnen unter keinen Umständen etwas entschlüpfen.

»Vielleicht sollten Sie auch ein Porträt meiner Halbschwester hier aufhängen«, wagte ich mich vor.

»Ganz bestimmt nicht«, sagte sie, und etwas wie Widerwille sprach aus ihrem Blick. Dann rückte sie näher an mich heran, fast verschwörerisch. »Vielleicht ließe sich deine Mutter überreden, zu ihm zurückzukehren.«

»Das glaube ich kaum.«

»Es ist noch nicht zu spät. Sie sind beide noch jung genug, hat Martha gesagt ...«

Ich hätte gern hitzig erwidert, daß es zu spät sei. Es war fünfzehn Jahre her, seit sie auseinandergegangen waren. Während der ganzen Zeit hatten sie getrennt gelebt. Man konnte nicht erwarten, daß sie sich wieder vereinten, nur weil die Ashington-Tanten einen männlichen Erben wollten.

Ich konnte meine Augen nicht von Margarets Bildnis abwenden. Ich dachte an die Furcht der Dienstboten und malte mir aus, wie sich das liebliche Gesicht belebte und Margaret aus dem Rahmen trat, um nach Edward Sanderton Ausschau zu halten.

»Was ist aus ihm geworden?« wollte ich wissen.

»Aus wem?« fragte Tante Mabel.

»Aus Edward Sanderton.«

»Oh ... er ist fortgegangen. Hat in Indien Tiger geschossen. Danach haben wir nie wieder von ihm gehört. Ein paar Jahre hat er noch eine Weihnachtskarte geschickt ... Aber das hörte dann auch auf.«

Als wir die Galerie verließen, blickte ich über die Schulter zurück. Der Ort hatte etwas Unheimliches. Ich konnte mir vorstellen, daß hier eine Legende entstanden war.

Meine Mutter und ich gingen im Wald spazieren. Die Blätter färbten sich langsam gelb. Viele waren schon gefallen und bildeten einen goldbraunen Teppich unter unseren Füßen. Meine Mutter hatte sich nie viel aus den Schönheiten der Natur gemacht, doch im Wald schien sie glücklicher zu sein als anderswo. Als ich dies erwähnte, sagte sie: »Das liegt daran, daß ich dann dem Haus entronnen bin. Von hier aus kann ich es nicht sehen ... und das bedeutet schon viel. Ach Siddons, wenn du wüßtest, wie ich es hasse.«

»Wahrscheinlich bleiben wir ja nicht für immer.«

»Nein. Tom kommt mich holen, das weiß ich.«

»Ich vermute, du nimmst dann auch, was er dir anbietet, selbst wenn ...«

Sie wich zurück. »Oh, es ist bestimmt eine gute Rolle. Ich war nicht so unbedeutend, daß mich die Leute vollkommen vergessen können.« Ein Gefühl rührender Zärtlichkeit befiel mich. Das Publikum hatte sie einst zweifellos geliebt, doch das Publikum war wankelmütig. Sogar *ich* wußte das. Und ich wußte auch, daß sie die Rolle, auf die sie hoffte, nie bekommen würde.

»Ich kann die zwei nicht ausstehen«, sagte sie. »Besonders Martha. Offen gestanden, Siddons, ich fürchte sie richtig.«

»Sie ist furchterregend. Aber was könnte sie dir antun?«

»Es liegt an der Art, wie sie mich anguckt. Wenn ich plötzlich aufschaue, merke ich, daß sie mich beobachtet. Es ist, als ob sie was im Schilde führt.«

»Das bildest du dir ein.«

»Ich hab's früher schon gespürt … als ich mit deinem Vater hierher kam. Er sagte immer: ›Martha macht unentwegt Pläne. Sie entscheidet, was zu geschehen hat, und sie ruht nicht eher, bis sie die Leute so weit gebracht hat, daß sie es tun.‹ Ich antwortete daraufhin, ich wüßte, daß sie unsere Ehe mißbillige und deswegen sicher etwas zu unternehmen gedenke. Ich glaube, sie hatte vor, mich zu ermorden.«

»Irene Rushton«, rief ich, »du spielst ja Theater! Es ist dir doch wohl klar, daß Tante Martha stets rechtschaffen handeln würde, und Mord ist kaum ein rechtschaffenes Mittel.«

»Sie macht mir eine Gänsehaut. Oh, wie sehne ich mich fort aus diesem Haus. Du dagegen scheinst es allmählich liebzugewinnen.«

Das stimmte. Ich liebte das Altertümliche und das Wissen, daß meine Vorfahren seit zweihundert Jahren hier gelebt hatten. Mir gefiel das wohlgeordnete Hauswesen, und ich genoß es, von Personal umgeben zu sein, das mich bediente, ohne den geringsten Zweifel aufkommen zu lassen, daß dies seine Pflicht sei. Ich war es weiß Gott leid, auf Janets Gunst angewiesen zu sein. Ich mochte die regelmäßigen Mahlzeiten, das Morgengebet vor dem Frühstück, und ich gestand mir widerstrebend – was ich meine Mutter allerdings nicht merken ließ – eine gewisse Bewunderung für die Tanten ein. Ich genoß es sogar, mit ihnen zur Kirche zu gehen und in einer Bank der Ashingtons Platz zu nehmen – die ersten beiden Reihen waren, als Reverenz gegenüber der angesehenen Familien, für uns reserviert. Ich bewunderte die bunten Glasfenster, die ein frohlockender Ashington, dessen Wohnsitz Cromwells Vandalen entgangen war und der die Rückkehr zum guten Leben jubelnd begrüßte, während der Restauration hatte einsetzen lassen. Ich liebte die Gedächtnistafeln für verschiedene Familienangehörige und die pompösen Grabstätten in dem Bereich des Kirchhofs, der den Ashingtons vorbehalten war.

Es war ein Gefühl des Dazugehörens, das meine Mutter begreiflicherweise nicht teilen konnte. Sie gehörte nicht so wie ich zur Familie. Man betrachtete sie vielmehr als störenden Eindringling.

Ich wurde der Pfarrersfamilie vorgestellt: Pastor Peter Cannon und seinen drei großen, hageren Töchtern, alle in den Dreißigern; Jungfern, die über das Heiratsalter hinaus waren und sich nun der Arbeit in der Pfarrei widmeten. Ich mochte Pastor Cannons überraschend hübsche und temperamentvolle Frau, die sich angesichts ihrer Töchter leicht verwundert zu fragen schien, wie sie eine ihr so unähnliche Nachkommenschaft hatte zur Welt bringen können. Die Cannons kamen jeden zweiten Sonntag zu uns zum Mittagessen. Sie interessierten sich für mich und wollten mich für gewisse Tätigkeiten in der Gemeinde gewinnen. Meiner Mutter begegneten sie ausgesucht höflich, doch mit einer gewissen Reserviertheit, als seien sie der Meinung, sie könne sich möglicherweise seltsam aufführen. Sie spürten auf Anhieb, daß sie von ganz anderer Wesensart war, doch sie ließen sich nicht anmerken, ob sie von ihrer Beziehung zu Everard wußten; ob dies ihren ausnehmend guten Manieren oder ihrer Unwissenheit zu verdanken war, vermochte ich jedoch nicht zu sagen.

Zuweilen amüsierte ich mich über die Tanten. Ihre Leidenschaft für Nebensächliches setzte mich in Erstaunen. Tante Martha konnte es nicht ertragen, wenn etwas nicht an seinem Platz war. Wenn sie feststellte, daß ein Ziergegenstand sich nicht exakt dort befand, wo er hingehörte, so ruhte sie nicht, bis sie ihn zurechtgerückt hatte. Ordnung war ihr Lebensinhalt. Sie arrangierte Blumen so, daß sie wie Soldaten bei einer Parade aussahen. Die Mahlzeiten wurden genau zum angesagten Zeitpunkt serviert, und wer sich nur um eine Minute verspätete, galt als unpünktlich. Das Gut wurde innen wie außen in peinlicher Ordnung gehalten, und ich erkannte, daß ihre größte Sorge war, ob es nach ihrem und Mabels Tod auch in die richtigen Hände geriet. Es war offensichtlich, daß sie wünschte, meine Mutter solle zu meinem Vater zurückkehren und einen Sohn zur Welt bringen. Das war das einzige, was sie zufriedengestellt hätte. Eine Scheidung kam nicht in Frage, denn Martha glaubte an die Unverletzlichkeit der Ehe, und hatte ein Mann eine Frau geheiratet, so blieben sie vermählt, bis der Tod sie schied.

Ich wußte, was meine Mutter meinte, als sie erzählte, immer, wenn sie aufblickte, finde sie Marthas Augen forschend auf sich gerichtet. Ich hatte ein gewisses Blitzen in Marthas Augen entdeckt. Es hatte wirklich den Anschein, als habe sie mit meiner Mutter etwas vor.

Was aber konnte das anderes sein, außer sie für meinen Vater zurückzugewinnen? Entweder das, oder sie starb …

Ein entsetzlicher Gedanke! Die Bemerkung meiner Mutter, Martha mache ihr »eine Gänsehaut«, hatte diesen Gedanken ausgelöst.

»Wir sind nun einmal hier«, gab ich ihr zur Antwort, »und sollten das Beste daraus machen.«

»Ich glaube, du möchtest hierbleiben. Wenn Tom kommt, muß ich in die Stadt ziehen. Vielleicht ist es dann besser, wenn du nicht mitkommst.«

»Du kennst ja dieses ganze Gerede wegen einer Gouvernante.«

»Ja. Alles Unsinn.«

»Nicht unbedingt. Ich mag nicht ungebildet sein. Wenn du eine Rolle bekommst, sollte ich womöglich wirklich besser hierbleiben.«

»Ich würde mir in London eine Unterkunft besorgen oder in einem Hotel wohnen.«

»Ich besuche dich dann dort und komme zur Premiere ...«

»Ach, wäre das nicht wundervoll? Vielleicht schauen wir nächstes Jahr um dieselbe Zeit auf dies alles zurück wie auf einen kurzen bösen Traum.«

Wir wanderten Arm in Arm, und die Blätter raschelten unter unseren Füßen.

»Es ist schön im Wald«, sagte meine Mutter. »Was ist das für ein merkwürdiger Duft?«

»Das sind Kiefern, glaube ich.«

»Ein angenehmer Geruch«, fand meine Mutter.

Es war schön, sie so guter Laune zu sehen.

Als wir ins Haus zurückkehrten, kam Tante Mabel uns in der Halle entgegen. »Wir haben die Gouvernante engagiert«, sagte sie. Sie hieß Celia Hansen. Sie war aus Mittelengland gekommen, um sich vorzustellen, und in der darauffolgenden Woche sollte sie ihren Dienst antreten.

Die beiden Tanten waren von der Gouvernante sehr angetan. Sie war eine Frau aus gutem Hause. Sie hatte ausgezeichnete Referenzen – von einer adeligen Dame, welche, wie Celia freimütig bekannte, mit ihr befreundet war; denn es war nicht möglich, eine Empfehlung von ehemaligen Dienstherren beizubringen, da es keine ehemaligen Dienstherren gab. Celia Hansens Geschichte war nicht außergewöhnlich. Ihre Erziehung war von der Voraussetzung geprägt, daß sie es niemals nötig haben werde, ihren Lebensunterhalt selbst zu verdienen. Aber ihre Eltern waren plötzlich gestorben, und sie stand allein auf der Welt. Als die Schulden der Familie beglichen waren, blieb ihr nur ein unzulängliches Einkommen, und das Haus, in dem sie gewohnt hatte, war einem Vetter zugefallen. Sie hätte dort das Dasein einer armen Verwandten fristen können, doch als Frau von Verstand zog sie es vor, von anderen unabhängig zu leben.

»Sehr lobenswert«, meinte Tante Martha.

»Zeugt von einem starken Charakter«, echote Tante Mabel.

Beide waren mit ihr zufrieden.

Ich war sehr neugierig auf sie, und am folgenden Montagnachmittag beobachtete ich ihre Ankunft von meinem Fenster aus. Der Brougham war zum Bahnhof geschickt worden, um sie abzuholen, und das Lastfuhrwerk sollte später ihr Gepäck bringen.

Sie stieg aus dem Brougham, blieb einen Moment stehen und blickte zum Haus hinauf. Ich wollte nicht auf dem Ausguck ertappt werden und trat einen Schritt zurück, aber nicht, ohne zuvor ein längliches blasses Gesicht und braunes, zu beiden Seiten glatt zurückgekämmtes und in einem Nackenknoten zusammengefaßtes Haar erspäht zu haben. Sie war schwarz gekleidet – adrett, ohne besondere Zugeständnisse an die Mode.

Ich wußte, daß ich bald herbeigerufen würde, um ihr vorgestellt zu werden, und wenig später war es soweit.

Ich ging ins Wohnzimmer. Sie saß auf einem der hochlehnigen Stühle, sehr aufrecht, die behandschuhten Hände im Schoß gefaltet.

Tante Martha lächelte äußerst liebenswürdig, und Tante Mabel tat es ihr gleich.

»Sarah, das ist Miss Hansen. Miss Hansen, Ihre Schülerin.«

Sie stand auf und trat auf mich zu. Sie war von durchschnittlicher Größe. Das Wort »durchschnittlich« paßt zu ihr. In diesem Augenblick schoß es mir durch den Kopf, daß es überall in England Tausende verarmter Damen jenseits der ersten Jugend gab, die alle so aussahen wie Celia Hansen.

Ich ergriff ihre ausgestreckte Hand.

»Ich freue mich, Sie kennenzulernen.« Sie hatte eine angenehm tiefe Stimme. Ich konnte verstehen, warum sie einen solchen Eindruck auf meine Tanten gemacht hatte. »Eine Dame!« wie sie anerkennend sagten.

»Ich hoffe, daß Sie in mir eine fleißige Schülerin finden und daß wir gut zusammenarbeiten«, erwiderte ich.

Sie lächelte – ein halbes Lächeln, ein Anheben der Lippen, doch die Augen blieben unbeteiligt. Es waren merkwürdige Augen: groß, hellbraun und ein wenig vorstehend, mit einem starren Blick. Später fiel mir auf, daß sie völlig ausdruckslos waren; sie verliehen Celias Gesicht einen eigentümlichen Zug, der das einzig wirklich Ungewöhnliche an ihr war. »Dessen bin ich sicher«, gab sie zurück.

»Jennings wird Ihnen Ihr Zimmer zeigen«, sagte Tante Martha, »und wenn Sie sich ausgeruht haben … oder möchten Sie sich gar nicht ausruhen?«

Miss Hansen sagte, sie wolle sich nicht ausruhen; wenn sie sich vielleicht nur die Hände waschen und sich umziehen könne, um aus ihren Reisekleidern …

Tante Martha war einverstanden. »Dann«, sagte sie, »kann Sarah in – sagen wir – einer Stunde zu Ihnen kommen? Sie wird Ihnen das Zimmer zeigen, wo Sie arbeiten werden.«

Jennings wurde herbeibefohlen, und Fräulein Hansen folgte ihr hinaus.

»Wo ist ihr Zimmer?« fragte ich, als sie die Tür hinter sich geschlossen hatte.

»Im dritten Stockwerk … am Ende des Flurs, wo das Zimmer deiner Mutter liegt. Es ist gleich neben dem Schlafzimmer. Ich bin überzeugt, wir haben eine gute Wahl getroffen.«

»Sie ist zweifellos ein wohlerzogener Mensch«, sagte Mabel. »Es gibt viele wie sie … heutzutage. Sie wachsen in der Erwartung eines sorgenfreien Daseins auf, und dann sehen sie sich gezwungen, ihren Lebensunterhalt zu verdienen …«

Tante Martha machte ein Gesicht, als beglückwünsche sie sich selbst. Ich hatte diesen Ausdruck schon früher bemerkt, wenn etwas, das sie plante, gelungen war.

Bevor ich Celia Hansen abholte, begab ich mich ins Schulzimmer. Ein schwacher Geruch von Möbelpolitur hing in der Luft.

Es sah aus wie alle Schulzimmer. An einem Ende befand sich ein großes Fenster mit schweren dunkelroten Vorhängen; auf dem Marmorsims des Kamins stand eine schlichte eckige Uhr. An den Wänden waren Bibelszenen dargestellt. Moses im Dornbusch, Moses schlägt Wasser aus dem Felsen, Rachel am Brunnen, Jakobs Traum, Lots Frau blickt zurück und erstarrt zur Salzsäule. Auf der einen Seite des Zimmers das Alte, auf der anderen das Neue Testament: die Tempelaustreibung, Jesus am Brunnen, Jesus wandelt auf dem Wasser und speist die Fünftausend.

Etliche Schränke waren da und ein langer Tisch, ziemlich verkratzt und voller Tintenflecken, mit einer Bank auf der einen Seite und einem hohen, altertümlichen Stuhl am Kopfende, vermutlich für den Lehrer. Dazu mehrere hochlehnige Stühle im Raum verstreut. Ein typisches Schulzimmer, dachte ich. Hier war Margaret unterrichtet worden, während ihre Schwestern die Schule besuchten. Ich fragte mich, wie ihre Gouvernante wohl gewesen sein mochte, und ob sie ihr vertraut hatte.

Sie war gewiß maßlos glücklich, als Edward Sanderton ins Haus kam; allerdings war ihr Glück von einem Anflug von Traurigkeit getrübt, hatte sie es doch auf Kosten ihrer Schwester errungen. Und was für einer Schwester! Ich war sicher, daß Martha als junge Frau beinahe ebenso ehrfurchtgebietend war wie heute, ein wahres Schreckgespenst für ein zartbesaitetes junges Mädchen.

Ich stellte mir vor, wie Margaret an diesem Tisch – das schöne Haar fiel ihr auf die Schultern herab – ihrer Gouvernante anvertraute, daß sie sich verliebt hatte. Ich sah ihr Gesicht ganz deutlich; blauer Chiffon fiel von den schmalen Schultern. Ich dachte an die Galerie bei Einbruch der Dunkelheit, wenn Schatten durch die hohen Fenster fielen und Margaret aus ihrem Rahmen trat, um nach ihrem Geliebten Ausschau zu halten. Ein liebliches Hirngespinst. Ich fragte mich, ob sie im Schulzimmer ebenso spukte wie in der Galerie.

Ich stand neben den wuchtigen roten Vorhängen, als ich Schritte die Treppe herauf- und den Flur entlangkommen hörte. Daß mein Herz wie wild gegen mein Mieder zu hämmern begann, kam wohl daher, weil ich gerade an Margaret gedacht hatte. Ein merkwürdiges Gefühl beschlich mich. Die Schritte waren langsam, schwerfällig, als mache das Gehen Mühe. Ich starrte zur Tür. Die Klinke bewegte sich. Die Tür schwang auf, aber niemand kam herein. Ich drückte mich instinktiv gegen die Vorhänge. Dann mußte ich über mich selbst lachen. Ellen, eines der Dienstmädchen, war hereingetreten, und sie war so langsam gegangen, weil sie eine große braune Schale mit Chrysanthemen trug. Die war sicher sehr schwer, denn sie war aus Steingut.

Als Ellen sie zum Tisch schleppte, trat ich zwischen den Vorhängen hervor. Ellen drehte sich mit einem Schrei um, und die Schale entglitt ihren Händen. Ihr Gesicht war bleich, die Augen weiteten sich vor Schreck.

»Ellen!« rief ich. »Was ist denn?«

Sie starrte mich an, und als sie mich erkannte, kehrte die Farbe in ihr Gesicht zurück, und sie wurde dunkelrot. »Ich dachte ...«, stammelte sie. »Ach du liebe Güte, ich dachte, Sie sind das Gespenst, Miss Sarah.«

Ich lachte, besann mich jedoch, daß ich mich wenige Sekunden zuvor ängstlich in die Vorhänge gedrückt hatte.

»Die Köchin sagt, sie kommt vielleicht hierher ... Sie hat sie nämlich schon mal im Schulzimmer gesehen ... sagt die Köchin. Ich weiß nicht, Miss Sarah, aber Sie hätten sie ja sein können. Sie sehen ihr ähnlich, sagt die Köchin ...«

»Das ist nicht verwunderlich«, meinte ich. »Wenn du von Miss Margaret sprichst, das war meine Tante. Komm, Ellen, wir sollten das hier lieber aufputzen!«

»Das gibt Ärger, Miss. Schauen Sie. Ich hab' die Schale kaputtgemacht.«

»Ich sage, es war meine Schuld.«

»Das wollen Sie wirklich tun, Miss? Na ja, schließlich haben *Sie* mich ja erschreckt.«

Ich legte ihr meine Hand auf die Schulter. Sie zitterte immer noch. »Ich komm' nicht gern allein hierher«, gestand sie. »Ist ja auch 'n komischer Tag heute … So düster, als ob's 'nen Sturm gibt. Aber ich geh' immer noch lieber hierher als in die Galerie … Obwohl ich hier auch nicht gern herkomme.«

»Lauf, und hol eine Kehrschaufel«, sagte ich, »und irgendwas, um das Wasser aufzuputzen. Bring eine Vase für die Blumen mit. Die sollten wohl das Zimmer für die neue Gouvernante ein bißchen freundlicher machen.«

»Miss Martha sagte, ich soll sie reinstellen. Die neue Gouvernante ist eine richtige Dame, sagt sie. Viele Gouvernanten sind Damen, Miss. Die haben alle mal bessere Tage gesehen.«

»Da hast du recht. Jetzt hol die Sachen, damit wir das Zimmer schnell saubermachen und für den Empfang der Dame vorbereiten können.« Sie ging davon, erleichtert, weil ich kein Gespenst war und weil ich die Schuld für die zerbrochene Schale auf mich nehmen wollte.

Während ich auf sie wartete, dachte ich, wie merkwürdig es doch sei, daß die Erinnerung an Margaret nach so vielen Jahren noch fortlebte. Es war beinahe, als sei etwas Geheimnisvolles mit ihrem Tod verbunden.

Ellen war bald zurück. Während sie saubermachte, arrangierte ich die Blumen. Ich stellte sie mitten auf den Tisch. »So«, sagte ich. »Sieht das nicht freundlicher aus?«

Ellen blickte sich im Zimmer um. Ich sah ihr an, daß es für sie ein verhexter Raum war. Daran konnten auch noch so viele Blumen nichts ändern.

Celia Hansen war sichtlich bestrebt, jedermann zufriedenzustellen. Sie benahm sich so tadellos, daß ich zuweilen glaubte, sie müsse alles, was sie sagte und tat, geprobt haben. Sie bemühte sich, die Dienstboten nicht zu verstimmen, und brachte es zustande, ihnen freundlich zu begegnen, ohne vertraulich zu sein, was nicht immer einfach war. Die Stellung einer Gouvernante innerhalb eines Haushalts könne sehr heikel sein, bedeutete sie mir später. Man gehöre nicht zur Dienerschaft; andererseits könne man aufgrund des Arbeitsverhältnisses nicht erwarten, wie ein Mitglied der Familie behandelt zu werden. Sie hatte jedoch keinen Grund zur Sorge. Tante Martha war ihr aufrichtig gewogen. Sie hatte die Idee gehabt, eine Gouvernante einzustellen, und sie hatte sich für Celia Hansen entschieden. Folglich konnte es nur gut sein, daß Celia ins Haus kam. Es sprach viel für eine solche Philosophie. Allerdings war es damals, als sie Edward Sanderton ins Haus gebracht hatte, etwas anders gewesen. Aber das lag weit zurück, und es entsprach nicht Tante Marthas Naturell, lange über Mißerfolge nachzugrübeln. Mabel fand natürlich ebenfalls, daß Celia ein Gewinn für den Haushalt war; sie löste das Problem meiner Ausbildung und trat zurückhaltend und liebenswürdig auf – sie verkörperte alles, was unter diesen Umständen bewundernswert war.

Die größte Überraschung für mich war Celias gutes Verhältnis zu meiner Mutter. Sie fühlten sich zweifellos zueinander hingezogen. Celia erwies sich, was das Theater betraf, als sehr bewandert, und sie erzählte meiner Mutter, daß sie einmal die unvergeßliche Gelegenheit gehabt hatte, eine Vorstellung zu besuchen, bei der meine Mutter auftrat.

Celia konnte das Stück und die Rolle meiner Mutter in allen Einzelheiten schildern. Meine Mutter war hingerissen. Ich hatte sie lange nicht so glücklich gesehen.

Ich dagegen verhielt mich reserviert. Ich war ein wenig verstimmt, weil ich in meinem Alter eine Gouvernante hatte. Die unvergleichlichen Lektionen bei Toby kamen mir wieder in den Sinn, die so vergnüglich gewesen waren. Die Erziehung durch Celia Hansen stellte keine solchen Höhenflüge in Aussicht.

Wir begegneten einander ein wenig argwöhnisch. Sie muß über

dreißig gewesen sein, was mir ziemlich alt vorkam. Ich fand, manchmal sah sie älter aus, manchmal jünger. Sie war ganz anders als ich. Ich war impulsiv, dagegen hatte ich den Eindruck, daß sie ihre Worte sorgfältig abwägte, bevor sie sprach, und daß sie darauf achtete, wie ihre Äußerungen auf die Leute wirkten. Ich bildete mir ein, ihre Persönlichkeit änderte sich immer ein wenig, je nachdem, mit welchen Menschen sie zusammen war. Bei den Tanten war sie ein Musterbeispiel an Schicklichkeit; sie zeigte gerade so viel Dankbarkeit, um sie wissen zu lassen, daß sie nie vergaß, wie froh sie war, in ihrem Haus zu sein, doch nie verhehlte sie dabei die Tatsache, daß sie ebenso aufgewachsen war wie die Tanten. Nichts hätte Tante Martha mehr ergötzen können. Ich horchte die Dienstboten aus, was sie von Celia hielten. »Eine Dame ... o ja, eine Dame«, sagte Ellen. »Die geht einem nicht auf die Nerven. Die Köchin sagt, manche Gouvernanten machen so 'n vornehmes Getue. Je nun, vornehm ist Miss Hansen ja ... aber dabei so natürlich, falls Sie verstehen, was ich meine. O ja, die ist richtig beliebt.« Sie war also ein Erfolg. Ich hätte sie mir weniger zurückhaltend gewünscht. Mir wäre lieber gewesen, sie wäre nicht immer so leise ins Zimmer gekommen, so daß ich sie nicht eher bemerkte, bis ich aufblickte und sie sah. Außerdem verwirrten mich ihre eigenartigen Kulleraugen. Sie hatten eine gewisse Leere, so daß man unmöglich ergründen konnte, was dahinter lag. Sie schienen nie zu lächeln. Sie paßten zu ihrem Auftreten. Dann erfuhr ich, daß sie sich vor mir fürchtete, und das änderte meine Einstellung zu ihr.

Wir saßen im Schulzimmer und lasen den »Hamlet«. Sie hatte eine Art Stundenplan ausgearbeitet, denn sie war sehr gewissenhaft. Sie sollte mich in Mathematik sowie französischer und englischer Grammatik unterrichten, und wir studierten englische Literatur. Sie unterwies mich außerdem in Handarbeit und erteilte mir eine Art Kunstunterricht, der sich im Malen mit Wasserfarben erschöpfte – meist eine Blumenvase oder eine

Schale mit Früchten. Celia verstand sich ausgezeichnet auf den Umgang mit der Nadel, und sie malte viel besser als ich. Sie war hervorragend in Mathematik und löste die Aufgaben spielend, bei denen es um Züge ging, die in verschiedene Richtungen fuhren, oder darum, das Alter von Kindern zu bestimmen, wenn sie zusammen soundso alt waren und das eine um soundso viele Jahre älter war als das andere. Ich hatte solche Aufgaben immer gehaßt und mochte mich nicht mit der Geschwindigkeit von Zügen oder dem Alter nicht existierender Kinder befassen. Doch was Englisch und Französisch betraf – vor allem die Literatur –, so wäre ich eher in der Lage gewesen, Celia zu unterrichten als umgekehrt.

Das stellte sich sehr bald heraus, und es trat besonders klar zutage, als wir den »Hamlet«, studierten. Ich hatte ihn immer geliebt. Ich kannte ganze Passagen auswendig. Toby und ich hatten ausgiebig darüber debattiert.

Ich vertiefte mich immer mehr in die Diskussion mit Celia, und sie war ganz offensichtlich verunsichert. Ihre Hände lagen auf dem Tisch, und ich bemerkte, daß sie zitterten. Sie verbarg sie in ihrem Schoß und schien einen Entschluß zu fassen.

»Ich bin nicht geeignet, Sie zu unterrichten«, sagte sie. »Ich hatte nur eine ganz gewöhnliche Ausbildung. Ich vermag kleineren Kindern etwas beizubringen …« Die Kulleraugen blickten mich an, ohne zu blinzeln, doch die Lippen zuckten. Sie war regelrecht verängstigt.

Sie fuhr fort: »Ich dachte, ich hätte es gut getroffen. Alles schien sich bestens zu entwickeln. Ihre Tanten waren so nett zu mir, und ich war stolz, Ihre Mutter kennenzulernen. Doch ich merkte, daß Sie mich nicht für geeignet halten, Sie zu unterrichten. Sie werden gewiß mit Ihren Tanten darüber sprechen, und dann …«

Ich schwieg einen Augenblick. Ich war vom plötzlichen Einstürzen dieser ruhigen Fassade betroffen. Diese stille, zurückhaltende, ausgeglichene Dame war in Wirklichkeit eine verängstigte

Frau, die in eine trostlose Zukunft blickte. Die großen Augen musterten mich, ausdruckslos wie immer.

»Können Sie sich in meine Lage versetzen?« fuhr sie fort. »Ich bin aufgewachsen in einem Haus ... wie diesem hier. Es kam mir nie in den Sinn, daß sich mein Leben so verändern könnte. Es ging alles so plötzlich. Als meine Eltern starben, mußte ich sämtliche Schulden begleichen, was ich pflichtschuldigst tat, obwohl ich danach ohne einen Penny dastand. Da schien mir dies hier das einzige, was ich tun konnte. Ich las die Anzeige, ich schrieb, und Ihre Tanten waren so gütig; und alle anderen hier auch. Ich dachte, dies sei ein Übergang, und ich könnte ein paar Jahre hierbleiben und vielleicht etwas für die Zukunft ins Auge fassen. Aber ich eigne mich nicht zum Unterrichten. Ich werde etwas anderes versuchen müssen ... in einem Haus mit Kindern. Das wäre wohl eher etwas für mich. Es sieht aus, als sei ich unter Vorspiegelung falscher Tatsachen hierher gekommen.«

»Hören Sie auf!« rief ich. »Sie vermuten viel zuviel. Wer sagt denn, daß ich Tante Martha erzähle, Sie seien nicht geeignet, mich in Französisch und Englisch zu unterrichten? *Ich* nicht. Das haben Sie unterstellt. Sicher, ich bin nach wie vor der Ansicht, daß ich zu alt für eine Gouvernante bin ...«

»Das weiß ich, und deswegen lehnen Sie meine Anwesenheit ab.«

»Ich habe nichts gegen Sie persönlich. Ich wehre mich nur gegen die Vorstellung, daß ich ein Kind bin, das eine Gouvernante braucht. Ich kann verstehen, wie Ihnen zumute ist. Es hätte mir leicht genauso ergehen können. Hätten die Tanten uns nicht hierher geholt, so würde ich jetzt wahrscheinlich versuchen, mir irgendwo meinen Lebensunterhalt zu verdienen. Daher verstehe ich Sie. Sie sind gut im Rechnen und noch besser im Handarbeiten und Zeichnen. Ich sehe nicht ein, warum Sie mich in diesen Fächern nicht unterrichten sollten. Und Französisch machen wir eben gemeinsam, so gut es geht; im übrigen freue ich mich immer, wenn ich jemanden habe, mit dem ich über Literatur diskutieren kann. Ich sehe also nichts, was uns hindern könnte, zusammen zu lernen. Kopf hoch, Miss Hansen! Seien Sie unbesorgt! Bleiben Sie hier, bis Sie eine Möglichkeit sehen, was Sie sonst tun können! Tante Martha schätzt Sie, und ich kann Ihnen versichern, daß es eine außerordentliche Leistung ist, sich die Wertschätzung einer solchen Dame zu erobern.«

Die Lippen lächelten; die Augen kamen mir leuchtender vor, doch ihr Ausdruck blieb unverändert.

Von da an wurden wir Freundinnen. Sie war mir dankbar, weil ich sie nicht bloßgestellt hatte, und ich konnte mich eines Anflugs von Selbstgerechtigkeit nicht erwehren. Ich mochte Celia gern, so wie man Menschen mag, denen man einen Gefallen erwiesen hat.

Wir kamen also recht gut miteinander aus, und innerhalb eines Monats gehörte Celia zur Familie.

Tante Martha verfügte, daß Celia ihre Mahlzeiten mit uns einnahm, da es absurd sei, daß ihr das Essen auf einem Tablett in ihr Zimmer gebracht wurde und sie andererseits wohl kaum in die Gesindestube gehen könne. Wir nannten sie nun beim Vornamen, und sie ging mit uns zur Kirche. Die Cannon-Töchter überredeten sie, sich an Gemeindeaktivitäten zu beteiligen, und sie war ausgesprochen tüchtig. Sie bestickte ein Tablettdeckchen und fertigte Teewärmer für den Basar, bei dem sie sich sehr nützlich machte, indem sie aus der großen Teemaschine den Tee zu einem Penny die Tasse ausschenkte.

Gelegentlich spürte ich eine gewisse Beklommenheit im Haus, und dann ging ich in die Galerie und betrachtete Margarets Bildnis und die Porträts der Damen mit den Perlen.

Ich hätte gern gewußt, was nun mit den Ashington-Perlen geschehen würde. Sie waren vermutlich im Besitz meines Vaters. Sie sollten an den Sohn der Familie und von ihm an seine Frau weitergegeben werden, dann an die Frau ihres ältesten Sohnes.

Aber wenn kein Sohn da war? Ich wollte mich erkundigen, was jetzt aus den Perlen wurde. Vielleicht würde Tante Mabel es mir erzählen.

Was war es nur, daß mich so beunruhigte? Möglicherweise Tante Martha. Sie hatte etwas Zielstrebiges an sich, als ob sie etwas plante. Und dann meine Mutter. Sie wartete noch immer auf den Tag, da Tom Mellor mit dem Stück kommen würde, das sie mit einemmal wieder auf die Höhe ihrer Laufbahn befördern sollte. Celias Anwesenheit hatte sie in dieser Überzeugung bestärkt. Manchmal dachte ich, das sei gut so, dann wiederum war ich dessen nicht so sicher. Celia unterhielt sich sehr oft mit ihr. Sie pflegten den Tee im Zimmer meiner Mutter einzunehmen. Sie besaß einen Spirituskocher, den sie im Theater benutzt hatte, denn sie hatte die Angewohnheit, auch zu den ausgefallensten Zeiten eine Tasse Tee zu trinken. Meg hatte sich darüber beklagt: »Tee! Tee! Mitten in der Nacht kriegt sie Gelüste auf 'ne Tasse Tee.« O ja, ich erinnere mich gut an diesen Spirituskocher.

Manchmal leistete ich ihnen Gesellschaft. Ich hatte meine Mutter recht angeregt erlebt, wenn sie Celia von ihren verschiedenen Rollen erzählte und ihr oft auch die eine oder andere vorspielte. Es war gut, sie so vergnügt zu sehen, doch hinterher verfiel sie jedesmal in Depressionen, die nach dem kurzlebigen Überschwang besonders tief waren.

Ich fragte mich, ob Celia von der Beziehung zwischen meiner Mutter und Everard Herringford und von der nachfolgenden Tragödie gehört hatte. Ich fühlte ihr eines Tages auf den Zahn, als wir im Wald spazierengingen.

Ich begann damit, daß ich ihr erzählte, meine Mutter sei entzückt, weil sie sich so sehr für das Theater interessiere. Ich fragte vorsichtig: »Haben Sie etwas über ihr letztes Stück gehört?«

»Meinen Sie das, welches nur so kurze Zeit gelaufen ist?«

Sie wußte es also.

»Das war ein Jammer«, sagte sie. »Ich finde es schrecklich, daß sie hier ... Ihr großes Talent liegt brach.«

»Es war ziemlich schwer für sie ...« Ich brach ab.

Celia war ein Stück vorausgegangen. Sie schien nervös. Dann drehte sie sich zu mir um und sagte: »Ich habe in den Zeitungen darüber gelesen ... über den Mann, der sich umgebracht hat ... dieser Politiker. Es muß entsetzlich für sie gewesen sein. Sie tat mir so leid.«

»Sie wußten es also.«

»Nicht genau. Es wurde in unserem Lokalblatt erwähnt, und da ich sie auf der Bühne gesehen hatte, erinnerte ich mich an sie. Ist es wahr, daß dieser Vorfall ihre Karriere ruiniert hat?«

»Ja, das stimmt.«

»Wie tragisch!«

»Sie waren gewiß sehr überrascht, sie hier anzutreffen. Oder haben Sie sich an den Namen erinnert ...«

»Den Namen?« Ein Zucken ihrer Lippen kündete von Überraschung. »Ach so ... Ashington. Ich glaube nicht, daß ich den Namen schon gehört hatte. Sie nannte sich doch Irene Rushton, nicht wahr? Nein, der Name Ashington war mir nicht bekannt, daher war es eine große Überraschung für mich, ihr hier zu begegnen. Ich konnte es zuerst gar nicht glauben.«

»Sie sind eine Wohltat für sie«, sagte ich. »Sie ist immer so umschwärmt gewesen ... und es ist wunderbar für sie, eine ihrer Verehrerinnen hier zu haben.«

»Ich unterhalte mich gern mit ihr über das Theater. Es ist sehr interessant.«

Ich hatte recht gehabt. Tante Martha plante etwas. Was, das erfuhr ich von meiner Mutter. Es war Ende November, recht warm noch, aber feucht und neblig, und meine Mutter hatte wieder einmal eine jener Erkältungen, die sie immer häufiger heimsuchten.

Eines Tages blieb sie im Bett, und ich ging in ihr Zimmer, um auf dem Spirituskocher Tee zu machen. Celia war in der Kirche zu einer Besprechung über die Weihnachtsfeier für die Kinder, die zwar erst am zwanzigsten des folgenden Monats stattfinden sollte, die jedoch wochenlanger Vorbereitungen bedurfte.

Meine Mutter war deprimiert. »Ich hasse dieses Haus mit jedem Tag mehr«, sagte sie, als ich ihr den Tee reichte.

Ich setzte mich ans Bett und nippte an meiner Tasse. An der Bemerkung war nichts Außergewöhnliches. Ich hatte sie schon hundertmal gehört.

»Martha hat einen Plan«, fuhr meine Mutter fort. »Ich sage dir, Siddons, sie macht mir wirklich eine Gänsehaut.«

»Das sagst du immer.«

»Ich erinnere mich noch genau, wie ich mit deinem Vater hierher kam. Sie wollte immer wissen, ob ich schwanger sei. Wärst du ein Junge, dann wäre jetzt alles gut. Du bekämst ihre verflixten Perlen samt einer Frau, die sie dann trägt. Die beiden würden dich jetzt schon verheiraten, und dann würden sie achtgeben, daß ein Sohn heranwächst. Aber dein Vater hat sie hereingelegt. Er hat die Familie betrogen. Zwei gescheiterte Ehen, und aus keiner ging ein Ashington hervor. Martha ist regelrecht besessen. Wer bekommt aber die Perlen? Wohl keiner mit dem Namen Ashington, so wie es jetzt aussieht. Es ist die reinste Komödie. Aber Martha paßt nicht in eine Komödie.«

Sie reichte mir ihre Tasse, und als ich diese abgestellt hatte und ans Bett zurückgekehrt war, ergriff sie meine Hand. »Es braut sich was zusammen, Siddons. Sie hat Pläne.«

»Was für Pläne?«

»Sie betreffen mich. Das weiß ich. Sie starrt mich immer so an. Sie hat vor, deinen Vater und mich irgendwie wieder zusammenzubringen. Er muß entweder nach Hause kommen, oder ich muß zu ihm. Sie möchte uns zusammenbringen, damit wir das tun können, was sie diskret als ›unsere Pflicht‹ bezeichnet. Wir müssen einen Sohn bekommen, damit der die Perlen erben kann. Wie will sie das nur anstellen?«

»Vielleicht kommt mein Vater nach Hause.« Ich war gerührt bei diesem Gedanken. Die Ankunft in diesem Haus, wo ich mit meiner Familie bekannt gemacht wurde (wenn auch vornehmlich in einer Gemäldegalerie), hatte eine erregende Wirkung auf mich. Mehr als alles andere wünschte ich mir sehnlichst, meinen Vater kennenzulernen.

»Er würde sich niemals von seinen Schwestern Vorschriften machen lassen. Er kommt bestimmt nicht. Er ist in all den Jahren nicht hier gewesen. Warum sollte er ausgerechnet jetzt kommen? Ich glaube, Martha ist sich klargeworden, daß sie ihn nicht herbefehlen kann, und nun versucht sie, mich dorthin zu verfrachten. Das ist ihr Plan. Sie will mich loswerden.«

»Würdest du … gehen?«

»Ich habe das Haus dort gehaßt. Noch mehr als dieses hier. Hier bin ich wenigstens nicht weit weg von London, und Tom weiß, wo er mich finden kann.«

Ich wurde von Mitleid übermannt. Sie hoffte immer noch, Tom Mellor würde mit *dem* Stück kommen. Sie war dünn geworden, ungewöhnlich dünn; und der einst so reizvolle natürliche Perlschimmer ihrer Haut war nun künstlich aufgebessert und sah längst nicht mehr so makellos aus wie früher.

»Hat sie dir vorgeschlagen, daß du gehen sollst?« fragte ich.

»Angedeutet. Wir sollten ein, wie sie es nennt, normales Eheleben führen. Sie will einen Ashington-Erben, koste es, was es wolle. Sie vergißt, daß selbst eine Begegnung zwischen deinem Vater und mir ihre Pläne nicht weiterbringt. Man kann ein Pferd zur Tränke führen, aber man kann es nicht zum Saufen zwingen.«

»Nun gut, du gehst nicht nach Ceylon, und er kommt nicht nach England – also kann Tante Martha nichts machen.«

»Manchmal, wenn sie mich so ansieht, denke ich, sie fragt sich womöglich, ob man mich nicht auf irgendeine Art verschwinden lassen kann.«

»Verschwinden?«

111

»Wie vom Erdboden verschluckt.«

»Du übertreibst wieder mal.«

Sie sah mich ernsthaft an. »Nein, Siddons. Ich bin ein Hindernis, und Martha duldet keine Hindernisse. Wenn welche auftreten, so findet sie einen Weg, sie zu beseitigen.«

»Ich weiß nicht, wie du das meinst.«

»Ich mag dieses Haus nicht. Manchmal glaube ich, ich werde irgendwie gewarnt. Es ist unheimlich. Spürst du das nicht?«

»Das kommt von dem vielen Gerede über Gespenster. Margaret in der Galerie und dergleichen.«

»Auch die Gedanken der Menschen können einem so ein Gefühl vermitteln. Wenn jemand etwas im Schilde führt …«

»Du hast zuviel Theater gespielt. Das gerät bei dir mit der Wirklichkeit durcheinander.«

»Tatsache bleibt«, sagte meine Mutter, »wenn ich aus dem Weg wäre, so könnte dein Vater wieder heiraten, stimmt's? Vielleicht wäre ihm dann ein Sohn beschieden.«

»Rede nicht solchen Unsinn! Du bist nicht im Weg, wie du es nennst. Zudem hast du mich, und ich kann auf dich aufpassen, oder?«

Sie lächelte mich zärtlich an. »Liebe Siddons. Du bist mein Trost. Ich kann dir gar nicht sagen, welche Erleichterung es ist, daß du bei mir bist hier in diesem seltsamen Haus voller Schatten.«

Ich stand auf und goß frischen Tee ein; ich wollte verhindern, daß sie rührselig wurde, aber gleichzeitig hatte ich ein unbehagliches Gefühl. Es *war* etwas im Haus, etwas Unheimliches, Warnendes.

Weihnachten rückte näher, und auf meinen Vorschlag hin schmückten wir das Haus mit Stechpalmenzweigen und Efeu. Ich war neugierig, wie das Weihnachtsfest in Ashington Grange verlaufen würde. So war mir neu, daß es seit Jahren Sitte war, jede Familie im Dorf mit zwei Decken und einer Gans zu beschenken. Man belehrte mich, daß wir am Heiligen Abend der

Mitternachtsmette und am Weihnachtsmorgen einem weiteren Gottesdienst beiwohnen würden, daß die Sternsinger uns am Heiligen Abend besuchen und die Pfarrersfamilie sowie der Arzt mit seiner Frau am Weihnachtsabend zu uns zum Essen kommen würden. Das Mittagsmahl wurde um zwölf Uhr serviert, damit die Dienstboten am Nachmittag frei hatten. Ich nahm an, daß die Weihnachtsfeste seit Jahren so verlaufen waren.

Celia und ich ritten neuerdings hin und wieder zusammen aus. Die Tanten hatten ihr großzügig gestattet, eines der Pferde aus den Stallungen zu benutzen, was bewies, welch hohe Meinung sie von ihr hatten. Ich war schon immer gern geritten, und es war angenehm, eine Gefährtin zu haben. Wir schmückten die Kirche für Weihnachten, ebenso unsere Halle, wo das Fest für die Kinder stattfand. Es wurde sehr kalt, und die Cannon-Töchter hofften auf eine weiße Weihnacht. Im Vorjahr waren sie auf den Teichen Schlittschuh gelaufen, erzählten sie uns.

Meine Mutter wurde noch gereizter; sie sprach von früheren Weihnachtsfesten und erwähnte bitter jenes eine, als Tom sie überredet hatte, in einer Pantomime aufzutreten. Das war ein großer Fehler gewesen.

Der Schnee ließ bis zum Dreikönigsfest auf sich warten; es wehte ein starker Ostwind, und es war bitter kalt. Meine Mutter hatte Frostwetter immer gehaßt, und sie bekam wieder eine Erkältung. Celia und ich redeten ihr zu, im Bett zu bleiben, was sie nur zu bereitwillig tat.

Von ihrer Erkältung blieb ein Husten zurück, der den ganzen Januar hindurch anhielt. Schnee war gefallen, und die Landschaft lag unter einer weißen Decke. Der Wald war wie verzaubert und sah wie ein Ort aus Grimms Märchen aus. Ich zog schwere Stiefel an und unternahm lange Spaziergänge. Celia kam mit. Es machte uns Spaß, im Gasthaus Zum Förster einzukehren, wo wir heiße Pastete aßen und einen Krug Apfelmost tranken.

Ich erinnere mich noch gut an den Tag, als Celia über meine

Mutter sprach. Sie machte ein sehr ernstes Gesicht, als sie sagte: »Ich glaube, sie ist kränker, als Sie ahnen. Sie bekommt schon wieder eine Erkältung, so kurz nach der letzten.«

»Sie neigt eben zu diesen schlimmen Erkältungen«, gab ich zurück.

»Sie ist hier so unglücklich«, erwiderte Celia.

»In London war sie auch unglücklich. Nach der Tragödie ging alles schief. Hätte sie weiterspielen können, so wäre sie vielleicht genesen.«

Celia nickte. »Meinen Sie nicht, daß sie einen Arzt braucht?«

»Sie will keinen. Ich denke, wir sollten noch eine Weile warten. Sie hat ja nur eine Erkältung.«

»Sie müssen es am besten wissen«, sagte Celia.

Sie war nachdenklicher als sonst, als wir zum Haus zurückkehrten. Ich dachte, wie gut sie doch war, denn es bestand kein Zweifel, daß sie zutiefst um meine Mutter besorgt war. Ich war ihr dankbar; denn ich mied meine Mutter immer häufiger, wenn Celia bei ihr war. »Meiden« mag ein merkwürdiges Wort sein, doch ich muß gestehen, daß ich ihrer ständigen Sehnsucht nach der Vergangenheit und ihrer Unfähigkeit, das Beste aus der Gegenwart zu machen, ein wenig überdrüssig war. Ich fand ihre Gesellschaft von Mal zu Mal bedrückender und stellte erleichtert fest, daß Celia sie besser zu trösten vermochte als ich. Celia bewunderte sie aufrichtig und brachte ihr ein wenig von der Verehrung entgegen, nach der sie sich so verzehrte. So konnte ich mich guten Gewissens in die Bibliothek begeben und stundenlang lesen; und manchmal ging ich mit einem Buch in die Galerie. Ich weilte gern hier inmitten meiner Vorfahren; ich betrachtete die gemalten Perlen und dachte mir Geschichten dazu aus. Diese Stunden in der Galerie verschafften mir eine gewisse Befriedigung. Wir waren eine abenteuerliche Familie – allen voran mein Vater und meine geheimnisvolle Halbschwester, die ich nie gesehen hatte.

Es war der letzte Tag im Januar. Noch lange danach blieb mir folgende Begebenheit im Gedächtnis haften. Meiner Mutter ging es nicht besser, und auf Celias Rat hatte ich veranlaßt, den Arzt zu holen. Doktor Berryman, ein Freund der Familie, der mit seiner Gattin häufig bei uns zu Gast war, stellte eine leichte Bronchitis fest und sagte, meine Mutter solle das Bett hüten. Sie müsse endlich von dem hartnäckigen Husten genesen.

»Bleiben Sie im Bett, bis der Husten vorüber ist«, lautete sein Rat. »Und halten Sie sich vor allem warm.« Er blickte auf das Feuer, das Ellen entfacht hatte, und nickte beifällig.

Tante Martha sagte: »Das Kreuz mit ihr ist, daß sie sich selbst überhaupt keine Mühe gibt. Bringt sie ans Rampenlicht, und sie tanzt vor Freude und vergißt die ganze Krankheit.«

Das war nicht ganz von der Hand zu weisen, doch zuerst mußte meine Mutter von ihrer Bronchitis genesen.

An nächsten Morgen traf ein Brief von meinem Vater ein, und Tante Martha rief mich mit ernster Miene ins Wohnzimmer, um mit mir über das Schreiben zu sprechen.

»Eine große Enttäuschung«, sagte sie. »Er kommt nicht nach Hause. Dabei wäre das höchst wünschenswert. Möglicherweise käme es zu einer Versöhnung.«

»Aber Tante Martha, das ist doch viel zu lange her! Man kann nicht nach fünfzehn Jahren eine Versöhnung erreichen, nur weil sie gelegen erscheint.«

»Ich bin sicher, sie ließe sich bewerkstelligen«, sagte Tante Martha, womit sie andeutete, daß für sie alles möglich war. »Wenn wir ihn nur veranlassen könnten, nach Hause zu kommen!«

»Das würde für die beiden auch nichts ändern«, gab ich zu bedenken.

Tante Marthas Lippen waren fest zusammengekniffen. Es mußte sie arg verdrießen, dachte ich, genau zu wissen, was zu geschehen hätte, und dann zu erfahren, daß all ihre Anstrengungen vergeblich waren. Und angesichts der Tatsache, daß es dabei hauptsächlich um zwei Reihen Perlen ging, hätte ich am liebsten laut darüber gelacht, daß der Stolz die Menschen zu solchen Absurditäten führt.

»Er äußert seine Freude darüber, daß du hier in unserer Obhut bist«, fuhr sie fort. »Ich habe ihm mitgeteilt, daß er nach Hause kommen sollte, um dich kennenzulernen.«

»Hat er wirklich geschrieben, er freue sich, daß ich hier bin?«

»O ja. Er weiß, daß du gut aufgehoben bist. Er hat dir auch geschrieben. Hier ist der Brief.«

Ich nahm ihn ihr begierig aus der Hand. Ich konnte es kaum erwarten, ihn zu lesen, wollte es aber nicht unter Tante Marthas Augen tun. Mich durchfuhr der Gedanke, daß sie den Brief vielleicht über Dampf geöffnet und gelesen haben könnte, da er mir nicht sogleich ausgehändigt wurde. Doch ich war nicht sicher. Für manche Menschen bedeutet Rechtschaffenheit eine Eigenschaft, an der es strikt festzuhalten gilt; doch ein Mensch mit festen Absichten kann den Kodex ein wenig für seine Zwecke zurechtbiegen. Ich machte mir allmählich meine eigenen Gedanken über Tante Martha, Gedanken, die mir der Widerwille meiner Mutter, der sich beinahe zur Angst gesteigert hatte, in den Kopf setzte.

Endlich konnte ich entwischen, und ich begab mich mit dem Brief in mein Zimmer. Meine Hände zitterten, als ich ihn öffnete. Er war in einer großen, zügigen Handschrift geschrieben, die nicht ganz einfach zu entziffern war.

Meine liebe Tochter Sarah,
es ist mir ein großes Vergnügen, Dir endlich zu schreiben.
Ich bezweifle, daß Du Dich an mich erinnerst. Ich erinnere
mich jedenfalls lebhaft an Dich. Es brach mir das Herz, als
Deine Mutter Dich mit fortnahm. Doch es ist nun mal
geschehen, und da sie sich an das Leben hier nicht gewöhnen
konnte, tat sie vielleicht recht daran, es aufzugeben. Ich habe
von meinen Schwestern erfahren, daß Du jetzt bei ihnen lebst
– und Deine Mutter auch. Ich bin sicher, daß Du in Ashing-

ton Grange glücklich wirst. Schließlich ist es der Sitz der
Familie. Ich pflanze hier Tee. Das ist eine Arbeit, die stän-
diger Aufsicht bedarf. Deswegen bin ich hier unabkömmlich.
Deine Tanten wünschen, daß ich zurückkehre, doch das ist
gerade jetzt unmöglich. Vielleicht kommst Du mich eines
Tages besuchen. In der Zwischenzeit würde ich mich freuen,
von Dir zu hören, Sarah. Schreib mir und laß mich wissen,
daß Dir Dein Vater nicht ganz gleichgültig ist!

Ralph Ashington

Ich war erregt. Ich war kein vaterloses Kind mehr. Ich wollte
ihm schreiben, damit wir uns durch unsere Briefe kennenlernen
konnten. Als ich mit dem Brief in der Hand dasaß, klopfte es an
die Tür, und Tante Martha kam herein. Ihre stechenden Augen
musterten mich eindringlich.

»Nun?« sagte sie.

Ich spürte, wie mir die Röte in die Wangen schoß. Ich wollte ihr
den Brief meines Vaters nicht zeigen. Im übrigen hegte ich nach
wie vor den Verdacht, daß sie ihn bereits gelesen hatte.

»Er hat dir also endlich geschrieben«, sagte sie. »Das hätte er
schon früher tun können.«

»Es ist ein ausgesprochen liebenswürdiger Brief.«

Sie stieß sein schrilles, höhnisches Lachen aus. »Man darf wohl
noch erwarten, daß ein Vater sich seiner Tochter gegenüber
liebenswürdig zeigt. Er sollte nach Hause kommen. Wie oft habe
ich ihm das schon nahegelegt!«

»Er hat die Plantage.«

»Er sollte ein normales Leben führen.«

»Tante Martha, ich mache mir Sorgen um meine Mutter.«

»Ich glaube, da brauchst du nicht allzu besorgt sein. Deine
Mutter ist eine Frau, die ihr schlechtes Befinden genießt.«

»Das glaube ich nicht. Sie hätten sie sehen sollen, als sie noch
gearbeitet hat. Sie war immer so munter. Krank zu sein war das
letzte, was sie sich wünschte.«

»Das meine ich ja. Dort stand sie im Brennpunkt der Aufmerksamkeit, hier aber muß sie die Aufmerksamkeit auf sich lenken, und das tut sie, indem sie dafür sorgt, daß alle um sie herumtanzen.«

»Sie hat einen schlimmen Husten.«

»Frische Luft würde ihr guttun. Es ist unfaßbar, daß Ralph nicht nach Hause kommt.«

Ich fand, mit den zusammengekniffenen Lippen sah sie aus wie eine dieser mächtigen Frauen aus alter Zeit. Boadicea reitet den Römern entgegen, Elizabeth in Tilbury; Frauen, die sagen: »Es sei!« und dafür sorgen, daß es so ist.

»Vielleicht kommt er eines Tages«, sagte ich.

Tante Martha schüttelte den Kopf. »Ich kenne ihn. Ich kann aus seinen Briefen einiges herauslesen. Er will nicht zurückkommen, das wäre zu kompliziert. Er würde dann deine Mutter wiedersehen und müßte zu einer Entscheidung gelangen. Es war deinem Vater immer zuwider, Entscheidungen zu treffen. Er hat sich stets treiben lassen.« Ihr Blick wurde zornig. »Alles treibt dahin, bis es zu spät ist.«

»Zu spät wofür, Tante Martha?« fragte ich.

Sie antwortete nicht, sondern schüttelte unwillig den Kopf.

»Ich glaube wirklich, meine Mutter ist kränker, als wir ahnen«, sagte ich ernst. »Sie hat sich in letzter Zeit sehr verändert.«

Darauf äußerte Tante Martha etwas Sonderbares, was ich erst später als Hinweis darauf erkannte, in welcher Richtung sich ihre Gedanken bewegten: »Knarrende Türen halten am längsten.«

Ich hatte danach den Eindruck, sie dachte, wenn meine Mutter stirbt, kann mein Vater wieder heiraten und vielleicht einen Sohn bekommen. Ich verwarf diesen Gedanken aber sogleich. Es war unmöglich, die Vorstellung zu ertragen, daß meine Mutter ... tot sein könnte.

Beim Abendessen sprachen wir – die Tanten, Celia und ich – über das Wetter, das wenig Hoffnung auf eine Besserung erlaubte, und über die Auswirkungen dieser Witterung; wir unterhielten uns über den Hilfsgeistlichen, der bald eintreffen sollte, um den Pfarrer zu entlasten, und bei dieser Vorstellung zog Tante Martha belustigt die Nase kraus.

»Die Cannon-Mädchen sind schon ganz aus dem Häuschen«, bemerkte sie. »Wer weiß, vielleicht gelingt es einer von ihnen, ihn zu erobern. Ein Hilfsgeistlicher. Kein großer Fang. Aber was können sich diese armen Dinger schon erhoffen?«

»Es dürfte interessant werden, den Wettstreit zu beobachten«, flocht Mabel ein.

Celia schwieg dazu mit niedergeschlagenen Augen. Ich fragte mich, ob sie je ans Heiraten gedacht hatte und wie sie sich wohl verhalten würde, wenn sich ihr die Gelegenheit böte.

Hin und wieder sprach sie ganz freimütig über sich. So erfuhr ich von dem Haus auf dem Land – einem Herrschaftshaus ähnlich Ashington Grange –, von ihrem Vater, der bei einem Jagdunfall ums Leben kam, von der Mutter, die bald darauf starb, und von dem Vetter, der den Besitz erbte. Von ihm sprach sie allerdings selten; vermutlich war ihr das Thema peinlich. Sie schilderte mir ihre Gouvernante, die sie mit nach London genommen hatte, damit sie meine Mutter auf der Bühne sehen konnte. Sie beschrieb diese Gouvernante liebevoll; offenbar war sie ihre beste Freundin gewesen. Man durfte Celia aber nicht zu sehr bedrängen, daher mußte ich warten, bis sie mir dies alles von selbst erzählte.

Tante Martha sagte plötzlich: »Und wie geht es unserer Kranken?« Sie hatte sich in den letzten Tagen angewöhnt, meine Mutter als »unsere Kranke« zu bezeichnen.

»Es geht ihr ein bißchen besser«, erwiderte ich.

»Aber offensichtlich nicht gut genug, um uns bei Tisch Gesellschaft zu leisten«, meinte Mabel.

»Nein, sie ist noch schwach. Dieser Anfall hat sie sehr mitgenommen.«

»Ich lasse ihr zum Essen ein Glas von meinem Holunderwein hinaufschicken«, verkündete Tante Martha. »Wer trägt das Tablett nach oben?«

»Ich«, antwortete Celia. »Oder möchten Sie es ihr bringen, Sarah?«

»Sie hat es aber gern, wenn Sie das machen und sich mit ihr übers Theater unterhalten, während sie ißt«, erwiderte ich.

»Der Wein ist in diesem Jahr sehr gut, Martha«, meinte Mabel. »Kräftiger als sonst. Er macht mich ziemlich schläfrig.«

»Es wird unserer Kranken guttun«, entgegnete Tante Martha.

Celia brachte meiner Mutter das Tablett hinauf; ich ging zu ihr hinein, während sie aß, und wir drei unterhielten uns. Ich hatte meiner Mutter noch nicht erzählt, daß mir mein Vater geschrieben hatte, weil ich fürchtete, das könne sie aufregen.

Sie schlief bald ein; wir nahmen das Tablett und ging hinaus.

Am nächsten Morgen fühlte sie sich gar nicht wohl. Der Husten war schlimmer geworden, und sie hatte leichtes Fieber. Der Arzt kam und empfahl, sie unbedingt warm zu halten. Wir sollten sie auf Kissen stützen, um ihr das Atmen zu erleichtern; er verschrieb eine Hustenmixtur, die Celia besorgte, und im Laufe des Nachmittags trat eine merkliche Besserung ein. Meine Mutter schlief sehr lange, doch am nächsten Morgen hatte sich ihr Zustand wieder verschlechtert, und das Fieber war gestiegen.

Celia war äußerst besorgt und meinte, wir dürften sie nicht allzu lange allein lassen, daher blieben wir abwechselnd bei ihr.

Als ich mit ihr allein war, schlug sie plötzlich die Augen auf und blickte mich ziemlich benommen an.

»Bist du's Siddons?« fragte sie. »Ich hab' schreckliche Angst.«

»Ist doch gut«, besänftigte ich sie, »ich bin ja bei dir. Du brauchst keine Angst zu haben.«

»Da *ist* was … jemand … in der Nacht. Es war da … Ich hab's gesehen. Es war … unnatürlich. Ich machte die Augen auf … Es war nicht ganz dunkel. Der Mond schien herein … Ich hab's gesehen. Es war am Bett. Es hat mich beobachtet … Eine graue Gestalt. Dann ist es weggeschwebt … verblaßt. Es war kalt … so kalt …«

»Das war ein Traum«, sagte ich.

Sie nickte. »Ja, ein Traum … wie in der Szene damals in ›Das Gespenst im Ostflügel‹. Erinnerst du dich, Siddons? Ich spielte die Dame des Hauses, und das Gespenst war in Wirklichkeit jemand, der mich ermorden wollte.«

Ich strich ihr das Haar aus der Stirn.

»Du hast nur von früher geträumt«, sagte ich. »Hier sind keine Gespenster. Ich bin nicht weit weg, und Celia ist gleich gegenüber auf dem Flur.«

»Celia ist ein liebes Mädchen«, murmelte sie. »Ja, ich bin froh, daß sie in der Nähe ist. Siddons, ich kann Martha nicht leiden. Ich habe Angst vor ihr. Ich habe das Gefühl, sie will mich aus dem Weg räumen.«

»Das bildest du dir ein. Celia bringt dir gleich eine leckere Hafergrütze, und eine von uns bleibt bei dir. Du brauchst nur Ruhe und Wärme, und dann bist du im Nu wieder gesund.«

Sie aß ihre Grütze und schlief bald ein. Am Morgen kam der Arzt, und ich erzählte ihm von dem Traum oder was immer das gewesen war. »Das kommt vom Fieber«, erklärte er. »Sie hat viel zu hohe Temperatur. Sie müssen sie nur warm halten, und mit kräftiger Kost ist sie in ungefähr einer Woche wieder auf den Beinen. Sie war zu oft erkältet, und diesmal ist es besonders schlimm.«

Celia ging an diesem Nachmittag eine neue Arznei holen, und als sie zurückkam, teilte sie uns mit, der Doktor habe angeordnet, meine Mutter müsse am Abend als letztes eine Dosis von dieser Medizin erhalten, weil sie darauf besser schlafen könne, und weil sie mehr als alles andere einen ruhigen Schlaf benötige. Ich war sehr beunruhigt. Meine Mutter war so verändert – sie hatte etwas Wildes im Blick … Furcht. Sie hatte wirklich Angst.

Diese graue Gestalt in ihrem Zimmer mochte zwar ein Hirngespinst sein, aber die Erscheinung hatte ihren Ursprung in der Furcht. Die Gespenstergeschichten, die man sich hier wie in allen alten Häusern erzählte, hatten sich wohl in ihrem Kopf festgesetzt und waren in dieser Version wieder zum Vorschein gekommen. Ihre Angst war echt. Wenn ich bedachte, welch ein lebenssprühendes Geschöpf meine Mutter einst gewesen war, so befiel mich eine tiefe Niedergeschlagenheit.

Ich konnte in dieser Nacht nicht schlafen. Ich wünschte, mein Zimmer wäre auf ihrem Flur gelegen. Allerdings war Celia dort, und sie hatte versprochen, sie im Auge zu behalten. Das war ein Trost. Ich nahm mir aber vor, wenn keine Besserung eintreten sollte, im Zimmer meiner Mutter zu schlafen.

So lag ich denn wach. Das Mondlicht war so hell, daß man die Umrisse der Möbel in meinem Zimmer erkennen konnte, und da ich nicht schlafen konnte, schweiften meine Gedanken in die Vergangenheit, zu den Aufregungen des Theaterlebens und zu Toby, wie er mich ins Café Royal führte, wo wir meiner Mutter mit einem ihrer zahllosen Verehrer begegneten. Welch ein Unterschied zu der bedauernswerten, trübsinnigen Frau da oben im Bett! Wer hätte je geglaubt, daß jemand sich so verändern konnte. Veränderungen überall! Everard, der vornehme, geachtete, stattliche Everard: tot durch eigene Hand. Meine Mutter, die schöne, begehrte Schauspielerin: eine verängstigte Frau, auf die Verwandten ihres Ehemannes angewiesen. Welch grausame Wende! Und Veränderungen auch bei mir: Ich lebte hier im Haus meiner Vorfahren, und mein Vater war durch einen Brief zu einer lebendigen Person geworden; wir konnten uns schreiben und uns kennenlernen. Vielleicht durfte ich ihn eines Tages sehen. Er würde herkommen, oder ich würde ihn auf dieser Teeplantage besuchen …

Plötzlich ein Geräusch über mir! Wirklich? Oder hatte ich es mir nur eingebildet? In alten Häusern knarrten die Dielen zuweilen beängstigend. Ich setzte mich im Bett auf und horchte. Stille.

Ich konnte mein Herz klopfen hören. Schlaf doch endlich, redete ich mir beschwichtigend zu. Deine Phantasie geht wieder mal mit dir durch.

Ich lag still da und lauschte. Ein Geräusch, ja, ein undefinierbares Geräusch … Und da oben schlief meine Mutter.

Ich stieg aus dem Bett und zog Hausschuhe und Morgenmantel an. Dann öffnete ich meine Tür und horchte. Konnte das wirklich das Geräusch vorsichtig tappender Schritte sein?

Ich blickte auf die Uhr neben dem Bett. Die Zeiger waren schwach zu erkennen: halb drei. Ich mußte geschlafen haben, ohne es zu merken. Leise schloß ich die Tür und eilte nach oben. Ich hatte keine Kerze mitgenommen, doch das Licht reichte aus, um mir den Weg zu weisen, den ich ohnehin gut kannte.

Als ich den Flur erreichte, war mir, als schließe sich die Tür zum Schulzimmer. Die Schulzimmertür! Mir fiel ein, wie Ellen die Blumenvase hatte fallen lassen. Die Dienstboten fürchteten das Schulzimmer fast ebenso wie die Galerie.

Ich ging schnell zum Zimmer meiner Mutter, und als ich die Tür öffnete, schlug mir ein kalter Windstoß so heftig ins Gesicht, daß mir der Atem stockte. Das Fenster stand weit offen, und der Wind traf mich messerscharf; das Feuer war erloschen, und auf der Kaminplatte waren verräterische Wassertropfen zu sehen.

Meine Mutter lag auf dem Bett, sämtliche Zudecken waren zurückgeschlagen. Sie war eiskalt. Ich rannte zum Fenster und machte es zu. Ich zog die Bettdecken hoch und breitete sie über meine Mutter. Ihre Haut fühlte sich kalt an wie bei einer Leiche.

Sie schlug die Augen auf und fragte: »Wo bin ich?«

»Es ist alles gut«, erwiderte ich. »Ich bin bei dir.«

Jemand war an der Tür. Sie ging langsam auf, und es überlief mich eisig. In diesem Bruchteil einer Sekunde war ich vor Angst wie gelähmt. Mein Verstand war betäubt, und ich vermochte mir nicht auszudenken, welches Grauen auf mich zukam.

Ich atmete erleichtert auf. Da stand Celia, die Füße in Pantoffeln, einen Morgenmantel offenbar hastig übergeworfen.

»Sarah?« fragte sie erstaunt.

»Schauen Sie«, rief ich, »was ich hier vorgefunden habe!«

Celia schauderte und starrte mich verständnislos an.

»Das Fenster war weit offen«, sagte ich, »die Bettdecken weggezogen. Ich glaube, sogar das Feuer ist ausgelöscht worden.«

Sie konnte mich nur ungläubig anstarren. Dann sagte sie: »Wir müssen etwas tun. Decken Sie sie gut zu! Nehmen Sie den Fellteppich! Sie muß ganz schnell warm werden. Wir brauchen Wärmflaschen. Ich hole sie aus der Küche. Machen Sie Feuer! O Sarah, wir müssen sie wärmen!« Sie lief zu einem Schrank im Flur, in dem Wolldecken aufbewahrt wurden. Sie warf sie mir zu, und ich breitete sie über meine Mutter. Ich hielt sie in meinen Armen, und als ich sie mit meinem Körper wärmte, ließ ihr Zittern nach. Dann versuchte ich, das Feuer anzuschüren, doch es war zu weit niedergebrannt. Deshalb warf ich Holz und Kohle darauf und fachte es neu an. Celia kam zurück und packte die Wärmflaschen ins Bett.

Innerhalb von einer halben Stunde war die Temperatur im Zimmer gestiegen, und wir nahmen den Fellteppich vom Bett; meine Mutter war jetzt warm. Sie murmelte im Schlaf.

Ich versuchte zu verstehen, was sie sagte. »Kalt«, hörte ich. »Hart wie Stein … kalt wie der Tod …« Ich hielt es für eine Zeile aus einem Theaterstück.

Celias Gesicht sah ganz verfroren aus und meines gewiß auch.

»Ich habe fast kein Gefühl mehr in den Händen«, sagte ich.

»Ich auch nicht.«

»Glauben Sie, ihr geht's jetzt wieder gut?«

»Sie schläft ganz ruhig.«

»Celia … was hat das zu bedeuten?«

»Darüber versuche ich gerade nachzudenken. Soll ich auf dem Spirituskocher Tee machen? Wir brauchen etwas, um uns aufzuwärmen.« Wir wußten, daß keine von uns Schlaf finden würde, deshalb schien ihr Vorschlag vernünftig. Sie bereitete den Tee, und wir wickelten uns in Decken und gingen ins Schulzimmer, um ihn dort zu trinken.

»Celia«, sagte ich. »Das hat jemand mit Absicht getan. Warum?« Ich sagte nicht »Tante Martha«, aber sie war es, an die ich dachte. Tante Martha wollte meine Mutter aus dem Weg haben. Hatte sie auch Margaret umgebracht, ihre Schwester, die ihr den Liebhaber weggenommen hatte? Ich konnte mir vorstellen, wie sie sich vor Gott rechtfertigte. Es ist das beste, wenn dieses unnütze Weib stirbt, damit Ralph wieder heiraten und einen Erben bekommen kann. Und wie argumentierte sie, als es um Margaret ging? Ich werde ihm eine bessere Frau sein als sie. Es geht um eine gerechte Sache.

Nein, das war lächerlich! Tante Martha, die jeden Sonntag in der Kirche auf der Familienbank Platz nahm, die mit ihrer tiefen männlichen Stimme in die Litaneien einstimmte und inbrünstig die Choräle sang: »Vorwärts, ihr Streiter Christi!« Ja, Tante Martha focht einen Kampf für das Wohl der Menschheit im allgemeinen und für die Ashingtons im besonderen. Sie mußte wahnsinnig sein.

Ja, in dieser Nacht lag Wahnsinn über dem Haus.

Celia sagte: »Gottlob sind Sie rechtzeitig hier gewesen. Warum sind Sie gekommen?«

»Ich konnte nicht schlafen. Vielleicht war es eine Art Instinkt. Dann glaubte ich, Geräusche zu hören. Deshalb kam ich, um nachzusehen.«

»Gottlob«, murmelte Celia abermals leise. »Wenn das länger gedauert hätte ... das Fenster weit offen, und der scharfe kalte Wind ... das wäre ihr Ende gewesen.«

»Es ist Mord!« schrie ich. »Das ist genauso schlimm, wie jemanden mit einem Gewehr zu erschießen oder ihm ein Messer ins Herz zu stoßen.«

»Mord!« Celia setzte ihre Tasse ab und starrte mich an. »Sarah, wie soll ich das verstehen?«

»Irgendwer hat das Fenster geöffnet ... Irgendwer hat das Feuer gelöscht ... Irgendwer hat sie aufgedeckt.«

»Irgendwer ... ja«, flüsterte Celia.

»Als ich die Treppe heraufkam, habe ich, glaube ich, gesehen, wie die Tür zum Schulzimmer zuging. Wer immer es war, er muß sich hier versteckt haben ... Und dann ... ist er fortgeschlichen. Ich hätte gleich nachsehen sollen. Doch mein erster Gedanke galt meiner Mutter, und als mir klar wurde, was sich da abspielte ...«

Celia sah mich fassungslos an.

»Sarah, aber was ... warum ... wer hätte ...?«

Ich sagte beinahe flüsternd: »Meine Tante ...«

»Ihre Tante?« Celias Stimme überschlug sich in ungläubigem Staunen. »O nein, Sarah, das kann nicht Ihr Ernst sein. Es war sicher Ihre Mutter! Sie hat es selbst getan.«

»Aber warum ... warum ...? Sie zitterte vor Kälte.«

»Es war das Fieber. Stellen Sie sich vor, wie sie aufwacht. Ihr ist glühend heiß. Sie wirft die Bettdecken von sich ... öffnet dann das Fenster und löscht vielleicht das Feuer ...«

»Sie hat mir erzählt, sie hat eine Gestalt im Zimmer gesehen ... Jemand war hereingeschlichen und schaute sie an. Sie hatte Angst, Celia, entsetzliche Angst.«

»Das hat sie geträumt. Es war sicher ein Hirngespinst. Sie war halb wach und halb im Schlaf und hatte hohes Fieber.«

Das überzeugte mich. Natürlich war Tante Martha nicht ins Zimmer geschlichen, um das Fenster zu öffnen und sich dann, als ich heraufkam, im Schulzimmer zu verstecken, bis sie sich unbemerkt nach unten stehlen konnte. Aber warum eigentlich nicht? Es wäre doch eine Möglichkeit gewesen, den Tod meiner Mutter auf scheinbar natürliche Weise herbeizuführen. Nein, das war Unsinn. Jeder würde sagen, daß es Unsinn war. Celias Erklärung war die einzig logische.

Sie sprach weiter über die Krankheit meiner Mutter. Sie hatte so viele Rollen gespielt und versetzte sich oft in eines ihrer

Stücke. Das wußten wir. Das Dramatische lag ihr im Blut, und so war es verständlich, daß sie sich merkwürdig aufführte, wenn sie Fieber hatte. Möglicherweise hatte sie so etwas nicht zum erstenmal gemacht.

»Ich werde in Zukunft in ihrem Zimmer schlafen«, sagte ich.

»Ja, eine von uns sollte bei ihr bleiben«, erwiderte Celia.

Ich lächelte. »Sie sind uns eine gute Freundin, Celia«, sagte ich anerkennend.

»Ich bin Ihnen dankbar«, gab sie zurück. »Ich vergesse nicht, daß Sie mir über eine schwere Zeit hinweggeholfen haben. Sie dürfen gewiß sein, daß ich alles tun werde, um Ihnen und Ihrer Mutter zu helfen.« Allerdings gab es nichts mehr, was sie hätte tun können. In dieser Nacht war das Band gerissen, das meine Mutter am Leben festhielt. Sie bekam eine Lungenentzündung, und da sie ohnehin nicht mehr bei Kräften war, bestand kaum Hoffnung, daß sie überlebte. Wenige Tage später war sie tot. Sie wurde in jenem Teil des Friedhofs, der den Ashingtons vorbehalten war, zur letzten Ruhe gebettet. Ihr Grab lag neben dem von Margaret.

Wie traurig war das Haus ohne meine Mutter! Ich machte mir Vorwürfe, weil ich so ungeduldig mit ihr war, wenn sie der Vergangenheit nachhing und jammernd in die Zukunft blickte. In meiner Erinnerung blieb sie die erfolgreiche Schauspielerin, die ein fröhliches und glanzvolles Leben geführt hatte.

Veränderungen! Zuerst ist es nur eine einzelne Begebenheit, dann kommt noch eine dazu, und binnen kurzem hat sich das ganze Bild gewandelt. Keine Menschenseele aus meiner Vergangenheit war mir geblieben. Meg und Janet hatten uns Weihnachten eine Karte geschickt und uns mitgeteilt, daß ihr Unternehmen prächtig gedeihe. »Sie wollen uns nur beweisen, wie gut sie ohne mich auskommen«, hatte meine Mutter gesagt. »Arme Meg, ich bin sicher, daß sie das Theater vermißt.«

Ich bezweifelte, daß ich je wieder von ihnen hören würde. Ein seltsames Gefühl der Verlassenheit überkam mich. Am meisten fehlte mir aber Toby. Doch ich war jung. Im November würde ich neunzehn, und ein neues Leben lag vor mir.

Keine der Tanten trauerte sonderlich um meine Mutter. Sie taten alles, was sie unter diesen Umständen für richtig und schicklich hielten, und damit war die Sache abgetan. Tante Martha, das muß ich erwähnen, hatte etwas von dem Gebaren eines Generals, der die erste Schlacht gewonnen hat und sich für die nächste rüstet. Doch wenn ich mit ihr zusammen war, dachte ich, wie unsinnig mein Verdacht und um wie vieles vernünftiger Celias Erklärung der Geschehnisse gewesen war.

Celia und ich ritten zusammen aus und gingen spazieren. Wir besuchten die Kirche; wir absolvierten unsere Schulstunden, und allmählich beherrschte ich sogar die Mathematik, allerdings mehr Celias wegen als aus Interesse, da ich meiner Lehrerin das Gefühl geben wollte, daß sie gebraucht wurde. Doch selbst ihr zuliebe mochte ich mich nicht fürs Handarbeiten erwärmen. Wir lernten John Bonnington kennen, den neuen Hilfsgeistlichen, der – wie Tante Martha ziemlich schadenfroh äußerte – von den Cannon-Mädchen bei lebendigem Leibe gefressen wurde. Wir schmückten die Kirche für das Osterfest und besuchten den dreistündigen Gottesdienst am Karfreitag; wir bereiteten die Feier vor, die am Ostermontag stattfinden sollte, und Celia bewies wieder einmal, wie gut sie sich für die Arbeit in der Kirche eignete.

Im Laufe der Zeit gehörte Celia immer mehr zur Familie. Tante Martha erzählte ihr ständig von der Geschichte und dem Ruhm der Ashingtons, bis sie über die Familie ebensogut Bescheid wußte wie deren Mitglieder. Langsam dämmerte es mir: Celia war leicht zu beeinflussen; sie verstand sich auf die Tätigkeiten, auf welche Tante Martha Wert legte, und sie war jung genug, um Kinder zu bekommen. Konnte es möglich sein, daß Tante Martha sie als Gattin für meinen Vater erkoren hatte? Welch eine Idee! Ich hatte eben doch eine überspannte Phantasie.

Dann schien es mir, als kapselte sich Celia ab. Eines Tages eröffnete sie mir: »Es gibt keinen Grund für mich, noch länger hierzubleiben. Ich bin nicht gebildet genug, um es wagen zu können, Sie weiter zu unterrichten. Ich glaube, ich sollte gehen.«

»Wo wollen Sie denn hin?« fragte ich.

»Ich suche mir eine andere Stellung.«

»Wir haben Sie gern hier, Celia.«

Sie lächelte geschmeichelt und sagte nichts mehr.

Jeden Sonntag brachten wir Blumen ans Grab meiner Mutter. Celia tat dies ebenso eifrig wie ich, und eigentlich war es sogar ihr Vorschlag gewesen.

Dann schrieb mir mein Vater wieder:

Du hast versprochen, mir zu schreiben. Ich weiß, Deine Mutter sah es nicht gern, daß wir miteinander in Verbindung standen. Doch sie ist nicht mehr, und eine Familie sollte zusammenhalten. Ich hege die Hoffnung, daß ich Dich eines baldigen Tages sehen werde. Vielleicht komme ich nach England, oder Du kommst mich hier besuchen. Ceylon ist ein sehr schönes Land. Es ist meine Heimat geworden. Der alte Sanskrit-Name für Ceylon ist Sri Lanka, das bedeutet »Prächtiges Land«, und das ist es wirklich. Ich habe auf der Plantage ein gemütliches Haus mit einem hübschen Garten. Du weißt ja, wir Engländer legen uns immer einen Garten an, wohin es uns auch verschlägt. Nun, vielleicht werde ich ihn Dir eines Tages zeigen. Bitte, schreib mir, Sarah!

Ralph Ashington

PS: Du mußt auch Deine Schwester Clytie kennenlernen. Sie ist schon sehr gespannt auf Dich.

Ich war von dem Brief so begeistert, daß ich ihn umgehend beantwortete, und während der folgenden Wochen entspann sich eine regelmäßige Korrespondenz zwischen uns.

Ich lernte eine Menge über Ceylon. Ich betrachtete es auf der Landkarte – eine birnenförmige Insel vor der indischen Küste. Ich fand die Stelle, irgendwo zwischen der Hauptstadt Colombo und der Provinzstadt Kandy, wo die Plantage lag. Ich konnte mir das Land anhand der Beschreibungen meines Vaters genau vorstellen. Die heiße Sonne, die heftigen Regenfälle, die, wie mein Vater erklärte, dreimal so stark waren wie in London. »Wir sind nämlich hier«, schrieb er, »genau im Durchzugsgebiet zweier Monsunregen. Der Regen schenkt uns unseren Tee … der Regen und die heiße Sonne.«

Ich konnte mir ein klares Bild machen.

Kokosnüsse an der Küste, Gummibäume auf den Hügeln und im Hochland das Wichtigste von allem: Tee. Er ist der Lebenssaft des Landes, Sarah. Er hat Arbeitsplätze und Wohlstand gebracht, und das brauchte das Land nach der Kaffeekatastrophe, als eine unbesiegbare Blattkrankheit die Ernten vernichtete. Natürlich haben wir unsere Probleme mit dem Tee, doch es ist uns Gott sei Dank gelungen, sie weitgehend zu bewältigen. Wir haben auch noch andere Gewerbezweige, zum Beispiel unsere Perlenfischerei. Einige der schönsten Perlen der Welt wurden in unseren Gewässern gefunden. Ich bin sicher, daß Du von den Ashington-Perlen gehört hast. Die Tanten haben Dir gewiß davon erzählt. Diese Perlen stammen aus Ceylon. Es gibt auch Smaragde und Saphire bei uns, und sie gehören ebenfalls zu den schönsten der Welt. Doch der Wohlstand des Landes hängt vom Tee ab …

Entweder schrieb mein Vater ausgesprochen gern Briefe, oder er freute sich, daß er endlich Kontakt mit seiner Tochter hatte.

Er führte mir das Land, von dem er mir so begeistert erzählte, lebendig vor Augen. Ich sah die Küstenebenen, die Palmenstrände, das mächtige Gebirge im Landesinneren mit dem ehrfurchterweckenden Gipfel, dem Adam's Peak, zu welchem einst die frommen Pilger gereist waren.

Die Berge sind dem Volk heilig, weil sie Ceylon fruchtbar gemacht haben. Von den Bergen wälzen sich die Flüsse und bewässern das Land, und der Regen schenkt uns das kostbare Wasser. Alle Fruchtbarkeit ist auf den westlichen Teil konzentriert, weil wir uns hier im Regengebiet befinden. Das ganze übrige Land – die Niederungen im Norden und Osten – ist der unbarmherzigen Sonne ausgeliefert, während wir im strömenden Regen schwelgen. Merkwürdig, nicht wahr, diese Unterschiede in einem so kleinen Land, das nur 270 Kilometer lang und 220 Kilometer breit ist, kleiner als England, wie Du siehst. Aber, mein liebes Kind, das kannst Du alles in Deinen Geographiebüchern nachlesen. Ich möchte nur versuchen, Dich zu bewegen, nach Ceylon zu kommen ...

Ich erfuhr von ihm, daß meine Schwester Clytie verheiratet und Mutter eines dreijährigen Sohnes war. Da sie nur ein Jahr älter war als ich, muß sie sehr jung geheiratet haben. Mein Vater berichtete mir, daß sie seinen Geschäftsführer Seth Blandford geehelicht hatte und daß der kleine Junge Ralph hieß wie sein Großvater.

»Stellen Sie sich vor«, sagte ich zu Celia, »ich bin Tante! Erstaunlich, wie meine Familie größer wird.«

Inzwischen war es Mai geworden. Wir ritten auf einem Waldweg. Es war herrlich. Hin und wieder stießen wir auf Büschel von Glockenblumen, die zu tanzen schienen, wenn der Wind sie zauste, wobei ihr tiefer, anmutiger Blauschimmer ständig wechselte. Die Bäume belaubten sich allmählich, und dann und wann rief ein Kuckuck, als wolle er uns daran erinnern, daß der Frühling gekommen war.

»Sarah«, sagte Celia plötzlich. »Ich kann wirklich nicht mehr hierbleiben. Ich bin eigentlich überflüssig. Das habe ich Ihrer Tante gestern zu erklären versucht, aber sie wollte nichts davon wissen.«

»Hören Sie auf! Sie brauchen sich keine Sorgen zu machen. Weshalb wollen Sie fort?«

Sie zögerte. Dann sagte sie: »Möglicherweise werde ich etwas Geld erben. Oh, keine große Summe, aber genug, um ein Auskommen zu finden.«

»Das ist ja wundervoll! Und wenn es soweit ist, möchten Sie natürlich gehen.«

»Es sieht aus, als hätte ich Sie ausgenutzt. Als ich ein Zuhause brauchte …«

»Unsinn. Sie sind hergekommen, um zu arbeiten. Wir waren alle zufrieden. O Celia, wir werden Sie vermissen.«

»Ihre Tante hat mir nahezu verboten, davon zu sprechen. Es war fast, als hätte sie mit mir etwas vor.«

Ich blickte sie unsicher an. Dachte sie etwa dasselbe wie ich?

»Tante Martha heckt für jedermann Pläne aus«, sagte ich. »Das Unangenehme an ihr ist, daß sie sich einbildet, sie könne alles besser als irgend jemand sonst zustandebringen … selbst dann, wenn es um die persönlichen Belange der Menschen geht.«

Ich wies Celia auf die Glockenblumen hin und sagte, wie gern ich sie pflücken würde, doch sie hielten nicht lange, und daher sähen sie nirgendwo schöner aus als dort, wo sie wüchsen.

Celia stimmte mir zu, und wir ritten eine Weile schweigend weiter. Ich fragte mich, was aus mir werden würde, wenn sie fortging. Vielleicht sollte ich meinen Vater in Ceylon besuchen. Ich konnte mich nicht enthalten, Celia von ihm zu erzählen. Ich berichtete ihr von seinen Briefen, und sie hörte aufmerksam zu. Als wir zurückkehrten, erwartete mich ein Brief, und ich ging sogleich in mein Zimmer, um ihn zu lesen.

Er sei entzückt, teilte mir mein Vater mit, daß ich mich so für die Plantage interessierte. Seine Schwestern wünschten, ich solle meine Ausbildung beenden, bevor ich zu ihm käme. »Sie bedrängen mich, nach Hause zu reisen, und möglicherweise werde ich es tun.« Ich war von der Aussicht begeistert.

Es ließe sich schon einrichten. Seth könnte die Leitung der Plantage übernehmen, und Clinton Shaw würde im Notfall jederzeit aushelfen. Habe ich Dir schon von Clinton Shaw erzählt? Ihm gehört die benachbarte Plantage. Das Land ist klein, und es gibt nur ein fruchtbares Gebiet. Deshalb müssen wir den guten Boden nach Kräften ausnutzen. In Notfällen stehen wir uns gegenseitig bei. Clinton ist ein richtiges Original. Manche Leute nennen ihn den König von Kandy. Menschen wie er machen es möglich, daß ein Broterwerb wie unserer funktioniert. Freilich, er ist rücksichtslos. Er hat viele Gegner, aber ich verstehe mich gut mit ihm. Ich trage mich wirklich mit dem Gedanken, für eine Weile nach Hause zu kommen. Hier redet man mir zu, ich solle ... einen Arzt aufsuchen. Doch in erster Linie möchte ich meine Tochter sehen. Ich schätze, Du hast Dich sehr verändert, seit Du zwei Jahre alt warst.

Ich war sehr aufgeregt. Ich wollte mit jemandem darüber sprechen – natürlich mit Celia.

Ich konnte sie im Haus nicht finden, daher schlenderte ich über die Einfahrt und zum Tor hinaus. Am Friedhofsgatter blieb ich stehen, dann ging ich auf den Kirchhof. Celia kniete am Grab meiner Mutter.

Flink und leise trat ich zu ihr. Sie blickte überrascht auf. Sie hielt eine kleine Schere in der Hand und hatte von dem Strauch, den sie gepflanzt hatte, einen Zweig abgeknipst.

»Was ist das?« fragte ich.

Sie richtete ihre ausdruckslosen Augen auf mich und sagte:

»Wissen Sie das nicht? Sie verstehen aber wenig von Pflanzen, Sarah. Vielleicht hätte ich Ihnen das beibringen können. Es ist Rosmarin.«

»Rosmarin«, zitierte ich, »für die Erinnerung.«

Sie lächelte. »In der Poesie kennen Sie sich entschieden besser aus als in der Botanik.«

Sie steckte die Schere in die Tasche und stand auf; den Rosmarinzweig hielt sie fest in der Hand.

Zusammen gingen wir nach Hause.

»Sie hatten meine Mutter sehr gern«, sagte ich.

»Sie hat mich sehr beeindruckt«, erwiderte sie. »Ich werde sie nie vergessen.«

Am nächsten Morgen erwartete uns ein Schock.

Celia erschien nicht zum Frühstück, der einzigen Mahlzeit, die nicht zu festen Zeiten serviert wurde. Man bediente sich zwischen halb acht und neun Uhr am Buffet. Die Tanten frühstückten fast immer gemeinsam um acht Uhr. Celia und ich hatten uns angewöhnt, unser Frühstück eine halbe Stunde früher einzunehmen. Ich war sicher, daß Celia nicht von dieser Gepflogenheit abgewichen wäre, wenn sich nicht etwas Außergewöhnliches ereignet hätte. Ich aß etwas Toast, trank ein wenig Kaffee und ging in ihr Zimmer.

Das Bett war ordentlich gemacht, und ich stellte fest, daß es nicht benutzt war und daß Celias Koffer fehlte. Ich öffnete den Kleiderschrank: leer. Dann entdeckte ich die Briefe auf dem Tisch. Einer war für mich, der andere für Tante Martha.

Ich schlitzte den Umschlag auf.

Liebe Sarah,
ich verlasse Sie. Ich hielt es für das Beste, auf diese Art fortzugehen, weil ich weiß, daß Sie alle mich liebevoll zum Bleiben überreden würden. Aber das ist nicht möglich. Sie waren alle so gut zu mir, als ich Hilfe brauchte. Das ist nun nicht mehr der Fall, und darum gehe ich. Ich danke Ihnen

für Ihre Geduld. Sobald ich eine ständige Anschrift habe,
teile ich sie Ihnen mit, falls Sie wünschen, daß wir in
Verbindung bleiben.

Herzlichst Celia

Ich konnte es nicht fassen. Einfach zu verschwinden! Warum nur? Ich wußte zwar, daß Tante Martha ihr ständig zuredete, doch selbst Tante Martha hätte sie nicht dazu bewegen können, wenn Celia nicht gewollt hätte. Es widerstrebte Celia, jemandem einen Wunsch abzuschlagen. Es fiel ihr schwer, nein zu sagen, und deshalb hatte sie diesen Weg gewählt.

Ich dachte daran, wie sie am Grab meiner Mutter gekniet hatte. Sie war ihr wirklich zugetan, und in ihren letzten Tagen hatte sie ihr jene Verehrung entgegengebracht, nach der meine Mutter sich so sehnte. Celia war sicherlich ihretwegen geblieben, und nun, da sie tot war, gab es keinen Grund mehr, noch länger zu verweilen.

Tante Martha war wie betäubt. Ich hatte sie noch nie so erschüttert gesehen. Jetzt wurde deutlich, daß sie angesichts der Möglichkeit, daß mein Vater zurückkehrte, Pläne mit Celia gehabt hatte.

»Und ohne eine Adresse zu hinterlassen …«, bemerkte Tante Mabel. »Wir können nicht mit ihr in Verbindung treten … selbst wenn wir es wollten. Und ich hielt sie für eine verständige junge Dame!«

Tante Martha konnte es nicht leiden, wenn ihre Pläne durchkreuzt wurden, und zum erstenmal, seit sie Celia kannte, war sie richtig böse auf sie.

Ich versuchte, Celia zu verteidigen: »Es war nichts weiter als eine Stellung für sie, Tante Martha, ein Mittel, um sich ihren Lebensunterhalt zu verdienen. Und als sie zu Geld kam, hatte sie das nicht mehr nötig.«

»Wir haben sie wie ein Mitglied der Familie behandelt und rechneten damit, daß …«

Ich wandte mich ab, da ich mich eines Lächelns nicht enthalten konnte. Sie hatte also wirklich vorgehabt, Celia mit meinem Vater zu vermählen! Nahmen ihre Pläne denn nie ein Ende? Dann dachte ich an jene Nacht, als im Zimmer meiner Mutter das Feuer gelöscht und die Fenster geöffnet worden waren. Nein, sagte ich mir, unmöglich!

Es war ein seltsamer Sommer. Celia fehlte mir sehr, und ich befand mich immer häufiger in Gesellschaft der Cannon-Töchter, die unermüdlich zum Wohle der Kirche wirkten. Der Hilfsgeistliche war noch nicht ins Netz gegangen, jedoch seien, sagte Tante Martha, die Tage seiner Freiheit gezählt; und *sie* wisse nicht, wie er es anstellen wolle, eine Frau zu ernähren.
Ich wies sie darauf hin, daß dies nur ihn und die erwählte Cannon-Tochter etwas angehe.
»Effie, die jüngste, ist gar nicht so übel«, grübelte sie laut, und mir schien, als könne Effie sehr wohl auserkoren werden, den Platz einzunehmen, der durch Celias Abtrünnigkeit vakant geworden war. Mein Vater kam nämlich tatsächlich nach Hause.
Er hatte geschrieben, er würde im Oktober kommen. Bis dahin sei der Sommermonsun, der von Mai bis September anhalte, vorüber, und die Pflanzarbeit sei zum größten Teil abgeschlossen. Möglicherweise reise er zusammen mit seinem Nachbarn Clinton Shaw, der, wie er auch, zu geschäftlichen Verhandlungen mit den Überseekaufleuten nach London müsse. Bei dieser Gelegenheit wolle er sich einer speziellen Untersuchung unterziehen, wie es ihm der Arzt in Kandy empfohlen hatte. Doch in erster Linie wolle er mich sehen.
Es tat gut, etwas zu haben, dem ich voller Aufregung entgegenblicken konnte. Es half mir, über den Verlust meiner Mutter und Celias hinwegzukommen.
Die Art und Weise, wie Effie Cannon nun ins Haus eingeladen wurde, amüsierte mich. Es war beinahe, als locke man sie an.

Sie kam zum Essen, und wir sprachen über Ceylon und die Plantage meines Vaters.

»Zuerst waren wir Kaffeepflanzer«, erklärte Tante Martha, »und dann gingen wir zu Tee über. Es ist ein schönes Land, glaube ich, und es ist unsere Pflicht, es zu erschließen, ist es doch ein Juwel in der Krone des englischen Königreichs.«

Effie war sichtlich beeindruckt, doch sie hatte keine Ahnung, was in Tante Marthas Kopf vorging, und als die Vorbereitungen für das Erntedankfest begannen, verkündete sie ihre Verlobung mit dem Hilfsgeistlichen. Tante Martha war wütend.

»So ein dummes Mädchen«, sagte sie. »Ich weiß nicht, wie sie vom Gehalt eines Hilfsgeistlichen leben wollen.«

»Solange sie es schaffen, sollte das nicht unsere Sorge sein, Tante«, sagte ich.

»Du bist vorlaut, Sarah, und das schickt sich nicht. Du bist immer so gewesen ... auch als du jünger warst. Wenn dein Vater heimkommt, müssen wir für ein wenig Zerstreuung sorgen. In Kandy leben ein paar annehmbare Familien, ehemalige Bekannte von uns.« Es war mir klar, daß sie an eine Frau für meinen Vater dachte und daß auch ich früher oder später Gegenstand ihrer Pläne werden würde.

Zuweilen fragte ich mich, wie es wohl wäre, wenn man sein ganzes Leben in Ashington Grange verbringen würde. Ob ich so würde wie die Tanten, denen Nebensächliches wie Manieren und Konventionen so wichtig waren? Würde ich auch Pläne für andere Menschen schmieden und mich so inbrünstig um Dinge wie die Ashington-Perlen sorgen? Niemals! Im Grunde meines Herzens war ich überzeugt, daß ich mit meinem Vater gehen werde, wenn er nach Ceylon zurückkehrt.

Die Nacht im Wald

Mein Vater hatte sich auf der »Bristol Star« eingeschifft, die im Laufe der ersten Novemberwoche in Tilbury einlaufen sollte. In diesem Monat würde ich neunzehn Jahre alt. Mein Vater wollte vom Hafen aus gleich mit dem Zug nach Ashington Grange kommen, und da er die genaue Ankunftszeit nicht wußte, wollte er vom Bahnhof aus eine Droschke nehmen.

Clinton Shaw sollte ihn begleiten. Clinton Shaw hatte sich entschlossen, entschieden früher zu kommen, als er beabsichtigt hatte, damit sie zusammen reisen konnten. Der Arzt hatte dies für eine gute Idee gehalten.

Die häufige Erwähnung des Arztes beunruhigte mich ein wenig. Ich sprach mit Tante Martha darüber. Sie sagte: »Früher hat er sich nie Gedanken über seine Gesundheit gemacht. Die Menschen verändern sich. Ich bin neugierig, wie dieser Mann ist … dieser Clinton Shaw. Ich habe von der Shaw-Plantage gehört. Ich hatte immer den Eindruck, die Shaws seien Gauner.«

»Mein Vater und Mister Shaw müssen gute Freunde sein, sonst würden sie nicht zusammen reisen«, bemerkte ich.

»Ich habe Ellen angewiesen, zwei Zimmer für die beiden herzurichten. Das große mit den Erkerfenstern hat dein Vater bewohnt, als er mit deiner Mutter hier war. Ich bezweifle, daß er dort wieder einziehen möchte. Es war das Brautgemach. Das soll sie Herrn Shaw geben, habe ich zu Ellen gesagt. Es ist eines der feinsten Zimmer im Haus, und er ist schließlich für ein oder zwei Tage unser Gast. Er wird nicht lange bleiben. Er hat geschäftlich in London zu tun. Dein Vater kann entweder das Zimmer daneben haben oder eines in der Etage darüber.«

Die Vorbereitungen nahmen ihren Lauf. Beide Tanten waren aufgeregt, und ich vermutete, daß Tante Martha entschlossen war, meinen Vater zu verheiraten, bevor er nach Ceylon zurückkehrte. Sie stellte Listen von Leuten auf, die nicht allzu weit entfernt wohnten und uns besuchen konnten.

»Es ist lange her, seit wir eine Gesellschaft gegeben haben«, sagte sie, »aber es kommt eben alles zu seiner Zeit.«

Unter Anleitung der Wirtschafterin, Mrs. Lamb, machten sich die Mädchen an eine Art herbstlichen Frühjahrsputz. Zwar hatte Tante Martha ein richtiges Großreinemachen außerhalb der dafür festgesetzten Zeit nicht geduldet, doch ließ sie neue Kissen anfertigen und für einen Raum sogar neue Vorhänge.

»Damit es ein bißchen heller und freundlicher wirkt«, bemerkte sie. »Die Merridews haben zwei Töchter«, hörte ich sie zu Tante Mabel sagen, und sie fügte versonnen hinzu: »Und einen Sohn.«

Nach meinem Vater würde sicher ich an die Reihe kommen. Ich fragte mich, warum Mabel verschont geblieben war. Ich vermutete, daß sich Tante Martha, nachdem Edward Sanderton sich Margaret zuwandte, zu einem Jungferndasein entschlossen hatte, wozu sie eine Gefährtin brauchte. Ich malte mir aus, wie jeder Freier, der für Tante Mabel in Frage kam, ebenso entschieden fortgescheucht wurde, wie die Bewerber für andere angelockt wurden.

Endlich war der Tag der Ankunft meines Vaters gekommen. Im Haus herrschte eine gespannte Atmosphäre, und ich raste jedesmal zum Fenster, wenn ich Wagenräder sich nähern zu hören glaubte. Es war schon vor fünf Uhr dunkel, und er war immer noch nicht da. Die Lampen in der Halle und die Laternen auf beiden Seiten der Terrasse wurden angezündet. Ich wanderte ständig zwischen der Halle und meinem Zimmer hin und her.

»Wie eine Katze auf heißen Backsteinen«, sagte Tante Martha. Doch auch sie war nicht so gleichmütig wie sonst und hatte sich von der Erregung anstecken lassen, die das ganze Haus erfüllte.

Aus der Küche strömten appetitliche Düfte, und die älteren Dienstboten erzählten den anderen, was ihnen von Ralph Ashington in Erinnerung geblieben war.

Es war halb sechs, als die Mietdroschke die Einfahrt heraufkam. Wir standen an der Tür, ich mit Tante Martha und Tante Mabel, und ich wußte, daß ein Teil der Dienerschaft durch die Fenster spähte, während andere in der Halle herumlungerten.

Mein Herz klopfte heftig, als ein Mann aus der Droschke stieg. Er war sehr groß und trug einen schwarzen Homburg und einen schwarzen Mantel mit einer kurzen Pelerine. Er blickte nicht zum Haus, sondern zurück zur Droschke und half einem Mann heraus – meinem Vater! Neben dem anderen Herrn wirkte er sehr schmächtig, und eine große Welle der Zärtlichkeit durchflutete mich.

Ich lief hinaus und rief: »Ich bin Sarah, Vater. Ich bin Sarah.«

Mir wurde ganz schwach vor Rührung. Er sah so gebrechlich aus, ein eingefallenes Abbild des Mannes, den ich von dem Porträt in der Galerie kannte.

Der andere Herr sagte in ziemlich gebieterischem Ton: »Sehen wir zu, daß wir ihn hineinbringen, ja? Diese Feuchtigkeit tut ihm nicht gut.«

»Ralph!« kam es von Tante Martha.

»Ich bin zu Hause«, sagte mein Vater. »Ja, endlich bin ich nach Hause gekommen. Sarah!« Er betrachtete mich mit verzücktem Blick.

Sein Begleiter sprach im Befehlston: »Ich sagte doch, wir müssen ihn hineinbringen.«

Ich verspürte von Anfang an eine Abneigung gegen diesen Gast, der uns vorschreiben wollte, was zu tun sei. Es war nicht kalt. Es war sogar recht schwül, und es war doch wohl an *uns*, ihn hereinzubitten.

Wie dem auch war, wir gingen hinein.

Die Augen meines Vaters wichen nicht von mir. »Sarah«, sagte er. »Genau, wie ich dich mir vorgestellt habe. Oh, fast hätte ich es vergessen: Das hier ist Mister Clinton Shaw, der sich freundlicherweise bereit fand, mit mir zu reisen.«

»Willkommen auf Ashington Grange, Mister Shaw«, begrüßte ihn Tante Martha. »Wir haben Sie erwartet.«

Er hatte seinen Hut abgenommen, unter dem dichtes blondes Haar zum Vorschein kam, was mich verblüffte, weil sein Gesicht so dunkel war. »Danke, Miss Ashington«, sagte er. »Ich freue mich, daß ich hier bin.«

Ich bemerkte, daß mein Vater schwer atmete. »Die Reise war gewiß anstrengend«, sagte ich. »Ist dir kalt? Komm an den Kamin!«

»Sarah, ich möchte dir Clinton vorstellen.«

»Guten Tag«, sagte ich kurz, die Augen noch immer auf meinen Vater gerichtet.

»Ich war sehr gespannt auf Sie, Miss Sarah«, antwortete er. Ich begleitete meinen Vater ans Feuer.

»Er ist ein ganz anderes Klima gewöhnt«, erklärte Mr. Shaw. »Die Umstellung ist nicht so einfach.«

»O gewiß«, ließ sich Tante Mabel vernehmen. »Wir haben Mrs. Lamb angewiesen, in Ihren Zimmern Feuer machen zu lassen.«

»Die gute alte Lamb!« sagte mein Vater. »Sie ist also immer noch da?«

»Hier hat sich wenig verändert, Ralph«, erklärte Tante Martha. Er lächelte mich schüchtern an. »Wir werden uns eine Menge zu erzählen haben, Sarah.«

»Ich kann es kaum erwarten«, erwiderte ich.

»Mister Shaw, möchten Sie Ihr Zimmer sehen?« fragte Tante Martha. Er bejahte und meinte, es sei sehr liebenswürdig, ihm die Gastfreundschaft anzubieten.

»Es ist uns ein Vergnügen«, erwiderte Tante Martha. »Sarah, du gehst mit Mister Shaw, Mabel geht mit Ralph … falls er jemanden braucht, der mit ihm geht. Du kennst dich doch noch in Ashington Grange aus, Ralph?«

»Ich erinnere mich an jede Ecke und jeden Winkel, Martha.«

141

»Ihr seid bestimmt hungrig«, meinte Mabel. »Oder nicht?«
Mister Shaw antwortete für beide. »Sehr«, sagte er.

»Das Essen wird bald serviert«, verkündete Tante Martha.

»Wenn Sie mir bitte folgen wollen, ich zeige Ihnen Ihr Zimmer«, wandte ich mich förmlich an Mister Shaw.

Ich ging voraus. Shaws Augen ruhten auf mir, als wir die Treppe hinaufstiegen und die Galerie durchquerten.

»Ah«, sagte er, »die Familie!« Er hielt inne und blickte mich an. »Sie sehen denen aber sehr ähnlich«, fügte er hinzu.

»Das ist wohl zu erwarten; schließlich bin ich eine von ihnen.«

Er blieb vor den Bildern stehen, und die Höflichkeit verbot es mir weiterzueilen. »Wo hat man Sie aufgehängt?«

»Ich bin nicht hier. Ich bin sozusagen eine Neuerwerbung.«

»Sie meinen, eine neu *anerkannte* Erwerbung.«

»Richtig.«

»Ich weiß. Ihr Vater hat mich ins Vertrauen gezogen. Sie würden sich zwischen diesen feinen Damen ausgesprochen gut ausnehmen.«

»Zu gütig von Ihnen.«

»Ich meine es ehrlich. Sonst würde ich es nicht sagen. Ich schmeichle selten, nur, wenn es dumm wäre, es nicht zu tun.«

Ich blickte ihn eindringlich an. Ich konnte nicht anders. Es war beinahe, als zwinge er mich dazu. Seine Größe und seine breiten Schultern waren beeindruckend. Sein blondes Haar und die dunklen Augen mit den schweren Lidern bildeten einen solch verblüffenden Kontrast, daß er einfach auffallen mußte. Er war sonnengebräunt, was sich vermutlich dort, wo er lebte, nicht vermeiden ließ. Ich bemerkte seine weißen Zähne und die recht sinnlichen Lippen. Er war mir von Anfang an unsympathisch, weil er Befehle erteilt hatte, und ich beschloß, ihn nicht zu mögen. Einem Mann wie ihm war ich noch nie begegnet – aber welche Männer kannte ich denn schon? Jene, die meiner Mutter den Hof machten? Everard, der stets wie das Musterbeispiel eines englischen Gentleman aussah. Toby, ebenfalls ein Gentleman, wenn auch von etwas anderer Art. All die vielen Verehrer. Dieser Mann hatte einen großen Teil seines Lebens im Ausland verbracht, und das unterschied ihn zweifellos von anderen. Er war mir von dem Augenblick an, als er auch der Kutsche stieg, gegenwärtig gewesen, und das war verwirrend. Er gehörte zu den Männern, die Aufmerksamkeit erregten. Mein Interesse hätte einzig und allein meinem Vater gelten sollen, doch dieser Mensch drängte sich dazwischen.

»Ah!« Er war vor dem Porträt einer Ashington stehengeblieben. »Die berühmten Perlen! Eine ganze Anzahl Damen tragen sie, wie ich sehe. Sie müssen zugeben, sie wirken sehr edel.«

»Ich habe nicht die Absicht, das abzustreiten«, sagte ich schnippisch. »Sie wollen sich gewiß waschen und vielleicht auch umkleiden, bevor wir essen.« Damit gemahnte ich ihn, daß wir lange genug in der Galerie verweilt hatten.

Er neigte den Kopf, und wir stiegen die Treppe zum nächsten Stockwerk hinauf. Hier lag mein Zimmer, und am anderen Ende des Flurs war dasjenige, das man ihm zugewiesen hatte. Ich führte ihn.

»Ein sehr vornehmes Haus«, bemerkte er.

»Es gehört der Familie seit Generationen.«

»Sehr lobenswert.«

»Meinen Sie das Haus oder die Familie?«

»Beide. Das Haus, weil es die vielen Jahre überdauert hat, und die Familie, weil sie es so lange im Besitz behielt.«

»Hier ist Ihr Zimmer.« Ich öffnete die Tür.

»Bezaubernd«, sagte er; und es sah wirklich bezaubernd aus. Das Feuer spiegelte sich flackernd an den polierten Möbeln, und eine Öllampe mit geriffeltem Schirm stand angezündet auf dem Ankleidetisch.

»Wir haben kein Gaslicht auf Ashington Grange«, klärte ich ihn auf.

»Das wäre auch nahezu ein Frevel. In meinem Haus gibt es auch nur Lampen und Kerzen. Gaslicht haben wir nicht bei uns.«

»Dann brauche ich mich ja nicht zu entschuldigen.«

»Meine liebe Sarah, warum sollten Sie sich bei mir entschuldigen!«

Ich trat einen Schritt zurück und bedachte ihn mit einem kühlen Blick. Ich war nicht darauf gefaßt, daß er mich mit meinem Vornamen anreden würde.

Er begriff sofort. Er war schlagfertig und gewiß selten um eine Antwort verlegen. Er sagte: »Sie müssen mir diese rauhen Manieren verzeihen, die man sich in den Kolonien angewöhnt. Ihr Vater hat so viel von Ihnen gesprochen, und immer hieß es ›Sarah‹. Sie können kaum von ihm erwarten, daß er Sie mit dem recht eindrucksvollen Titel ›Miss Ashington‹ bezeichnet hat, nicht wahr?«

»Von meinem Vater gewiß nicht, aber von Fremden darf man es wohl verlangen.«

»Von Fremden schon. Aber Sie sind mir nicht fremd. Lassen Sie das als Entschuldigung für meine Dreistigkeit gelten.«

Ich wandte mich zur Tür. »Falls Sie etwas brauchen, dort ist die Klingel. Das Essen wird bald serviert.«

»Gut. Wir sehen uns später.«

Er blickte mir mit einem leicht überheblichen Lächeln nach, als ich ihn verließ.

Der gefällt mir nicht, sagte ich zu mir, während ich in mein Zimmer ging. Zu schade, daß mein Vater ausgerechnet ihn mitbringen mußte. Ich trat in mein Zimmer, und ehe ich die Tür schloß, blickte ich mich um. Clinton Shaw stand in seiner offenen Tür und beobachtete mich. Ich schlug meine Tür krachend zu. Hastig zündete ich die Lampe an und betrachtete mein Spiegelbild. Mein Gesicht war puterrot.

»Nein«, sagte ich laut, »der gefällt mir ganz und gar nicht.«

Ich dachte immer noch an ihn, als ich hinunterging.

Ich erinnere mich an jede Einzelheit bei dieser Mahlzeit: an das Speisezimmer mit den blauen Polsterstühlen, die ein Ashington in der georgianischen Stilepoche hatte fertigen lassen; an die Gobelins an den Wänden, die älter waren als das Haus selbst; an das glänzende Silber, das seit den Tagen Königin Annes im Familienbesitz war; an die Kerzen in den Leuchtern – an alles, das mir doch so vertraut war und an diesem Abend ganz anders aussah. Tante Martha saß am Kopfende der Tafel, Clinton Shaw zu ihrer Rechten; am anderen Ende saß mein Vater, zu seiner Rechten ich; mit Tante Mabel waren wir nur zu fünft, und die Abstände zwischen uns waren ziemlich groß.

Ich dachte, da wir eine so kleine Gesellschaft waren, hätten wir im Wintergarten speisen sollen, doch Tante Martha war offenbar der Meinung, es handle sich um einen feierlichen Anlaß.

Mein Vater sah jetzt besser aus als bei der Ankunft. Sein Gesicht hatte etwas mehr Farbe, und seine Augen leuchteten. Er war mager, fand ich, und er wirkte sehr bewegt. Er war sichtlich gerührt, weil er sich wieder im Haus seiner Väter befand.

Er sprach viel über die Vergangenheit und bemerkte, daß sich im Haus nichts verändert hatte. Seine Augen aber wichen kaum von mir. Danach erzählte er und Clinton Shaw von der Plantage. Sie redeten vom Pflanzen und Pflücken und von den Schwierigkeiten, die ihnen Blattkrankheiten und Schädlinge bereiteten. Im letzten Jahr war es der Nesselfraß, im Jahr davor waren es Blattläuse gewesen.

»So geht das eben, Miss Ashington«, sagte Clinton Shaw. »Mit dem Tee ist es wie im Leben. Wir haben unsere Freuden und unsere Leiden, und letztere scheinen häufiger zu sein als erstere.«

Ich wollte mehr über das häusliche Leben erfahren. Ich hätte mich zu gern nach meiner Schwester erkundigt, doch ich hatte das Gefühl, daß ich damit warten mußte, bis ich mit meinem Vater allein war.

»Hast du gutes Hauspersonal?« wollte Tante Mabel wissen.

»Da gibt es nie Schwierigkeiten«, erwiderte mein Vater. »Es gibt immer genügend Leute, die sich ihren Lebensunterhalt verdie-

nen möchten.« Er liebte Ceylon, das konnte ich ihm deutlich
anmerken; er kannte sich in seiner Geschichte aus und erzählte
begeistert davon. Ich hatte den Eindruck, daß er in mir Interesse
und Liebe für dieses Land wecken wollte und daß er vorhatte,
mich mitzunehmen, wenn er zurückkehrte. Ich hörte gebannt
zu.

»Die Dichter nennen Ceylon die Perle auf der Stirn Indiens«,
sagte er.

»Andere nannten es die Perle, die ins Meer geworfen wurde«,
ergänzte Clinton Shaw. »Sie werden bemerken, welche Rolle die
Perlen spielen. Die sind ein gutes Geschäft. Wir haben etliche
florierende Perlenfischereien.«

»Clinton ist ein Zyniker«, sagte mein Vater lächelnd. »Man
erzählt sich, daß König Salomon einst die Juwelen von Sri Lanka
– wie es damals genannt wurde – auserkor, um sich und die
Königin von Saba damit zu schmücken. Es gibt Tausende von
Legenden und eine Menge Aberglauben. Ich könnte euch Geschichten von den großen Dynastien erzählen und von den
ehemaligen Königen ...«

»Wir würden lieber etwas von *deinem* Leben dort erfahren,
Ralph«, unterbrach ihn Tante Martha unsanft.

»Das Leben des einen Teepflanzers ist ziemlich das gleiche wie
das des anderen, nicht war, Clinton?«

»Falsch«, erwiderte Clinton. »Dein Leben, mein Bester, ist nicht
im mindesten wie meines. Aber das, meine Damen, sollte für Sie
Grund zur Freude sein.«

»Wie meinen Sie das, Mister Shaw?« fragte Mabel.

»Ich meine, daß Ihr Bruder ein Musterbeispiel an Rechtschaffenheit ist, was man von mir kaum behaupten kann.«

»Sie scherzen natürlich«, sagte Tante Martha so, als sei dies eine
unumstößliche Tatsache. Ich dachte, dieser unmögliche
Mensch würde ihr nun widersprechen und uns dann eine Schilderung seines Daseins liefern, das, wie ich mir vorstellen konnte, recht anrüchig war. Ich vermutete, daß er eine eingeborene

Geliebte hatte, vielleicht auch zwei. Er gehörte ganz bestimmt zu dieser Sorte von Männern. Das schloß ich aus der Art, wie er alle Frauen ansah ... Jedenfalls hoffte ich, daß er alle Frauen so anschaute und nicht etwa nur mich. Das wäre ja noch beleidigender gewesen. Er mißfiel mir immer mehr, je weiter der Abend fortschritt. So unbehaglich war mir noch nie zumute gewesen.

Meine Halbschwester wurde nicht erwähnt, ebensowenig die erste Frau meines Vaters. Diese Themen eigneten sich wohl nur für die Ohren der Familienmitglieder. Ich nahm mir vor, mich nach meiner Schwester zu erkundigen, sobald ich konnte.

Statt dessen hörten wir Geschichten von den Königen von Ceylon; wir erfuhren, wie der König von Kandy um die Hilfe der Briten gegen die Holländer ersucht hatte; doch die Briten waren damals nicht gewillt, sich neue Verantwortung aufzuladen. Später war das anders.

»England war zur führenden Weltmacht aufgestiegen«, sagte mein Vater. »Die Schlacht von Trafalgar war gewonnen, und wir entwickelten uns zu einer Weltmacht. Die Revolution hatte die Franzosen gelähmt. Indien war das strahlendste Juwel in der Krone des britischen Weltreiches, und die Ostindische Kompanie war im Begriff, auf Ceylon Fuß zu fassen. Die Holländer hatten kaum Widerstand geleistet und konnten vertrieben werden; die Könige von Kandy waren hart und grausam, und das Volk von Ceylon hieß die Engländer willkommen. So kam Ceylon unter die Schirmherrschaft der britischen Krone.« Er wandte sich an mich. »Wenn du das Land siehst, Sarah, wirst du hingerissen sein. Meinst du nicht auch, Clinton?«

»Ich hoffe, ich werde Zeuge ihres Entzückens sein«, erwiderte er.

Ich beachtete ihn nicht, und mein Vater fuhr fort: »Stell dir vor, bambusgesäumte Ströme ... Ströme, die sich durch die Reisfelder winden! Die Berge sind herrlich, Sarah. Es gibt dort eine Landschaft, die mich an unser Seengebiet erinnert. Die Szenerie wechselt ständig … ähnlich wie hier zu Hause. Doch dort ist alles dramatischer. Von den Reisfeldern geht es in die Berge und in die Sandel- und Ebenholzwälder. Die Bäume sind riesig. Und oben im Nordwesten, wo es trocken ist, gibt es nichts als dürres Gestrüpp. Man muß die Schönheiten des Landes sehen, um sie sich vorstellen zu können.«

»Eigentlich«, sagte Clinton Shaw, »ist jede Landschaft faszinierend; abstoßend ist nur der Mensch.«

»Vielleicht nicht alle Menschen«, gab ich zurück.

»Nicht alle … aber eine ganze Menge, fürchte ich.«

Den Kaffee nahmen wir im Wintergarten, und ich sah, daß mein Vater beinahe einschlief.

Clinton Shaw beugte sich zu mir und raunte: »Ich denke, Ihr Vater sollte sich zurückziehen. Er hat einen anstrengenden Tag hinter sich.«

Tante Martha hörte es und stand auf. »Ich hoffe, Sie werden sich hier wohl fühlen«, sagte sie.

Wir wünschten einander gute Nacht und gingen in unsere Zimmer.

Ich wußte, daß ich keinen Schlaf finden würde. Ich zog mein Kleid aus, schlüpfte in einen bequemen Morgenmantel und bürstete mein Haar. Ich betrachtete mich dabei prüfend im Spiegel. Es gab zwar nur eine Lampe in meinem Zimmer, doch ich hatte Kerzen auf dem Ankleidetisch stehen.

Mein Spiegelbild blickte mir entgegen. Ich hätte gern gewußt, was mein Vater von mir dachte. Und was hielt Clinton Shaw von mir? Seit ich ihn kannte, hatte ich versucht, ihn aus meinen Gedanken zu verbannen, doch er mogelte sich immer wieder hinein. So war er eben. Er würde sich ständig aufdrängen, wo er nicht erwünscht war. Er war einfach zu beherrschend, zu direkt. Everard und Toby waren ganz anders gewesen. Sie waren so ritterlich, sie hatten einem das Gefühl gegeben, geborgen zu sein. Bei diesem Mann dagegen hatte man das Gefühl, man müsse dauernd auf der Hut ... und darauf gefaßt sein, sich gegen diese überwältigende Männlichkeit zur Wehr zu setzen. Ich interessierte ihn. Das hatte er deutlich gezeigt. Wäre es nicht der Fall gewesen, so hätte er sich gewiß nicht die Mühe gemacht, mir etwas vorzugaukeln. Er hatte mich oft auf seine unverschämte Art angesehen, und wenn ich ihm meine Mißbilligung zu verstehen gab, blieb er völlig ungerührt.

Eigenartigerweise fand ich mich an diesem Abend ausgesprochen hübsch. Mein dichtes braunes Haar war ebensowenig zu bändigen wie damals, als Meg, in der Hoffnung, es bis zum nächsten Morgen zu Korkenzieherlocken zu kräuseln, Strähne um Strähne um Stoffröllchen gewickelt hatte. Doch diesmal stand mir die hartnäckige Glätte gut zu Gesicht. Meine Augen, die weder richtig grün noch grau, noch braun waren, sondern von jeder Farbe etwas hatten, kamen mir sonst immer matt vor; jetzt aber glitzerten sie und schienen einen Hauch von dem Blau meines Morgenmantels angenommen zu haben. Das einzig wirklich Schöne an mir, das ich von meiner Mutter geerbt hatte, waren meine langen Wimpern. Ansonsten hatte ich die gerade, ein wenig zu lange Nase der Ashingtons, die bei Tante Martha besonders stark ausgeprägt war. Es gab zwei Mundformen bei den Ashingtons – die schmallippige Variante, welche die Tanten hatten, und die ziemlich sinnliche, die ich von meinem Vater geerbt hatte. Meine sonst recht blassen Wangen waren nun von frischer Farbe. Diesem Umstand hatte ich es nicht zuletzt zu verdanken, daß meine Erscheinung reizvoller als üblich wirkte. Dies ist die Aufregung, weil mein Vater hier ist, redete ich mir ein. Doch ich wußte, daß da noch etwas anderes war.

Dieser Mann würde nicht lange bei uns bleiben. Ein paar Nächte nur, und dann ginge er nach London, um seine Geschäfte zu erledigen, und mein Vater ebenso. Ich fragte mich, warum sich mein Vater mit einem solchen Menschen zusammengetan hatte. Ein idealer Gefährte war er kaum, doch waren sie schließlich Nachbarn, deren Plantagen aneinandergrenzten.

Ich bürstete mein Haar in gleichmäßigen Strichen, als ein Geräusch vor meiner Tür mich aufschreckte. Schritte. Sie hielten vor meiner Tür. Es klopfte.

Ich stand auf. »Wer ist da?« wollte ich wissen.

Die Tür öffnete sich. »Darf ich hereinkommen?« fragte Clinton Shaw. »Ich habe Ihnen so vieles zu sagen.«

»Was? Um diese Zeit!« schrie ich, und meine Stimme klang schrill. »In meinem Schlafzimmer!«

Er blickte sich lächelnd um. »Ich könnte mir keinen Ort denken, wo wir weniger Gefahr liefen, gehört zu werden.«

»Mister Shaw …«

»Bitte sagen Sie Clinton zu mir. Da ich Sie Sarah nenne, wäre das passender. Meine Freunde rufen mich Clint. Komischer Name, finden Sie nicht? Er stammt von einem Ort, wo meine Familie früher lebte, und so hat sich der Name Clinton über Generationen gehalten. Würden Sie mich lieber Clint nennen?«

»Wenn ich die Wahl habe, ziehe ich Mister Shaw vor.«

»Solange Sie mich in irgendeiner Form vorziehen, wird das vorläufig genügen müssen.«

»Mister Shaw«, sagte ich, »ich bezweifle nicht, daß Sie sich für sehr geistreich und unwiderstehlich halten …«

»Wer hat Ihnen denn das in den Kopf gesetzt! Das kann wohl nur Ihrer eigenen Meinung entsprungen sein.«

»Ich bin sicher, was Sie zu sagen haben, kann morgen und an einem anderen Ort auch gesagt werden. Sie sind in diesem Haus zu Gast, und es ist untragbar, daß Sie nachts in mein Schlafzimmer kommen … ungebeten.«

»Wie entzückend, wenn ich gebeten worden wäre«, meinte er bedauernd.

»Ich finde Sie unverschämt und beleidigend. Würden Sie bitte gehen, oder muß ich läuten?«

»Ich habe Ihnen so viel zu sagen. Es betrifft Ihren Vater. Ich glaubte, Sie wollten es so bald wie möglich erfahren.«

»Was ist mit meinem Vater?«

»Darf ich mich setzen? Das wäre für uns beide bequemer.« Er wartete meine Antwort nicht ab und sah sich um. Zuerst glaubte ich, er wollte sich auf mein Bett setzen. Doch er ging weiter und nahm im Lehnstuhl Platz.

Ich war wütend, aber ich wußte mir nicht zu helfen. Ihn hinauszuweisen wäre wohl übertrieben dramatisch gewesen, aber vielleicht hätte ich es dennoch tun sollen. Zu läuten und um Hilfe zu bitten wäre gar noch übertriebener gewesen. Doch hier war ein Mann, den ich erst seit ein paar Stunden kannte, in mein Schlafzimmer eingedrungen … Er blickte mich ironisch an, als könne er meine Gedanken lesen, die ihn zu amüsieren schienen. Ich haßte ihn, weil er mich in diese Lage gebracht hatte. Was würde Tante Martha sagen, wenn sie jetzt hereinschaute! Gewiß würde sie ihm empört befehlen, das Haus zu verlassen, und das wäre auch gut so.

Er faltete die Hände und betrachtete seine Fingerspitzen mit einer Miene, die ich nur als fromm bezeichnen konnte, und die doch voller Spott zu sein schien. Gerade als ich ihn hinausweisen wollte, sagte er: »Ich weiß, wie sehr Sie um Ihren Vater besorgt sind. Deswegen wollte ich mit Ihnen sprechen. Er ist sehr krank.«

Meine Wut schwand dahin. Ich empfand nur noch Angst um meinen Vater. »Sind Sie … sicher?« stammelte ich.

»Ich habe mit unserem Arzt gesprochen. Von ihm stammt der Vorschlag, daß Ihr Vater sich zu Hause behandeln lassen soll. Ich konnte nicht zulassen, daß er allein reist.«

Jetzt rückte er sich in ein anderes Licht, doch obgleich ich wußte, daß er, was meinen Vater betraf, die Wahrheit sagte, traute ich ihm nicht. »Das war nett von Ihnen«, räumte ich widerwillig ein.

»Ich hatte ohnehin vor, irgendwann wegen meiner eigenen Angelegenheiten herzukommen. Ich brauchte die ganze Sache lediglich vorzuverlegen.«

»Was fehlt ihm?«

»Es ist vor allem die Lunge. Ich dachte, Sie sollten es wissen.«

»Danke. Meine Tanten müssen es wohl auch erfahren.«

»Nicht unbedingt. Sehen Sie, Ihr Vater weiß nicht genau, was ihm fehlt, und ich hatte irgendwie das Gefühl, mit Ihnen ungezwungener reden zu können. Deswegen habe ich Sie hier auf diese etwas unförmliche Art aufgesucht. Er hat mir viel von Ihnen erzählt … mir Ihre Briefe gezeigt. Auf die ist er sehr stolz. Ich bin froh, daß Sie sich begegnet sind … rechtzeitig.«

»Was können wir nun tun?«

»Machen Sie ihn so glücklich, wie Sie können, ehe er sterben muß.«

»Sie meinen, ich …«

»Sie mehr als irgend jemand sonst.«

»Ich werde mein Bestes tun.«

»Das war's, was ich Ihnen sagen wollte.«

»Danke.« Ich stand auf, um ihm zu bedeuten, daß er gehen solle, aber er rührte sich nicht. Er saß nur da und sah mich abwartend an, und er lächelte auf eine Art, die ich verwirrend, ja sogar ein wenig beängstigend fand.

»Gute Nacht«, sagte ich.

Jetzt stand er auf und trat auf mich zu. Ich war ja nicht klein von Gestalt, sondern sogar überdurchschnittlich groß, doch mir schien nun, er wollte mir zeigen, daß er mich turmhoch überragte.

Ich trat zur Seite, um ihn vorbeizulassen. Er ignorierte diese Bewegung und sage: »Wenn ich Ihren Vater zum Spezialisten begleite, möchte ich, daß Sie mitkommen. Würden Sie das tun? Es wäre bestimmt von Nutzen.«

»Selbstverständlich werde ich alles tun, um meinem Vater zu helfen.«

Er berührte meine Schulter mit einer Hand. »Danke«, sagte er.

Ich trat einen Schritt zurück, so daß seine Hand herunterfiel. Wieder sah ich dieses Lächeln über seine Lippen huschen.

152

»Gute Nacht, Mister Shaw«, sagte ich noch einmal. »Und danke, daß Sie meinem Vater helfen.«

»Ich bin auch meinetwegen hier«, entgegnete er. »Ich habe hier sehr dringende Geschäfte zu erledigen. Alle paar Jahre müssen wir die Händler in London aufsuchen … oder sollten es zumindest. Das gehört alles zum Geschäft. Außerdem habe ich einen noch wichtigeren Grund, aus dem ich hier bin.«

Er blickte mich herausfordernd an, als erwartete er, daß ich ihn fragte, worum es sich handelte, diesen Gefallen tat ich ihm nicht. Er kam einen Schritt auf mich zu. »Ich halte Ausschau nach einer Frau«, sagte er.

Ich spürte, wie die verräterische Röte wieder in mir aufstieg. Ich brachte ein leises »Wirklich?« zustande.

»O ja, für einen Mann kommt einmal die Zeit, da er eine Frau braucht, jemanden, der für ihn sorgt und ihn zur Vernunft bringt. Das ist bei einem Dasein, wie ich es führe, sehr wichtig, und dort, wo ich lebe, gibt es wenig Auswahl. Es ist eine löbliche Sitte, nach Hause zu kommen, um sich eine Frau zu suchen.«

»Gewiß«, sagte ich und wandte mich ab. Da er nicht ging, fuhr ich fort: »Ich wünsche Ihnen viel Glück bei Ihrer Suche.«

»Ich sehe da keinerlei Schwierigkeiten«, erwiderte er.

»Hoffen wir, daß der Gegenstand Ihrer Suche die hohe Meinung, die Sie von sich haben, teilt«, sagte ich.

Er lächelte mich an, während ich zur Tür ging und sie aufhielt. Ich schloß die Tür hinter ihm und drehte den Schlüssel herum. Dann setzte ich mich vor meinen Spiegel. Seit dem Tod meiner Mutter war ich nicht so aufgewühlt gewesen. Mein Vater schwer erkrankt … vielleicht nur heimgekehrt, um zu sterben, und dann dieser Mann, der mir nicht aus dem Sinn ging. Er schien mir irgendwie bedrohlich.

Ich verstand selbst nicht, was während der folgenden Wochen mit mir geschah. Ich war ganz gewiß nicht in Clinton Shaw verliebt. Jedenfalls war es nicht das, was ich mir bis dahin unter

Liebe vorgestellt hatte: zärtliche Zuwendung, wie Everard sie meiner Mutter entgegenbrachte; die dienstfertige Ergebenheit Tobys; die Blumen und zuweilen auch Juwelen, mit denen die Männer am Bühneneingang meine Mutter beehrt hatten. Nein, so war es ganz und gar nicht. Clinton drängte sich einfach in meine Gedanken. Er hatte von meinem Verstand Besitz ergriffen und war, wie er deutlich zu erkennen gab, entschlossen, sich auch meines Körpers zu bemächtigen – wenn die Zeit reif war. Jemandem wie ihm war ich noch nie begegnet. Wenn er einen Raum betrat, änderte sich die Atmosphäre; sie wurde von ihm beherrscht. Die Aufmerksamkeit konzentrierte sich auf ihn; ihm wurde vergeben, was bei anderen als unverzeihliche Grobheit verurteilt worden wäre. Es war eine gewisse Macht seiner Persönlichkeit – eine ausgesprochen männliche Eigenschaft –, ganz anders als jene Anziehungskraft meiner Mutter, die sich auf so tragische Weise verflüchtigt hatte. Er besaß eine Männlichkeit, welche die Menschen widerstrebend anerkannten, weil sie gar nicht anders konnten. Selbst die Tanten spürten sie. Tante Martha nickte mit dem Kopf, und ihre Lippen zitterten vor unterdrückter Belustigung über seine ungehobelten Manieren, und Tante Mabel ging dazu über, rüschenbesetzte Kragen zu tragen. Mrs. Lamb entdeckte, daß er gern Curry-Gerichte aß, und gab sich alle Mühe, sie nach seinem Geschmack zuzubereiten; dabei handelte es sich um Gerichte, die bisher bei uns nie aufgetischt wurden. Die Dienstboten wetteiferten miteinander, ihm seine Wünsche zu erfüllen. Ellen meinte kichernd: »Das is 'n Mann und noch ein halber dazu, jawohl!« Ein Mann und ein halber dazu! Das paßte zu ihm. Er hatte etwas Außergewöhnliches, diesen puren Egoismus, diese Entschlossenheit, alles zu bekommen, was er haben wollte. Ich war anscheinend die einzige, die sich bemühte, sich seiner überwältigenden Männlichkeit zu entziehen. Vielleicht war das der Grund, weshalb er es auf mich abgesehen hatte. Doch nein, dahinter steckte mehr als das.

Ich nahm mit Bestürzung wahr, wie sehr sich mein Vater auf ihn verließ. Clinton Shaw traf alle Entscheidungen, und mein Vater fügte sich willig. Daß er schwer krank war, wurde am Morgen nach ihrer Ankunft klar ersichtlich. Das helle Tageslicht offenbarte seine ungesunde, gelbliche Blässe, die eingesunkenen Augen, seine Gebrechlichkeit.

An diesem Morgen verfügte Clinton, mein Vater solle in seinem Zimmer ruhen, da er sich am nächsten Tag den anstrengenden Untersuchungen durch den Spezialisten unterziehen müsse. Ich blieb den ganzen Vormittag bei meinem Vater, und er sprach mit mir, während er im Bett lag.

Nun, da wir allein waren, erzählte er mir, wie gern er mich immer besuchen gekommen wäre, daß aber meine Mutter dagegen war.

»Sie haßte das Leben auf Ceylon«, sagte er. »Man kann es eben nur lieben oder hassen. Sie liebte die Welt des Theaters: Glanz, Rampenlicht, Bewunderung. Unsere Ehe war von Anfang an ein Fehlschlag. Ich hatte kein Glück mit dem Heiraten, Sarah. Ich hoffe, daß deine Ehe einmal glücklich wird.«

»Ich habe nie ans Heiraten gedacht«, erklärte ich ihm. »Ich lerne hier so wenige Leute kennen.«

»Du mußt nach Ceylon kommen.«

»Gern.«

Dann sprach er wieder – wie schon beim Abendessen – mit einer Inbrunst von der Plantage, als wolle er sie mit aller Macht seiner Erinnerung einprägen und mir ihre Bedeutung vor Augen führen. Er erzählte mir, daß dort viele Leute beschäftigt seien. Die Plantage war ihr Leben. Wenn diesem Betrieb etwas zustieße, wie es einst mit den Kaffeepflanzungen geschehen war, so hätte das für viele verheerende Folgen. Ich bedrängte ihn, mir mehr von meiner Familie zu erzählen, von meiner Schwester, ob sie von mir wüßte und mich gern kennenlernen möchte. »Clytie ist ein zartes Geschöpf, Sarah. Ihre Schönheit ist atemberaubend, finde ich. Sie ist nicht so groß wie du. Sie ist klein und zierlich, eine richtige Elfe. Seth Blandford kam zum Arbeiten auf die Plantage, und sie verliebten sich. Und jetzt haben sie diesen wonnigen Jungen ... meinen Namensvetter. Ich kann dir leider kein Bild zeigen. Doch du wirst eines Tages ohnedies kommen. Du kommst mit mir, wenn ich ...«

Ich sagte fest: »Ich muß unbedingt mit dir kommen.«

»Ich weiß nicht, wie lange Clinton hierbleibt, und ich weiß nicht, was ich ohne ihn angefangen hätte, Sarah. Du magst ihn doch, nicht wahr?« Das klang sehr besorgt, und er ergriff meine Hand.

Ich zögerte. »Ich kenne ihn doch gar nicht. Er ist anscheinend ein sehr starker Charakter.«

»Stark ja, das ist er. Genau der Richtige für die Plantage. Die Eingeborenen fürchten sich vor ihm. Ich glaube, sie schreiben ihm eine übernatürliche Kraft zu. O ja, er kann sich durchsetzen. Am Ende wird ihm ganz Ceylon gehören. Er wird einmal sehr reich sein, Sarah. Er war so hilfreich, und ich habe gehofft, daß du ihn magst.«

»Ich finde ihn nur etwas arrogant, und seine Manieren könnten besser sein.«

»Er ist doch nur natürlich. Viele Leute sehen in ihm ihren Herrn, und auf Ceylon kann man sich nicht immer nach dem strikten Verhaltenskodex richten, wie er für ein englisches Landhaus gelten mag.»

»Trotzdem ...«

Er tätschelte mir die Hand.

Ich unterhielt mich gern mit ihm. Ich erfuhr von seiner ersten Frau, die er über alles geliebt hatte; sie hatte ihm die vergötterte Clytie geschenkt und war dann verschieden. Darauf ging er nach England, wo er von dieser bezaubernden Schauspielerin fasziniert war, die seltsamerweise einwilligte, ihn zu ehelichen. Das hatte ihn selbst am allermeisten überrascht. Die Ehe war gescheitert, und ich war der Asche dieser Leidenschaft entstiegen.

Mittags nahmen wir das Essen im Wintergarten ein: Suppe und

danach das Wildbret, das uns am Abend zuvor warm serviert worden war, kalt mit in der Schale gebackenen Kartoffeln. Mein Vater aß spärlich, Clinton Shaw unmäßig.

Nach dem Mal ordnete er an, daß mein Vater den Rest des Tages ruhen solle, da er am folgenden Tag mit ihm nach London fahren werde. Clintons Augen waren auf mich gerichtet und erinnerten mich an mein Versprechen, die beiden zu begleiten. »Ich würde gern durch den Wald reiten«, erklärte er dann, ohne den Blick von mir zu wenden.

Tante Martha sagte sogleich: »Sarah wird Sie begleiten. Es wird ihr ein Vergnügen sein, Ihnen den Wald zu zeigen. Sie fühlt sich dort sehr wohl, nicht wahr, Sarah? Sie liebt es, im Wald spazierenzugehen und auszureiten.«

»Mir gefällt die Einsamkeit«, erwiderte ich spitz.

»Wir werden die Einsamkeit gemeinsam genießen«, gab Clinton Shaw zurück.

Ich konnte mich kaum weigern, ihn zu begleiten, ohne es zu einer Auseinandersetzung kommen zu lassen. Er war immerhin ein Gast.

Ich ging mit meinem Vater in sein Zimmer, zog ihm die Schuhe aus und half ihm aus seinem Jackett. Als er auf dem Bett lag, sagte ich: »Du bist sehr müde.«

Er nickte. »Es ist schön, bei dir zu sein, Sarah. Ich wußte, daß wir uns verstehen werden. Ich will mich nie mehr von dir trennen.«

Ich küßte ihn auf die Stirn. »Das sollst du auch nie wieder machen«, sagte ich leidenschaftlich und impulsiv.

Danach begab ich mich in mein Zimmer und zog mein Reitkostüm an. Ich sah recht gut darin aus. Es brachte meine schlanke – vielleicht zu schlanke – Figur zur Geltung. Ich band mein Haar im Nacken zusammen und setzte den dunkelgrauen steifen Hut auf. Wäre mein Haar nicht gewesen, man hätte mich für einen Knaben halten können, und zwar, dachte ich mit Genugtuung, für einen ziemlich hübschen.

Ich mußte mir eingestehen, daß mich die Aussichten, die sich mir eröffneten, erregten. Ich hatte das Leben bisher als eintönig empfunden. Ich war zwar mit am Schauplatz, aber im Hintergrund. Die Hauptrollen hatten andere übernommen; ich dagegen gehörte zum Chor, zur Masse. Mit der Ankunft von Clinton Shaw hatte sich das geändert. Ich wurde zur Hauptdarstellerin, und das fand ich durchaus vergnüglich. Gemischte Gefühle beherrschten mich. Ich war auf der Hut, und doch kam ich mir verwegen vor. Ich verspürte ein starkes Verlangen, mit Clinton zu streiten. Vielleicht war einem General so zumute, wenn er in den Krieg zog und sich über die Stärke der feindlichen Kräfte nicht ganz klar war, sondern nur wußte, daß sie ungeheuer waren.

Clinton Shaw wartete im Stall, und als er mich sah, erhellte ein Lächeln seine dunklen Züge.

»Wie nett, daß Sie gekommen sind. Ich dachte schon, Sie würden mich versetzen.«

»Wenn ich die Absicht gehabt hätte, nicht zu kommen, so hätte ich das gesagt«, gab ich zurück.

Er machte Anstalten, mir beim Aufsteigen zu helfen.

»Ich brauche keine Hilfe, wie Sie sehen«, sagte ich.

»Aber ich möchte wenigstens so galant sein, sie anzubieten.«

»Es überrascht mich, daß Sie ein derartiges Bedürfnis verspüren.«

»Ich dachte, nach meinem Betragen gestern abend müßte ich einen guten Eindruck machen«, sagte er, während wir aus dem Stall ritten. »Mir den Zugang zum Schlafzimmer einer jungen Dame zu erzwingen, die ich erst seit wenigen Stunden kannte, das war wohl nicht das, was man unter schicklichen Benehmen versteht.«

»Das haben Sie also eingesehen. Ein guter Anfang.«

»Wissen Sie, dort, wo ich herkomme, haben wir kaum Umgang mit wohlerzogenen jungen Engländerinnen. Das führt zu einer gewissen Grobheit. Gelegentlich treffen wir mit Damen aus der

Heimat zusammen – Ehefrauen anderer Plantagenbesitzer und so weiter. Es gibt einen Club in Kandy und einen in Colombo, dort mischen wir uns ab und zu unter die feine Gesellschaft. Doch wir arbeiten hart und finden nicht oft Zeit, in die Stadt zu gehen. Und es mangelt an *jungen* englischen Damen. Daher müssen diejenigen unter uns, die welche kennenlernen möchten, in die Heimat reisen.«

»Und Sie sind also auf der Suche.«

»Ich habe das Gefühl, sie ist bereits zu Ende.«

»Gratuliere! Soviel ich weiß, hat sie gestern erst angefangen.«

»Sie hätte schon viel früher beginnen können. Wissen Sie, wenn das Schiff von Colombo ausläuft, sind lauter Leute an Bord, die nach Hause zurückkehren. Eine Schiffsreise durch tropische Gewässer ist ein Vergnügen ... ausgesprochen geeignet für eine Romanze.«

»Aha. Auf der Heimreise haben Sie also Ihre Frau gefunden.«

»Sagen wir, ich fand die Frau, die ich mir wünsche.«

»Und ich spreche Ihnen meine Gratulation aus, denn ich vermute, Sie brauchten Ihre Wahl nur bekanntzugeben, und schon sank sie Ihnen in ohnmächtiger Dankbarkeit zu Füßen.«

»Ein hübsches Bild«, meinte er munter. »Dankbar ist sie sicher. Aber ohnmächtig? Nein. Sie ist nicht der Typ, der in Ohnmacht fällt. Ich bin froh darüber. Ich fände das entsetzlich albern.«

»Hirschhorn soll sehr gut dagegen sein. Vielleicht schenke ich Ihnen eins zur Hochzeit.«

»Da wünsche ich mir schon etwas Besseres ... von Ihnen.«

Ich gab meinem Pferd die Sporen und ritt voraus. Ich brauchte ein wenig Erholung von ihm und seinen Anzüglichkeiten.

Er hatte mich bald eingeholt. »Was machen Sie so auf dem alten Landsitz?«

»Was ich hier mache? Wie meinen Sie das? Ich lebe hier.«

»Und wie verläuft das Leben bei den ehrenwerten Tanten?«

»Wie überall auf solchen Besitztümern, dessen bin ich sicher. Da gibt es bestimmte Gutsangelegenheiten zu regeln. Tante

159

Martha versteht sich bestens auf dergleichen, und ein Verwalter ist auch da. Dann die lokalen Wohltätigkeitsaufgaben. Unsere Kirche ist wie alle Kirchen ständig reparaturbedürftig, und es ist die Aufgabe der Dorfgemeinde, sie zu erhalten.«

»Ich verstehe vollkommen. Ich bin auch in so einem Haus aufgewachsen. Ich hatte drei Brüder, und ich bin der jüngste. Daher können Sie mir kaum etwas über das dörfliche Leben berichten, worüber ich nicht Bescheid wüßte.«

»Ich glaube, es gibt kaum etwas, das man Ihnen erzählen könnte, von dem Sie nichts wissen ... jedenfalls nach Ihrer Meinung. Daher ist es pure Zeitverschwendung, Ihnen etwas zu erzählen.«

»Es gibt etliche Themen, über die ich nicht alles weiß, und ich lasse mich da gern berichtigen. Zum Beispiel Sie: Ich weiß natürlich, wer Sie sind. Ich kann mich sogar noch vage an Ihre Mutter erinnern. Ich war damals zu Besuch bei meinem Onkel auf der Plantage, die ich später geerbt habe. Ich zog endgültig dorthin, als ich zwanzig war. Unter der Dienerschaft kursierten eine Menge Gerüchte, als Ihre Mutter fortging. Ich war seinerzeit ungefähr zwölf. Mit zwölf ist man recht aufgeweckt.«

»Das kann ich mir vorstellen, Sie waren von Geburt an ... aufgeweckt.«

»Nicht ganz, aber ich wurde es bald. An Schlüssellöchern horchen, Dienstboten zum Ausplaudern von Geheimnissen verleiten ...«

»Sehr unangenehme Züge ...«

»Was haben Sie denn erwartet, hm?«

Ich antwortete nicht, und er fuhr fort: »Sie können sich das Gerede vorstellen. ›Ich hab's ja gleich gesagt!‹ hieß es überall, vom Sekretär des Clubs bis zum einfachsten Pflücker. Ihr Vater ist nicht immer der Klügste gewesen. Er war sehr traurig, als Ihre Mutter ihn verließ, und er hat die Dinge treiben lassen. Das kann man sich bei Tee nicht leisten. Zum Glück war mein Onkel bei der Hand – und später ich, nachdem ich die Erbschaft angetreten hatte. Aber das ist eine alte Geschichte. Zurückblikken hat keinen Sinn. Nur was vor uns liegt, ist von Belang.«

»Erzählen Sie mir von seiner Krankheit.«

»Sie haben selbst gesehen, wie es um ihn steht. Auf Ceylon kann er nicht richtig behandelt werden. Deswegen ist er nach Hause gekommen. Ich weiß nicht, wie das Ergebnis der Untersuchung lauten wird, aber gut wird es nicht sein. Soviel habe ich von dem Arzt in Ceylon erfahren.«

»Wir müssen abwarten. Es war nett von Ihnen, sich so um ihn zu kümmern«, sagte ich widerwillig.

»Wir sind Nachbarn. Außerdem …« Er zuckte die Achseln, und ich wartete; doch er nahm den Faden nicht wieder auf.

Schweigend ritten wir ein paar Minuten Seite an Seite. Wir waren ins Dickicht gelangt. Es war neblig, und das verlieh dem Wald eine geheimnisvolle Atmosphäre. Wie eine dünne Wolke umhüllte der Nebel die oberen Äste der Bäume, die nun, ihrer Blätter beraubt, seltsame, phantastische Formen annahmen. Ich glaube, die Bäume waren mir im Winter sogar lieber als im Sommer. Ihre sonderbaren Formen regten mich zu allerlei Hirngespinsten an.

»Schön ist es hier«, sagte Clinton plötzlich. »Wissen Sie, wenn ich in der Hitze schmachte und wenn der Regen unaufhörlich strömt, träume ich oft von England. Meistens allerdings vom Frühling. Aber jetzt glaube ich, daß es nichts Schöneres gibt, als durch die herbstlichen Wälder zu reiten.«

»Das höre ich mit Freuden.«

»Und es gibt niemanden, mit dem ich lieber reite als mit Ihnen. Hören Sie das auch mit Freunden?«

»Mehr mit Überraschung als mit Freuden.«

»Kommen Sie, Sarah, Sie wollen ja nur, daß man Ihnen Komplimente macht.«

»Ich meine, es überrascht mich, daß Sie sich zu Schmeicheleien herablassen. Sie haben in mir den Glauben geweckt, daß sich dergleichen nicht mit Ihren Grundsätzen verträgt.«

»Das stimmt. Ich meine es aber ernst. Ich bin sehr froh, daß Sie genau so sind, wie ich Sie mir gewünscht habe.«

Wir waren zu einer Lichtung gelangt, die mir vertraut war, und ich ließ mein Pferd in einen leichten Galopp fallen. Er war sofort an meiner Seite. Ich war ihm gegenüber im Vorteil, weil ich mich im Wald auskannte. Ich hatte große Lust, ihm zu entwischen. Es wäre amüsant gewesen, wenn er sich im Wald verirrt hätte. Ich bog in einen Pfad ein und wußte, daß ich bald auf freies Feld kommen würde. Dann wollte ich richtig galoppieren.

Der Wald, von Wilhelm dem Eroberer als Jagdrevier benützt, war teilweise noch genauso wie in den Tagen jenes Regenten; doch einige Stellen waren im Laufe der Jahrhunderte gerodet worden, und wie Oasen in der Wüste waren hier kleine Dörfer entstanden. Der Wald erstreckte sich alles in allem über 80 Kilometer. »Man kann sich im Nu darin verirren«, hatte Tante Martha mich gleich zu Anfang meines Hierseins gewarnt. Das Gebiet in der Nähe des Wohnhauses kannte ich recht gut, doch war ich überrascht, wie leicht ich an nebligen Tagen den rechten Weg verfehlen konnte. Für Leute ohne sicheren Orientierungssinn sieht ein Baum wie der andere aus, und ehe sie sich versehen, sind sie im Kreis herumgewandert. Sich im Wald zu verirren, das wäre für Clinton die erste Lektion in Bescheidenheit gewesen.

Ich ritt im Galopp. Wir erreichten das Dorf: ein Labyrinth kleiner Seitenwege. Ich bog um eine Ecke. Vor mir lag ein dichtes Tannenwäldchen, hoch genug, um einen Reiter zu verbergen. Ich war darin verschwunden, bevor Clinton um die Ecke kam; also hatte er mich nicht gesehen. Ich versteckte mich und mein Pferd zwischen den Bäumen, gerade zur rechten Zeit, denn wenige Sekunden darauf hörte ich ihn vorüberpreschen.

Ich lachte innerlich. »Komm, Cherrybim«, sagte ich zu meinem Pferd, »den sind wir los.« Still ritt ich den Weg zurück, den wir gekommen waren.

Doch der Triumph währte nicht lange. Ich hätte wissen müssen, daß Clinton Shaw nicht so leicht hinters Licht zu führen war. Er hatte meine List bald entdeckt und war umgekehrt. Bevor ich mich abermals verstecken konnte, war er an meiner Seite.

»Ich habe schon immer gern Verstecken gespielt«, sagte er.

»Ich wollte mir die Tannen anschauen«, erklärte ich ihm. »Die sind in diesem Jahr besonders grün und glänzend. Ich glaube, das bedeutet einen strengen Winter.«

Er bemerkte nichts dazu, aber ein Zug um seinen Mund sagte mir, daß es mir schwerfallen würde, ihn noch einmal zu überlisten.

Wir ritten etwa eine Stunde lang durch den Wald. Dann meinte ich, wir sollten uns heimwärts begeben. Es würde vor fünf Uhr dunkel, und da es neblig war, sogar noch etwas früher.

Wir kamen am Bahnhof vorüber, der etwa einen Kilometer von Ashington Grange entfernt lag, und ich schlug vor, die Abkürzung durch den Wald zu nehmen.

»Es ist noch nicht dunkel«, sagte Shaw, »und es bleibt gewiß noch eine Stunde hell. Lassen Sie uns noch etwas tiefer in den Wald hineinreiten.«

Nach meinem gründlich mißlungenen Versuch, ihn abzuschütteln, was ziemlich ungehörig war, da er immerhin ein Gast war und ich mich nicht unbedingt hätte so unmanierlich benehmen müssen, nur weil er es auch tat, kam ich mir ziemlich albern vor. Deswegen stimmte ich zu.

Nach einer kurzen Strecke kamen wir zu einer Hütte. Sie wirkte recht anheimelnd so mitten im Wald.

»Wer wohnt hier?« fragte Shaw.

»Im Augenblick steht sie leer«, erwiderte ich. »Sie gehört zum Gut. Für die Dienstboten liegt sie zu weit vom Wohnhaus entfernt. Im Sommer war sie vermietet, und die Leute wollen sie im nächsten Sommer wieder haben.«

»Sie sieht gemütlich aus. Werfen wir einen Blick hinein!«

Es war eine hübsche kleine Hütte. Wilder Wein rankte an den Wänden empor, und die Blätter leuchteten in herbstlichem Rot.

»Wie still es hier ist!« sagte Clinton Shaw. »Horchen Sie nur!«
Wir standen beisammen, und ich verspürte plötzlich eine genüßliche Erregung. Ich war gespannt, was er als nächstes tun würde.
»Wollen wir nachsehen, ob jemand drinnen ist?« fragte er.
»Da ist niemand drinnen. Ich habe Tante Martha die Hütte einmal erwähnen hören. Sie heißt Papageienhütte. Früher hat hier jemand mit einem Papagei gehaust, ein alter Seemann. Sein Papagei hat komische Sachen gerufen, und das Echo erscholl durch den Wald.«
Clinton spähte durch das Fenster. »Ja, sie ist leer«, sagte er. Er ging ums Haus herum. »Sarah«, rief er, »hier ist ein offenes Fenster. Ich steige hinein. Kommen Sie!«
Zu meiner eigenen Überraschung folgte ich ihm, obwohl mir sein herrischer Befehlston mißfiel.
»Soll ich Ihnen die Haustür aufmachen, mein anständiges und schickliches Fräulein? Dann brauchen Sie nicht hereinklettern.«
»Ja«, sagte ich, »machen Sie die Tür auf.«
»Ihr Wunsch ist mir Befehl«, erwiderte er spöttisch.
Ich ging zur Vorderfront der Hütte, und kurz darauf befand ich mich im Innern. Sie war sehr klein. Unten lagen zwei Zimmer mit einer winzigen Küche, von der aus eine Stiege nach oben in einen Raum führte der von einem Ende des Gebäudes bis zum anderen reichte. Das Dach war schräg, und jede Seite hatte ein kleines Fenster.
»Der alte Seebär und sein Papagei waren bestimmt glücklich hier«, meinte Clinton Shaw.
Ich stieg die Treppe wieder hinunter. Ich wollte nicht mit ihm hierbleiben. Die Hütte war so eng. Sie brachte uns einander zu nahe.
»Geben Sie acht, Sarah«, sagte er, »die Stufen könnten gefährlich sein.«
Er hatte meinen Arm ergriffen, und mein Unbehagen wuchs. Ich befreite mich, sobald wir unten angelangt waren.

»Ich denke, die Treppe ist stabil«, sagte ich. »Und sie wird gewiß in jedem Fall überholt, bevor die Hütte wieder vermietet wird.«

»Sicher«, erwiderte er. »Mir macht dieses Abenteuer Spaß.«

»Abenteuer? So aufregend ist es nun auch wieder nicht.«

»Ich finde schon«, beharrte er. »Stellen Sie sich vor, was diese Wände alles erlebt haben. Wie lange steht die Hütte schon? Zweihundert Jahre, schätze ich. Denken Sie nur, was sich in zweihundert Jahren alles ereignet haben kann.« Er rückte näher an mich heran. »Denken Sie nur, was in den nächsten Jahren alles geschehen wird.«

»Dasselbe wie in jedem anderen Haus.«

»Ich habe das Gefühl, mit diesem hier hat es etwas Besonderes auf sich, finden Sie nicht?«

»Nein.«

»Das ist nicht wahr. Ihre Augen verraten es mir. Ich weiß, was es ist. Sie und ich besichtigen das Haus gemeinsam. Kommt Ihnen das nicht bedeutungsvoll vor?«

»Nicht im geringsten! Für mich bedeutet es nichts weiter, als daß Sie und ich in den Wald ritten, eine leere Hütte entdeckten und beschlossen, sie uns anzuschauen.« Ich wandte mich zur Tür.

Er legte seine Hand auf meinen Arm. »Noch einen kurzen Blick. Da draußen ist ein Holzschuppen. Nur einmal schnell hineinschauen … Danach gehen wir.«

Er entriegelte die Hintertür und ging zum Schuppen. Dort lagen Holzscheite, offensichtlich vom letzten Bewohner aufgestapelt und nicht für wert befunden, entfernt zu werden.

»Umsichtige Leute«, bemerkte Clinton Shaw. »Wollten es schön warm haben. Gemütlich ist es hier. Windgeschützt hinter den Bäumen. Aber feucht … entschieden zu feucht.«

Ich mußte lachen. »Sie hören sich an wie ein zukünftiger Mieter.« Er stimmte in mein Lachen ein. »Wissen Sie, ich finde Gefallen an diesem Fleckchen.«

»Es wird immer dunkler«, sagte ich und verspürte einen plötzlichen Drang fortzukommen. Die Hütte war mir auf einmal unheimlich. Er stand zwischen mir und der Tür und beobachtete mich. In diesem Augenblick wäre ich um ein Haar in Panik geraten. Das war töricht von mir, denn als ich auf die Tür zuschritt, machte er keinerlei Anstalten, mich zurückzuhalten. Ich trat in den Wald hinaus. Clinton verriegelte die Tür von innen und kletterte aus dem Fenster.

»Wir verlassen alles so, wie wir es vorgefunden haben«, bemerkte er. »Sollten Sie dann nicht auch das Fenster schließen?«

»Der Riegel ist abgebrochen. Deshalb stand es offen. Außerdem möchte ich vielleicht gelegentlich noch einmal hineinschauen. Man kann nie wissen.«

»Es scheint Ihnen hier zu gefallen.«

»Ich sehe, welche Möglichkeiten das Haus bietet. Ja, ich habe Geschmack daran gefunden … Der Garten ist verwildert«, fuhr er fort. Es eilte ihm nicht mit dem Aufbruch. Er ging um die Hütte herum. Dort erstreckte sich etwa ein Viertelmorgen wild wucherndes Gestrüpp, das allmählich in den Wald überging.

»Überall Fingerhut«, sagte er. »Schauen Sie!« Er blieb stehen und pflückte einen Stengel mit Blättern. »Wunderschön, wenn er blüht. Schön und tödlich. Wissen Sie, daß er auch Totenglokke heißt?«

»Nein. Aber ich wußte, daß er giftig ist.«

»Solche Pflanzen werden als Heilkräuter genutzt und haben der Medizin gute Dienste geleistet. Seltsam, daß sie lebenspendend – und tödlich sind. Aber Sie sind sicher mit mir einer Meinung, meine liebe Sarah, daß nichts im Leben gänzlich schlecht ist … oder gänzlich gut. Sehen Sie die Eiben da drüben. Ich schätze, sie stehen seit Hunderten von Jahren dort. Schön sind sie, finden Sie nicht? Doch ich möchte wissen, wie viele Tote sie auf dem Gewissen haben. Wußten Sie, daß die nadelförmigen Blätter und Samen Toxin, eines der tödlichsten Gifte, enthalten?«

»Sie haben die Gifte anscheinend gründlich studiert.«

»Ja, das kann man wohl sagen. Als ich sehr jung war, hatte ich einen Hauslehrer, und Gifte waren seine Leidenschaft. Wir beschäftigten uns mehr mit Botanik als mit anderen Fächern. Ich lernte, daß die schönsten Pflanzen die giftigsten sind. Rittersporn zum Beispiel. Was für eine schöne Blume! Doch Samen und Blätter können töten. Sie enthalten Delphinin – ebenfalls ein tödliches Gift.«

»Ein sehr nützliches Wissen.«

»O ja. In Ceylon gibt es natürlich andere Pflanzen ... ebenso giftig, wenn nicht gar noch gefährlicher. Die Könige von Kandy verstanden sich früher bestens darauf, Mixturen aus den tödlichen Giften zu bereiten. Sie präparierten Handschuhe und Stiefel damit ... alle möglichen Kleidungsstücke. Ein kleiner Spritzer auf die Haut konnte den Tod bedeuten. Das ist hochinteressant, kann ich Ihnen versichern.«

»Aber das ist kein Wissen, da sich auf das normale Leben anwenden läßt, es sei denn ...«

Wir standen ziemlich dicht beieinander in dem Garten, und die Stille, die uns umgab, drang tief in mein Bewußtsein. Ich verspürte plötzlich Angst. Später wurde mir klar, daß es eine Vorahnung war. Ich schauderte fast unmerklich, aber er nahm es dennoch wahr.

»Ihnen ist kalt«, sagte er.

Seine Stimme hatte sich verändert. Sie klang beinahe zärtlich, und auf eine eigentümliche Art rührte sie mich. Es war, als verhängte er einen Zauber über mich.

»Kommen Sie«, sagte er. »Wir müssen aufbrechen. Es wird bald dunkel sein. Wollen Sie sich im Wald verirren?«

»Das könnte mir kaum passieren«, erwiderte ich. »Ich kenne den Weg.«

»Es ist immer gut, wenn man seinen Weg weiß«, gab er zurück. Er legte seinen Arm um mich, und als ich zurückwich, lachte er. Ich beschleunigte meine Schritte, und wir gelangten zu den Pferden. Wir stiegen auf und ritten zum Gut zurück.

Am nächsten Tag brachte uns der Brougham zum Bahnhof, und wir fuhren mit dem Zug zur Station Liverpool Street, wo wir eine Droschke zur Harley Street nahmen.

Clinton Shaw und ich saßen zwei Stunden im Wartezimmer. Ich dachte, mein Vater komme nie wieder heraus. Wir sprachen nicht viel. Clinton merkte wohl, daß mir nicht nach Unterhaltung zumute war. Er schien jetzt ein ganz anderer zu sein als der unverschämte und arrogante Mensch, der einen so nachhaltigen Eindruck auf mich gemacht hatte, daß er mir nicht mehr aus dem Sinn ging.

Endlich wurden wir ins Sprechzimmer gebeten. Mein Vater war nicht da.

»Er liegt nebenan«, sagte der Arzt. »Die Untersuchung hat ihn sehr angestrengt.«

Der Arzt kannte Clinton Shaw, der, wie es schien, diese Konsultation in die Wege geleitet hatte und mich jetzt als die Tochter des Patienten vorstellte.

»Ich fürchte, es ist etwas sehr Ernstes«, sagte der Spezialist. »Seine Lunge ist sehr angegriffen. Er hat vielleicht noch sechs Wochen zu leben ... höchstens zwei Monate.«

Mir stockte der Atem. Ich wurde vom Jammer übermannt. So hatte ich denn meinen Vater nur gefunden, um ihn gleich wieder zu verlieren. Clinton Shaw, der dicht neben mir saß, drückte meine Hand. Ich war zum erstenmal dankbar, daß er da war.

»Er braucht eine Spezialbehandlung, die man ihm in einem Privathaushalt unmöglich bieten kann«, fuhr der Arzt fort. »Deshalb schicke ich ihn in meine Klinik, wo ich ihn unter Beobachtung halten kann. Ich muß Ihnen allerdings sagen, daß wenig Hoffnung auf Besserung besteht. Doch wir werden unser Bestes tun. In letzter Zeit sind ja ein paar Entdeckungen gemacht worden. Wer weiß ... Doch Sie sollten sich darauf einstellen, Miss Ashington, daß wir sehr wenig für ihn tun können außer dafür zu sorgen, daß er keine großen Schmerzen hat und ihm die letzten Tage so angenehm wie möglich zu machen.«

Ich senkte den Kopf. »Können wir ihn besuchen?«

»So oft Sie wollen. Die Klinik ist nicht weit von hier. Ich versichere Ihnen, er ist dort bestens aufgehoben und würde nirgends eine bessere Pflege erhalten. Er trägt es gelassen. Ich glaube, er weiß seit einiger Zeit, daß er nicht mehr lange zu leben hat.«

Ich stand auf. Clinton Shaw war an meiner Seite. Er nahm meinen Arm, und wir gingen zusammen zu meinem Vater. Es war bei weitem nicht so schwer, wie ich befürchtet hatte, und das lag wohl daran, daß Clinton Shaw dabei war. Vor ihm mußte ich tapfer sein. Mein Kummer hatte mich verwundbar gemacht, und das wollte ich ihm nicht zeigen. Mein Vater lächelte. Er würde in die Klinik gehen, ließ er uns wissen. Auch ich hatte den Eindruck, daß er mit dergleichen gerechnet hatte. »Ich komme dich oft besuchen«, sagte ich.

»Liebe Sarah, das macht mich sehr glücklich.«

Nicht lange danach kam die Kutsche, die ihn abholte. Wir begleiteten ihn und überzeugten uns, daß er in einem freundlichen Zimmer bequem untergebracht war. Clinton Shaw ließ uns eine Weile allein, und mein Vater und ich unterhielten uns so heiter wie möglich. Er war, dachte ich, mehr um meine Aufmunterung besorgt als um seinen eigenen Zustand.

Clinton Shaw kehrte bald mit einem Stapel von Büchern und Zeitungen zurück, und dann war es für uns Zeit zum Aufbruch. Ich schwieg während der Fahrt; Clinton Shaw saß mir gegenüber und blickte mich mitfühlend an. Wir hatten das Abteil für uns allein, und ich war froh darüber. Als wir in den Bahnhof von Epleigh einfuhren, beugte Clinton sich vor und berührte meine Hand.

»Sie waren großartig«, sagte er.

Ich spürte, wie meine Lippen zitterten, und wandte mich ab.

Es ist erstaunlich, wie schnell man sich an eine neue Lage gewöhnt und wie bald man eine Veränderung als normal empfindet.

Ich reiste häufig nach London, um meinen Vater zu besuchen – beinahe jeden zweiten Tag. Hin und wieder begleitete mich eine der Tanten – manchmal kamen auch beide mit –, und zuweilen fuhr Clinton Shaw mit mir. Er wohnte nicht ständig auf Ashington Grange, doch das Zimmer wurde für ihn bereitgehalten, falls er hier zu übernachten wünschte. Er hatte eine Suite in einem Hotel in London bezogen, um seinen Geschäften nachzugehen. Dann und wann traf ich mich mit ihm, nachdem ich meinen Vater besucht hatte, und wir fuhren zusammen zurück.

Die Tanten waren von der Krankheit meines Vaters erschüttert. Tante Martha schien es als persönlichen Affront zu empfinden, daß ihre Pläne durchkreuzt wurden. Sie hatte davon geträumt, glanzvolle Gesellschaften zu geben, die Familien aus der Umgebung mit geeigneten Töchtern einzuladen. Alle ihre Pläne wurden vereitelt. Meine Mutter war zwar zu gelegener Zeit gestorben und hatte den Weg geebnet, doch dann war Celia so mir nichts, dir nichts verschwunden. Sie hatte aus einem Hotel in Southampton geschrieben, daß sie für eine Weile mit einer Cousine ins Ausland reise und, sobald sie nach England zurückkehre, wieder schreiben werde, um uns ihre Anschrift mitzuteilen. Unsere Freundschaft sei zu tief gewesen, als daß wir uns verlieren könnten wie Schiffe, die sich bei Nacht begegnen. Doch Tante Martha war von ihr enttäuscht. Schließlich mein Vater: endlich zu Hause, in ihrer Gewalt! Da Celia sich ihr entzogen hatte, war sie entschlossen, ein heiratsfähiges Mädchen für ihn zu finden. Und was geschah? Er wurde krank – so krank, daß er bestimmt nicht wieder heiraten, geschweige denn einen Sohn zeugen konnte, dessen Gattin die Ashington-Perlen tragen würde. Das alles hätte einer Komödie entstammen können und war zum Lachen, wenn mir nur danach zumute gewesen wäre.

Meine Pläne waren ebenso zunichte wie die von Tante Martha. Sobald ich erfahren hatte, daß mein Vater nach Hause kam, hatte ich es mir in den Kopf gesetzt, mit ihm nach Ceylon zu gehen. Und nun schien es, daß er wohl nie mehr zurückkehren würde.

Doch wie konnte man über das schreckliche Verhängnis hinausdenken, das sich allmählich auf uns niedersenkte. Eigentlich hätte ich zutiefst betrübt und unglücklich sein müssen, doch das war Clinton Shaw. Gerade in meiner Feindseligkeit ihm gegenüber lag etwas, das meine Lebenslust beflügelte. Ich konnte mir nicht helfen – wenn ich ihn in unseren Wortgefechten besiegte, verspürte ich Freude und Stolz. Das lenkte meine Gedanken von dem Jammer ab, meinen Vater langsam dahinsiechen zu sehen. Manchmal reiste ich allein nach London, obwohl Tante Martha das nicht für ganz schicklich hielt; doch die Fahrt mit dem Zug war nur kurz, und der Brougham wartete stets auf mich, wenn ich wieder in Epleigh ankam. Tante Martha schätzte es allerdings sehr, wenn Clinton Shaw mit mir fuhr. »Er ist ein Freund deines Vaters und daher eine passende Begleitung«, sagte sie. Ich fragte mich, wie ihr Urteil wohl lauten würde, wenn sie wüßte, wie er wirklich war.

Ich begegnete ihm stets mit leicht mißmutiger Miene. Ich wollte nicht zugeben, daß ich ein wenig enttäuscht war, wenn er mir nicht Gesellschaft leistete. Allerdings habe ich den Verdacht, daß er mich längst durchschaute.

Dann kam jener schicksalhafte Tag, der mein Leben verändern sollte. Es war Dezember, und es hatte in diesem Jahr früh geschneit. Jedermann sagte, es würde ein strenger Winter werden. Mrs. Lamb wies darauf hin, daß die Sträucher dreimal mehr Beeren trugen als sonst: die Vorsorge der Natur für die Vögel, damit sie einen langen, harten Winter überstehen konnten.

Als ich in festen Stiefeln und meiner Seehundjacke mit passendem Muff und Hut aufbrach, war Tante Mabel in der Halle, wo ein mächtiges Feuer knisterte.

»Ich rate dir, von London etwas früher als gewöhnlich zurückzufahren«, sagte sie. »Martha findet, du solltest lieber gar nicht gehen, weil das Wetter so schlecht ist.«

»Das macht mir nichts aus«, erwiderte ich rasch. »Er wäre so enttäuscht, wenn ich nicht käme. Es schneit nicht mehr. Es wird sicher bald tauen.«

Dann eilte ich hinaus, um einem Scharmützel mit Tante Martha zu entgehen.

In London war das Wetter besser. Die Bürgersteige waren gefegt, und der Verkehr befreite die Straßen vom Schnee, von dem außer kleinen Haufen an den Bordsteinkanten nichts zu sehen war.

Meinem Vater schien es etwas besser zu gehen, und ich faßte neuen Mut. Vielleicht hatte sich der Arzt geirrt, und er hatte ja auch angedeutet, daß man möglicherweise eine neue Entdekkung zur Heilung meines Vaters heranziehen könne.

Mein Vater war hocherfreut, mich zu sehen. Er hatte befürchtet, das Wetter könne mich abhalten, doch ich erklärte ihm – nicht ganz wahrheitsgemäß –, daß es in Epleigh nicht so schlimm gewesen sei.

»Die Bäume bilden einen Schutz gegen den Wind«, meinte er.

Auch Clinton Shaw kam an diesem Nachmittag in die Klinik. »Ich denke, ich fahre mit Ihnen zurück«, sagte er, »um sicher zu gehen, daß Ihnen nichts zustößt. Es überrascht mich, daß Ihre Tanten Sie an so einem Tag fortließen.«

»Tante Mabel hat versucht, mich zurückzuhalten. Ich stahl mich davon, ehe Tante Martha erschien.«

»Kluge Taktik. Das wird eine schlimme Nacht. Sie sollten heilfroh sein, daß ich auf Sie aufpasse.«

»Der Brougham holt mich am Bahnhof ab.«

»Falls er es bis dorthin schafft.«

»Was wollen Sie damit sagen?«

»Ach nichts … bloß, daß es eine stürmische Nacht wird.«

Wegen des Wetters fuhr der Zug mit Verspätung ab, und als wir aus London hinausdampften, fiel der Schnee in dichten Flocken. Die Dunkelheit war längst hereingebrochen, denn es war inzwischen fast sieben Uhr. Wir würden sehr spät ankommen. Ich fragte mich, ob sich die Tanten wohl Sorgen machten. Sie würden gewiß annehmen, daß ich wegen des schlechten Wetters in der Klinik übernachtete, was ich auch durchaus hätte tun können.

»Ein richtiger Schneesturm«, sagte Clinton Shaw. Er war anscheinend überhaupt nicht beunruhigt, im Gegenteil, es machte ihm sogar Spaß. Nachdem wir eine halbe Stunde gefahren waren, blieb der Zug stehen. »Wahrscheinlich ist die Strecke blockiert«, meinte Clinton Shaw. Er öffnete ein Fenster, um nachzusehen, doch der Schnee drang sogleich ins Abteil, und Clinton schloß geschwind das Fenster und nahm seinen Platz wieder ein. »Wir kommen reichlich spät«, sagte er. »Was werden die Tanten denken?«

»Tante Mabel wird als erstes bemerken: ›Ich hab's ja gleich gesagt.‹ Sie wollte mich doch nicht gehen lassen. Dann werden sie annehmen, daß ich die Nacht in der Klinik verbringe.«

»Als verständige Damen werden sie sich ohne viel Aufhebens in das Unvermeidliche fügen.«

»Das glaube ich auch.«

»Ein Glück, daß ich beschlossen habe, Sie zu begleiten.«

»Ich bin überzeugt, daß ich auch allein zurechtgekommen wäre. Es bleibt schließlich nichts übrig, als hier zu sitzen und abzuwarten. Der Brougham holt mich am Bahnhof ab … und wenn ich noch so spät komme. Es ist doch alles in Ordnung.«

»Trotzdem müssen Sie zugeben, daß in einer solchen Lage ein bißchen Gesellschaft ganz angenehm ist.«

Sein Lächeln war beinahe verschwörerisch. Man hätte meinen können, der Schnee sei ganz allein sein Werk. Lächerliche Hirngespinste schwirrten mir durch den Kopf. Es hieß, Hexen ließen Stürme auf dem Meer entstehen. Vielleicht war Clinton ein Zauberer, der einen Schneesturm hervorbringen konnte. Warum? Zu welchem Zweck? Er sah wahrlich wie ein Zauberer aus.

Er musterte mich eindringlich. Ich hatte das Gefühl, daß er

173

meine Gedanken zu lesen versuchte. Er fing an, von Ceylon zu erzählen, von dem Leben dort, und er fand es aufregend, von einem Schneesturm überrascht zu werden. Die Erinnerung daran werde er mit nach Ceylon nehmen. Ich fragte ihn, wie lange er zu bleiben gedenke.

»Bis meine Geschäfte abgeschlossen sind«, erwiderte er unbestimmt.

»Haben Sie vor, hier zu heiraten?«

»O ja, ich nehme meine Frau mit, wenn ich zurückkehre.«

»Fällt es ihr leicht, England zu verlassen?«

»Ich glaube, sie kann es kaum erwarten.«

»Meinen Sie, daß sie dort glücklich wird?«

»Natürlich. Sie hat ja mich.«

»Das dürfte sie selbstverständlich für alles entschädigen, was sie zurückläßt.«

»Wie scharfsichtig Sie sind! Das freut mich.«

»Ich schätze, Sie sehen sie recht oft.«

Er nickte lächelnd.

»Ist Sie in London?«

»Häufig«

»Dann lerne ich sie ja vielleicht kennen.«

Wieder nickte er. Der Zug setzte sich mit einem Ruck in Bewegung. »Es geht weiter«, sagte Clinton.

Es war ungefähr neun Uhr, als wir in Epleigh ankamen. Es hatte aufgehört zu schneien.

Wir zwei waren die einzigen, die aus dem Zug stiegen. Jack Wall, der Dienstmann, war auf dem Bahnsteig. Er machte ein überraschtes Gesicht, als er uns erblickte. »Nanu, Miss Ashington«, sagte er. »Man hat Sie nicht erwartet.«

»Wie bitte? Werde ich nicht abgeholt?«

»Nein. Dies ist der letzte Zug heute abend. Ich geh' jetzt nach Hause. Zum Glück hab' ich es nicht weit.«

»Der Brougham ...«

»... hat's nicht bis hierher geschafft, Miss. Auf den Straßen ist

174

die Hölle los. Der Kutscher ist zu Fuß gekommen und hat sich nach den Zügen erkundigt. Ich hab' ihm gesagt, daß eine Menge ausgefallen sind, und er sagte: ›Schätze, daß Miss Ashington in der Klinik übernachtet.‹ Nicht mal 'n Hund würde an so 'nem Tag vor die Tür gehen, wenn er nicht muß.«

Ich mußte mir jetzt eingestehen, daß ich wirklich froh war, Clinton Shaw bei mir zu haben. »Was sollen wir tun?« fragte ich.

»Wir schaffen es schon bis zum Gut«, meinte er. »Es ist ja nicht so weit.«

»Bleibt Ihnen auch nichts anderes übrig«, sagte der Dienstmann. »Ich mach' Schluß. Hab' bloß noch auf den Zug gewartet. Der kommt jetzt aufs Abstellgleis ... bis sich die Lage bessert.«

»Kommen Sie«, sagte Clinton Shaw, »ziehen wir los!«

Wir wünschten Jack Wall eine gute Nacht. »Seien Sie vorsichtig auf der Straße«, mahnte er uns. »An manchen Stellen ist es glatt. Und geben Sie auf die Schneewehen acht.«

Clinton Shaw ergriff meinen Arm. »Wir nehmen die Abkürzung durch den Wald«, sagte er. »Das geht es sich leichter. Er bietet Schutz vor dem stürmischen Wind, und der Weg ist nicht so riskant. Gut, daß ich meinen Spazierstock bei mir habe. Der ist in einer solchen Lage ganz nützlich.«

Der Stock war lang und sah sehr stabil aus, ziemlich dick und sicher recht praktisch. Das Oberteil war mit Silber beschlagen, und er leistete Clinton beim Gehen gute Dienste. Die kalte Luft wirkte belebend, und die Szenerie war wunderschön; hin und wieder wurde der Halbmond sichtbar, während der Wind die Schneewolken am Himmel entlangjagte. Wir schritten auf den Wald zu, und als wir ihn erreichten, fing es wieder zu schneien an.

Meine Seehundjacke schützte mich vor dem Wind, und mein Muff wärmte meine Hände. Clinton Shaw hielt meinen Arm mit festem Griff, und wir stapften voran. Es war still im Wald, abgesehen von gelegentlichen Windböen. Dieses intensive, hin und wieder vom Mond bestrahlte Weiß war unheimlich.

Wie anders war jetzt der Wald, der mir doch so vertraut war – wie eine fremde Gegend. Welch eine gute Idee, den Schutz der Bäume aufzusuchen! Nun waren wir vor dem beißenden Wind geborgen und hatten überdies nicht mit Schneewehen zu kämpfen.

Von Baum zu Baum stolpernd, gaben wir sorgfältig acht, wohin wir traten, und kamen nur langsam voran. Es schien eine Ewigkeit zu dauern, und noch immer war das Haus nicht in Sicht. Plötzlich blieb Clinton Shaw stehen.

»Wo sind wir?« fragte er.

Ich sah mich um. Ich hatte keine Ahnung. Nie wäre ich auf den Gedanken gekommen, daß ich mich in dem Bereich des Waldes, der so nahe beim Gut lag, verirren könnte. Ich hätte gern gewußt, wie lange wir schon unterwegs waren, aber ich konnte nicht an meine Uhr gelangen, da sie an meinem Mieder befestigt war. Ich blickte ratlos um mich. »Es sieht alles so anders aus«, sagte ich. »Aber wir müssen ziemlich nahe beim Haus sein.«

»Nehmen wir diesen Weg«, schlug Clinton Shaw vor. »Die Bäume lichten sich hier etwas.«

Ich stolperte, und er fing mich auf. Einen Augenblick drückte er mich fest an sich.

»Ich danke Gott«, sagte er, »daß ich beschlossen habe, heute mit Ihnen zu kommen. Was hätten Sie ohne mich gemacht?«

»Ich wäre allein nach Hause gegangen. Oder ich hätte Jack Wall hinschicken und ausrichten lassen können, daß ich da sei.«

»Ich bin sicher, Sie hätten sich zu helfen gewußt. Trotzdem bin ich froh. Aha, daß da vorn dürfte das Haus sein.«

Es war nicht Ashington Grange, aber das Gebäude kam mir bekannt vor. Wir schlugen den Weg ein, der dorthin führte, und vor uns lag, das Dach mit Schnee bedeckt, die Papageienhütte. Clinton Shaw lachte triumphierend auf. »Jetzt wissen wir wenigstens, wo wir sind.«

»Ziemlich weit von zu Haus entfernt.«

»Ich denke, wir sollten hierbleiben.«

»Was! Hier?«

»Zum Ausrasten. Damit wir uns wieder zurechtfinden. Wir sind im Kreis herumgelaufen. Ist Ihnen klar, daß wir jetzt weiter vom Gut entfernt sind als vorhin, ehe wir in den Wald hineingingen? Hier bietet sich uns ein Dach. Ich klettere durchs Fenster.«

Ich wußte, sein Vorschlag war vernünftig, und doch war mir, als liege eine Warnung in der eisigen Luft. Wenn ich in die Hütte ging, würde etwas geschehen. Das Schicksal packte mich am Ellbogen und zwang mich zu einer Entscheidung. Ich schalt mich wegen meiner Torheit. Was konnte es schon schaden, eine Weile auszuruhen? Mir war kalt, und ich war müde … müder, als mir bis dahin bewußt war.

Clinton stand in der Hüttentür und zog mich hinein. Die Entscheidung war mir abgenommen. Er warf die Tür krachend zu und schüttelte den Schnee von sich ab.

»Hier drinnen ist's ein bißchen wärmer. War das ein Marsch! Alles in Ordnung?« Er befühlte meine Wange. »Sie sind eiskalt! Ich sage Ihnen, was ich tun werde. Ich hole ein paar Holzscheite und mache Feuer.«

»Feuer machen! Wir bleiben doch nur, bis wir uns ausgeruht haben. Wir dürfen uns nicht zu lange aufhalten. Wir kommen ohnehin schon reichlich spät.«

»Meine liebe Sarah«, sagte er, »ist Ihnen klar, daß da draußen ein Schneesturm tobt? Ist Ihnen klar, daß wir im Wald den Weg verfehlt haben? Wir sind immerzu gegangen – und jetzt haben wir genug. Wir haben Schutz gefunden. Wir wären verrückt, wenn wir diese Chance nicht nützen würden. Wenn wir hier weggehen und weiter durch den Wald stolpern, werden wir uns verlaufen. Wir müßten ausrasten, der Schnee würde uns zudecken, und wir würden erfrieren. Es gibt da eine rührende Geschichte, ›Die Kleinen im Walde‹ heißt sie. Erinnern Sie mich daran, daß ich sie Ihnen erzähle, wenn wir mehr Zeit haben. Und nun denken Sie nur, wie schön jetzt ein Feuer wäre. Da draußen liegt Holz, wie wir neulich festgestellt haben. Wer weiß, vielleicht sind auch Kerzen da. Ich gehe mal nachsehen.«

Ich folgte ihm zum Schuppen. Das Holz war noch da.

»Schauen Sie!« rief er. »Die Götter sind mit uns. Da, eine Laterne mit einer Kerze.« Er zog eine Schachtel Zündhölzer aus seiner Tasche, und schon hatten wir Licht. »Gut! Hier ist eine Kiste. Ich bin gespannt, was darin ist. Heureka! Wolldecken. Mehrere. Meine liebe Sarah, wenn das kein Erlebnis ist. Nicht herausnehmen! Sie machen sie naß. Erst brauchen wir ein Feuer, um uns zu trocknen.«

Er trug Holz in die Hütte, und ich war erstaunt, wie rasch er ein Feuer in Gang gebracht hatte. Ich war von Erregung gepackt. Es war hübsch, die Flammen aus dem alten Kamin auflodern zu sehen, und mir wurde wärmer. Jetzt erst wurde mir bewußt, wie anstrengend der Marsch gewesen war. Clinton hatte recht; es wäre töricht, gleich zu versuchen, nach Hause zu gelangen. Wir brauchten eine Rast.

Wir setzten uns auf den Fußboden vor den Kamin. Clinton war dicht neben mir, und ich bemerkte, wie seine Augen im Feuerschein glänzten und daß seine ohnehin braune Haut noch dunkler schimmerte. Ich zog meine Wollhandschuhe aus und hielt meine Hände ans Feuer. Er tat es mir nach, und ich betrachtete unsere vier Hände; die seinen waren groß, schwer und tüchtig. Er war ein ausgesprochen tüchtiger Mensch. Er wußte genau, wie man mit einer Situation wie dieser fertig wurde. »Wenn wir einigermaßen trocken sind, holen wir die Decken«, sagte er. »Bin neugierig, wie viele es sind.«

»Ich möchte wissen, warum man sie hiergelassen hat. Sie sind bestimmt feucht.«

»Das ist nicht gesagt. Die Kiste sieht stabil und wasserdicht aus. Sind Sie soweit? Holen wir sie herein.«

Es waren vier ordentlich zusammengerollte Wolldecken. Wir holten sie herein.

»Sie sind tatsächlich trocken«, stellte er fest. »Ziehen Sie Ihre

Jacke aus, und die Stiefel auch, die müssen ja völlig durchnäßt sein.«

Ich gehorchte und hüllte mich in eine Decke. Er hatte recht: Meine Stiefel waren tropfnaß; obwohl sie sehr fest waren, war der Schnee durchgedrungen. Ich zog auch meine nassen Strümpfe aus. Clinton hatte ebenfalls Mantel und Stiefel ausgezogen und sich eine Decke über die Schultern gelegt. So hockten wir auf dem Fußboden.

»Wie zwei Rothäute«, sagte er. »So ähnlich muß es am Lagerfeuer zugegangen sein. Haben Sie Hunger?«

»Nein«, erwiderte ich. »Ich könnte jetzt nichts essen. Ehe ich die Klinik verließ, hatte ich Kuchen zum Tee, und vorher hatte ich ausgiebig zu Mittag gegessen.«

»Gut. Ich kann Ihnen nämlich nichts zu essen anbieten. Aber ich habe etwas anderes.« Er langte nach seinem Spazierstock, der neben ihm auf dem Boden lag. Ich sah interessiert zu, wie er den Griff abschraubte und ihn mir reichte. Er sah wie ein kleiner Becher aus. Dann drehte er den Stock um, und eine goldfarbene Flüssigkeit tropfte heraus.

»Das wird Sie wärmen«, sagte er.

»Was ist das?«

»Whisky. Der Stock ist hohl; ein praktischer Behälter und sehr nützlich in Notfällen.«

»Vielen Dank. Ich mache mir nichts aus Whisky.«

»Sie brauchen ihn zum Aufwärmen. Er bewahrt Sie vor dem Schüttelfrost, der Sie ganz bestimmt befällt, wenn Sie nicht vorbeugen.«

Ich nahm den Becher und schluckte den Inhalt hinunter. Der Whisky brannte mir in der Kehle.

Clinton sah mich unverwandt an. »So«, sagte er. »Jetzt fühlen Sie sich besser.«

Ich hustete ein bißchen. »Das brennt«, sagte ich.

»Kommen Sie! Sie brauchen noch einen. Der Becher faßt kaum mehr als ein Schlückchen.«

»Vielen Dank, lieber nicht.«

»Nur zu, Sarah, es ist reine Medizin.« Er hielt mir den vollen Becher hin. »Das wird Sie wärmen. Sie müssen warm werden. Eigentlich bräuchten Sie jetzt ein heißen Bad und dann ein warmes Bett. Ich fürchte, solche Annehmlichkeiten kann die Papageienhütte nicht bieten. Macht nichts. Das hier ist der nächstbeste Ersatz.«

Ich nahm den Becher, und mir war, als sei ich hypnotisiert. Ich spürte, wie mich die Wärme durchflutete. Das tat gut nach der Kälte, und ich leerte auch den zweiten Becher.

Clinton lächelte mich an. Er trank mehrere Becher von dem Gebräu. »So ist's besser«, sagte er. »Fühlen Sie sich jetzt etwas wohler, Sarah?«

»Mir ist ein bißchen komisch.«

»Natürlich«, sagte er besänftigend. »Das ist aber auch ein Abend – und er fängt gerade erst an.«

»Was?« rief ich. Meine Stimme klang fremd, weit weg. Etwas in mir sagte, da ich mich nun aufgewärmt hatte, sollte ich gehen. Ich stand auf. Der Raum schien sich langsam zu drehen. Einen Augenblick lang glaubte ich zu fallen. Gleich war Clinton Shaw zur Stelle. Er fing mich auf, drückte mich an sich und lachte. »Das ist der Whisky«, sagte ich. Er hielt mich ganz fest. Mein Kopf wurde zurückgebogen, und seine Lippen lagen auf den meinen; sie küßten mich, wie, so dachte ich, noch nie zuvor ein Mensch geküßt worden ist. Ich versuchte mich zu befreien, doch es gelang mir nicht. Dann hielt ich still, und das schien ihm zu gefallen.

Wieder stammelte ich: »Das ist der Whisky.«

»Nein«, sagte er. »Es ist Liebe.«

Es fällt mir schwer, mich zu besinnen, was dann geschah. Erst später fand ich eine Erklärung für mein Verhalten. Im nachhinein schien es mir, als hätte ich immer gewußt, daß so etwas geschehen würde, ja, als hätte ich es sogar halbwegs herbeigewünscht. In den folgenden Wochen war ich von Scham erfüllt;

ich weigerte mich, klar zu erkennen, was geschehen war, und ich sah nur das, was ich glauben wollte.

Es war alles wie ein Traum. Der Whisky, den ich nie zuvor gekostet hatte, tat seine Wirkung. Ich kam mir vor, als stünde ich als Zuschauer außerhalb der Szene, und dieses Mädchen, das da von einem Mann verführt wurde, den sie, wie sie sich einredete, von Herzen verabscheute, das konnte nicht ich sein. Er war äußerst durchtrieben und verstand es genau, meine Sinne auszunutzen. Er hatte den Augenblick geschickt gewählt, und das Schicksal schien sich mit ihm verbündet zu haben.

Als er sagte, es sei Liebe, murmelte ich etwas von dem Mädchen, das er doch heiraten wolle. Ich hörte ihn lachen, und irgendwie erregte mich dieses Lachen.

»Sie ist hier, bei mir«, sagte er: »Miss Sarah Ashington. Sie war die Auserwählte, seit meine Augen sie erblickten.«

Ich kannte mich selbst nicht mehr. Vielleicht, weil ich mich bewußt dagegen sträubte. Er hatte die Decken auf dem Fußboden ausgebreitet und eine zu einem Kopfkissen zusammengerollt.

»Trotz des Feuers«, sagte er, »ist es bitterkalt. Wußten Sie, daß die Wärme eines menschlichen Körpers in kalten Nächten der erquickendste Wärmespender ist?«

Meine Seehundjacke lag zum Trocknen auf dem Boden.

»Wenn sie trocken ist, decke ich Sie damit zu«, sagte er zärtlich. »Die Jacke und ich werden Sie warm halten.«

Ich wiederholte unentwegt: »Wir müssen jetzt gehen.« Meine Stimme klang immer noch, als käme sie von weit her. Er nahm mich in seine Arme, hob mich hoch und legte mich auf die Decken. Ich befand mich in einer Art ängstlichem Traumzustand, ängstlich und doch in wilder Erregung. Mein Herz schlug wie eine Trommel. Er kniete neben mir nieder und küßte meine Stirn, meine Augen und meinen Hals. Ich spürte seine Hände auf mir, und dann war er neben mir, streichelnd, flüsternd, und ich machte die bestürzende Entdeckung, daß ich wünschte, er möge so fortfahren. Er war natürlich ein Meister in den Künsten der Liebe, und er schien mich besser zu kennen als ich mich selbst. Ich glaubte zu träumen. Es mußte ein Traum sein. So etwas konnte mir nicht widerfahren. »Ich muß gehen«, murmelte ich, doch ich versuchte nicht, ihn abzuwehren.

»Sarah, meine Liebste«, flüsterte er. »Hast du es denn nicht gewußt? Es mußte so kommen.«

Ich erwachte, kalt und steif. Ich wußte nicht sofort, wo ich war. Ich lag auf einem kalten Boden, meine Jacke über mir. Dann überkam mich die Erkenntnis: Nichts konnte mehr so sein wie es war, nie mehr. Ich setzte mich auf. Clinton kniete am Kamin und versuchte, das Feuer anzufachen.

»Was ist geschehen?« rief ich.

»Glückseligkeit!« sagte er und schmunzelte. »Unendliche Glückseligkeit!«

»Waren wir ... die ganze Nacht hier?«

»Es ist acht Uhr.«

»Acht Uhr ... morgens?«

»Es schneit immer noch. Den Weg zum Gut werden wir trotzdem finden. Bei Tageslicht ist es leichter.«

Ich bedeckte meine Augen mit den Händen. Vage erinnerte ich mich. Er kniete sich neben mich und zog mir die Hände vom Gesicht. Er küßte mich.

»Du darfst mir jetzt nicht sagen, daß du mich haßt.«

»Ich weiß nicht. Ich kann mir nicht vorstellen, was ...«

»Das war alles ganz natürlich. Früher oder später mußte es schließlich geschehen. Keine Sorge. Wir heiraten, sobald es geht. Ich nehme dich mit mir. Du weißt, daß ich das von vornherein vorhatte.«

»Heiraten! *Sie?*«

»Du schaust so überrascht. Ich hoffe, es ist nicht deine Gewohnheit, einfach mit Männern zu schlafen, und dann Lebewohl zu sagen.«

»Sie … Sie haben das hier arrangiert!«

»Aber ja. Ich habe einen Pakt mit den himmlischen Mächten geschlossen. Ich will ein Mädchen verführen, als sage ich: Bitte, schickt einen Schneesturm, und stellt mir für meine Zwecke eine Hütte im Wald bereit!«

»Wenn Sie ein Gentleman wären, so hätten Sie die Situation nicht ausgenutzt.«

»Ich bin aber kein Gentleman. Ich bin ein Kerl, der es gelernt hat, jeden Vorteil zu nutzen, der sich ihm bietet.«

»Ich denke, wir vergessen am besten, was geschehen ist.«

»Das ist unmöglich. Du bist nicht mehr die unschuldige Sarah, die du warst, als du gestern abend in diese Hütte kamst. Übrigens, was ist, wenn das … Folgen hat … was ja immerhin möglich wäre.«

»Das ist der reinste Alptraum.«

»Gestern abend schien es dir aber zu gefallen.«

»Sie haben mir den Whisky nur gegeben, um meine Sinne zu betäuben.«

»Er schien deine Sinne eher zu beleben. Du bist nicht die widerspenstige, zaudernde junge Dame, für die du dich gehalten hast. Du bist dir der Tatsache bewußt geworden, daß das Leben aus mehr besteht als darin, Spenden für das Kirchendach aufzubringen. Ich sage dir: Du bist nicht für ein einsames Jungferndasein geschaffen. Du darfst nicht ungesehen erröten und deinen Liebreiz an die öde Luft verschwenden.«

»Solche poetischen Gedankenflüge hätte ich Ihnen gar nicht zugetraut.«

»Ich habe noch mehr davon auf Lager.« Plötzlich riß er mich an sich und küßte mich auf den Mund – ein langer, verwirrender Kuß, der mich benommen machte. »Hör zu, Sarah! Ich möchte dich heiraten. Gestern abend, das war nur der Anfang. Du warst nicht auf der Hut. Du hast deine Verstellung abgelegt. Heute nacht warst du endlich du selbst. Die Kälte, der Marsch durch den Wald, der Whisky … die haben dich verraten. Du bist für die Liebe geschaffen, mein Liebling, und ich will dein Lehrer sein in dieser wundersamen Kunst. Jetzt hör zu, was wir tun werden: Wir müssen jetzt nach Ashington Grange. Wir werden genau berichten, was vorgefallen ist, ausgenommen natürlich die Schilderung der delikaten Vertraulichkeit, die nur uns allein angeht. Deine Tanten werden ein wenig aus der Fassung geraten. Ein junges Mädchen verbringt eine Nacht allein mit einem Mann in einer Hütte! Ich werde andeuten – ohne es auszusprechen, denn das wäre unfein und entspräche kaum der Wahrheit –, daß ich ein Ehrenmann war. Ich hatte zwar kein Schwert bei mir, um es zwischen uns zu legen, als wir uns auf die Decken betteten, aber ich hatte einen Spazierstock, der den gleichen Zweck erfüllte. Ich werde nicht erwähnen, daß er jenen Göttertrank enthielt, der uns beide wärmte und deine Hemmungen hinwegschwemmte, so daß die wahre Sarah zum Vorschein kam. Hab keine Angst! Überlaß alles mir! In ein paar Tagen werde ich bei deinen Tanten um deine Hand anhalten.«

»Hören Sie auf! Das hier ist kein Scherz. Ich bin schrecklich wütend.«

»Aber, meine Liebste, nachdem du deine Unschuld verloren hast, wird es dir nichts nützen, auch noch die Beherrschung zu verlieren. Du mußt aus dem, was geschehen ist, das Beste machen. Bedenke doch, daß du meine Annäherungsversuche nicht zurückgewiesen hast. Wärest du das Mädchen, das zu sein du vorgegeben hast, so wärst du halbnackt in den Schnee hinausgelaufen. Du hast nichts dergleichen getan. Du hast dich verführen lassen, und ich glaube nicht, daß du gänzlich abgeneigt warst. Sei du selbst, Sarah! Es ist ganz natürlich, zu lieben und geliebt zu werden. Wir werden glücklich sein, du und ich. Komm, zieh deine Jacke und die Stiefel an! Sie sind jetzt trocken. Auf nach Ashington Grange!« Er trat die restliche Glut aus. »Wir wollen doch nicht, daß die Hütte abbrennt«, sagte er. »Papageienhütte! Das wird für immer einer meiner Lieblingsplätze sein. Solange ich lebe, werde ich die Nacht nicht vergessen, die ich in der Papageienhütte verbracht habe. Bist du soweit? Laß dich anschauen! Ja, du siehst anders aus, lieblicher denn je. Ein geheimes Wissen ist in deinen Augen. Es wird etwa drei Wochen dauern, denke ich. Wir müssen das Aufgebot bestellen.«

Ich erwiderte nichts, als er die Hüttentür öffnete und wir in den Wald hinaustraten. Ich hatte das Gefühl, mich noch immer in einem Traum zu befinden, aus dem ich erst erwachen würde.

Es war fast Mittag, als wir in Ashington Grange ankamen. Tante Mabel kam in die Halle, nachdem wir das Haus betreten hatten. »Meine liebe Sarah«, rief sie. »Du hast also die Nacht in der Klinik verbracht. Das war das Klügste, was du tun konntest – genau, wie wir vermutet haben.«

Ich zögerte ungefähr eine Sekunde; ich fragte mich, ob es uns nicht eine Menge Erklärungen ersparte, wenn wie sie in diesem Glauben ließen; dann fiel mir ein, daß Jack Wall uns am Bahnhof gesehen hatte und dies erwähnen konnte. Ich sah mich bereits in einem Gewirr von Ausreden verstrickt.

»Nein«, sagte ich deshalb. »Wir sind schon gestern abend gekommen.«

Clinton ergriff das Wort. »Es war kein Fahrzeug da, deshalb gingen wir zu Fuß. Wir verirrten uns im Wald, doch wir fanden einen Unterschlupf und warteten dort, bis wir weitergehen konnten.«

Ich sah die Bestürzung in Tante Mabels Augen. Die ganze Nacht … mit einem Mann unter einem Dach! Ich spürte, wie mir die Röte in die Wangen schoß. Tante Mabel machte mir die Ungeheuerlichkeit der Situation erst richtig bewußt. Was, wenn sie die ganze Wahrheit wüßte? Da erschien Tante Martha.

»Sie sind da«, verkündete Tante Mabel überflüssigerweise. »Sie sind schon gestern abend angekommen.«

»Gestern abend … aber wo …?«

Clinton sagte: »Wie gütig von Ihnen, Miss Ashington, daß Sie so besorgt sind. Der Zug hatte Verspätung. Auf der ganzen Strecke gab es Verzögerungen. Wir versuchten, nach Ashington Grange

185

zu gelangen, doch der Schneesturm war so heftig, daß wir nicht dagegen ankamen. Wir fanden einen Unterschlupf und waren gezwungen, dort zu bleiben, bis wir den Heimweg antreten konnten.«

Er verstand sich auf den Umgang mit Frauen. Selbst Tante Martha konnte sich dem nicht entziehen.

Er fuhr fort: »Jetzt ist alles überstanden. Seien Sie versichert, Miss Ashington, daß ich alles getan habe, um Ihrer Nichte beizustehen.«

Tante Martha gab sich praktisch. »Ihr braucht etwas Warmes zu essen. In der Küche ist noch ein wenig Ochsenschwanzragout. Mabel, sage Mrs. Lamb, sie möchte es auf der Stelle servieren. Ihr wollt gewiß eure nassen Sachen ausziehen. Seid in zehn Minuten wieder hier. Danach wollt ihr euch sicher ausruhen.«

»Das haben wir dringend nötig«, sagte Clinton und schenkte Tante Martha einen bewundernden Blick.

Ich war froh, ihnen zu entkommen. Ich zog mich aus und schlüpfte in ein warmes Wollkleid. Als ich in den Wintergarten kam, war Clinton schon dort. Ich redete mir ein, ich sei zu aufgewühlt, um essen zu können, doch bald merkte ich, wie hungrig ich war. Clinton schien meine Gedanken zu erraten und sich darüber lustig zu machen. Anschließend begaben wir uns in unsere Zimmer. Man hatte heißes Wasser hinaufbringen lassen. Ich wusch mich, hüllte mich in einen Morgenmantel und legte mich aufs Bett. Kurz darauf kam Tante Martha herein.

Der Himmel war von Schneewolken verhangen, und ich war froh, daß kaum Licht ins Zimmer fiel. Ich wandte mein Gesicht vom Fenster ab, aus Angst, sie könne eine Veränderung an mir wahrnehmen. Sie setzte sich in den Lehnstuhl.

»Dies«, sagte sie, »ist eine höchst unangenehme Situation. Es wäre mir lieb, wenn die Dienstboten annähmen, du seist mit dem Frühzug gekommen und hättest die Nacht in der Klinik verbracht.«

»Jack Wall hat uns aber ankommen sehen«, erklärte ich.

»Mein Gott!« rief Tante Martha. »Du wirst ins Gerede kommen.«

»Tante Martha, wir hatten uns auf den Heimweg gemacht. Es war unmöglich, hierher zu gelangen. Wir haben uns im Wald verlaufen. Was hätten wir denn tun sollen?«

»Die Leute werden reden«, sagte sie.

»Lassen Sie sie doch!« erwiderte ich zornig.

»Es ist aber auch zu dumm. Alles, was ich plane, mißlingt. Ich dachte, du würdest heiraten und hier deinen Hausstand gründen. Ich habe, um ehrlich zu sein, einer guten Freundin im Norden geschrieben. Sie hat drei Söhne ... liebenswürdige junge Männer. Ausgezeichnete Familie, die allerdings in letzter Zeit schwere Zeiten durchmachte. Ich hegte die Hoffnung, daß du und einer dieser jungen Männer aneinander Gefallen finden würdet. Ihr könntet heiraten, und er ließe sich vielleicht überreden, seinen Namen in Ashington zu ändern. Wenn ihr dann einen Sohn hättet ...«

Ich verfiel in eine leichte Hysterie. »Um Himmels willen, Tante Martha«, rief ich. »Hören Sie auf! Hören Sie auf! Ich kann's nicht ertragen. Ich werde Ihren jungen Mann nicht heiraten. Wenn ich heirate, dann einen, den *ich* will.«

»Was ist nur in dich gefahren, Sarah? Du bist nicht ganz bei dir. Du stehst in unserer Schuld, wie du weißt. Haben wir dich nicht aufgenommen? Was wäre sonst aus dir geworden? Du bist es uns schuldig ... der Familie ... Doch vielleicht ist jetzt nicht die richtige Zeit, um von diesen Dingen zu sprechen. Es wird auf alle Fälle Klatsch geben. Die Leute werden sagen, ihr habt euch absichtlich verlaufen. Dergleichen ist dem guten Ruf eines jungen Mädchens nicht zuträglich.«

»Tante Martha, Sie haben mich aufgenommen, das ist wahr. Ich dachte, Sie haben es getan, weil ich Ihre Nichte bin, weil ich hierher gehöre. Ich wußte nicht, daß man mir die Rechnung präsentieren und von mir erwarten würde, daß ich für die mir erwiesenen Wohltaten bezahle.«

»Du bist vulgär. Ich lehne es ab, weiter darüber zu diskutieren.«
Tante Martha erhob sich. »Du scheinst deiner Sinne nicht mehr
mächtig. Jack Wall wird klatschen. Die Dienstboten werden
erfahren, um welche Zeit ihr angekommen seid, und die werden
es anderen Dienstboten erzählen. Du kannst sicher sein, bevor
die Woche um ist, weiß die ganze Nachbarschaft, daß du die
Nacht mit einem Mann verbracht hast.«

»Das verleiht ihrem meist faden Geschwätz wenigstens etwas
Würze.«

»Es wird aber deine Chancen verringern, glaub' mir.«

»Tante Martha«, sagte ich, indem ich mich auf einen Arm ge-
stützt aufrichtete und ihr geradewegs ins Gesicht blickte, »das
ist mir egal. Es ist mir einfach ganz egal.«

»Wir sprechen später darüber. Du bist jetzt hysterisch, doch ich
hoffe, du bist dir über die Folgen des Vorfalls im klaren.«

Sie stolzierte zur Tür, und als sie fort war, legte ich mich wieder
hin und hätte über die Konventionen der Gesellschaft, in der wir
lebten, am liebsten laut gelacht. Von einer jungen Dame wurde
erwartet, daß sie lieber in einem Schneesturm umkam, als allein
mit einem Mann Schutz zu suchen. Doch in Wahrheit war ich
die ganze Nacht ausgeblieben. Ich war verführt worden und
hatte es geschehen lassen. Meine Ausrede war nur, daß er mich
mit Whisky, den ich nicht gewöhnt war, gefügig gemacht hatte.
Doch es gab keine Entschuldigung. Mein Ruf war befleckt.

Ich dachte immerzu an das, was geschehen war. Flüchtige
Bilder, die ich lieber vergessen hätte, drängten sich in meine
Erinnerung. Er hatte mich verändert. Er hatte mir eine unbe-
kannte Seite meines Selbst vor Augen geführt. Ein Teil von mir
wollte mit ihm zusammensein, in Liebe mit ihm vereint, selbst
wenn ich ihn haßte, und dieser Haß machte die Erregung
beinahe unerträglich.

Ich hätte wissen müssen, daß er seinen Willen durchsetzte. Teils
bewunderte ich seine Hartnäckigkeit, teils mißbilligte ich sie. Er

hatte eine lange Unterredung mit Tante Martha und berichtete mir anschließend darüber. Er bat sie um ein Gespräch unter vier Augen. Dann erklärte er ihr: »Sarah ist jung und unschuldig. Sie hat die Bedeutung dessen, was geschehen ist, nicht erfaßt. Liebe Miss Ashington, Sie sind eine Frau von Welt und werden verstehen, wie tief ich bedaure, daß wir in eine solche Lage geraten sind – wenn auch nicht durch unsere Schuld, das müssen Sie mir glauben, Miss Ashington. Der Versuch, bei diesem Schneesturm durch den Wald zu gehen, hätte für uns beide den Tod bedeuten können. Es blieb uns keine andere Wahl, als einen Unterschlupf zu suchen. Oh, ich verstehe Ihre Bedenken. Nun hat es sich aber so gefügt, daß ich seit meiner Ankunft in England von tiefer Liebe zu Ihrer Nichte erfüllt bin und mich danach sehne, sie zu meiner Frau zu machen. Einer Dame mit Ihren vernünftigen Grundsätzen mag dies übereilt erscheinen, doch Sie dürfen nicht vergessen, daß ich Ihrem Bruder sehr nahestehe. Ich habe die Briefe gelesen, die Sarah ihm schrieb. Ich hatte das Gefühl, sie zu kennen, bevor ich hierher kam. Ich weiß, *Sie* haben dafür bestimmt Verständnis, Miss Ashington.«

Sie hatte bedächtig genickt. Zwei weltgewandte Menschen berieten darüber, wie man das Gerede zum Verstummen bringen und das Unheil zurechtrücken könne, das über uns hereingebrochen war.

»›Habe ich Ihre Einwilligung, Sarah zu bitten, meine Frau zu werden?‹ fragte ich sie«, erzählte er mir weiter. »Glaub mir, mein Liebling, die Einwilligung wurde gnädigst gewährt. Sodann erklärte sie mir, daß Ashington seit Jahrhunderten ein ehrenwerter Name sei. Sie schien anzunehmen, ich könne ihn so großartig finden, daß ich bereit sei, das Gesetz umzukehren, wonach eine Frau den Namen ihres Mannes annimmt. Ich gab vor, es in Erwägung zu ziehen. Was meinst du dazu?«

»Ich meine, daß Sie sich glänzend auf die Kunst verstehen, andere hinters Licht zu führen.«

»Wenn ich etwas will, setze ich alles daran, um es zu bekommen. Nichts stellt sich mir in den Weg, wenn ich es verhindern kann.«

»Sie sind sehr rücksichtslos.«

»Schon möglich. Und nun sinke ich dank Tante Marthas Einwilligung auf die Knie, liebe Sarah, und frage: ›Willst du meine Frau werden?‹«

»Sparen Sie sich die Mühe«, gab ich zurück.

Er bedachte mich mit seinem zärtlichen Lächeln, und wenn ich auch wußte, daß es nicht echt war, so rührte es mich doch zutiefst.

Der Schnee hielt eine Woche an, dann setzte Tauwetter ein. Clinton war nach London abgereist, doch das Wetter war so schlecht, daß ich meinen Vater nicht besuchen konnte.

»Wir wünschen keine Wiederholung deines letzten Ausflugs«, sagte Tante Martha mißmutig.

Ich merkte an den verstohlenen Blicken der Dienstboten, daß sie über die Geschichte redeten. Die Cannon-Töchter gaben sich übertrieben munter und erwähnten die Sache mit keinem Wort. Am liebsten hätte ich sie alle ausgelacht, und ich erkannte, wie langweilig es wäre, wenn ich mein ganzes Leben in dieser engstirnigen Atmosphäre verbringen müßte. Mit der Zeit würde ich den Tanten immer ähnlicher. Aber sie hatten nie ein solches Abenteuer gehabt wie ich. Wie konnte ich das so genau wissen? Ob vielleicht … Tante Martha und der Liebhaber, der ihre Schwester heiraten wollte …?

Ich konnte mir ausmalen, was mir bevorstand. Die drei in Frage kommenden Gentleman würden mir vorgestellt: gute Familie, aber verarmt … so verarmt, daß einer bereit wäre, mich zu heiraten und den Namen Ashington anzunehmen, auf daß ich einen Sohn dieses Namens zur Welt bringen könnte.

Das war einfach lächerlich, überspannt, unmöglich!

Mein Vater würde sterben. Mein Traum, bei ihm zu leben, war zerronnen. Da bot sich mir eine andere Möglichkeit – so erregend, daß der Gedanke daran mein Herz hüpfen ließ.

Ich vermißte Clinton. Die Tage waren lang ohne ihn – lang und öde. Wenn er im Haus war, versperrte ich meine Schlafzimmertür, denn ich traute ihm zu, daß er hereingestürmt kam. Doch er kam nicht. Ich hatte den spöttischen Ausdruck in seinen Augen bemerkt. Ich spürte, daß er in mir Geheimnisse entdeckt hatte, die mir selbst unbekannt waren. Er hatte mich zu Vertraulichkeiten genötigt, die nicht nur ihm, sondern auch mir vieles offenbarten. Ich harrte auf seine Rückkehr … wartete auf ihn.

Im Grunde meines Herzens wußte ich, wohin ich trieb. Konnte man einen Mann heiraten, den man nicht liebte? War es möglich, die überwältigende körperliche Anziehungskraft eines Mannes zu spüren, an dessen Ehrenhaftigkeit man zweifelte, eines Mannes, in dem man einen Freibeuter sah, der sich nahm, was er begehrte, und der ausgesprochen rücksichtslos war? Ich war überzeugt, er war schon Liebhaber vieler Frauen gewesen.

Sobald der Schnee geschmolzen war, besuchte ich meinen Vater. Er hatte mich sehr vermißt, und ich stellte fest, daß er noch schwächer geworden war. Nach der langen Abwesenheit fiel das besonders auf. Er erzählte mir, daß Clinton bei ihm gewesen sei. Er habe ihm anvertraut, was er für mich empfinde.

»Ich bin so froh, Sarah. Er sagt, er ist sicher, daß auch du ihn liebst. Das habest du ihm zu verstehen gegeben.«

Ich kochte innerlich. Wie konnte er es wagen!

»Meine liebe Sarah«, fuhr mein Vater fort, »ich könnte glücklich sterben, wenn ich wüßte, daß ihr heiratet.«

»Würdest du dir einen solchen Mann zum Schwiegersohn wünschen?«

»Er ist tüchtig. Er ist klug. Er hat die Shaw-Plantage zur ertragreichsten Plantage von ganz Ceylon gemacht. Er war mir eine große Hilfe. Ich hatte Schwierigkeiten, Sarah, und es war gut, ihn zum Nachbarn zu haben. Ich bin ihm eine Menge schuldig. Ich habe mich oft gefragt, warum er nicht heiratet. Ich schätze, die Engländerinnen bei uns waren nicht nach seinem Geschmack. Die Frauen fühlten sich immer zu ihm hingezogen, und er liebt die Frauen. Ich glaube, er ist bestimmt mit der Absicht zu heiraten nach England gekommen.«

»Ich finde das ziemlich abgeschmackt, Vater.«

»Oh, es ist nicht so, als würde man ein Haus aussuchen oder einen Anzug, weißt du. Er hoffte einfach, eine Frau zu finden. Ich hatte soviel von dir erzählt. Ich ließ ihn sogar deine Briefe lesen. Ich weiß noch, wie er zu mir sagte: ›Sarah gefällt mir. Ich kann es kaum erwarten, sie kennenzulernen.‹ Er fühlte sich zu dir hingezogen, bevor er dich überhaupt sah. Du bist sehr reizvoll, Sarah, auf recht ungewöhnliche Art. Ach, ich würde mich ja so freuen. Ich hatte dir gegenüber immer ein Schuldgefühl. Du warst schon als Baby so ein reizendes Geschöpf. Dann nahm deine Mutter dich mit fort, und mir war jede Verbindung mit dir verwehrt. Es war eine solche Freude, dich wiederzusehen!«

»Du wirst bald gesund«, sagte ich mit fester Stimme.»Ich begleite dich dann nach Ceylon. Ich werde dich pflegen, und das wird mich so ausfüllen, daß ans Heiraten gar nicht zu denken ist.«

Er schüttelte den Kopf. »Wir wissen alle, wie es mit mir steht, Sarah. Laß uns den Tatsachen ins Auge blicken! Ich werde nie mehr zurückkehren. Aber du mußt nach Ceylon gehen ... mit Clinton.«

Clinton kam in die Klinik. Er wolle einen Tag auf Ashington Grange verbringen, sagte er. Er sei in der glücklichen Lage, sich nach den anstrengenden Verhandlungen mit den Kaufleuten bei guten Freunden auf dem Lande erholen zu können.

»Die Händler sind wohl so hart wie eh und je, nehme ich an«, sagte mein Vater.

»Sie werden immer schlimmer. Sie versuchen jeglichen Profit aus dem Teegeschäft an sich zu reißen.«

Als wir im Eisenbahnabteil allein waren, setzte Clinton sich zu mir und legte seinen Arm um meine Schultern. »Du hast mir gefehlt«, sagte er. »Wollen wir, wenn wir nach Ashington Grange kommen, unsere Heirat ankündigen?«

Ich antwortete nicht. Ich konnte nicht antworten, weil er mich an sich gezogen hatte und mich mit seinen wilden Küssen bedeckte, die mir das Sprechen unmöglich machten.

»Es wird wunderbar«, sagte er schließlich. »Das gelobe ich dir, und legal wird es auch ... denk doch nur!«

»Ich habe nicht eingewilligt.«

»Du wirst einwilligen ... heute abend.«

»Wenn man heiratet, sollte man sich da nicht lieben?«

»Das kommt darauf an, was man unter Liebe versteht.«

»Ich dachte, der Begriff sei eindeutig.«

»Liebe!« sagte er versonnen. »Das verlockendste Unterfangen der Welt. Körperliche Liebe ... seelische Liebe ... profane und geistige Liebe. Du kennst und liebst meinen Körper, teuere Sarah. Meine Seele ist ein Geheimnis, das du erst nach und nach ergründen wirst. Es gibt kaum etwas Aufregenderes als eine Entdeckungsreise ... noch dazu, wenn es sich um eine Liebe handelt, wie wir sie erfahren haben ... du und ich vereint.«

»Sie haben eine ungewöhnliche Situation ausgenutzt.«

»Das ist der Schlüssel zum Leben, Sarah. Ungewöhnliche Situationen muß man immer ausnutzen. Wie das wohl werden wird ... das verlockende Leben mit mir, diese Entdeckungsreise? Oder willst du etwa hierbleiben? Du würdest den Cannon-Damen hilfreich zur Seite stehen, was dem Kirchendach zweifellos zugute käme. Vielleicht findest du einen, der dich heiratet. Aber du wirst das Geheimnis hüten müssen, daß du die aufregendste Nacht deines Lebens mit deinem wahren Geliebten in der Papageienhütte verbracht hast.«

»Ich weigere mich, mir einen solchen Unsinn anzuhören.«

»Und ich verkünde Tante Martha, daß wir heiraten, und ich suche noch heute abend Pastor Cannon auf, um das Aufgebot zu bestellen.«

Ich antwortete nicht. Ich rückte von ihm ab und saß mit verkrampften Händen da. Ich zitterte vor Erregung und lauschte auf den Rhythmus des Zuges: Du heiratest ihn. Du heiratest ihn.

Ja, ja, ja, du heiratest ihn. Ich dachte: Ja. O ja. Ich weiß, daß es falsch ist, aber ich heirate ihn.

Ich glaube, Tante Martha war ziemlich erleichtert. Für Tante Mabel traf das ganz gewiß zu. In ihren Augen war es die einzig geziemende Lösung, und Tante Martha gab sich der Illusion hin, sie könne Clinton überreden, den Namen Ashington anzunehmen. Ehe ein Jahr vergangen war, würde ich einen Sohn haben, und bevor die Tanten das Zeitliche segneten, würden sie diesem Sohn eine Frau besorgen, die sich mit den Ashington-Perlen porträtieren lassen konnte. Damit wäre die Mission der Tanten vollbracht, und sie könnten in Frieden scheiden. Sie übersahen aber die Tatsache, das Clytie, meines Vaters ältere Tochter, einen Sohn hatte, und daß dieser Sohn ältere Ansprüche hatte als meiner. Doch sein Name lautete nicht Ashington, und Tante Martha war fest überzeugt, daß sie in meinem Falle dieses Hindernis beiseite räumen könne.
Ich war neugierig auf das legendäre Erbstück. Im Trubel der Ereignisse hatte ich meinen Vater nicht nach den Ashington-Perlen gefragt. Ich vermutete, daß sie sich in Ceylon befanden, da meine Mutter dort mit dem Halsband gemalt worden war.
Das Aufgebot wurde bestellt, und ich war sicher, daß ein Seufzer der Erleichterung durch das Pfarrhaus ging, da der anstößige Umstand meiner Nacht im Wald ein schickliches Ende fand. Effie Cannon, die selbst kurz vor der Vermählung stand, sollte meine Brautjungfer sein, und der Arzt sollte mich zum Altar führen. Es war nur an eine schlichte Zeremonie gedacht, und ich war froh darüber, denn als der Tag näherrückte, plagten mich böse Ahnungen. Immer wieder stellte ich mir die Frage, auf was ich mich da einließ. Es war, als fochten meine Sinne einen Kampf mit meinem gesunden Menschenverstand aus. Am Abend vor meiner Hochzeit war mir ausgesprochen ängstlich zumute.

Was weißt du von ihm, fragte ich mich. Sehr wenig. Aber warum dann das alles, *warum*?

Ich wußte nur das eine: Er besaß Macht über mich, und diese Macht erweckte in mir Leidenschaften, die alles andere bezwangen. So war es, wenn er bei mir war; doch wenn er nicht da war, verstand ich mich selbst nicht mehr. Nur wegen dieser einen Nacht in der Hütte! Immerhin hatte ich dabei erkannt, daß ich, falls er ohne mich nach Ceylon zurückkehrte, mein Leben lang von Reue und Sehnsucht verzehrt würde. Sollte ich hierbleiben und so werden wie die Cannon-Mädchen? Vielleicht war ich ebenso konventionell wie meine Tanten und glaubte im tiefsten Winkel meines Herzens, daß ich aufgrund dessen, was zwischen uns geschehen war, zu ihm gehörte, und daß dieses Erlebnis mein ganzes zukünftiges Leben bestimmen müsse. Das hatte auch er mich fühlen lassen, denn es gehörte zu seiner Taktik. So weit war es also mit mir gekommen.

Mein Hochzeitstag kam. Noch als ich am Altar stand, war mir, als vernehme ich in meinem Innern eine warnende Stimme. »Willst du diesen Mann als deinen Ehemann erkennen …?« fragte Pastor Cannon, und ich hätte am liebsten herausgeschrien: Nein. Es ist ein Irrtum. Laßt mich hier heraus! Laßt mich noch einmal darüber nachdenken!

Und doch – wäre es möglich gewesen, die Zeremonie abzubrechen, ich hätte es nicht getan.

Wir trugen uns in das Kirchenbuch ein und schritten durch den Mittelgang, ich an seinem Arm. Ich nahm die Gesichter in den Bänken wahr. Die ganze Nachbarschaft hatte sich eingefunden, um bei meiner Hochzeit zugegen zu sein. Die Dienstboten waren ganz hinten in der Kirche. Ich sah Mrs. Lamb neben Ellen, und ich konnte mir denken, was sie sagten: »Also, das ist nur recht und anständig, nach allem, was passiert ist …«

Irgendwo, weit hinten in meinem Bewußtsein, hatte ich denselben Gedanken: recht und anständig.

Auf Ashington Grange gab es einen Empfang. Den hatte Clinton arrangiert. »Sie sind so gut zu uns«, sagte er zu Tante Martha. »Bitte, überlassen Sie das mir!«

Tante Martha wandte ein, es sei Aufgabe der Familie der Braut, den Empfang auszurichten.

»Sie sind doch zu welterfahren, um nur das nachzuahmen, was andere in der Vergangenheit getan haben«, gab er ihr zu verstehen, und mit einem beifälligen Zucken auf den Lippen hatte sie sich abgewandt. So gab es denn Champagner und Delikatessen, die er von Fortnum & Mason hatte kommen lassen. Ich wußte, daß dies den Dienstboten mißfiel. »Wir sind also nicht gut genug«, würde es heißen. »Das Zeug muß eigens aus London herangeschafft werden, wie?«

Bald würde mich das alles nichts mehr angehen.

Als die Gäste fort waren, gingen Clinton und ich im Wald spazieren. Er hatte sich verändert. Er war zärtlich und liebevoll. Ich würde es nie bereuen, ihn geheiratet zu haben, sagte er, und es klang so überzeugend, daß ich ihm eine Zeitlang glaubte.

Wir schlenderten zum Haus zurück. Tante Martha hatte uns das sogenannte Brautgemach zur Verfügung gestellt, welches seit zweihundert Jahren neuvermählten Ashingtons zur Verfügung stand. Meine Mutter hatte es mir geschildert: »Ein großer, düsterer Raum«, sagte sie, »voller Gespenster. Alles Bräute, die höchstwahrscheinlich zur Ehe gezwungen wurden. Eine soll sich in dem Augenblick, als der Bräutigam das Schlafgemach betrat, aus dem Fenster gestürzt und dabei den Tod gefunden haben.«

Clinton schloß die Tür. Er hob mich auf und trug mich zum Bett. »Das dürfte mehr nach deinem Geschmack sein, meine Liebste, als der harte Boden in der Papageienhütte.«

»Und gewiß auch nach deinem, nehme ich an!«

»Die Papageienhütte war in jener Nacht ein Paradies.«

»Du bist in dieser Art von Paradies kein Fremder, denke ich.«

Er schmiegte sein Gesicht an das meine und lachte. »Liebe Sarah, du bist doch nicht etwa eifersüchtig?«

196

»Eifersüchtig ... wegen dir? Auf gar keinen Fall.«

»Das ist gut. Eifersüchtige Frauen sind eine Plage.«

»Eifersüchtige Männer vermutlich ebenso.«

Er küßte mich. »Du darfst dich nie verändern, Sarah. Du mußt mich immerzu mit deiner scharfen Zunge geißeln. Zuckerbrot und Peitsche. Von dieser Mischung kann ich nie genug bekommen.« Er fing an, mein Kleid aufzuknöpfen.

»Das mache ich selbst«, sagte ich.

»Aber beeile dich, sonst muß ich dir helfen.«

Es gab keinen Zweifel an meinen Gefühlen für ihn. Als ich in seinen Armen lag, erklärte er, daß er mich liebe, daß ich ihn mehr befriedigte als alle anderen Frauen, und wenn ich auch fand, daß es für einen frischvermählten Ehemann sehr unpassend war, seine Braut in der Hochzeitsnacht mit anderen Frauen zu vergleichen, sagte ich es dennoch nicht. Ich nahm es hin. Ich nahm ihn, wie er war. Wenn wir so beisammen waren, konnte ich alles vergessen. Ich konnte mich beinahe der Illusion hingeben, ihn zu lieben.

Am nächsten Tag besuchten wir meinen Vater. Er war überglücklich, daß wir nun verheiratet waren. »Jetzt brauche ich mir deinetwegen keine Sorgen mehr zu machen, Sarah.«

»Hast du dir wirklich Sorgen gemacht?«

»Ich kann mir vorstellen, wie das Leben mit deinen Tanten aussah. Wenig Vergnügen für ein junges Mädchen. Clinton wird dich mit nach Ceylon nehmen. Wie gern wäre ich jetzt dort!«

Wir tranken in seinem Zimmer Champagner. Ich befürchtete, das bekomme ihm nicht, und als die Schwester mir erklärte, es könne ihm nicht schaden, wurde ich traurig, denn ich wußte, sie wollte damit nur sagen, daß ihm jetzt überhaupt nichts mehr schaden oder nützen könne.

Wir saßen an seinem Bett und unterhielten uns, danach kehrten Clinton und ich nach Ashington Grange zurück.

Am nächsten Tag ritten wir in den Wald, und Clinton wollte gern noch einmal bei der Papageienhütte vorbeischauen. Wir banden die Pferde an, und er kletterte zum Fenster hinein. Er öffnete mir die Tür. Als ich eintrat, nahm er mich auf die Arme und wirbelte mich herum.

»Teure, teure Hütte«, sagte er. »Das war eine denkwürdige Nacht, was, Sarah?«

»Sie hat jedenfalls unser Leben verändert.«

»Du meinst also, wenn das hier nicht passiert wäre, hättest du nie eingewilligt, mich zu heiraten. Es war wie der Kuß des Prinzen, mit dem er das schlafende Dornröschen zum Leben erweckte. Die meisten Märchen sind symbolisch, weißt du?«

»Du wolltest mir doch die Geschichte von den Kleinen im Wald erzählen. Ist dein literarischer Geschmack nicht ein bißchen infantil?«

»Mein Geschmack kennt jedenfalls keine Vorurteile.« Er trat an den Kamin. »Die Asche ist noch da. Ist es dir nie in den Sinn gekommen, welch ein Glück wir hatten? Holz im Schuppen, Kerzen, Laternen, Decken …« Er brach in Lachen aus. »Du schaust so erstaunt, meine Liebste. Weiß du eigentlich, daß wir in jener Nacht die Lieblinge der Götter waren?«

»Es war immerhin ein glücklicher Zufall.«

»Es gibt ein altes Sprichwort: Hilf dir selbst, so hilft dir Gott. Ich vermute, das gilt auch für die Götter des Zufalls.«

»Was soll die Anspielung?«

»Du hast einmal gesagt, ich sei einfallsreich. Ich würde meine Chancen nutzen. Aber ist dir auch bewußt, *wie* einfallsreich ich bin, wie ich mir meine Chancen *schaffe*? Man darf sich nämlich nicht auf das Schicksal verlassen. Wenn der Berg nicht zum Propheten kommen will, muß der Prophet zum Berge gehen.«

»Du sprichst gern in Gleichnissen«, sagte ich. »Den Schnee konntest du aber nicht herbeischaffen. Das würdest selbst du nicht zustande bringen.«

Er schmunzelte: »Der Schnee war weiß Gott echt. Was für eine Nacht! Das Wetter war schon seit einer Weile schlecht, und es wurde immer schlimmer. Die Papageienhütte hatte mir auf

Anhieb gefallen. Ich stellte es mir sehr vergnüglich vor, mir dort ein wenig die Zeit zu vertreiben, nur mit dir.«

Ich starrte ihn fassungslos an.

»Ich möchte, daß du merkst, was für einen einfallsreichen Mann du hast. Du weißt gewiß noch, wie neblig es war, als wir die Hütte zum erstenmal sahen. Da kam mir der Gedanke, wie leicht man im Wald den Weg verfehlen kann. Du und ich ... verirrt, Hand in Hand im Kreis herum wandernd ... Wir kommen zur Hütte. Wir sind müde. Wir beschließen, uns auszuruhen. Draußen ist es dunkel und kalt. Im Schuppen gibt es Holz und, Wunder über Wunder, warme Decken. Du siehst, welch romantische Gedanken mich beflügelten.«

»Wahrhaftig. Aber das Holz war schon da.«

»Ja, das hat mich auf die Idee gebracht.«

»Die Decken, die Laterne?«

»Wohlüberlegt von mir herbeigeschafft, für alle Fälle.«

»Aber wie konntest du wissen ...«

»Ich wußte gar nichts. Es hätte sich vielleicht nie ergeben können. Aber falls sich die Gelegenheit bieten sollte, war die Bühne gerüstet. Das ist die erste Lektion auf der Straße zum Erfolg. Man schafft sich seine Chance, und wenn die Zeit kommt – *falls* sie kommt –, ist man bereit. Wer weiß, vielleicht kommt diese Zeit nie. Ich wappnete mich mit Geduld. Und dann der gesegnete Schnee ... die Fahrt nach London ... kein Brougham am Bahnhof. Siehst du, das nennt man Glück. So hilft Gott denen, die sich selbst helfen.«

»Du hast ... das alles arrangiert?«

»Komm. Gratuliere mir. Ich war ziemlich schlau, nicht wahr?«

»Aber wir haben uns im Wald verirrt.«

»*Ich* nicht. Liebe Sarah, ich begehrte dich. Ich wußte, daß sich hinter deiner grimmigen Widerborstigkeit eine leidenschaftliche junge Frau verbarg, eine Frau, die lieben und geliebt werden wollte. Es war meine Pflicht, dir zu beweisen, wer du bist ... dich davor zu bewahren, so zu werden wie die Tanten oder die

Cannon-Mädchen … O ja, ich gebe zu, das kann sehr erstrebenswert sein, aber nicht für *dich*, Sarah. O nein, ganz bestimmt nicht für dich! Du bist für die Liebe geschaffen, und das weißt du auch. Als das Schicksal den Schnee sandte, die Zugverspätung, keinen Brougham … nun, da mußte ich nur noch mein Teil dazu beitragen. Ich kannte den Weg zur Hütte genau. Ich hätte ihn sogar blind gefunden. Siehst du, Sarah, ich habe dich in deinem eigenen Wald überlistet, so ein Mensch bin ich.«

»Du bist ein Teufel!«

»Gib zu, daß ich dir so gefalle.«

Ich erwiderte nichts. Ich dachte nur daran, was er alles getan hatte: die Decken herbeigeschafft, dafür gesorgt, daß er Feuer machen konnte. Ich mußte mit ihm lachen.

»Der Wald ist verzaubert«, sagte er. »Wenn es dunkel wird, nehmen die Bäume die Gestalt von Ungeheuern an. Die alten Götter sind im Wald. Odin, Thor und die anderen. Spürst du sie? Sie sind auf der Seite der Abenteurer. Sie kommen denen zu Hilfe, die sich selbst helfen.«

»Dann sind sie zweifellos auf deiner Seite.«

»Was hältst du von meinem kleinen Bühnenarrangement?«

»Ich wiederhole, du bist ein Teufel. Du hast deine Rolle gut gespielt. Nicht einen Augenblick nahm ich an …«

»Wenn du etwas geahnt hättest, wäre das Spiel verdorben gewesen. Ich bin ein zu guter Spieler, um es so weit kommen zu lassen.«

»Ich bin neugierig, wie gut du bist. Ich bin neugierig, wie du bist, wenn du nicht spielst und einfach du selbst bist.«

»Das ist ein hübsches kleines Rätsel, das dich in den kommenden Jahren beschäftigen wird.«

»Wie soll ich wissen, wann ich dir trauen kann?«

Er nahm mein Gesicht in seine Hände und küßte mich. »Das wird dir dein Herz sagen.«

Ich riß mich unwillig los. »Wenn du dich romantisch und sentimental gibst, weiß ich, daß du unehrlich bist.«

»Sei dessen nicht allzu sicher, Sarah. Auf mich darfst du dich nie verlassen.«

Er lachte, ließ mich stehen und ging zur Hintertür hinaus.

»Wo gehst du hin?« fragte ich.

»Die Decken holen.«

»Nein!« rief ich.

Er kam mit den Decken zurück. Er breitete sie auf dem Boden aus und nahm mich in seine Arme.

Während der folgenden Wochen hielt ich mich beständig bei meinem Vater auf. Sein Ende war nahe, und ich hatte wenig Zeit, an mich selbst oder an die Zukunft zu denken. Clinton meinte, wir könnten England nicht verlassen, solange mein Vater lebte; wenn er aber tot sei, wollten wir unverzüglich nach Ceylon aufbrechen.

Es war Februar geworden; die Krokusse kamen zum Vorschein – malvenfarbig, weiß und goldgelb. Sie verkündeten, daß der Frühling bald nahte, obwohl wir noch Winter hatten. An den Ufern des Teiches zeigte sich gelber Huflattich neben purpurnem Hahnenfuß. An geschützten Plätzen war schon das gelbe Schöllkraut zu sehen; der Holunder hatte grüne Schößlinge, und an den Haselnußsträuchern sprossen die gelben Quasten, die wir Lämmerschwänzchen nannten. Die hohen Eichen im Wald trugen noch ihr Winterkleid, und es würde noch ein paar Wochen dauern, bis an ihnen eine Veränderung sichtbar wurde. Ich lauschte den Paarungsrufen der Kiebitze. Celia hatte mich den Gesang der Vögel zu unterscheiden gelehrt. Es war ein melancholischer Ruf – piii-wit … piiit … will-o-wit –, kein sehr fröhlicher Balzruf.

Jemand hat einmal den Frühling die Pforte zum Jahr genannt. Dieser Frühling war die Pforte zu meinem neuen Leben.

Meine Gedanken kreisten meist um meinen Vater. Er würde bald sterben, und dann würde es ernst mit meinem neuen Leben. Ceylon! Das Land, von dem ich so viel gehört hatte. Ich hatte davon geträumt, dorthin zu ziehen, und nie wäre es mir in den Sinn gekommen, daß ich an der Seite eines Ehemannes reisen würde.

Mein Vater starb friedlich, Anfang März, und sein Leichnam wurde nach Ashington Grange gebracht und inmitten der Vorfahren beigesetzt. Es war ein kalter und stürmischer, aber sonniger Tag. Das Begräbnis wurde auf herkömmliche Weise begangen, und die Trauernden sollten anschließend im Haus mit Sherry und Schinkenbroten bewirtet werden.

Die Zeremonie war ergreifend, und als ich an meines Vaters Grab stand und auf den Sarg hinunterblickte, gedachte ich meiner Mutter, die auch hier begraben lag. Wie traurig war ihrer beider Leben doch verlaufen, weil ihr Temperament unvereinbar war. Doch ich hatte meine Eltern beide geliebt. Ich versuchte, mir auszumalen, wie es gewesen wäre, wenn sie ein ganz normales Eheleben geführt hätten.

Das Leben war sonderbar. Bei meinen Eltern war es stürmisch verlaufen. Und bei mir? Wie würde mein Leben sein? Clinton war neben mir und hielt meinen Arm, während wir zum Haus zurückgingen.

In der Halle wurden den Trauergästen Erfrischungen serviert, und als ich plötzlich Toby sah, glaubte ich zu träumen. Er stand vor mir, ein wenig älter als damals, als ich ihn in London zum letztenmal gesehen hatte, aber es war unverkennbar Toby. Ich war bei seinem Anblick von Freude überwältigt. »Toby!« rief ich. Er nahm meine Hände in die seinen. »Sarah ... du bist erwachsen geworden!«

»Es ist lange her ...«

»Es ist schön, dich zu sehen. Ich habe euch am Denton Square gesucht. Niemand wußte, wohin ihr gezogen seid. Ich ging zu Tom Mellor. Er sagte, deine Mutter trete nicht mehr auf und lebe bei der Familie ihres Mannes. Dann sah ich die Todesanzeige für deinen Vater und kam gleich her. Ich erzählte deiner Tante, daß ich ein alter Freund sei, und sie bat mich ins Haus.«

Ich war ganz schwach vor Rührung. Ich wollte mich an ihn klammern und weinen. Er brachte mir alles wieder so deutlich in Erinnerung – den Lunch im Café Royal … unsere gemeinsame Verschwörung gegen meine Mutter, die wir beide verehrten.

»Was machst du in England?«

»Ich bin seit einem Monat hier. Ich kehre demnächst nach Neu-Delhi zurück.«

»Gefällt es dir dort?«

Er nickte. »Aber es ist schön, wieder in England zu sein.«

Mir fiel ein, daß Clinton in die Heimat gekommen war, um eine Frau zu suchen, und fragte deshalb: »Toby, bist du verheiratet?«

»Nein.«

»Aber alt genug wärst du.«

»Ich fürchte, ich war schon immer ein Spätentwickler.«

Ich lächelte. Wie liebte ich diesen Blick, mit dem er um Vergebung zu bitten schien. Toby hatte nichts Arrogantes an sich. Das fiel mir besonders auf, als ich ihn unwillkürlich mit Clinton verglich.

»Wann fährst du zurück?«

»Ich wollte eigentlich zwei Monate bleiben. Vielleicht kann ich meinen Aufenthalt noch ein bißchen verlängern.« Seine dunkelblauen Augen leuchteten. »Ich habe viel an dich gedacht«, fuhr er fort. »Ich fragte mich, wie es euch wohl ergehe. Es war ein Schock für mich, als ich erfuhr, daß deine Mutter gestorben ist.«

»Dann weißt du es also.«

»Ja, ich hörte es, als ich bei einem Freund zum Abendessen war. Man unterhielt sich übers Theater, und jemand sagte, daß Irene Rushton sich nach der Herringford-Affäre aufs Land zurückgezogen habe und gestorben sei. Ich war tief betroffen und fragte mich, was wohl aus dir geworden sein mag.«

»Ich lebe bei meinen Tanten, wie du siehst.«

»Du … hier … in dieser altmodischen Umgebung. Ich finde, du paßt nicht hierher, Sarah. Ich habe mich gestern abend im Gasthaus einquartiert, Zum Förster, kennst du es?«

»Ja.«

»Ich bleibe eine Weile hier. Wir haben uns gewiß eine Menge zu erzählen.«

»Es ist viel geschehen, seit wir uns das letzte Mal sahen, Toby. Ich bin seit ein paar Wochen verheiratet.«

Auf sein erschrockenes Gesicht war ich nicht gefaßt. Er starrte mich an, bestürzt, ungläubig. Es war wie eine Spiegelung meiner eigenen Empfindungen. Ich verstand genau, was er fühlte, denn ich fühlte es auch.

»Es geschah alles ziemlich überstürzt«, sagte ich schnell. »Mein Vater kam aus Ceylon, und Clinton Shaw war bei ihm. Ich gehe bald mit Clinton nach Ceylon ...« Was redete ich, was plapperte ich da? Was hatte ich getan? Toby war nach Hause gekommen, um mich zu suchen, und ich hatte Clinton Shaw geheiratet!

»Also«, sagte Toby, »dann wünsche ich dir viel Glück. Wann ... gehst du nach Ceylon?«

»Bald. Wir sind meines Vaters wegen hiergeblieben. Er war lange Zeit schwer krank. Wir wußten, daß er sterben würde.«

Tobys jämmerliche Miene tat mir weh.

»Ich würde dich gern noch einmal sehen, bevor ich abreise«, sagte er. »Es gibt noch so vieles, das ich wissen möchte.«

»Morgen«, erwiderte ich. »Laß uns im Wald spazierengehen!«

Ich wußte, daß Clinton am nächsten Morgen früh nach London fahren wollte. Es eilte ihm mit den Vorbereitungen für unsere Abreise.

Noch am Tag des Begräbnisses kam der Notar, um das Testament meines Vaters zu verlesen. Wir versammelten uns in der Bibliothek: meine Tanten, Clinton und ich.

Das Testament war klar und einfach. Der Verwalter meines Vaters und ein paar Plantagenarbeiter erhielten Legate. Die zwei Haupterben waren meine Halbschwester Clytie und ich. Die Ashington-Perlen sollten in Clyties Besitz bleiben, bis sie der Gattin ihres Sohnes übergeben werden konnten. Mein Vater hatte Clytie sein Haus in Ceylon und etliche Vermögensgegenstände vermacht, die Plantage aber hatte ich geerbt.

Ich blickte zu den Tanten und sah die Röte in Tante Marthas Gesicht, die von unterdrücktem Zorn kündete. Was hatte sie denn erwartet, was mit den Perlen geschehen würde? Sie fielen traditionsgemäß dem Sohn zu, doch wenn kein Sohn da war, blieben sie natürlich vorläufig im Besitz der ältesten Tochter. *Die* hatte ja einen Sohn, und später würde dessen Frau die Perlen bekommen. Ich war von meiner Erbschaft zu überwältigt, um mir über Clyties Erbe viele Gedanken zu machen: Die Plantage gehörte mir!

Clinton musterte mich eindringlich. Er hatte ein warmes Leuchten in den Augen.

Clinton war zweifellos hocherfreut. Er steckte voller Pläne. »Wir können die Plantagen zusammenlegen«, sagte er, »und wie eine einzige bewirtschaften.«

»Ich finde es absurd, eine Plantage zu besitzen, ohne eine Ahnung von der Landwirtschaft zu haben«, sagte ich.

»Meine Liebe, du hast einen Ehemann, der eine Menge davon versteht.«

Seine Genugtuung war eindeutig. Ich war von alledem verwirrt, von dem überwältigenden Schmerz über den Tod meines Vaters, aber auch von einem vagen Gefühl, das ich nicht allzu genau ergründen mochte. Es hing mit Tobys Rückkehr zusammen und mit den Empfindungen, die sich dadurch in mir geregt hatten. Bei seinem Anblick entsann ich mich wieder des Vergnügens, das ich stets verspürt hatte, wenn er zu uns kam, wenn wir unsere sogenannten Unterrichtsstunden absolvierten oder uns zu unseren Streifzügen aus dem Haus stahlen. Das hatte mich stets freudig erregt und mir ungeheuren Spaß bereitet.

Warum mußte er ausgerechnet jetzt zurückkommen? Der Gedanke an die Zukunft erfüllte mich mit bangen Ahnungen.

205

Wir machten einen Waldspaziergang. Toby war sehr sachlich. So hatte ich ihn noch nie erlebt.

»Erzähl mir alles, Sarah«, sagte er.

Ich berichtete ihm, was mit Everard geschehen war; wie meine Mutter keine Rollen mehr bekam, die ihr zusagten; wie Meg sich am Ende überreden ließ, aufs Land zu ziehen; und wie uns schließlich keine andere Wahl blieb, als nach Ashington Grange zu kommen. »Sie haßte dieses Haus, Toby. Es war alles so traurig. Ich glaube, es wurde mir erst hinterher richtig klar, was sie empfunden haben muß. Die Tanten engagierten eine Gouvernante für mich, Celia Hansen. Nach dem Tod meiner Mutter ist sie verschwunden. Sie kam zu Geld und ging mit einer Cousine ins Ausland. Wir waren gute Freundinnen, aber ich habe sie seitdem nicht mehr gesehen.«

Es fiel mir ja so leicht, mich Toby anzuvertrauen. Ich schilderte ihm, wie meine Mutter gestorben war; ich erzählte ihm von der entsetzlichen Nacht, als ich sie mit hohem Fieber gefunden hatte und das Fenster trotz der bitteren Kälte weit geöffnet war.

»Sie war sehr schön«, sagte Toby.

»Du hast sie bewundert. Aber du warst nicht wie die anderen … du warst es zufrieden, sie aus der Ferne zu verehren und ihr zu dienen, indem du ihr die Last der Erziehung ihrer Tochter von den Schultern nahmst.«

»Das war mir das größte Vergnügen«, erwiderte er ernst. »Denk doch nur, wieviel Spaß wir hatten!«

Wir schwelgten in Erinnerungen, besannen uns auf kleine Zwischenfälle und riefen uns unsere Scherze und unser Lachen zurück.

»Glückliche Tage«, sagte er. »Erst als ich fortging, wurde mir klar, was sie mir bedeuteten.«

»Wie geht es dir als Geschäftsmann, Toby?«

»Eigentlich ganz gut. Ich habe anscheinend Talent. Mein Vater ist angenehm überrascht.«

»Du selbst nicht minder, schätze ich.«

»Ich hätte nie gedacht, daß ich zum Geschäftsmann tauge.«

»Warst du nicht begeistert, als du entdecktest, wie tüchtig du bist?«

»Leidlich tüchtig«, meinte er lachend.

»Und jetzt bist zu zum erstenmal wieder in England?«

»Es ist eine weite Reise, weißt du, und es gibt dort in Neu-Delhi immer so viel zu tun.«

»Bist du nach Hause gekommen … wie es bei den Männern so üblich ist … um eine Frau zu finden?«

Das war eine törichte Frage; das merkte ich, sobald ich sie ausgesprochen hatte. Sein Gesicht nahm einen betroffenen Ausdruck an, und plötzlich sagte er wie zerstreut: »Warum warst du bloß noch so jung, Sarah, als ich fortging?«

Ich schwieg. Diese wenigen Worte hatten mir genug verraten. Ich hätte es wissen müssen.

Eine Weile wanderten wir schweigend weiter. Ich nahm die Düfte des Waldes in mich auf, die mich, wie ich glaubte, immer an diesen Augenblick erinnern würden: die feuchte Erde, das Moos, die Kiefern; unter dem Gras lugten die ersten Buschwindröschen hervor. Vorboten der Schwalben wurden sie genannt, hatte Celia mir erzählt: »Die Waldfeen schlafen nachts in den Blumen. Die rollen ihre Blütenblätter zusammen, damit die Feen es behaglich haben.« Seltsame Gedanken in einem solchen Augenblick!

Ich sagte: »Du hast mir nie geschrieben, Toby.«

»Ich bin kein großer Briefeschreiber. Ich habe trotzdem zweimal geschrieben, aber es kam keine Antwort.«

»Die Briefe sind bestimmt an die Adresse am Denton Square gegangen.«

Er nickte. »Bist du glücklich?« fragte er.

Ich sagte zögernd: »Hm … ja.«

»Er sieht … achtbar aus.«

»Das läßt sich wohl von ihm sagen, denke ich. Ihm gehört die Plantage neben der meines Vaters … das ist jetzt die meine.«

»Dein Leben hier verlief ganz bestimmt anders als in den alten Zeiten.«

Wir kamen zu dem Weg, der zur Papageienhütte führte. Ich wollte die Hütte nicht sehen. Ich dachte, daß sich Toby in einer solchen Lage ganz anders verhalten hätte. Ritterlich, selbstlos, zuverlässig ... so war Toby. Ich sagte deshalb: »Ich denke, wir sollten umkehren.«

Er machte keine Einwendungen, und wir gingen zurück.

»Wir werden nicht sehr weit voneinander entfernt sein«, meinte er, als das Gut in Sicht kam. »Ich in Indien, du auf Ceylon.«

»Es sieht nahe aus ... auf der Landkarte.«

»Werde glücklich, Sarah!«

»Ich will's versuchen. Und du auch, Toby.«

Er kam nicht mit ins Haus. Er ergriff meine Hand, drückte sie zum Abschied und sprach nur zweimal meinen Namen. Mich erfaßte plötzlich großer Zorn auf das Schicksal, und ich rief laut heraus: »Warum hast du so lange gewartet, bis du gekommen bist? Deine Liebe gehörte meiner Mutter. Ich war nur das Kind.«

»Dir gehörte sie«, erwiderte er. »Das habe ich bald begriffen. Sie gehörte dir ... damals ... und immer. Leb wohl, Sarah!« Er küßte mir zaudernd die Hand.

Ich verspürte ein wildes Verlangen, ihm zu erzählen, daß ich den Mann, den ich geheiratet habe, nicht liebte, daß er mich überrumpelt und eine gewisse Leidenschaft in mir erweckt hatte, die ich unwiderstehlich fand.

Ich liebe ihn nicht, wollte ich schreiben. Du bist es, den ich liebe, Toby, nur du. Das weiß ich jetzt. Seit ich seine Frau bin, weiß ich es ganz deutlich. Ich brauche liebevolle Aufmerksamkeit und Zärtlichkeit, nicht diese wahnsinnige Wildheit, die er in mir erregt.

Toby schien zu verstehen. Er sagte: »Wir sind dort nicht weit auseinander. Solltest du mich irgendwann brauchen ...«

Ich ging in mein Zimmer und schloß mich ein. Dabei sagte ich »Toby, ach Toby, warum bist du zu spät zurückgekommen!«

208

Im verlockenden Land

Der Fächer aus Pfauenfedern

Meine Abreise aus England bereitete ich mit fieberhaftem Eifer vor. Ich mußte das Leben, für das ich mich entschieden hatte, hinnehmen. Ich mußte lernen, meinen Mann zu lieben, meine sinnlichen Wonnen mit edleren Empfindungen zu vereinen. Clinton Shaw war in vieler Hinsicht bewundernswert. Mein Vater war glücklich, daß ich ihn geheiratet hatte; er glaubte, dies sei das Beste, was mir widerfahren konnte. Clinton strahlte eine Kraft aus, eine unwiderstehliche männliche Vitalität. Er verstand es, die Gunst der Frauen mühelos zu erobern. Er war tüchtig und auf tröstliche Weise fürsorglich. Er war ungemein ehrlich und versuchte nie, anders zu scheinen, als er war, es sei denn, er bediente sich einer List, etwa um mich zur Papageienhütte zu locken. Ich mußte meine Augen vor seinen Fehlern verschließen und auf seine Tugenden bauen. Als Toby wieder in mein Leben getreten war, ist mir bewußt geworden, wie verwundbar ich war. Ich hatte mich blindlings in Clintons Arme gestürzt und gewisse Abgründe in meinem Innern entdeckt, die ich lieber nicht gekannt hätte oder nur, das muß ich ehrlich hinzufügen, wenn Sinnlichkeit im Spiel war. Mein leidenschaftliches Naturell machte mich für Versuchungen anfällig, und ich sah ein, daß ich mich in der Papageienhütte zu bereitwillig hingegeben hatte. Toby sagte, ich sei noch ein Kind gewesen, als er fortging. Ich glaube, ich bin zu lange ein Kind geblieben. Ich hatte am Denton Square, von unechter Kultiviertheit umgeben, ein gekünsteltes Leben geführt. Danach verschlug es mich aufs Land – welch krasser Gegensatz zu meinem früheren Dasein: diese Stille und das Regiment zweier Tanten

211

im mittleren Alter. Ich fing gerade erst an, erwachsen zu werden, als Clinton erschien. Ich war bereits eine Ehefrau, bevor ich auf das Leben richtig vorbereitet war. Nun mußte ich behutsam ans Werk gegen. Zunächst mußte ich versuchen, meinen Mann zu lieben. Körperlich liebte ich ihn ja bereits, doch ich war klug genug, um zu wissen, daß dies nicht genügte, wenn ich eine erfolgreiche Ehe führen wollte.

So stürzte ich mich denn mit Eifer auf die Reisevorbereitungen. Ich erkundigte mich nach der Plantage, und es gab nichts, worüber Clinton lieber sprach. Er freute sich auf die Rückkehr, das merkte ich ihm an. Zwar trauerte er um meinen Vater, doch die Zukunft war ihm wichtiger als die Vergangenheit.

Endlich kam der Tag unserer Abreise. Wir schifften uns in Tilbury auf der »Aremethea« ein, und ich, die ich außer als Kind, das kaum etwas davon bemerkte, noch nie eine Reise gemacht hatte, fand alles höchst interessant; es sei das beste Mittel, meinte Clinton, um mir über den Verlust meines Vaters hinwegzuhelfen. »Wenn man unglücklich ist«, sagte er, »ist ein Szenenwechsel die beste Medizin. Und die wird dir nun zuteil.«

Der Kapitän und die Schiffsoffiziere kannten ihn, und man begegnete ihm mit einer gewissen Hochachtung, was er sichtlich genoß. Er war mir gegenüber aufmerksam und weihte mich in die Geheimnisse einer Seereise ebenso gründlich ein wie zuvor in die Kunst der Liebe. Er gefiel sich außerordentlich in der Rolle des Lehrmeisters. Als ich ihn darauf hinwies, räumte er ein, dies treffe wohl zu, aber nur, weil er eine so interessierte Schülerin habe. Ich glaube, ich war sanfter geworden, weil ich Clinton gegenüber ein leichtes Schuldgefühl hatte, das mit Toby zusammenhing. Ich hatte mein Ehegelöbnis abgelegt und mußte versuchen, es zu erfüllen. Es war erstaunlich, welche Wirkung meine veränderte Haltung auf ihn ausübte. Er wurde beinahe zärtlich; unsere Streitgespräche wurden seltener, und er schien geradezu entzückt, daß wir verheiratet waren.

Auf der Reise gab es viel zu sehen. Wir besichtigten die Wunder von Pompeji und die Suks von Port Said; wir passierten den Suezkanal, vorbei an den Seen und den goldenen Sandbänken, auf denen Schäfer mit ihren Herden entlangwanderten; es war, als beobachteten wir Szenen aus der Bibel, die an uns vorüberglitten. Wir saßen Seite an Seite an Deck, und ich redete mir ein, ich würde Toby und das, was hätte sein können, vergessen. Es lag einzig und allein an mir. Janet hätte gesagt: Wie man sich bettet, so liegt man.

Wir verbrachten noch einen Tag in Mombasa, wo wir farbenprächtige Stoffe, Schmuck und ein kunstvoll geschnitztes Rinderhorn erstanden. Nun würden wir bald in Ceylon sein.

Wir kamen im Laufe des Vormittags an, und sobald die Insel in Sicht war, ging ich mit Clinton an Deck.

Es war ein herrlicher Anblick – dieses grüne, fruchtbare Eiland, das sich aus dem Indischen Ozean erhob. Clinton wies mich auf den Adam's Peak hin, den berühmtesten Gipfel im Innern des Landes. Er ragte weit über die ihn umgebenden Hügel hinaus.

»Einst diente er den Seeleuten als Orientierungspunkt«, erklärte Clinton. »Die Leute sind zu ihm gepilgert. Sie haben ihn immer verehrt. Das Volk von Ceylon vergißt nicht, daß es den Bergen sein Auskommen verdankt. Wenn der Monsun einsetzt – Mitte Mai und Ende Oktober –, treiben die Wolken auf die Berge zu, und es regnet und regnet ... aber nur auf der einen Seite der Bergkette. Auf der anderen Seite ist nichts als trockene Wüste. Daher siedelte sich die Bevölkerung diesseits der Berge an, und hier gewinnen wir unsere Güter in Form von Kaffee, Kokosnüssen, Zimtrinde, Kautschuk und seit einigen Jahren das einträglichste von allem: Tee!«

Ich starrte staunend auf die Schönheit der Landschaft. Die Palmenhaine sahen aus, als wüchsen sie aus dem Meer, und überall dehnte sich üppiges Grün.

»Bald«, sagte Clinton, »sehen wir die Stadt.«

Ich stand wie verzückt da, während wir der Insel immer näher kamen. Clinton ergriff meine Hand. »Endlich«, sagte er, und seine Stimme hatte einen triumphierenden Klang.

Am Kai herrschte ein lebhaftes Gewimmel. Männer in weiten Hosen – meist von schmuddeligem Weiß – und losen Jacken aus demselben Baumwollstoff rannten schreiend und gestikulierend umher, um sich des Gepäcks und anderer Dinge zu bemächtigen.
Clinton rief etwas auf singhalesisch, und im Nu war er umringt. Mit einem Lächeln, das ihre braunen Gesichter erhellte, hießen ihn die Männer willkommen. Er war offenkundig wohlbekannt und sehr bedeutend. Ich lauschte den Begrüßungsworten, von Neugier überwältigt und von dem Wunsch beseelt, alles auf einmal zu sehen. Kurz darauf saßen wir in einem von Pferden gezogenen Gefährt.
»Wir fahren zum Bahnhof«, sagte Clinton. »Da staunst du, hm? Ja, wir haben eine Eisenbahnlinie von Colombo nach Kandy. Wir fahren nicht die ganze Strecke. Wir wohnen fast hundert Kilometer von Colombo und knapp zwanzig Kilometer von Kandy entfernt. Um das Gepäck brauchst du dich nicht zu sorgen. Das wird gebracht.«
Ich kletterte in das Fahrzeug, und wir fuhren klappernd durch die malerischen Straßen. Ich wandte mich unentwegt nach rechts und links, aus Angst, mir könne etwas entgehen, Clinton lächelte: »Dir sieht man gleich an, daß du ein Neuling bist.«
Hier war alles so ganz anders, als ich es gewohnt war. Die Straßen quollen über von Fahrzeugen aller Art: Kutschen, Ochsenkarren und Rikschas, die von Männern gezogen wurden, deren schmutzige nackte Füße und magere Körper mein Mitleid erregten. Die Leute riefen einander unaufhörlich zu, und die Luft war von ihrem Lärm erfüllt. Sie liefen direkt vor den Pferden über die Straße, und ich fürchtete mehrmals, daß jemand überrannt würde; doch mit viel Geschrei und großem Geschick gelang es den Lenkern der verschiedenen Gefährte immer wie-

der, einem Unglück auszuweichen. Ab und zu rief jemand Clinton einen Gruß zu.

»Du bist anscheinend recht beliebt«, bemerkte ich.

»Das ist nicht verwunderlich«, erwiderte er in seiner zynischen Art. »Ich sorge für ihren Lebensunterhalt.«

Ich zog meinen Mantel aus, da ich für dieses Klima viel zu warm angezogen war.

»Du mußt deine Haut sorgfältig schützen«, mahnte Clinton. »Die ist nicht für diese heiße Sonne geschaffen. Und denke daran, auch wenn die Sonne nicht scheint, ist sie gefährlich. Sie ist da, auch wenn man sie nicht sieht.«

Ich hängte mir den Mantel um die Schultern. Auf diese Weise war er wenigstens nicht ganz so warm. Dann langten wir am Bahnhof an, wo ein ähnliches Gewimmel herrschte wie am Kai. Lärm und Hitze waren die vorherrschenden Eindrücke.

»Bald sind wir zu Hause«, verkündete Clinton, »auf deiner und meiner Plantage.«

Wir stiegen in den Zug. Er war nicht so komfortabel wie die Eisenbahnen daheim, doch das machte mir nicht viel aus, da mich die Landschaft völlig gefangennahm. Sie war von atemberaubender Schönheit. Die kurze Fahrt führte an Wäldern mit Ebenholz-, Ambra-, vor allem aber Cashewnußbäumen vorüber und an Reisfeldern, auf denen das Hauptnahrungsmittel des Landes angebaut wurde. Ich sah träge dahinströmende Flüsse, darauf Boote mit Baumstämmen im Schlepptau, und in dem Wasser, das ans Ufer spülte, planschten nackte Kinder. Ich hielt staunend den Atem an, als ich zum erstenmal einen Elefanten sah. Ein Mann saß darauf, und das gewaltige Tier zog eine Ladung Holz. Dann erblickte ich mehr und mehr davon.

Clinton erklärte gutgelaunt: »Wir haben mehr Elefanten in Ceylon als alle anderen Tiere zusammen. Wir machen sie uns dienstbar, wie du siehst. Sie sind hervorragende Arbeitstiere – stark und willig. Lobenswerte Eigenschaften bei Hilfskräften, das wirst du zugeben. Und gelehrig sind sie. Was kann man mehr verlangen?«

»Seltsam, daß diese mächtigen Geschöpfe sich zur Arbeit zwingen lassen.«

»Das ist eben die Überlegenheit des Menschen, meine liebe Sarah. Wir zähmen sie. Solange sie wild sind, können sie verheerenden Schaden anrichten. Sie überfallen die Plantagen, trampeln die Ernte nieder und hinterlassen große Verwüstungen. Aber wenn man sie einfängt und dressiert, leisten sie gute Dienste.«

»Dir würde das Dressieren gewiß Spaß machen.«

»Es lohnt sich, das kann ich dir versichern.«

Schließlich hielt der Zug in dem kleinen Bahnhof, wo wir aussteigen mußten. Clinton nahm meine Reisetasche und seinen Koffer, die einzigen Gepäckstücke, die wir bei uns behalten hatten, und wir kletterten aus dem Wagen. Auch hier Stimmen und Geplapper; Männer, die sich vor uns verbeugten.

Clinton sagte: »Endlich zurück. Mit meiner Frau.«

Die Männer lachten, es war wohl eine Art Willkommensgruß, und murmelten etwas, das sich wie *mem-sahib* anhörte.

Clinton ergriff meinen Ellbogen. Ein Wagen, ähnlich dem, der uns vom Hafen zum Bahnhof gebracht hatte, stand bereit. Wir schienen von einem Meer brauner Gesichter umgeben.

»Es ist nur eine kurze Strecke«, sagte Clinton. »Wir fahren sehr viel mit der Eisenbahn. Wir haben sie zu einem der wichtigsten Verkehrswege im ganzen Land ausgebaut.«

Die Fahrt ging durch unvorstellbar grünes Land. Dampfende Hitze lag in der Luft. Zu beiden Seiten der Straße erhoben sich Baumfarne, einige waren wohl an die acht Meter hoch; dazwischen wild wuchernder scharlachroter Rhododendron. Ich gewahrte Pflanzen, die ich noch nie gesehen hatte, und später erfuhr ich, daß es sie nur auf Ceylon gab. Wir gelangten ans Ende eines dunklen Weges, der durch dichtes Laubwerk gehauen war, und ich erhaschte einen ersten Anblick der Plantage.

Grünglänzende Sträucher bedeckten die Terrassen, die sich über unendliche Weiten zu erstrecken schienen.

Clinton genoß die Szenerie mit zufriedener Miene. Wir fuhren weiter, und dann sah ich an einem Abhang eine Häusergruppe. Mein Herz sank. War das mein neues Heim? Die meisten Gebäude waren ebenerdig.

»Fast alles Arbeiterwohnungen«, erklärte Clinton, »und ein paar Lagerhäuser. Das Anwesen deines Vaters – ich meine deines – liegt über einen Kilometer entfernt. Gleich wirst du mein Haus sehen. Das Dschungelgelände da vorn trennt die beiden Grundstücke. Zudem ist es ein hübscher Anblick. Immer nur Tee, das wäre auf die Dauer doch ein wenig ermüdend.«

Wir waren zu einer Art Wäldchen inmitten der Teeterrassen gekommen und durchquerten es auf einem Pfad. Wenige Augenblicke später gelangten wir zum Haus.

Es war von einem Garten mit üppigen grünen Sträuchern umgeben; einige waren von farbenprächtigen Blüten übersät, wie ich sie noch nie gesehen hatte. Das Haus leuchtete weiß zwischen dem Grün, und dichte Kletterpflanzen rankten an den Mauern empor. Es war ein langgestreckter l-förmiger Bau mit zwei Geschossen und zahlreichen Nebengebäuden.

Eine junge Frau kam aufgeregt plappernd und sich überschwenglich verbeugend herausgelaufen. Sie trug einen dunkelblauen Baumwollsari, und wenn sie lächelte, entblößte sie wunderschöne Zähne. Sie blickte mich neugierig an.

»Das ist Leila«, stellte sie mir Clinton vor. »Du wirst sehen, sie ist überaus tüchtig.«

Leila lächelte, kreuzte die Hände über der Brust und neigte den Kopf. »Als erstes Tee, Leila«, sagte Clinton.

»Ja, Herr.« Ihre großen Augen wandten sich höchst widerstrebend von mir ab. »Ich gleich bringen«, fügte sie hinzu.

»Danke, das ist sehr nett«, sagte ich.

Ich war tief bewegt. So wurde ich also in mein neues Heim eingeführt, und meine vorherrschende Empfindung war Beklommenheit. Das kommt davon, daß alles so fremdartig ist, sagte ich mir, und von der Erkenntnis, daß die Vergangenheit, zu der auch Toby gehört, endgültig hinter mir liegt. Jetzt war ich dem Ungewissen ausgeliefert.

Wir traten in ein Vestibül, und unsere Schritte hallten auf dem Fußboden mit einem verschlungenen Mosaik aus lapislazulifarbenen und karneolroten Steinen. Ein graziöser Tisch und zwei Stühle – aus Bambus, vermutete ich – standen im Vestibül.

»Willkommen daheim«, sagte Clinton. »Später zeige ich dir alles. Doch zuerst müssen wir uns stärken. Du wirst einen Tee bekommen, wie du ihn noch nie zuvor gekostet hast. Frisch aus meinem Lagerhaus.«

Er hatte seinen Arm durch den meinen geschoben, zog mich an sich und küßte mich.

»O Sarah«, sagte er, »ein Traum ist wahr geworden. Du hier bei mir, das war mein Wunsch von dem Augenblick an, als ich dich zum erstenmal sah. Gleich nach dem Tee führe ich dich durchs Haus. Es ist größer, als es aussieht. Ich habe mir viel Mühe gegeben, es nach meinem Geschmack einzurichten. Mein Onkel hat es gebaut, als sich herausstellte, daß Kaffee kein profitables Geschäft, sondern eine einzige Katastrophe war und er sich entschloß, auf Tee zu setzen. Das war damals ein Risiko, das darfst du mir glauben. Aber die Arbeitskräfte waren billig, und er baute das Haus. Ich habe es später vergrößert, es ist zwar nicht mit Ashington Grange oder dem Sitz meiner Familie zu vergleichen, aber es paßt hierher und gilt hier als ausgesprochen vornehm.«

Er hatte mich in einen großen Raum mit Steinboden und zierlichen Möbeln geführt: Stühle, ein Tisch und ein Korbsofa mit vielen bunten Kissen; Teakholz, Rattan und chinesische Lackarbeiten herrschten vor.

»Das Wohnzimmer«, sagte er. »Die Falttüren führen in einen etwa gleich großen Raum: unser Speisezimmer. Wenn wir Gesellschaften geben, werden die Türen geöffnet, und wir haben einen Raum von beachtlicher Größe – sozusagen einen Ball-saal.«

»Finden viele Gesellschaften statt?«

»Nur ab und zu. Die Clubs in Kandy und Colombo sind ein bißchen zu weit weg. Ah, der Tee.«

Zwei Boys hatten ihn hereingebracht. Ihre großen dunklen Augen musterten mich neugierig. Clinton stellte mich als »eure Herrin« vor. Sie setzten das Tablett ab und verbeugten sich feierlich. Sie waren barfuß und trugen die üblichen weißen Hemden und Hosen. Die junge Frau namens Leila war ihnen gefolgt.

»Alles recht so, Master?« fragte sie.

Clinton nickte. »Ich möchte, daß du deiner Herrin hilfst, Leila«, sagte er.

»O ja, ja.« Sie nickte und lächelte, als sei es ihr größtes Vergnü-gen, mir zu Diensten zu sein.

Clinton berührte meinen Arm. »Leila wird sich um alles küm-mern. Sie ist eine Art Verbindungsoffizier zwischen dir und den anderen ... wenigstens am Anfang.«

»Das ist gut«, sagte ich.

Leila verneigte sich abermals und ging hinaus.

»Sie ist eine gute Wirtschafterin«, erklärte Clinton, »und wie viele Singhalesen genießt sie es, ein bißchen Verantwor-tung zu haben. Nankeen, ihr Vater, ist mein Aufseher, und ihr Bruder Ashraf arbeitet auf deiner Plantage. Eine interes-sante Familie. Komm, setz dich! Ich schenke dir deinen Tee ein.«

Als wir nebeneinander auf dem Sofa saßen, legte er seinen Arm um mich. »Es ist alles sehr fremd für dich, nicht wahr?« sagte er. »Und du bist unsicher. Das vergeht. Du wirst sehen, es wird alles gut.«

Er sprach, als sei er allmächtig und als könne er die Zukunft nach seinen Wünschen gestalten. Ich hatte das Gefühl, daß dies auf eine gewisse Art zutraf. Seit unserer Ankunft in diesem Land hatte ich bereits mehrmals einen Eindruck von seiner Macht bekommen.

Er nahm seine Tasse und kostete das Aroma. »Du wirst die Teeschmecker bei der Arbeit sehen«, sagte er. »Du hast noch eine Menge über deine Plantage zu lernen, Sarah. Nun, merkst du, was für ein Aroma dieser Tee ausströmt? Köstlich, nicht wahr?«

Ich stimmte ihm zu. Dieser Tee schmeckte wahrlich anders als jeder Tee, den ich bisher getrunken hatte.

Als wir fertig waren, wollte Clinton mir das Haus zeigen, und ich war natürlich sehr neugierig darauf, es zu sehen.

Im Erdgeschoß gab es außer dem Vestibül mit den beiden angrenzenden Zimmern große Küchenräume mit Steinböden und großen weißen Schränken. Alles war frisch gestrichen und geputzt. Ich sah mehrere Dienstboten: Boys gleich denen, die den Tee gebracht hatten, sowie zwei Männer und zwei Frauen. Alle verbeugten sich ehrfürchtig, als Clinton sie mir vorstellte, und ich war sicher, daß ich die vielen Namen nie behalten und mir nie merken würde, welcher Name zu wem gehörte. Sie musterten mich mit großer Neugier und hatten ganz offensichtlich schreckliche Angst, daß Clinton irgend etwas mißfallen könne.

Er ist wahrhaftig der Herr, dachte ich, und dies hier ist sein Reich. Es gab eine Waschküche und einen Kühlraum mit Eisschränken, die in diesem Klima zur Aufbewahrung von Lebensmitteln gewiß vonnöten waren. Hinter den Küchenräumen lagen die Unterkünfte für das Personal. Sie waren blitzsauber und vermutlich eigens für diese Inspektion hergerichtet worden.

Wir gingen nach oben, wo sich mehrere Schlafräume befanden. »Das hier ist unser Schlafzimmer«, sagte Clinton stolz. Meine Augen schweiften zu dem großen Bett, über das eine bestickte seidene Steppdecke gebreitet war. Vom Baldachin hingen Moskitonetze herab, und ich bemerkte feinen Maschendraht vor sämtlichen Fenstern. Auf dem Holzfußboden lagen blaugrüne

Matten, die mit der Stickerei auf der Steppdecke harmonierten. Das Zimmer sah nicht so aus, als sei es für einen Junggesellen entworfen, und ich fragte mich, ob Clinton wohl vor seiner Abreise Anweisungen für die Ausstattung gegeben hatte. Auf einem Tisch stand die etwa 30 Zentimeter hohe bronzene Figur eines Buddha im Lotussitz. Das Gesicht war lebensecht, und die Augen schienen mich zynisch zu mustern.

Clinton bemerkte, wie ich den Buddha anstarrte. »Er gefällt dir wohl nicht?«

»Er sieht irgendwie bösartig aus.«

»Bösartig? Buddha! Ganz bestimmt nicht. Ich hoffe, er mißfällt dir nicht allzusehr. Ein Freund hat ihn mir geschenkt. Die Dienstboten glauben, es bringt dem Haus Unglück, wenn ich ihn entferne.«

Es war ziemlich albern von mir, mich wegen einer Bronzefigur aufzuregen. Ich entschuldigte mich. Ich war einfach überempfindlich. Ich dachte an früher, an meine Ausflüge mit Toby, und ich verspürte schon jetzt Heimweh. An einem Ende des Zimmers führten zwei Stufen zu einer Empore mit einem Vorhang. Dahinter verbargen sich zwei Sitzwannen, und die drei Wände waren mit hohen Spiegeln verkleidet. Auf einem Tisch standen eine Waschschüssel und eine Wasserkanne.

»Sie haben meine Anordnungen befolgt«, sagte Clinton. »Gut gemacht. Gefällt es dir, Sarah? Ich habe es für dich einrichten lassen.«

»Es ist hübsch«, erwiderte ich, »aber ich kann mir nicht vorstellen, daß du etwas für eine Frau einrichten läßt, die du noch gar nicht kennst.«

»Ich wußte, daß es du sein würdest.«

Er hakte mich unter und führte mich zu den anderen Schlafräumen in diesem Stockwerk. Sämtliche Betten hatten Baldachine mit Moskitonetzen, und alle Fenster waren mit dem feinen Maschendraht bespannt.

»Wir haben gelegentlich Gäste«, erwiderte Clinton. »Meistens dann, wenn wir einen Ball geben – einen bescheidenen natürlich. Überwiegend Plantagenbesitzer mit Frauen und Familie. Die englische Gemeinde. Da manche von weither kommen, müssen sie über Nacht bleiben. Kautschuk-, Kokosnuß- und Reispflanzer, Transport- und Eisenbahnunternehmer und Beamte. Ceylon ist eine blühende Insel, seit es Kronkolonie wurde. Du wirst noch eine Menge über das Land erfahren.«

»Ich möchte bald meine Plantage besichtigen.«

»O ja, du mußt eine Menge lernen. Keine Angst, ich stehe dir bei. Ich kümmere mich um deine Angelegenheiten. Seth Blandford ist ein ganz guter Verwalter, und er ist schließlich dein Schwager, aber ...«

»Vor allem«, unterbrach ich ihn, »möchte ich Clytie sehen.«

»Sobald du dich ausgeruht hast, fahre ich dich hin. Es ist nur einhalb Kilometer weit, und wenn man die Abkürzung durch den Dschungel nimmt, ist es sogar noch näher. Wir sagen Wald dazu, aber eigentlich ist es ein Dschungel, wie früher ein großer Teil dieses Landes, als es noch nicht gerodet und kultiviert war. Wir können auch heute noch nicht durch den Wald reiten, weil das Blätterwerk zu dicht ist, aber es gibt einen Fußpfad. Ich fahre dich in unserem kleinen Einspänner hinüber. Der ist einfach zu handhaben. Du wirst ihn gewiß selbst benutzen wollen, Du kannst auch hinüberreiten, aber manchmal ist der Einspänner bequemer.«

Da ich darauf brannte, endlich meine Halbschwester zu sehen, erklärte ich, daß ich nicht im geringsten müde sei. Ich vertauschte mein Reisekostüm mit einem leichten sandfarbenen Seidenkleid und einem dünnen Umhang, damit ich der Sonne nicht allzusehr ausgeliefert war; dazu setzte ich einen von den Strohhüten auf, die ich mitgebracht hatte.

Ich erkannte sogleich, daß der Einspänner leicht zu handhaben war und mir gewiß gute Dienste leisten würde. Wir durchquerten die Plantage und gelangten bald zu dem Haus, das meinem Vater gehört hatte. Es war demjenigen, von dem wir soeben aufgebrochen waren, sehr ähnlich. Ein Diener eilte herbei, um sich um Pferd und Wagen zu kümmern, und Clinton sprang ab und war mir beim Aussteigen behilflich. Mein Herz klopfte heftig, weil ich nun endlich meine Halbschwester kennenlernen sollte.

Ich blickte zum Haus. Eine zierliche Gestalt stand im Eingang, ein zartes Geschöpf, einen Kopf kleiner als ich. Eine so bezaubernde Erscheinung hatte ich noch nie gesehen. Sie trug einen Sari aus zart lavendelfarbener, von Silberfäden durchzogener Seide und schritt mir mit solcher Grazie entgegen, daß ich mir ganz ungelenk vorkam. Ihr schwarzes Haar war nach hinten gekämmt und in einem Knoten zusammengefaßt; wenn es lose herabhing, reichte es ihr vermutlich bis zu den Knien. Sie streckte ihre kleinen Hände aus. An den Handgelenken klimperten ungefähr zwanzig schmale silberne Armreifen.

Als sie sprach, war ich maßlos überrascht. »Ich bin Clytie«, sagte sie. Einen Augenblick lang fand ich keine Worte. Das erste, was mir einfiel, blieb ungesagt: Du kannst nicht die Tochter meines Vaters sein. Du bist keine Engländerin. Ich stammelte: »Meine ... meine Schwester. Ich habe mich so danach gesehnt, dich kennenzulernen.«

Sie hatte eine angenehme Stimme, und ihr Englisch war so perfekt, daß niemand an ihrer Sprache gemerkt hätte, daß sie keine Engländerin war. »Ich freue mich. O ja, wir müssen uns kennenlernen. Wir sind Geschwister ... wenn auch nur halb. Wir haben unseren lieben Vater verloren. Das sollte uns einander nahebringen. Unser Haus war voller Trauer, doch das soll sich nun ändern, da du gekommen bist.«

Wir betrachteten uns gegenseitig voller Verwunderung. Ich muß ihr ebenso fremdartig erschienen sein wie sie mir. Doch sie hatte immerhin damit gerechnet, daß ich Engländerin war.

»Clinton«, sagte sie. »Herzlichen Glückwunsch. Du hast eine reizende Frau.«

»Danke, Clytie. Ich bin ganz deiner Meinung. Zuerst wollte sie nichts von mir wissen, aber dann habe ich sie überzeugt.«

»Deine Überredungskünste sind uns allen bekannt«, erwiderte sie. »Bitte, komm mit mir, Sarah! Ich möchte dich mit meinem Sohn bekannt machen. Unser kleiner Ralph kann es gar nicht erwarten, dich zu sehen.«

»Ihr Stolz und ihre Freude«, erklärte mir Clinton.

»Das wäre er für jeden, der das Glück hätte, ihn zum Sohn zu haben«, erwiderte Clytie.

Ihre Stimme klang fröhlich. Ich war von meiner Schwester wie gebannt. Es gab nur eine Erklärung: Die erste Frau meines Vaters war Singhalesin. Deshalb hatte Tante Martha sie nie erwähnt.

Als hätte ich laut gedacht, machte mich Clytie auf ein Porträt an der Wand aufmerksam. Es zeigte eine schöne, zierliche Frau, das schwarze Haar mit Blumen geschmückt.

»Meine Mutter«, erklärte Clytie. »Sie starb, als ich noch ganz klein war. Ich kenne sie nur von diesem Bild. Wir haben uns gewiß viel zu erzählen, du und ich, Sarah. Aber komm, zuerst mußt du meinen Sohn sehen.«

Wir stiegen die Treppe zur Kinderstube empor – einem Raum mit leichten Möbeln, ebenso zierlich wie Clytie selbst.

»Sheba!« rief sie. »Sheba! Ralph! Wo seid ihr?«

Eine Tür flog auf, und mit einem Freudenschrei stürzte ein Junge herbei. Er umfaßte Clyties Knie, und ich fand, sie sah so zerbrechlich aus, daß er sie mühelos hätte umstoßen können.

»Das ist mein Ralph!« rief sie. »Ralph, wie findest du das, daß deine Tante dich besuchen gekommen ist?«

Ralph besaß zweifellos englisches Blut. Sein Haar war zwar dunkel, hatte aber nicht diesen blauschwarzen Ton, der in England nicht vorkommt; auch seine Augen waren dunkel, aber eindeutig braun. Er hatte einen leicht olivfarbenen Teint, doch die Wangen schimmerten rosig. Er war ein hübsches Kind, kräftig und gesund. Ich schätzte ihn auf etwa vier Jahre.

»Ich hab' nie eine Tante gehabt«, sagte er und musterte mich mißtrauisch.

»Aber jetzt hast du eine«, erklärte ich ihm, und darauf schüttelte er mir die Hand.

»Bist du aus England gekommen?« fragte er.

»Ja.«

»Mein Großvater ist nach England gegangen und nicht wiedergekommen. Dafür ist er jetzt im Himmel.«

»Ja«, sagte ich langsam. »Aber nun bin ich gekommen, und ich freue mich, daß ich hier einen Neffen gefunden habe.«

»Bin ich ein Neffe?« Das Wort schien ihm zu gefallen, und er lachte vor sich hin.

Ich spürte, daß ich unverwandt beobachtet wurde. Eine Frau stand in der Tür. Ich konnte ihr Alter nicht schätzen, aber sie war keinesfalls jung. Sie trug einen grünen Sari und hatte schwarzes, streng zurückgekämmtes und zu einem Nackenknoten zusammengeschlungenes Haar. Ihre Augen waren groß, schwarz und geheimnisvoll.

»Das ist Sheba«, sagte Clytie. »Sie war schon meine Kinderfrau, und nun paßt sie auf Ralph auf. Sheba, das ist meine Schwester. Sheba kann sich noch an dich erinnern, Sarah.« Shebas Sari raschelte, als sie herankam. Ihre Bewegungen waren flink und geschmeidig wie die einer Katze.

»O ja«, murmelte sie, »erinnere mich gut. Kleine Sarah. So winzig waren Sie«, sie hielt ihre Hand etwa einen halben Meter über den Fußboden, »als Sie fortgingen.«

So gern ich es auch wollte, es war mir nicht möglich, mich an sie zu erinnern.

»Sheba weiß, wie glücklich ich bin, daß du jetzt bei uns bleibst«, sagte Clytie. Sie lächelte mich liebevoll an. Ich fand sie bezaubernd, spürte aber instinktiv, daß ich vor Sheba auf der Hut sein mußte. Zwar erwies sie mir allen Respekt, doch etwas in ihrem Gebaren verriet mir, daß ihr mein Kommen nicht behagte.

»Sheba«, sagte Clytie, »sie bleiben zum Essen. Sag in der Küche

Bescheid!« Clytie sah mich beinahe schüchtern an. »Wir haben gehofft, daß ihr heute kommen würdet, aber so genau kann man das ja nie wissen. Wir haben auf alle Fälle etwas vorbereitet. Ich möchte, daß du deine erste Mahlzeit in diesem Haus einnimmst. Du bist hier geboren, in diesem Zimmer, nicht wahr, Sheba? Ich wurde auch hier geboren. Wir sind wahrhaftig Schwestern. Ich hoffe, Clinton nimmt es mir nicht übel, wenn ich dich so einfach in Beschlag nehme.«

»Meine liebe Clytie«, sagte Clinton, »du weißt, ich tu dir jeden Gefallen.« Er schenkte ihr ein Lächeln mit dem Ausdruck der Bewunderung, wie sie wohl die meisten Männer in Gegenwart einer Frau empfinden, die so schön ist wie meine Halbschwester.

Ralph hatte sich an mich herangemacht und ergriff meine Hand. »Du bist *meine* Tante«, sprudelte er übermütig hervor.

»Ich möchte ihr den Garten zeigen«, sagte Clytie.

»Missie Clytie und ihre Pflanzen!« murmelte Sheba. »Sie würde sie im ganzen Haus züchten, wenn Master Seth sie nicht zurückhielte. Wir hätten das Haus voller Kriechgewächse.« Ihre Stimme hatte den melodischen Singsang, in den die Singhalesen fallen, wenn sie englisch sprechen.

»Clytie ist so aufgeregt, weil du da bist, Sarah«, sagte Clinton. »Zugegeben, es ist ein sehr bedeutender Augenblick, liebe Clytie. Wir haben aber eine weite Reise hinter uns. Wir sind erst heute angekommen. Sarah hat sich kaum umgeschaut. Es war ihr dringendster Wunsch, dich zu sehen. Laß uns also zusammen essen, wie du vorgeschlagen hast, und dann bringe ich Sarah heim. Morgen ist auch noch ein Tag. Da kannst du ihr deinen Garten zeigen, und ihr könnt euch heiser schwätzen, doch heute müssen wir früh zu Bett. Nach einer solchen Reise braucht man unbedingt Erholung.«

Ich hatte das Bedürfnis, mich ihm zu widersetzen, daher sagte ich zu Clytie: »Ich möchte den Garten sehen und vor allem mit dir reden.« Sie trat auf mich zu. Sie ging nicht, und sie lief nicht, es war, als gleite sie. Diese unglaubliche Grazie beeindruckte mich zutiefst. Sie ergriff meine Hand und lächelte.

»Verzeih mir«, sagte sie mit ihrer leisen, etwas rauhen Stimme. »Clinton hat sicher recht. Die Freude, dich zu sehen, hat mich überwältigt. Sie macht mich selbstsüchtig. Morgen ist auch noch ein Tag. Dann können wir genügend plaudern …«

»Ich bin überhaupt nicht müde«, protestierte ich.

»Doch, meine Liebe«, entgegnete Clinton streng. »Vor lauter Aufregung merkst du es nur nicht. Wir fahren gleich nach dem Essen zurück. Clytie gibt mir recht.«

Sheba schien aufmerksam zuzuhören. Sie hob den Jungen auf den Arm. »Geht meine Tante jetzt in den Himmel?« fragte er.

Ein betretenes Schweigen breitete sich im Raum aus: Vielleicht bildete ich es mir auch nur ein. Ich bemerkte Clyties bestürzten Blick und spürte, wie Shebas dunkle Augen mich anstarrten. Es ging sogleich vorüber, aber eine halbe Sekunde lang war mir, als rieselte mir ein eiskalter Wassertropfen den Rücken hinunter.

»Wie kommst du denn darauf?« fragte Clytie.

»Weil Großpapa in den Himmel eingegangen ist.«

Clinton sagte: »Nein, junger Mann. Deine Tante bleibt hier.«

Clytie trat zu ihrem Sohn und zerzauste ihm das Haar. »Höchste Zeit, daß du ins Bett kommst«, sagte sie.

»Ich will aufbleiben und Tante Sarah angucken.«

»Das kannst du morgen machen.«

»Ich will aber *jetzt*.«

»Geh mit Sheba, Liebling, und nachher komme ich zu dir und decke dich zu.«

»Singst du mir was vor?«

»Ja.«

»Und liest du mir auch was vor?«

»Vielleicht.«

Das schien ihn zu versöhnen.

»Sag schön gute Nacht«, redete Clytie ihm zu.

227

»Gute Nacht«, sagte er. »Morgen spreche ich mit Tante Sarah. Sie geht nicht in den Himmel.«

Wir stiegen die Stufen hinunter. Im Speisezimmer, das wie unseres durch eine Falttür mit dem Wohnzimmer verbunden war, deckten die Dienstboten den Tisch.

Es war noch nicht dunkel. Clinton hatte mir erklärt, daß aufgrund der Nähe des Äquators die Tageslänge auf der Insel innerhalb eines Jahres nie um mehr als eine Stunde variiert. Gegen sieben würde es dunkel, und bis dahin war es nicht mehr lange hin. An der Decke hingen mehrere Öllampen, deren Licht durch Kerzen in Messingleuchtern ergänzt wurde. Die Lampen ähnelten denen, die ich in Clintons Haus gesehen hatte.

Gerade als das Essen serviert werden sollte, gesellte sich Seth Blandford zu uns. An *seiner* Nationalität gab es keinen Zweifel. Sein Haar schimmerte rötlich, und seine Augenbrauen und Wimpern waren so hell, daß sie kaum sichtbar waren. Er hatte ausgeprägte Gesichtszüge und eine sehr blasse Haut. Alles in allem sah er gut aus. Er war mittelgroß, aber neben Clinton wirkte er klein.

»Ah, Clinton«, sagte er. »Endlich wieder da. Und du hast Sarah mitgebracht.«

Er packte meine Hand mit einem Griff, den man wohl als ehrlich bezeichnet, den ich allerdings als unangenehm empfand; denn er war so fest, daß es mir schwerfiel, ein schmerzliches Wimmern zu unterdrücken, als mein Ehering in meinen Finger schnitt.

»Fein, daß du da bist«, sagte er. »Du siehst deinem Vater ähnlich. So ein Unglück. Er hätte die Reise nicht machen dürfen.«

»Er bestand darauf«, sagte Clinton.

»Und nun ist er tot ... und Sarah ist hier.»

Clytie schaute mich liebevoll an. »Ich bin so glücklich, daß sie gekommen ist.«

»Gut, trinken wir etwas, auf daß wir uns kennenlernen.«

»Ich denke«, erwiderte Clinton, »bis auf Sarah kennen wir uns doch alle.«

Clytie klatschte in die Hände, und auf leisen Sohlen huschten zwei Diener mit einem Tablett mit Gläsern, Gin, Sodawasser sowie Limonen und Fruchtsaft herein.

Clytie schenkte die Getränke ein. Dann erhob Clinton sein Glas und sagte: »Auf die Heimkehr!«

Seth Blandford meinte ruhig: »Das Testament war eine Überraschung. Man hätte doch annehmen sollen …«

»Der alte Ralph war immer unberechenbar«, bestätigte Clinton. »Er schien nur so konventionell, tat aber immer, was man am wenigsten erwartete.«

»Nun, Sarah«, wandte sich Seth an mich, »wie fühlt man sich, wenn man Besitzer einer Plantage ist?«

»Konfus«, erwiderte ich, »zumal ich doch absolut nichts davon verstehe.«

»Da habt ihr's!« rief Seth. »Warum?«

»Sie ist seine Tochter, und Clytie hat die Perlen«, sagte Clinton. Clytie griff sich an den Hals und senkte den Blick; ihre kleine Hand zitterte.

»Vorübergehend«, erwiderte Seth mit einem Anflug von Bitterkeit.

»Ich hoffe, es wird dir schmecken, was ich auftischen werde«, warf Clytie rasch ein. »Wir essen sehr viel Curry hier. Das ist das Nationalgericht. Nichts kochen die Eingeborenen so gut wie Curry.«

Es war ihr gelungen, das Thema zu wechseln, das mir Unbehagen bereitet hatte; sie plauderte vom nächsten Tag, an dem ich zu ihr kommen und ihren Garten besichtigen sollte. Ich müsse meine Bekanntschaft mit Ralph vertiefen, der sich so auf mich gefreut habe. Wir müßten uns über so vieles unterhalten. Über Kleider zum Beispiel. Ob ich die richtige Garderobe hätte?

»Clinton hat mir das Klima beschrieben, und ich habe mich einigermaßen darauf vorbereitet.«

»Es gibt etwas, wovon Clinton überhaupt nichts versteht: Damenkleidung.«

»Dennoch weiß er sie zu schätzen«, fügte Seth hinzu.

»Sarah braucht Rat, und den bekommt sie von mir. Ich zeige dir, wo man die schönsten Stoffe kaufen kann. Fünf Meter ergeben einen Sari, und man braucht gar nichts zu nähen.«

»Meine liebe Clytie«, rief ich aus, »kannst du dir vorstellen, wie ich in einem Sari aussehe? Ich bin viel zu groß dafür.«

»Er würde dir vorzüglich stehen«, versicherte sie mir.

Ich schüttelte den Kopf. »Es würde linkisch wirken. So ein erlesenes Kleidungsstück paßt nicht zu mir. Nein. Ich halte mich lieber an meinen heimischen Stil.«

»Gut, dann sage ich dir, wo man schöne Seidenstoffe kaufen kann.«

»Das ist reizend.«

Es seien knapp 20 Kilometer bis Kandy, erfuhr ich, doch Manganiya, wo wir aus dem Zug gestiegen waren, liege ziemlich nahe. Es sei zwar nicht mit Kandy oder Colombo zu vergleichen, doch die Geschäfte dort seien recht gut.

»Ich freue mich so, daß du mir Gesellschaft leistest«, meinte Clytie. »Wir müssen bald Sarah zu Ehren einen Ball geben, Seth. Alle Welt möchte sie kennenlernen.«

Es war dunkel geworden, als wir uns ins Speisezimmer begaben. »Wir hatten ganz schöne Probleme hier, während du fort warst«, sagte Seth beim Essen. »Unter anderem Nesselfraß.«

»Ich bin sicher, du bist damit fertiggeworden«, erwiderte Clinton. »Na klar. Die Ernte ist erstklassig wie immer.«

»Was würden wir ohne dich anfangen, Seth?«

Diese Bemerkung schien Seth zu freuen.

Ich war hungrig, und der Curry schmeckte vorzüglich. Ich hörte aufmerksam zu, wenn von der Plantage die Rede war, und dachte immer wieder: Sie gehört mir. Unglaublich! Ich begriff meinen Vater nicht. Clytie hätte die Plantage erben sollen. Ich konnte Seths Verstimmung verstehen, die er mich bereits hatte spüren lassen. Sicher, Clytie hatte die Perlen für die Frau ihres Sohnes in Verwahrung …

Merkwürdig, gerade in diesem Augenblick sprachen sie über Perlen. Seth sagte etwas von den Perlenfischern in der Bucht von Tambalgam. »Einen von deinen Männern hat ein Hai erwischt. Da war es aus mit ihm.«

»Wen?« rief Clinton.

»Karam.«

»Karam!« wiederholte Clinton. »Er war einer meiner besten Taucher. Er hätte besser aufpassen sollen.«

»Na hör mal! Denkst du vielleicht, die Männer passen nicht auf! Das Boot war ja da, und der Haibeschwörer war auch drin. Dein Mann ging runter, und da lag das Biest auf der Lauer.«

»Karam! Ein guter Mann, einer der besten.«

»Wie ich höre, war die Ausbeute reichlich in dieser Saison.«

»Das ist eine erfreulichere Nachricht«, sagte Clinton. »Aber Karam!«

»Von welchen Perlenfischern sprecht ihr eigentlich?« erkundigte ich mich. »Von denen habe ich noch nie etwas gehört.«

Seth warf Clinton einen, wie ich fand, verschlagenen Blick zu. »Es sieht Clinton gar nicht ähnlich, sein Licht unter den Scheffel zu stellen«, sagte er.

»Habe ich dir das nicht erzählt?« fragte Clinton mich. »Ich besitze eine Perlenfischerei oben im Nordwesten. Ich nehme dich mal mit und zeige sie dir. Du möchtest dir bestimmt gern anschauen, wenn die Austern gefangen werden. Das beginnt etwa in der ersten Märzwoche, und die Saison dauert nur vier bis sechs Wochen.«

»Perlen?« sagte ich. »Du handelst mit Perlen?«

»Ein Nebenerwerb«, meinte Clinton.

Seth beugte sich vor. »Clinton besitzt praktisch ganz Ceylon«, sagte er. »Hier hat er Tee, im Nordwesten Perlen, in den Wäldern Kautschuk. Die Hälfte der Schiffe, die du im Hafen von Colombo gesehen hast, waren mit Clintons Gütern beladen.«

»Wir müssen aus dem Land herausholen, soviel wir können«, erklärte Clinton. »Diese Produkte sind der Lebensunterhalt des Volkes.«

»Und der Reichtum derer, die das alles ermöglichen«, fügte Seth hinzu.

»Denen steht ja wohl eine Entschädigung für ihre Investitionen und ihre Arbeit zu«, hielt Clinton ihm entgegen.

»Diese Perlenfischereien interessieren mich«, sagte ich.

»Weibergeschwätz!« erwiderte Clinton. »Wenn ihr wüßtet, wie mühsam es ist, an die Dinger ranzukommen, so würdet ihr gewiß ein wenig nachdenklich, wenn ihr euch mit den schönen Perlen schmückt.«

»Ich muß sagen, daran habe ich noch nie gedacht«, gab ich zu.

»Hör dir das an, Clytie!« ereiferte sich Seth. »Daß du ja daran denkst, wenn du deine berühmten Perlen trägst!«

»Natürlich«, erwiderte Clytie schlicht.

Clinton wandte sich an mich und fuhr fort: »Die Frauen und Bräute der Perlenfischer nennen die Perlen ›Männerleben‹.«

»Ist das Tauchen denn so gefährlich?«

»Du hast soeben gehört, daß einer meiner besten Leute von einem Hai erwischt wurde. Stell dir vor, die Boote laufen um Mitternacht aus, um bei Sonnenaufgang an den Austernbänken zu sein. Auf jedem Boot sind etwa zehn Taucher. Sie arbeiten paarweise und trauen sich nur nach unten, wenn die Haibeschwörer im Boot sind. Die singen eine eigenartige Melodie, von der die Haie angeblich so betört sind, daß sie die Fremdlinge nicht bemerken, die in ihre Gewässer eindringen. Trotzdem haben die Taucher Spieße aus Hartholz bei sich, um jeden Hai abzuwehren, der sich nicht betören lassen will.«

»Es wundert mich, daß sich überhaupt Leute für so eine Arbeit finden.«

»Sie müssen arbeiten oder verhungern«, sagte Clytie.

Clinton blickte mich eindringlich an. »Das stimmt. Sie haben keine andere Wahl. Aber so ist das Leben, nicht wahr?«

In diesem Augenblick wurde mir zutiefst bewußt, wie fremdartig das alles war: die Hitze; das plötzliche Aufprallen eines Insekts an dem Gitter vor den Fenstern; ich inmitten von Menschen, von denen ich kaum mehr wußte, als daß sie mit mir verwandt waren; die spürbare Spannung zwischen Seth und Clinton.

Sie redeten wieder über die Plantage, und Clytie versprach, mich am nächsten Morgen mit ihrem Einspänner abzuholen; dann könnten wir uns endlich unterhalten, und sie würde mir alles zeigen.

Es muß etwa halb zehn gewesen sein, als wir aufbrachen. Seth und Clytie kamen mit hinaus und winkten uns zum Abschied nach.

»Hat es dir gefallen?« fragte Clinton, als der kleine Wagen mit uns davonfuhr.

»Sehr. ich hatte mich so danach gesehnt, Clytie kennenzulernen.«

»Und wie findest du sie?«

»Sie ist schön und charmant. Ich war zunächst richtig erschrokken. Ich hatte eine Engländerin erwartet. Du hättest es mir ruhig vorher sagen können.«

Clinton zuckte die Achseln. »Sie artet ihrer Mutter nach. Ich habe gehört, sie sei ihr Ebenbild.«

»Mir hat niemand gesagt, daß mein Vater mit einer Singhalesin verheiratet war.«

»Das kommt vor … hin und wieder. Viele Männer haben eingeborene Mätressen. Die eine oder andere bekommt ein Kind. Ab und zu gibt es eine Hochzeit. Clytie wurde wie eine Engländerin erzogen. Dein Vater hatte jahrelang eine englische Gouvernante hier. Ein richtiger Drachen war das, alles was recht ist. Dann kam Seth als Verwalter her; sie verliebten sich, und im Nu waren sie verheiratet.«

»Ist Seth ein guter Verwalter?«

»Er ist nicht schlecht. Er hat natürlich gehofft, daß Clytie die Plantage erbt.«

»Das war ja eigentlich auch zu erwarten, denke ich.«

»Nun, man darf sich im Leben eben auf nichts verlassen.«

Wir sprachen nichts mehr, bis die Fahrt zu Ende war. Im Stall nahm sich ein Mann des Wagens an, und Clinton schob seinen Arm durch den meinen und führte mich zum Haus, das weiß in der Dunkelheit leuchtete. Über der Tür hing eine Laterne, und ich vernahm das stetige Summen der Insekten. Wir traten ins Vestibül.

»Endlich daheim«, sagte Clinton und küßte mich. Als er mich losließ, bemerkte ich, daß ein Diener uns beobachtete.

»Brauchen Sie etwas, Master?«

»Nein danke«, erwiderte Clinton.

Wir gingen ins Schlafzimmer hinauf. Zwei Lampen waren angezündet; das Moskitonetz war an seinem Platz, und ich sah mehrere tote Insekten, die in der Hoffnung, zum Licht zu gelangen, gegen das Gitter geprallt waren.

Ich dachte flüchtig an mein Schlafzimmer auf Ashington Grange: kalte Winterabende, an denen ich mich hastig ausgezogen hatte und ins Bett gesprungen war, um schnell warm zu werden; oder im Sommer, wenn die reine, frische Luft durch die weit geöffneten Fenster drang.

»Das ist schon ein Unterschied, nicht wahr?« sagte Clinton und bewies einmal mehr diese unheimliche Fähigkeit, meine Gedanken zu lesen. »Mach dir nichts draus! Du wirst dich daran gewöhnen. Bald wirst du dich hier zu Hause fühlen. Und eines Tages machen wir eine Urlaubsreise nach England, wenn du willst.«

Ich nickte, und er machte sich daran, mein Kleid aufzuknöpfen.

»Clinton, ist es wahr, daß dir fast ganz Ceylon gehört?«

Er lachte. »Seth neigt zur Übertreibung, meine Liebe. Ceylon ist ein großes Land. Unter der richtigen Führung wird es immer wohlhabender. Einige von uns verstehen es eben, das meiste aus dem Land herauszuholen. Ich bin nur einer von vielen.«

»Es sieht so aus, als gehörte dir alles; die Perlenfischereien zum Beispiel.«

»Die haben es dir angetan, nicht wahr? Das kommt von all dem Gerede über die Ashington-Perlen, das du dein Leben lang gehört hast.«

»Die meisten Menschen sind von Perlen fasziniert. Es ist also wahr; du besitzt tatsächlich Perlenfischereien?«

»Sie interessieren mich – wie andere Dinge auch. Man muß seine Interessen streuen, weißt du. Denk doch nur an das Desaster mit dem Kaffee. Wir haben uns gerade erst davon erholt. Es gab eine Zeit, da glaubten die meisten, mit dem Anbau von Kaffee würden sie reich. Und was geschah? Der Markt brach zusammen. Wie ich dir bereits erzählte, hat eine Krankheit, der Kaffeebrand, die Ernte im ganzen Land vernichtet. Innerhalb weniger Jahre war die Branche ausgelöscht. Ein Unternehmer muß auf andere Möglichkeiten ausweichen können. Deshalb ist es klug, mehrere Eisen im Feuer zu haben.«

»Ich vermute, du bist sehr schlau.«

»Eine nette Bemerkung aus dem Munde meiner Frau.«

»Du verstehst es wohl immer, deinen Vorteil wahrzunehmen«, fuhr ich fort.

»Das will ich meinen.«

»Also du hast – was war das noch alles? – Perlen, Kautschuk, Kokosnüsse und Tee.«

»Das sind die wichtigsten Erzeugnisse dieses Landes. Die Plantage hat mir nie genügt. Sie war mir nicht groß genug. Ich wollte sie immer vergrößern. Nun aber, obwohl es zwei sind, werden beide Plantagen wie eine sein. Sie gehören mir … alle beide.«

»Ich dachte, die eine gehört mir.«

»Liebste Sarah, was dein ist, ist auch mein.«

»Und was dein ist, ist mein?«

»Selbstverständlich.«

»Also habe ich einen Anteil an den Perlenfischereien und allen anderen Betrieben?«

Er zog mich lachend an sich. »Ich habe Pläne«, sagte er. »Es ist gut, daß ich wieder hier bin. Es ist viel einfacher, die beiden Plantagen wie eine einzige zu bewirtschaften. Seth kann drüben als Verwalter bleiben. Aber ich werde dafür sorgen, daß der Betrieb leistungsfähiger wird; daran hat es nämlich bisher gefehlt. Das hatte ich schon lange vor.«

»Schon lange?« wiederholte ich. »Woher wußtest du denn, daß ich die Plantage erben würde?«

»Du bist die Tochter deines Vaters.«

»Aber der Mann meiner Schwester hat die Plantage für meinen Vater geführt.«

»Nicht sehr erfolgreich.«

»Clinton«, sagte ich langsam, »du hast *gewußt*, daß ich die Plantage bekommen würde.«

Er blickte mir geradewegs ins Gesicht. »Und wenn es so wäre?«

»Woher?«

»Dein Vater hat es mir gesagt. Seth hatte nicht ganz die richtigen Vorstellungen. Er konnte nicht mit den Arbeitern umgehen. Dein Vater hat mit mir darüber gesprochen.«

»Du hast wirklich gewußt, daß er mir die Plantage vermachen wollte, nicht wahr?«

»Ja.«

»Und das brachte dich auf die Idee, mich zu heiraten und die Plantage zu übernehmen.«

»So ungefähr.«

»Also deswegen …«

»Komm, Sarah, es ist doch mehr als das. Habe ich dir nicht gezeigt, wie sehr ich es genieße, mit dir zusammenzusein?«

»Du genießt das Wissen, daß du durch mich an die Plantage kommen kannst.«

»Ich hätte sie früher oder später sowieso übernommen. Ich wollte sie kaufen, wenn die Zeit reif war. So wie die Dinge liegen, hätte ich nicht mehr lange warten müssen. Jetzt habe ich sie eben einfacher bekommen.«

Ich sah ihm ins Gesicht, und meine Augen funkelten vor Zorn. »So … deswegen hast du dich an mich herangemacht; ihr habt das abgesprochen. Du und Vater …«

»Natürlich war es sein Wunsch. Ein Mann erträgt es nicht, zusehen zu müssen, wie es mit einer Plantage, die er jahrelang geführt hat, bergab geht, nur weil er gesundheitlich nicht mehr auf der Höhe und auf einen Verwalter angewiesen ist. Er wußte, was nötig war, um den Betrieb wieder flottzumachen, und daß ich der richtige Mann dafür war. Er wußte, daß ich die Plantage so oder so in ein paar Jahren übernommen hätte. Und du brauchtest einen Beschützer. Da hielt ich es für eine gute Idee, dich zu heiraten, damit die Plantage in der Familie blieb.«

»Du bist berechnend und abscheulich.«

»Ja«, erwiderte er, »ich weiß.«

Dann hob er mich auf seine Arme und lachte. »So ist's recht«, sagte er. »Wehr dich! Kämpfe! So gefällst du mir.«

Ich erwachte am frühen Morgen. Ich lag im Bett, von Netzen umschlossen. Clinton schlief an meiner Seite. Ich fühlte mich gefangen. Ich saß in einem Netz, das er aus seinen Intrigen gesponnen hatte. Er hatte mich nicht wirklich geliebt. Ich war nur eine Frau mehr für ihn, und ich wußte, er hatte viele gehabt und würde vermutlich noch viel mehr haben. Ich lag still. Bald würde es Tag sein. Mein erster Tag in einem fremden Land.

Ich dachte an Toby und fragte mich, wo er jetzt wohl sei. Er war gewiß inzwischen nach Indien zurückgekehrt. Angenommen, ich wäre bei ihm. Vielleicht läge ich in einem ähnlichen Bett. Maschendraht an den Fenstern, ein Netz über mir – und doch wäre es ganz anders.

Das Zimmer schien um mich herum immer enger zu werden, und seltsamerweise meinte ich aus den nebligen Tiefen meiner Erinnerung eine kindliche Stimme zu vernehmen: »Geht meine Tante jetzt in den Himmel?«

Ich dachte wieder an das stechende Gefühl in meinem Rücken,

das ich verspürte, als das Kind diese Worte sprach. Mir war, als liege eine Warnung in der Luft.

Am späteren Vormittag kam Clytie in einem Einspänner, ähnlich dem, den wir am Abend zuvor benutzt hatten, herüber, um mich, wie versprochen, zur Ashington-Plantage zu fahren. Seth meinte, nachdem ich die Besitzerin sei, sollte ich einiges darüber wissen.

Clinton war guter Laune. Seine Entlarvung schien ihn gänzlich ungerührt gelassen zu haben; er nahm wohl an, er könne jene Beleidigung, die er mir zufügte, durch seine Liebeskünste wettmachen. Ich war zutiefst verletzt und nahm mir vor, soviel ich konnte über den Teeanbau zu lernen, um Clinton zu zeigen, daß ich mir die Plantage, wegen der er mich geheiratet hatte, nicht wegnehmen ließ.

Meine Stimmung besserte sich etwas, als ich mit Clytie davonfuhr. Irgendwie paßte es nicht zu ihr, einen Wagen zu kutschieren, obwohl sie dazu keinen Sari trug, sondern ein hellblaues Seidenkleid. Ihre Erscheinung gemahnte an eine niedliche Puppe, die zu nichts anderem geschaffen war, als jedermann mit ihrer zierlichen Grazie zu betören. »Du verstehst gut, mit einem Pferd umzugehen«, sagte ich.

»Ach so ... den Wagen meinst du. Das ist ganz einfach. Du mußt bedenken, daß ich halb Engländerin bin. Ich bin anders erzogen als die einheimischen Mädchen, obwohl ich genauso aussehe wie sie, findest du nicht? Doch ich bin kräftig. Sarah, du wirst sehen. Du mußt mir von England erzählen. Ich möchte so vieles wissen. Ich kann mich schwach an deine Mutter erinnern. Eine sanfte Stimme, der ich gern zuhörte. Ich besinne mich nicht mehr auf ihr Aussehen, aber ich weiß, daß sie sehr schön war.«

»Ja, sie war schön.«

»Und als sie fortging ... Das weiß ich auch noch. Die Stille im Haus ... mein Vater tagelang eingeschlossen. Doch das ist lange her. Sheba hat mir davon erzählt. Sie sagte, deine Mutter paßte einfach nicht hierher, und sie hätte nie kommen sollen. Doch Sheba hat meine Mutter geliebt, und es war ihr nicht recht, daß unser Vater wieder heiratete. Dabei war es ein Segen – denn sonst wärst du ja nicht hier, Sarah.«

Wir fuhren den gleichen Weg, den ich am Abend zuvor mit Clinton gekommen war.

»Auf dem Rückweg zeige ich dir die Abkürzung durch den Wald«, sagte Clytie. »Ich bin froh, daß man dieses Stück Wald stehenließ. Eigentlich ist es ein Dschungel. Ich glaube, Clinton hat vor, ihn ganz abzuholzen, um mehr Platz für die Teepflanzen zu schaffen.«

»Wem gehört der Grund?« fragte ich.

»Halb den Shaws, halb den Ashingtons.«

»Gut«, sagte ich, »der Teil der Ashingtons wird nicht abgeholzt.«

»Wenn es Clinton aber beschließt …«

»Wenn jemand hier etwas beschließt, dann ich.«

»Ich sehe, Sarah, du bist eine energische Frau.«

Wir waren beim Haus angelangt. Clytie lenkte den Einspänner in den Hof, und als wir ausstiegen, erschienen zwei Diener, um sich des Wagens anzunehmen. Es machte mich ein bißchen nervös, wie diese leichtfüßigen Dienstboten aus dem Nichts auftauchten, wenn sie gebraucht wurden. Ich hatte den Eindruck, daß sie uns ständig beobachteten, um unseren Wünschen zuvorzukommen; und mochte dies auch recht bequem sein, so mußte ich doch zugeben, daß ich dabei ein unbehagliches Gefühl hatte.

Es tat wohl, ins Haus zu gehen, wo es viel kühler war als draußen. Clytie fragte mich: »Was möchtest du zuerst tun? Soll ich dir das Haus zeigen? Es ist ganz ähnlich wie eures. Kein Vergleich mit Ashington Grange. Mein Vater hat mir des öfteren davon erzählt, und ich war neugierig, ob ich es wohl jemals zu sehen bekommen würde. Ich stellte mir vor, daß zwei Drachen namens Martha und Mabel es bewachten und mich nicht hineinließen.«

»Das sind die Tanten. Martha ist ein bißchen fanatisch, eine Frau, die ihren Willen durchsetzt, koste es, was es wolle.« Das schreckliche Bild, wie ich in jener bitterkalten Nacht ins Schlafzimmer meiner Mutter kam, tauchte in meiner Erinnerung auf. Komisch, ich dachte jetzt nur noch selten daran. Es war wohl eine Verirrung meiner Phantasie gewesen, vom Schmerz über den Tod meiner Mutter hervorgerufen. »Mabel«, fuhr ich fort, »ist nicht so streng. Sie bewegt sich aber in Marthas Schatten.«

»Und du hast eine Zeitlang bei ihnen gelebt. Das muß ganz anders gewesen sein als hier. Du bist eine von ihnen, Sarah.«

»Sie konnten meine Mutter nicht leiden.«

»Die schöne Schauspielerin? Ach, könnte ich mich nur besser an sie erinnern. Manchmal, wenn ich im Bett liege, versuche ich zurückzudenken, doch ich kann mich nur noch erinnern, wie Sheba eines Morgens sagte: ›Sie ist weg.‹ Und dabei strahlten ihre Augen, als sei dies ein Grund zum Jubeln.«

»Erzähle mir mehr über Sheba. Sie interessiert mich.«

»Soll ich etwas Kaltes zu trinken kommen lassen? Es gibt natürlich auch Tee … den gibt es immer. Ich nehme an, daß wir hier sogar mehr Tee trinken als ihr in England. Das macht die Hitze …«

Sie hatte kaum ausgesprochen, als ein Diener erschien und Limonade in hohen Gläsern servierte. Als wir wieder allein waren, sagte Clytie: »Du hast dich nach Sheba erkundigt. Sie stammt aus einer interessanten Familie. Ihr Bruder Nankeen ist Clintons Aufseher. Ein kluger Mann. Clinton hält sehr viel von ihm. Nankeen war, was sehr ungewöhnlich ist, mit einer Portugiesin verheiratet. Die Portugiesen hatten sich hier früher angesiedelt, wie du sicher weißt. Sie und die Niederländer, die ebenfalls auf der Insel herrschten, saßen vornehmlich in den höheren Ämtern. Nankeen ist ein stattlicher Mann, und er gewann die Zuneigung eines hübschen Mädchens aus guter Familie. Er hat sie geheiratet. Eure Leila ist ein Kind aus dieser

Ehe. Dann ist da noch Ashraf, der auf unserer Plantage arbeitet, und … noch eine Tochter.«

»Was macht die?«

Clytie zögerte. »Anula ist ziemlich sonderbar. Sie bewohnt ein eigenes Haus. Sie gilt als große Schönheit, und man behauptet von ihr, sie habe übernatürliche Kräfte.«

»Wirklich interessant. Ich werde sie hoffentlich kennenlernen.«

»Nun, hm … schon möglich.«

»Hat es etwas Geheimnisvolles mit dieser Anula auf sich?«

»O nein, nein … eigentlich nicht. Ihre Familie empfindet eine gewisse Ehrfurcht vor ihr. Sheba spricht von ihr, als sei sie eine Göttin. Familienstolz, weiter nichts. Du wolltest etwas über Sheba erfahren. Sie kam als Dienerin meiner Mutter ins Haus, und dann wurde sie meine Kinderfrau. Sie hängt an mir … und an Ralph. Ich weiß, daß er bei ihr gut aufgehoben ist. Später wollen wir einen Hauslehrer für ihn engagieren … einen englischen. Möglicherweise wird Ralph in England zur Schule gehen. Seth möchte es gern.«

»Es muß wundervoll sein, so einen reizenden kleinen Jungen zu haben.«

»Er ist mein alles. Ich liebe ihn mehr als irgend etwas sonst auf der Welt.«

»Und Seth?«

»Seth liebe ich auch. Aber anders. Wenn du selbst ein Kind hast, wirst du das verstehen.«

Wir hatten unsere Limonade ausgetrunken und standen auf.

»Soll ich dir jetzt das Haus zeigen?«

Ich war einverstanden, und sie führte mich herum. Es war ein geräumiges Haus, ganz ähnlich wie das von Clinton.

Ralph sei draußen, sagte Clytie. Er lerne gerade reiten. »Hier bei uns muß man mit Pferden umzugehen verstehen. Wir können zwar mit der Eisenbahn nach Kandy oder Colombo fahren, aber für alle anderen Wege ist man auf die Pferde angewiesen. Komm, wir gehen in den Garten.«

Wir stiegen die Stufen hinab. Das Haus stand wie das unsere auf Pfählen über dem Erdboden. Zum Schutz vor den Termiten, erklärte mir Clytie, als ich sie danach fragte. »Hier wimmelt es von Termiten«, sagte sie. »Sie treten zu Tausenden auf ... vielleicht gar zu Millionen. Sie fressen sich durch das Haus hindurch, bis nichts mehr übrig ist als das Gerüst. Daher diese Bauweise. Die Pfähle sind speziell behandelt, um die Termiten fernzuhalten.«

»Wie gräßlich. Da geht man fort, und wenn man zurückkommt, ist vom Haus bloß noch das Gerippe übrig.«

»Das ist schon vorgekommen. Wir müssen hier mit Gefahren rechnen, Sarah, an die du nicht im Traum gedacht hast. Du mußt dich vor den Insekten in acht nehmen. Wer hier lebt, ist einigermaßen immun, aber du mußt dich erst langsam eingewöhnen. Hüte dich vor den Moskitos. Die sind die größte Plage, und gefährlich sind sie auch.«

»Mir scheint, es gibt hier eine Menge, wovor ich mich in acht nehmen muß.«

Ihr Garten erinnerte mich ein wenig an England, und als ich sie darauf hinwies, sagte sie: »Ja, unser Vater wollte ihn so. Wir können hier etliche Pflanzen kultivieren, die auch in England wachsen.«

Wahrhaftig. Inmitten der exotischen Blüten entdeckte ich Hortensien, Geranien und Geißblatt. »Die werden mich stets an die Heimat erinnern«, sagte ich.

Ich verbrachte eine angenehme Stunde mit Clytie im Garten. Je länger ich mit ihr zusammen war, desto stärker fühlte ich mich zu ihr hingezogen. Die Tatsache, daß sie nicht ganz der gleichen Abstammung war wie ich, verlieh ihr einen pikanten fremdartigen Reiz.

Was mich am meisten beeindruckte, als ich zwischen den prächtigen Blumen herumging, war das überall gegenwärtige üppige Leben. Die Luft war vom Surren und Brummen der Insekten erfüllt. Clytie sagte, sie bemerke es gar nicht, und ich würde mich mit der Zeit daran gewöhnen. Dank der schweren Regenfälle und der heißen Sonne gab es Leben und Wachstum im Überfluß. Einmal fuhr ich erschrocken zurück, als der Zweig an einem Strauch, den ich berührte, lebendig wurde und davonkrabbelte. Ich starrte ihn entsetzt an.

Clytie lachte. »Eine Stabheuschrecke. Sie sieht wie ein kleiner Zweig aus. Das ist ihre Tarnung.«

»Sie sieht unheimlich aus.«

»Du wirst dich daran gewöhnen. Anfangs kommt dir sicher alles fremd vor, aber bald empfindest du es als ganz normal. Ich hoffe, daß wir uns oft sehen, und dann hast du ja auch Clinton ...« Sie blickte mich auffordernd an, als wolle sie mich zu Vertraulichkeiten ermuntern.

»Ach ja«, sagte ich. »Clinton.«

»Wir waren überrascht, als wir hörten, daß er geheiratet hat.«

»Wirklich? Er ist schließlich nicht mehr ganz jung.«

»Aber er schien nie die Absicht zu haben ...«

»Er kam doch sicher nach England, um sich eine Frau zu suchen«, sagte ich und bemühte mich um einen unbeschwerten Tonfall.

»Und er hat eine gefunden, und alles hat sich gut angelassen. Sarah, Seth ist ein wenig besorgt ... wegen seines Postens.«

»Wieso?«

»Was hat Clinton vor?«

»Es kommt nicht darauf an, was Clinton vor hat, sondern darauf, was ich zu tun gedenke. Ich verstehe nichts von der Plantage, aber ich will alles darüber lernen. Ich werde Seth bitten, mich einzuweihen.«

»Ich glaube, Clinton schätzt Seth nicht besonders. Er hat ständig etwas an ihm auszusetzen.«

»Clinton erwartet vielleicht zuviel von den Leuten.«

Clytie sah mich sonderbar an. »Ja«, sagte sie, »vielleicht. Als unser Vater noch lebte, ging alles gut. Er war mit Seth zufrieden. Du darfst uns nicht böse sein, daß wir annahmen ...«

»Du kannst offen mit mir reden, Clytie. Ihr habt geglaubt, du würdest die Plantage erben. Das war doch ganz natürlich.«

»Umgekehrt wäre es bestimmt besser gewesen.«

»Wie meinst du das – umgekehrt?«

»Du die Perlen, ich die Plantage. Doch ich war die ältere, und man mußte sich der Tradition beugen. Ich hasse die Dinger. Ich glaube, sie bringen Unglück.«

»Hast du sie hier, Clytie?«

»Ja. Seth meint, sie sollten im Banksafe aufbewahrt werden. Dort sind sie auch manchmal. Aber ich muß sie hin und wieder tragen, sonst verlieren sie ihren Glanz. Unser Vater hat darauf geachtet, daß ich sie trage. Wir geben doch demnächst einen Ball, um deine Ankunft zu feiern. Man erwartet von mir, daß ich sie bei dieser Gelegenheit trage.«

»Ich würde sie mir gern anschauen. Ich habe soviel von ihnen gehört. Sind sie wirklich so wundervoll, wie man behauptet?«

»Du wirst es ja sehen.«

»Man spricht richtig ehrfürchtig von ihnen. Sie müssen ein Vermögen wert sein.«

»O ja, viel mehr als die Plantage. Aber die Plantage wäre uns lieber gewesen. Clinton will sie nun übernehmen. Davor hat Seth Angst. Sarah, was wird, wenn Clinton Seth entlassen will?«

»Das kann er gar nicht. Ich würde es nicht dulden.«

»Mir ist noch nie ein Mensch begegnet, der sich Clinton widersetzt hat.«

«Nun, du kennst mich noch nicht richtig, Clytie.«

Plötzlich war ich in Hochstimmung. Ich würde mich nicht von Clinton unterdrücken lassen. Er irrte sich, wenn er glaubte, er habe leichtes Spiel mit mir und bekomme aufgrund meiner Einfältigkeit, wonach er strebte: die Ashington-Plantage.

Die gehört mir, Clinton Shaw, sagte ich in dem duftenden Garten zu mir. Du wirst mich noch kennenlernen.

Mit einem Freudenschrei kam Ralph in den Garten gestürmt. Er sah bezaubernd aus. Er trug einen Anzug aus Schantungseide, sein dunkles Haar glänzte, seine Augen leuchteten vor Aufregung, und seine Wangen schimmerten rosig.

»Mama!« rief er. Dann erblickte er mich und wurde ein wenig unschlüssig.

»Das ist Tante Sarah«, sagte Clytie. »Du kennst sie doch. Sie war gestern hier.«

Er nickte. »Mama, ich hab' eine Kobra gesehen. Sie war hinter uns her. Sie wollte mich beißen. Ich hab' draufgetreten, da hat sie sich aufgerichtet. Sie war so groß …« Der Junge hob die Hände, so hoch er konnte. »Sie hat mich angezischt.«

Clytie war vor Schreck ganz bleich geworden.

Ein Singhalese kam herbei, die Hände über der Brust gekreuzt, den Kopf leicht gesenkt. »Nein, Missie«, sagte er. »Keine Kobra. Keine Gefahr für jungen Master.«

»Es war *schon* eine Kobra«, schrie Ralph, und sein Gesicht wurde puterrot. »Es war eine Kobra … ganz bestimmt.«

»Und was dann?« fragte Clytie ruhig. »Komm, erzähl Tante Sarah und mir, was passiert ist.«

»Wir sind durch den Wald geritten. Wir haben die Pferde angebunden und sind ein Stück gelaufen. Dann kam die Kobra angeschlichen.«

»Und wie hast du sie vertrieben?«

»Ich hab' sie totgeschossen.«

»Womit?«

»Mit Pfeil und Bogen.«

»Aber du hast deinen Bogen doch gar nicht dabeigehabt.«

»Ich hab' mir einen gemacht.«

Clytie streichelte ihm übers Haar. »Ralph hat eine lebhafte Phantasie«, sagte sie.

»Was ist Phantasie?«

»Erfinden.«

»Was ist erfinden?«

»Was du machst, mein Engel.«

»Ist das schön?«

»Ja, wenn du's nicht zu bunt treibst.«

»Ist es schwer?«

»Du bist mir einer!« sagte Clytie entzückt. »Du hast übrigens Tante Sarah noch immer nicht guten Tag gesagt.«

»Tag, Tante Sarah. Magst du Schlangen?«

»Ich glaube, nicht. Ich bin noch nie einer begegnet.«

»Warum nicht?«

»Weil es dort, wo ich herkomme, keine gibt – oder nur ganz wenige.«

»Bist du deswegen weggegangen?«

»Nein, eigentlich nicht.«

»Komm, ich zeige dir Cobbler. Mama, ich will Tante Sarah Cobbler zeigen.«

»Wo ist sie?«

»Ich weiß es, ich weiß es.« Und schon war er fort.

Clytie sagte lachend: »Du mußt so tun, als ob du dich schrecklich fürchtest. Cobbler ist eine lebensgroße Spielzeugkobra, ein scheußliches Ding. Ralph liebt sie heiß und innig. Er hat sie seit ein paar Monaten, aber sie steht bei ihm noch immer hoch im Kurs. Damals konnte er Kobra nicht aussprechen, und er sagte Cobbler zu dem Vieh. So ist es zu seinem Namen gekommen.«

Ralph erschien wieder und zog etwas hinter sich her, was wirklich wie eine gräßliche Schlange aussah. »Das ist Cobbler«, sagte er. »Fürchtest du dich vor ihr?«

»Sie kann einem schon angst machen.«

Das stimmte. Das Ding sah so echt aus. Ich begutachtete die gelben Glasaugen.

»Ich kann machen, daß sie die Zunge rausstreckt«, sagte Ralph. »Man muß hier drücken. Schau! Sie will dich beißen, Tante Sarah. Cobbler ist böse und ungezogen. Aber sie darf dich nicht beißen. Wenn sie dich beißt, schieße ich sie mit Pfeil und Bogen tot.«

»So, jetzt haben wir Cobbler gesehen. Was machst du nun mit ihr, Ralph?

»Ich stecke sie ins Gebüsch. Da ist sie gern.«

Wir sahen ihm zu. Er war wirklich ein hübsches Kind. Als er zurückkam, nahm seine Mutter ihn bei der einen Hand und ich bei der anderen, und so gingen wir zum Haus zurück.

»Sleepy Sam hat mir guten Tag gesagt.«

»Du bist hoffentlich nicht zu nahe an ihn herangegangen«, erwiderte seine Mutter. »Sleepy Sam ist ein harmloses altes Krokodil. Im Wald fließt ein träger Fluß. Die Ufer sind sumpfig. Wenn du dort entlanggehst, mußt du auf Krokodile achtgeben.«

»Was ist träge?« wollte Ralph wissen.

»Faul.«

»Wie Sleepy Sam?«

»Hast du ihn wirklich gesehen?«

»Ja. Er hat gesagt, er ist müde und will mich nicht beißen.«

Sheba kam, um Ralph zu holen. Sie nickte mir widerwillig einen Gruß zu. Ralph lief zu ihr und umfing ihre Knie. Er erzählte ihr sogleich, wie er mit Pfeil und Bogen eine Kobra erlegt hatte.

»Es ist Zeit zum Essen, du tapferer Held«, sagte sie. »Und danach machen wir ein Schläfchen, hm?«

»Ach Sheba, ich mag nicht schlafen. Ich mag … ich mag …«, er blickte uns schelmisch an, »ich mag eine Kobra schießen.«

»Du wirst einen großen Bogen um diese gemeinen ollen Viecher machen, Master Ralphie, oder die alte Sheba gerbt dir das Fell.«

Ralph gab seiner Mutter einen Kuß und dann – ein wenig schüchtern – auch mir. Sheba brachte ihn fort.

»Sie grollt jedem, für den er schwärmt. Er ist in seinen Reitlehrer vernarrt«, sagte Clytie. »Sheba wird sich beklagen, weil er sich schmutzig machen darf und in Gefahr geraten kann. Sie erträgt es einfach nicht, daß sich noch jemand mit ihm beschäftigt. Bei mir war sie genauso. Jetzt hat sie ihre ganze Zuneigung auf Ralph übertragen. Du weißt ja, wie Kinderfrauen sind.«

Ich hatte keine Ahnung. Vielleicht würde ich ihr eines Tages erzählen, wie ich am Denton Square aufgewachsen war.

Der Lunch wurde im Speisezimmer serviert; es gab Fisch, eine

Makrelenart, wie Clytie erklärte. »Ich habe ihn eigens für dich bestellt, weil ich annehme, daß du alles probieren möchtest. Wir haben auch Karpfen, Barben und Hechte hier – lauter Fische, die es auch bei euch in England gibt. Siehst du, als halbe Engländerin war ich immer bemüht, soviel wie möglich über England zu erfahren, daher weiß ich ein wenig Bescheid.«

Wir aßen Mangos und winzige süße Bananen, die köstlich schmeckten. Wir plauderten ein wenig, und ich sagte zu Clytie: »Du wolltest mir doch das Halsband zeigen.«

»Stimmt. Komm mit nach oben! Es ist im Geldschrank.«

Wir begaben uns in das Schlafzimmer des Ehepaares. Sie schloß eine Tür auf, und wir traten in eine Art Ankleidekammer, einen kleinen Raum mit einem Tisch, zwei Stühlen und einem Geldschrank. Clytie machte die Tür hinter uns zu.

»Die Dienstboten kommen hier nicht herein«, sagte sie. »Das Staubwischen erledige ich selbst. Das Halsband ist hier in dem Geldschrank. Es ist so wertvoll, daß eine Menge Legenden mit ihm verbunden sind. Es soll Unglück bringen, wenn es an jemanden gerät, der nicht zur Familie gehört. Ich bin sicher, diese Geschichte wurde nur erfunden, um Diebe abzuschrekken. Wenn soviel Wert in einem einzigen Gegenstand steckt, würden manche Leute alles wagen, um ihn in ihren Besitz zu bringen. Die Dienstboten würden auch nicht hier hereinkommen, wenn ich sie darum bitten würde. Die Legende erfüllt ihren Zweck.«

»Was für ein Getue wegen ein paar Perlen!«

»Liebe Sarah, es sind die Ashington-Perlen«, sagte sie. »Eines der kostbarsten Kolliers der Welt. Du wirst sehen: Jede einzelne Perle ist vollkommen. Verstehst du etwas von Perlen?«

»Ich weiß, wie sie aussehen.«

Clytie lachte. »Auch wenn du nicht viel davon verstehst, wirst du erkennen, wie wundervoll sie sind.« Sie machte sich daran, den Geldschrank zu öffnen. »Das ist ganz einfach, wenn man die Kombination kennt.«

Die Tür öffnete sich. Clytie nahm ein großes Etui aus Krokodilleder heraus.

Sie stellte es andächtig auf den Tisch. Sie drückte auf den Verschluß, und der Deckel sprang auf. Da lagen sie: die Ashington-Perlen.

Ich hielt staunend den Atem an, denn sie waren in der Tat wundervoll. Sie lagen auf mitternachtsblauem Samt … zwei Reihen, die eine etwa sechzig Zentimeter lang, die andere etwas kürzer. Sie hatten einen lebendig schimmernden Glanz. Jede einzelne Perle war von beachtlicher Größe und vollkommen gerundet, und eine jede paßte genau zu allen anderen. Ich war von ihrer reinen, tiefen Leuchtkraft fasziniert und verspürte den unwiderstehlichen Wunsch, sie zu berühren.

»Nur zu«, sagte Clytie. »Nimm sie in die Hand! Schau sie dir genau an!«

Ich streckte meine Hand aus, berührte aber die Perlen nicht. Irgend etwas in mir sträubte sich plötzlich.

Der Verschluß war verblüffend. Er bestand aus Smaragden und Diamanten. Was auf den ersten Blick wie eine aufgerollte Schnur aus Diamanten aussah, entpuppte sich bei näherem Hinsehen als eine Schlange auf nadelförmigen Eibenblättern. Das Auge der Schlange war ein Smaragd, und die Blätter sowie der Schlangenkörper bestanden aus Diamanten.

»Immer, wenn ich etwas von Schlangen höre, denke ich an den Verschluß hier«, sagte Clytie. »Auch heute morgen, als Ralph uns seine Phantasiegeschichte von der Kobra auftischte. Eine merkwürdige Arbeit. Unser Vater erzählte mir einmal, im Innern sei ein Behälter versteckt. Schau, die Zunge der Schlange hat ein kleines Loch. Man erzählt sich, daß einer der Gebieter von Kandy, der sich seiner Gattin entledigen wollte, diesen Behälter mit einem tödlichen Gift füllte; er ritzte ihre Haut auf, und das Gift aus der Schlange drang in ihren Körper ein und tötete sie.«

»Grauenhaft«, sagte ich. »Kein Wunder, daß du dich von dem Ding abgestoßen fühlst.«

»Gefällt es dir nicht? Findest du es nicht schön?«

»Die Perlen sind phantastisch. Aber die Schlange gefällt mir nicht besonders. Wenn ich auch wenig von Perlen verstehe, so kann ich doch behaupten, daß ich solche wie die noch nie gesehen habe.«

»Solche Perlen hat auch noch niemand gesehen. Sie sind einmalig, und es bedeutet eine große Verantwortung, wenn man sie in Verwahrung hat.«

Sie legte sie mir um den Hals. Die kalten Steine des Verschlusses ließen mich zusammenzucken.

»Sie stehen dir gut, Sarah«, sagte Clytie. »An dir sehen sie besser aus als an mir. Sie verändern irgendwie deine Persönlichkeit.«

»Laß sehen«, sagte ich.

Auf dem Tisch lag ein kleiner Spiegel mit einem Rahmen aus blauem Amethyst und türkisfarbenen Steinen. Ich nahm ihn in die Hand und betrachtete das Halsband. Es war prachtvoll. Die Perlen schienen sich auf meiner Haut zu erwärmen und sich an mich zu schmiegen, als seien sie lebendig, während sich das Schloß kalt in meinen Nacken grub. Ich faßte es an. »Es sticht«, sagte ich.

»Du hast es falsch herum an«, stellte Clytie fest. »Aber es ist ja heute kein Gift darin«, fügte sie lachend hinzu.

»Mach's wieder ab, Clytie.«

Sie gehorchte.

»Laß sehen, wie es an dir aussieht.«

Sie legte es sich um den Hals und blickte mich an.

»Es ist zu schwer für dich«, bemerkte ich. »Du brauchst einen ausgesprochen zierlichen Schmuck.«

»Ja«, pflichtete sie mir bei, »es ist zu schwer für mich.«

Sie nahm das Halsband ab, legte es behutsam in das Etui und legte dieses wieder in den Geldschrank.

Den ganzen Tag ging mir das Ding nicht aus dem Sinn. Es hatte sich zwischen mich und meine Freude an der Gesellschaft meiner Schwester geschoben.

Am späten Nachmittag begleitete mich Clytie zu Fuß durch den Wald zurück; der Weg führte an Palmen, Ebenholz- und Ambrabäumen vorüber.

»Die Kokosnüsse behalten wir für unseren eigenen Bedarf«, erklärte Clytie. »Allerdings glaube ich, daß Clinton beabsichtigt, sie zu verkaufen. Die Leute auf der Plantage essen die grünen Früchte, und aus den reifen gewinnen sie Öl. Aus den Blüten machen sie Arrak, und aus den Fasern flechten sie Matten. Die leeren Schalen verwenden sie als Trinkgefäße. Es gibt wohl nichts in der Natur, was sich so vielfältig verwerten läßt wie die Kokosnuß. Sogar die Blätter werden geflochten. Mit ihnen decken die Leute ihre Hütten, und zuweilen werden sie auch als Teller benutzt.«

Stellenweise wucherte undurchdringliches Gestrüpp.

»Du mußt hier auf Schlangen achtgeben«, warnte mich Clytie. »Ich war sehr erschrocken, als Ralph sagte, er habe eine Kobra gesehen. Das wäre durchaus möglich gewesen. Wir haben ihn gewarnt. Das erklärt den Unsinn von Pfeil und Bogen.«

Wir kamen zum Fluß mit seinen sumpfigen Ufern. »Ich glaube, da liegt der alte Sleepy Sam. Pst! Schau! Gleich neben Sam steht ein Silberreiher … ganz unbeweglich.«

Ich stand eine Weile da und schaute. Ich hatte das Gefühl, sehr weit von zu Hause entfernt zu sein.

»Geh jetzt noch nicht allein durch den Wald, wenn dich niemand begleitet. Warte, bis du ihn besser kennst. Du könntest dich verirren.«

»Ja, ich weiß, und es wird so schnell dunkel hier, weil es keine Dämmerung gibt wie zu Hause.«

»Die Dämmerung muß etwas sehr Tröstliches sein«, meinte Clytie. »Eine sanfte Vorwarnung, daß die Nacht naht.«

Wir gingen weiter, und bald sah ich zwischen den Bäumen die

weißen Mauern unseres Hauses. Clinton kam heraus. Er schien sehr erfreut, als er mich sah.

»Hattest du einen schönen Tag?« fragte er.

Ich erwiderte, es sei sehr vergnüglich gewesen. »Wir lernen einander kennen«, fügte ich hinzu.

»Wie schön. Komm herein, Clytie, und trink etwas!«

»Ich möchte lieber zurück, bevor es dunkel ist.«

»Ich schicke jemanden mit, der dich begleitet«, sagte Clinton.

»Das ist nicht nötig.«

»Doch, ich schicke jemanden mit«, wiederholte Clinton.

Ich wünschte eigentlich, daß sie ablehnte und darauf bestand, das zu tun, was *sie* wollte, doch andererseits war mir nicht wohl bei dem Gedanken, daß dieses zarte, zierliche Geschöpf allein durch den finsteren Dschungel ging.

Clinton setzte natürlich seinen Willen durch. Als wir auf das Haus zuschritten, sah ich etwas an der Mauer hinaufflitzen. Ich stieß einen leisen Schrei aus und sprang zurück.

Clinton lachte laut. »Nur ein harmloser kleiner Gecko«, sagte er. »Eine Eidechse. Von denen wirst du noch eine Menge zu sehen bekommen.«

O ja, ich war mir bewußt, daß ich einen weiten Weg von daheim zurückgelegt hatte.

Im Laufe der nächsten zwei oder drei Wochen gewöhnte ich mich allmählich an meine neue Umgebung. Ich erschrak nicht mehr, wenn ich aufwachte und mich von einem Moskitonetz umschlossen fand. Ich hatte mich mit der Erkenntnis abgefunden, daß unsere Ehe von Clintons Standpunkt aus eine Vernunftehe war. Zwar begehrte er mich leidenschaftlich, aber er war schließlich ein Mann, der schon viele Frauen leidenschaftlich begehrt hatte. Ich stellte täglich von neuem fest, daß er weit rücksichtsloser war, als es in England den Anschein hatte. Ich wollte mich gegen ihn auflehnen, und doch konnte diese Leidenschaft zwischen uns immer wieder alle anderen Gefühle auslö-

252

schen. Ich wußte, daß eine solche Empfindung von ihrer Natur her vergänglich war. Es war unmöglich, sich eine beschauliche Zukunft an Clintons Seite vorzustellen. Die Träume wohl jeder Frau, nämlich Kinder aufzuziehen und gemeinsam mit dem Vater Pläne für sie zu schmieden, paßten nicht zu dem Leben, das ich mit Clinton führte. Er hatte erwähnt, daß er sich einen Sohn wünsche – einen, der sein Ebenbild sei und den er so erziehen wolle, daß er ebenso rücksichtslos werde wie er.

Clinton besaß, wie ich bereits sagte, Macht und Einfluß, und das wurde mit jedem Tag deutlicher. Sämtliche Arbeiter auf der Plantage hatten Angst vor ihm. Sein Aufseher Nankeen schien in ihm gar eine Art Gott zu sehen. Clinton hielt große Stücke auf Nankeen. »Der ist zweimal soviel wert wie Seth Blandford«, behauptete er. »Auf ihn kann ich mich verlassen.« Nankeen bewohnte auf der Plantage ein Haus, das stattlicher war als die Unterkünfte der übrigen Arbeiter. Er besaß die richtigen Eigenschaften für einen Aufseher: Energie, Unbestechlichkeit und vor allem, wie Clinton sagte, Loyalität. »Eine Eigenschaft, mein liebes Weib«, fügte er hinzu, »die wünschenswerter ist als die anderen.« In unserem Wohnzimmer befand sich ein Bücherschrank voller Werke über Ceylon, und viele befaßten sich mit dem Anbau und der Verarbeitung von Tee. Ich nahm mir vor, sie gründlich zu studieren.

Clinton lachte.

»Was amüsiert dich daran so?« wollte ich wissen. »Es ist doch wohl selbstverständlich, daß ich alles darüber lernen möchte. Ich besitze schließlich eine Plantage. Hast du das vergessen?«

»Ich glaube gar, du willst mir Konkurrenz machen.«

»Was für eine pikante Situation!«

»An der du, mein Liebling, freilich dein Vergnügen hättest. Ich hielte es für eine gute Idee, die beiden Plantagen zusammenzulegen. Das würde uns Kosten ersparen.«

»*Ich* halte das nicht für eine gute Idee.«

Er lächelte wehmütig. »Ich habe das mit deinem Vater bespro-

253

chen. Um ehrlich zu sein, Sarah, die Ashington-Plantage ist schon lange nicht mehr so ertragreich, wie sie sein sollte.«

»Du meinst, nicht so ertragreich wie deine?«

»Richtig. Ich habe mit der Ashington-Plantage einiges vor.«

»Das könnte ich mir ja vielleicht einmal durch den Kopf gehen lassen.«

Er hob mich auf, wirbelte mich herum und drückte mich an sich.

»Laß mich los«, sagte ich. »Du wirst schon noch einsehen, daß deine List, dich in den Besitz der Ashington-Plantage zu bringen, vielleicht doch nicht so schlau war, wie du dachtest.«

»Teures, geliebtes Weib«, spottete er, »was drohst du mir da an? Ashington will mit Shaw konkurrieren? Und uns nach und nach aufkaufen – das sollte mich nicht wundern. Laß dir das gesagt sein: Tee rentabel anzubauen, das läßt sich nicht innerhalb von drei Wochen erlernen, indem man Bücher liest. Das ist mit Strapazen und Fehlschlägen verbunden, mit Krisen und Erfolgen. Diese Arbeit bringt mehr Probleme mit sich, als du sie dir mit deinen Theorien jemals träumen ließest, meine Liebste. Komm, sei eine brave Ehefrau! Laß dich von deinem Mann leiten, der dich dein Leben lang liebevoll hegen will.«

»Ich weiß nur, daß er meine Plantage hegen und pflegen will.«

»Das hat die Plantage auch dringend nötig.«

Je mehr er spottete, um so entschlossener war ich, mich ihm zu widersetzen. Ich mußte zugeben, daß dies dem alltäglichen Leben einen gewissen Reiz verlieh und ich unsere Auseinandersetzungen regelrecht herbeisehnte. Ich stellte mit Genugtuung fest, daß es ihm ebenso erging.

Tagsüber bekam ich ihn kaum zu sehen. Die Plantage dehnte sich meilenweit aus, und oftmals ging er bei Sonnenaufgang fort und kam erst bei Sonnenuntergang zurück. Ich verbrachte die Tage meist auf der Ashington-Plantage; bei Clytie war ich stets willkommen, und Seth freute sich über mein Interesse. Falls er einen Groll gegen mich hegte, weil ich geerbt hatte, was eigentlich seiner Frau und damit ihm hätte zufallen sollen, so zeigte er es nicht. Ich glaube, er ahnte meinen Widerstand gegen Clinton, und das machte ihn froh.

Ich ritt mit ihm über die Plantage. Manchmal kam Clytie mit. Sie sah auch in westlicher Kleidung schön aus, doch am besten standen ihr die duftigen Saris, die oftmals von glitzernden Gold- und Silberfäden durchzogen oder prächtig bestickt waren. Sie besaß sie in allen Farben – hauptsächlich in Pastelltönen, die ihrer dunklen, delikaten Schönheit schmeichelten. Zuweilen hatte ich nur den Wunsch, sie voll Bewunderung anzuschauen. Von Seth erfuhr ich, welche Arbeiten während der verschiedenen Jahreszeiten auf der Plantage verrichtet wurden. Er erklärte mir, die günstigste Zeit zum Pflanzen sei während des Südwestmonsuns, obwohl dies dank der ganzjährigen Regenfälle grundsätzlich zu jeder Jahreszeit möglich war. Er belehrte mich, wie wichtig das Schneiden war, das die Sträucher hinderte, zu hoch zu wachsen, und das Pflücken erleichterte. Ich schlenderte mit ihm über die Plantage und beobachtete die Frauen bei der Arbeit. Sie musterten mich neugierig, und ich merkte, daß ihre Blicke nicht nur der Tochter meines Vaters und der Besitzerin der Plantage galten, sondern auch der Gattin von Clinton Shaw.

Sie waren wohl ein wenig unsicher, weil sie nicht wußten, was die Zukunft ihnen bringen würde, und viele glaubten, daß Clinton bald Herr über die Ashington-Plantage sein würde. Die Arbeiter, die ich gewissermaßen als die meinen betrachtete, verhielten sich anders als diejenigen, die bei Clinton beschäftigt waren. Seine arbeiteten stetiger. Sie hatten eine Scheu vor ihm, die meines Vaters Arbeiter wohl nie vor ihrem Herrn empfunden hatten. Und wenn sie Seth auch respektierten, so war ihnen doch anzumerken, daß sie sich nicht vor ihm fürchteten. Ich glaube, Clinton war zwar gerecht, aber seine eingefleischte Rücksichtslosigkeit war allgemein bekannt. Verstieß ein Mann oder eine Frau gegen eine von ihm aufgestellte Regel, so wurde er oder sie unverzüglich entlassen, und jeglicher Gnadenappell war zwecklos. War ein Gesetz erst einmal aufgestellt, so mußte es rigoros befolgt werden, sonst hätte es seinen Sinn verfehlt.

Es war nicht zu übersehen, daß er eine florierende Plantage besaß, während die der Ashingtons dahinsiechte und zu wenig Gewinn abwarf, daß man hätte genügend in das Geschäft investieren und notwendige Verbesserungen vornehmen können.

Ich fand Seth nicht uninteressant. Wie die meisten Menschen, die über ein bestimmtes Wissen verfügen, gab er dieses gern an jemanden weiter, der von der Sache nichts verstand. Er schilderte mir die Krisen, die ein Teepflanzer zu bewältigen hat, und brachte mir bei, auf was man besonders achten muß.

Ich beobachtete mit ihm, wie die Pflanzen mit Zinksulfat besprüht wurden, weil der Boden, wie Seth erklärte, zu wenig Zink enthielt, und dabei erzählte er mir von der Katastrophe, als die Wurzeln von einem Brand befallen wurden, der erst erkennbar wurde, als es zu spät war, die Pflanzen zu retten, so daß sie zu einer feuchten breiigen Masse verkümmerten.

Wie genoß ich es, mit Clinton dann über Wurzelbrand und Strunkfäule zu sprechen! Er hörte mir mit überlegenem Schmunzeln zu, ließ mich reden und reden, bis er mir eine Frage hinwarf, die meine Unwissenheit ans Licht brachte. Dann küßte er mich und erklärte, daß er mich anbete und daß die angehende Teepflanzerin ebenso reizvoll sei wie das Mädchen, mit dem er jene Nacht in der Papageienhütte verbracht habe. So vergingen die ersten Tage. Ich fühlte mich auf dem Anwesen der Ashingtons heimischer als auf der Shaw-Plantage. Ich ging jeden Tag hinüber und teilte meine Zeit zwischen Seth und Clytie, die es nicht zuließ, daß ich mich den ganzen Tag im Freien aufhielt.

»Du kennst das Klima nicht«, meinte sie. »Du darfst auf keinen Fall mittags hinausgehen, und niemals ohne Hut.«

Ich sah ein, daß sie recht hatte. Ich freute mich auf die Vormittage mit Seth und auf die Stunden, die ich anschließend mit meiner Halbschwester im Haus verbrachte.

Ralph hatte sich inzwischen mit mir angefreundet. Er schilderte mir mit Vorliebe seine phantastischen Abenteuer mit Schlangen und Elefanten. In seiner Einbildung gab es einen Elefanten namens Jumbo; denn er hatte einmal gehört, daß ein Elefant nach England ausgewandert war, um dort in einem Zoo zu leben, und dieser Elefant war so riesig, daß er Jumbo genannt wurde. Ralphs dunkle Augen leuchteten vor Aufregung, wenn er seine Geschichten erzählte. Clytie und ich gingen mit ihm in den Garten und im Wald spazieren, und der Dschungel bildete meist den Hintergrund für seine Erzählungen. Er zeigte mir eine hohe Palme, in die der Buchstabe R eingeritzt war.

»Das ist mein Baum«, sagte Ralph. »Wenn niemand es sieht, wird er lebendig und spricht mit mir. Das R ist mein Name. Das hat Ashraf gemacht, damit der Baum nicht vergißt, daß er mir gehört.«

Ich konnte mir vorstellen, daß Sheba über seine Freundschaft mit mir verstimmt war. In ihrer Nähe fühlte ich mich äußerst unbehaglich. Ich vermutete, daß es sie verdroß, daß ich die Plantage geerbt hatte, die ihrer geliebten Clytie hätte zufallen sollen. Sie war meiner Schwester ebenso ergeben wie Ralph.

Ich glaubte, daß sie Clytie und mich belauschte, wenn wir uns unterhielten. Einmal war ich ganz sicher.

Als wir nach dem Lunch beieinander saßen und Tee tranken, der stets anstelle des Kaffees serviert wurde, den wir zu Hause nach dem Essen zu uns zu nehmen pflegten, sagte Clytie zu mir:

»Clinton spricht doch gewiß mit dir über die Plantage?«

»Oh, er macht sich über mein Interesse lustig. Er denkt wohl, daß mir früher oder später die Lust daran vergeht.«

»Seth ist immer noch ein bißchen besorgt. Er wüßte gern, was Clinton vorhat.«

»Ich habe dir doch gesagt, Clytie, daß *ich* diejenige bin, die hier die Entscheidungen trifft.«

»Wie ich Clinton kenne …«

»Mich mußt du eben auch kennen.«

»Weißt du, Sarah, Seth liebt die Plantage. Sie ist sein Leben. Als

257

er sich mit unserem Vater zusammentat und wir dann heirateten, da schien es, als ob ...«

»Ich verstehe. Ihr braucht euch keine Sorgen zu machen. Auf der Ashington-Plantage wird sich nichts verändern. Das verspreche ich dir.« Sie lächelte dankbar, und in diesem Augenblick sagte mir eine seltsame Ahnung, daß noch jemand bei dieser Unterhaltung zugegen war. Ich drehte mich geschwind um. Die Tür war nur angelehnt. Bildete ich es mir ein, oder bewegte sie sich ganz leicht?

»Was ist?« fragte Clytie.

»Ach nichts.«

Ich wandte mich wieder um, und Clytie sagte: »Ich habe viel über den Ball nachgedacht. Alle wollen dich kennenlernen. Deines Vaters Tochter und Clintons Frau! Eine doppelte Ehre. Was wirst du anziehen?«

»Auf Ashington Grange hatte ich kaum Gelegenheit, Ballkleider zu tragen. Ich glaube, die Tanten hatten eine Art Kampagne vor, um mich unter die Haube zu bringen, aber dann kam Clinton ...«

»Und du warst hingerissen. Wollen wir nach Kandy fahren und Stoff für dein Kleid kaufen? Leila ist eine vorzügliche Näherin. Sie schneidert alles nach deinen Wünschen.«

»Das ist ja fabelhaft.«

»Unsere Bälle sind sehr beliebt. Ball ist vielleicht ein zu pompöser Ausdruck für unsere bescheidenen Gesellschaften. Eigentlich eignen sich unsere Räumlichkeiten nicht dafür, aber wenn die Falttür aufgeklappt wird, haben wir einen einigermaßen großen Saal. So ein Ball ist immer eine große Aufregung.«

Wir sprachen über die Vorbereitungen und verbrachten so eine unterhaltsame halbe Stunde. Als ich aufstand, besann ich mich wieder, daß ich geglaubt hatte, wir seien belauscht worden. Ich bemerkte, daß die Tür geschlossen war. Sheba, dachte ich. Wir hatten darüber gesprochen, daß ich die Plantage geerbt hatte. Arme Sheba! Sie war der Familie so ergeben, daß sie natürlich wissen wollte, wieweit meine Pläne die Blandfords berührten.

Trotzdem war mir unbehaglich zumute, wenn ich an die glänzenden schwarzen Augen dachte, die mich neugierig belauert hatten.

Das ist doch lächerlich, versuchte ich mir einzureden. Ich war eine Fremde in einem fremden Land, und da war es nur natürlich, daß man mir mit Mißtrauen begegnete, so wie auch ich vielleicht manche Leute hier mißtrauisch betrachtete.

Unsere Fahrt nach Kandy wurde ein amüsantes Erlebnis. Ein Diener kutschierte uns in einer Art Brougham zum Bahnhof Manganiya, und auf dem ganzen Weg fuhr ein etwa vierzehnjähriger Junge auf den hintern Stufen mit und kam sich bestimmt sehr wichtig vor. Dann stiegen wir in den Zug nach Kandy.

Es war eine hübsche Stadt – malerisch und altmodisch, die letzte Hochburg der Könige von Ceylon. Sie lag am Fuße des großen Gebirgsmassivs im Landesinnern, etwa 500 Meter über dem Meeresspiegel. Ich war vom Tempel des Zahns und von dem künstlichen See bezaubert. Die Straßen waren voller Menschen, und zum erstenmal wurde ich gewahr, wie gemischt die Bevölkerung hier war. Bisher hatte ich fast nur Singhalesen zu Gesicht bekommen, doch in der Stadt gab es Menschen von dunklerer Hautfarbe. Das waren Tamilen, erklärte Clytie. Auch Moors sah ich, die so hießen, weil einst maurische Kaufleute auf die Insel gekommen waren und Beweise ihrer Anwesenheit zurückgelassen hatten. Diese betrieben noch heute viele Geschäfte. Andere Bewohner stammten von den holländischen oder portugiesischen Siedlern ab – sie waren meist Rechtsanwälte, Ärzte oder Lehrer.

Wir erregten kein Aufsehen, denn es gab hier viele Leute in europäischer Kleidung; allerdings trugen die meisten Frauen Saris.

Kandy war jetzt eine bürgerliche Stadt, aber man konnte sich unschwer vorstellen, daß sie einst das Zentrum des singhalesischen Königreiches war, von wo aus die ganze Insel beherrscht wurde.

Es gab Geschäfte aller Art. In einigen dieser Läden mit ihrem dunklen Interieur waren wundervolle Edelsteine ausgestellt: Saphire, Smaragde, Rubine – aber auch Perlen. Doch wir waren gekommen, um Stoff zu kaufen, und Clytie führte mich zu einem Laden, wo uns ein schon beinahe peinlich unterwürfiger Araber begrüßte und uns Ballen erlesenster Seiden vorlegte.

Ich entschied mich für eine Buchara-Seide, dunkelblau, mit feinen Silberfäden durchzogen, die mich gewiß gut kleiden würde.

Als wir unsere Einkäufe erledigt hatten, begaben wir uns in ein Hotel, wo Clytie Tee bestellte. Dazu aßen wir kleine harte Plätzchen, die Englische Brötchen hießen, weil das Rezept aus England stammte. Während wir Tee tranken, rief eine große Frau mit angegrautem Haar und einer Haut, die auf einen längeren Aufenthalt in den Tropen schließen ließ: »Sieh mal an, Mrs. Blandford! Welch eine freudige Überraschung!«

Ihre Stimme tönte sehr laut, und während sie zielstrebig auf uns zusteuerte, waren ihre hellblauen Augen auf mich geheftet.

»Und das ist doch sicher …«

»Meine Schwester, Mrs. Shaw«, stellte Clytie vor. »Sarah, das ist Mrs. Glendenning. Ihrem Gatten untersteht die Eisenbahn in Kandy.«

»Wir können es alle kaum erwarten, Sie kennenzulernen. Ich freue mich ja so, daß ich die erste bin … ich bin doch die erste?«

»Ja. Wir haben noch niemanden eingeladen, seit meine Schwester hier ist«, sagte Clytie. »Sie muß sich erst einmal an alles gewöhnen. Auf dem Ball allerdings …«

»Ah, der Ball! Wir freuen uns schon darauf. Wie gefällt Ihnen Ceylon, Mrs. Shaw?«

»Ich finde alles sehr aufregend, aber wie meine Schwester schon sagte, ich bin erst vor kurzem angekommen, und alles ist ganz anders als zu Hause.«

»Zu Hause!« seufzte Mrs. Glendenning. »Ach, dieses Heimweh! Wir fahren alle fünf Jahre hin, aber das ist zu wenig. Mein Mann hat soviel mit der Eisenbahn zu tun. Als Stationsvorsteher und Maschineningenieur ist er heute hier, morgen in Colombo und am nächsten Tag wieder anderswo. Hier gibt es so viele Pannen wie … Tee!«

»Seine Stellung ist gewiß sehr wichtig«, meinte ich.

»Meine liebe Mrs. Shaw, ich wäre glücklicher, wenn sie weniger wichtig wäre. Sie wissen ja selbst, was es heißt, einen vielbeschäftigten Mann zu haben. Wie geht es Ihrem Gatten?«

»Sehr gut, danke.«

»Wir waren alle überzeugt, daß er mit einer Frau zurückkommen würde. Wie traurig, daß das mit Ihrem Vater passierte. Doch wir dürfen nicht Trübsal blasen, nicht wahr? Und dann kam alles so, wie wir es erwartet hatten. Im Club haben sie sogar darauf gewettet.«

»Gewettet?« staunte ich.

»Auf Sie und Clinton. Die wetten auf alles, was sich ihnen bietet. Es war bestimmt die *richtige* Entscheidung. Ihr armer Vater! Aber jetzt ist er gewiß glücklich, wenn er herabschaut und sieht, daß alles so *günstig* gelöst ist. Clinton hat sich sicher geändert … ist häuslich geworden …«

Sie war eine äußerst unangenehme Person, und die ganze Zeit, während sie mich angaffte, hatte ich das Gefühl, sie versuche, meine Beziehung zu Clinton abzuschätzen. Ich war froh, als sie von dannen zog. »Das Schlimme an diesen Leuten ist«, sagte Clytie, »daß sie sich immer in die Angelegenheiten anderer einmischen. In den Kreisen der Europäer spielt sich das Leben nach einem bestimmten Muster ab. Sie geben Gesellschaften, besuchen den Club, reden unentwegt von England und fahren gelegentlich hin. Wenn dann ein Neuling ankommt …«

»Dazu noch Clinton Shaws Frau …«, unterbrach ich.

»Ja«, gab sie zu, »Clinton hat immer zu Geschwätz Anlaß gegeben. Er war so lange Junggeselle, und so manche Mutter mit heiratsfähigen Töchtern hatte es auf ihn abgesehen ... bis sich schließlich alle einig waren, daß er nie heiraten würde ... Doch als sie hörten, daß unser Vater nach England ging und Clinton ihn begleitete, änderten sie ihre Meinung.«

»Aha.«

»Du brauchst dich nicht aufzuregen. Du weißt doch, die Leute lieben nun einmal den Klatsch.«

»Ist über Clinton viel ... geklatscht worden?«

»Nun ja, das läßt sich nicht vermeiden.«

»Das kann ich mir denken.«

»Jetzt ist es vorbei«, sagte Clytie beschwichtigend, und ich fragte sie nicht, was denn vorbei sei. Ich empfand es als demütigend, so über meinen Mann zu reden.

Am späten Nachmittag fuhren wir zurück, vorbei an grünen Reisfeldern, die aus den dicht bewaldeten Hügeln aufzusteigen schienen, an Elefanten, die im Fluß badeten oder am Ufer ihre schweren Lasten schleppten, an Wasserbüffeln und Ochsen, die schwerfällig dahinzockelten und Karren hinter sich herzogen.

Am Bahnhof wartete der Brougham auf uns.

»Du wirst von Leilas Nähkünsten begeistert sein«, versicherte mir Clytie. »Sie ist eine begabte Schneiderin und würde es in Paris oder London bestimmt zu etwas bringen.«

Leila schuf ein wahres Wunderwerk aus meiner Buchara-Seide. Ich beobachtete fasziniert ihre geschickten Finger, als sie den Stoff um mich drapierte und feststeckte, und als sie das Ergebnis begutachtete, glänzten ihre großen dunklen Augen vor Bewunderung.

»Sie werden schön sein«, sagte sie.

»Du machst mich schön«, gab ich zurück.

»Ich mache auch die Kleider für meine Schwester Anula«, erzählte sie mir in ehrfürchtigem Ton, als sei Anula eine Königin. Diese Anula machte mich ziemlich neugierig.

»Deine Schwester ist wohl sehr schön«, sagte ich.

»Die schönste Frau von Ceylon. Jeder sagt das.«

»Dann muß sie allerdings sehr schön sein.«

»Aber Missie, sie hat mehr als Schönheit. Verstehen Sie?« fragte Leila geheimnisvoll.

»Nein.«

Leila rückte näher und warf einen Blick über ihre Schulter. Dann flüsterte sie: »Sie hat Kräfte.«

»Welche Kräfte?«

»Anula war einst eine große Königin.«

»Ist das lange her?«

»Viele hundert Jahre. Sie ist wiedergeboren. Eines Tages wird sie wieder große Königin. Sie kann sagen, was kommt. Sie weiß viel über uns alle.«

»Das könnte für uns ziemlich unangenehm sein«, sagte ich leichthin. Ich begriff, daß Leila eine tiefe Ehrfurcht vor ihrer Schwester empfand und fest an die Kräfte glaubte, von denen sie sprach. Ich hätte gern mehr über diese erstaunliche Frau erfahren, doch mir war klar, daß ich aus Leila nicht viel Vernünftiges herausbekommen würde, und befragte daher Clytie zu dem Thema.

»Eine ungewöhnliche Familie«, erklärte Clytie. »Anula ist die unbestrittene Schönheit, der führende Kopf. Nankeen war doch mit dieser Portugiesin aus gutem Hause verheiratet. Von den drei Kindern ist Anula die älteste; sie sieht unbeschreiblich gut aus; Leila kennst du, und Ashraf ist der jüngste. Er arbeitet auf unserer Plantage und wird wie sein Vater: stattlich, klug und tüchtig. Anula hat einen gewissen Mythos um sich geschaffen. Sie glaubt, in einem früheren Leben einst Königin von Ceylon gewesen zu sein. Ihr Auftreten hat tatsächlich etwas Königliches, und wenn dieser Eindruck auch zweifellos durch ihre Erscheinung begünstigt wird, so ist er doch unleugbar vorhanden.«

»Ist sie verheiratet?«

»N-nein. Vermutlich ist ihr keiner gut genug. Oder der richtige ist ihr noch nicht begegnet.«

»Sie wartet wohl auf einen Prinzen, der ebenfalls auf eine uralte königliche Abkunft zurückblicken kann.«

»Oh, diese Dinge werden hier sehr ernst genommen. Viele glauben, daß sie schon einmal gelebt haben und wiedergeboren werden. Man behauptet, Anula besitze sogenannte Kräfte, sie beschwöre Schlangen, so daß sie ihr zu Willen seien, und sie kann angeblich Menschen von ihren Leiden heilen; ich habe auch schon gehört, daß sie durchaus nicht immer heilt, wenn ihr etwas anderes lieber ist ... Aber das ist natürlich nur dummes Geschwätz.«

»Ich finde es interessant. Erzähl mir mehr von dieser erstaunlichen Anula!«

Clytie zog die Schultern hoch. »Ich weiß nicht viel mehr, als ich dir schon erzählt habe.« Sie wirkte ein wenig unentschlossen. Dann sagte sie munter: »Ich bin froh, daß du die Buchara-Seide gekauft hast. Die steht dir bestimmt gut.«

Ich hatte den Eindruck, daß es ihr aus irgendeinem Grunde peinlich war, über Anula zu sprechen.

Der Tag für den Ball wurde bestimmt. An diesem Morgen ging ich nicht zu den Ashingtons hinüber. Clytie hatte mein Angebot, ihr bei den Vorbereitungen zu helfen, ausgeschlagen. Ich war aufgeregt, weil angeblich alle Leute darauf erpicht waren, mich kennenzulernen. Einige würden im Haus der Ashingtons übernachten, andere bei uns; wieder andere wollten gleich nach dem Fest den Heimweg antreten, um am frühen Morgen zu Hause zu sein.

Im Haus herrschte Festtagsstimmung. Die sonst so schweigsamen Dienstboten tuschelten und kicherten miteinander. Sie warfen mir neugierige Blicke zu, weil das Ganze mir zu Ehren veranstaltet wurde. Clinton wollte uns nicht eigenhändig hinüberfahren. Ein Diener sollte uns in der zweisitzigen Kutsche hinbringen; er sollte auf dem Bock sitzen, Clinton und ich unter dem Verdeck.

Meine Aufregung steigerte sich, als ich mein Kleid anzog. Es war schön. Es fiel in Falten und Kaskaden, mit Spitzen und Borten besetzt von den Schultern herab. Ich hatte eine schmale Taille und war dankbar dafür; denn so konnte ich auf das enge Schnüren verzichten, das in diesem Klima unerträglich gewesen wäre. Mein Mieder lag dennoch knapp an, und von der Taille abwärts wippte der volantbesetzte Rock. Ich mußte zugeben: Das Kleid war ein Meisterwerk.

Ein Problem war mein widerspenstiges Haar. Ich beschloß, es aufzutürmen und festzustecken, damit sich keine Strähne lösen konnte. Es war zwar dicht, aber ganz glatt, und daher so schwierig zu frisieren. Das Dunkelblau der Buchara-Seide spiegelte sich in meinen Augen und ließ sie bläulich schimmern. Ja, ich hatte eine glückliche Wahl getroffen.

»Oh«, sagte Clinton, als er mich sah, »du bist wahrhaftig eine Schönheit.«

»Es freut mich, daß du zu dieser Überzeugung gelangt bist.«

»Ich teile bloß deine Meinung. Ist es nicht schön, daß wir ausnahmsweise übereinstimmen? Schau dich an! Du kannst deine Zufriedenheit nicht verhehlen.«

»Leila ist eine ausgezeichnete Schneiderin.«

»Die ganze Familie ist geschickt. Lediglich dein Hals ist ein bißchen nackt.«

Während ich meinen Hals betrachtete, trat Clinton rasch hinter mich. Er hielt etwas in den Händen. Ich stieß einen erstickten Laut aus, als ich meine Kehle umschlungen fühlte. Clinton befestigte ein Samtband von der Farbe meines Kleides in meinem Nacken.

»Was machst du da?« rief ich.

»Wie nervös du bist. Hast du geglaubt, ich will dich erwürgen? Noch bin ich meines teuren Weibes nicht überdrüssig.«

Ich starrte auf mein Spiegelbild. Die Vorderseite des Bandes funkelte und glitzerte.

»Was ist das?« fragte ich.

»Saphire. Gefallen sie dir?«

»Sie sind schön, aber ...«

»Es war an der Zeit, dir ein Geschenk zu machen, findest du nicht? Und gibt es etwas Passenderes?«

»Du schenkst mir die Saphire?«

»Warum so erstaunt? Ich wußte von dem Kleid. Ich habe Leila ausgefragt. Ich habe diese juwelenbesetzten Halsbänder an anderen Frauen gesehen und dachte mir: Das ist es! Ich lege meinem Liebling ein Halfter um den Hals und zeige somit aller Welt, daß sie mein ist.«

»Den Ausdruck Halfter mag ich nicht. Das klingt, als ob ich ein Pferd wäre.«

Ich trat ganz dicht an den Spiegel. Es waren drei Saphire: ein großer in der Mitte und daneben zwei etwas kleinere.

»Sie sind ziemlich rein«, sagte Clinton. »Du wirst noch einiges über die Steine hinzulernen, die wir hier finden, dessen bin ich sicher. Bald wirst du davon – und natürlich auch von den Perlen – ebensoviel verstehen wie von Tee.«

»Danke«, sagte ich. »Das ist lieb von dir.«

»Eine kleine Anerkennung, weiter nichts. Ich möchte dir zeigen, wie froh ich bin, daß du hier bist.«

Ich war gerührt, weil er sich die Mühe gemacht hatte, ein so passendes Geschenk auszusuchen. Das Halsband mit den kostbaren Saphiren verlieh meiner Erscheinung einen Hauch von Eleganz.

Clinton ergriff meine Hände und küßte sie. Ich zog sie etwas verlegen zurück. Seine Beweise von Zärtlichkeit machten mich jedesmal verwirrt.

»Sie gefallen mir sehr«, sagte ich. »Sie vervollständigen meine Garderobe.«

»Laß uns gehen! Heute abend werde ich von allen Männern beneidet, und ich werde mich daran ergötzen.«

Ein Glücksgefühl durchströmte mich, als ich in den warmen Abend hinaustrat. Kündigte sich eine Veränderung unserer

Beziehung an? Sie hatte, was ihn betraf, mit Kalkül begonnen – war *er* nun etwa in *mich* vernarrt?

Wir saßen unter dem Verdeck der Kutsche dicht beieinander, und während ich dem Klappern der Hufe auf der Straße lauschte, tastete ich nach den Saphiren an meinem Hals und sagte mir: Am Ende kommt unsere Ehe doch noch in Ordnung.

Clytie empfing die Gäste. Die Falttür war zurückgeklappt, und der Ballsaal war mit farbenprächtigen Blumen aus dem Garten geschmückt. Im gedämpften Kerzenlicht leuchteten die Kleider der Damen in sanftem Glanz. Clytie sah wie eine Märchenprinzessin aus. Sie trug einen blaßgrünen Sari aus schmeichelndem weichem Chiffon, durch den es silbern hindurchschimmerte. Ihr seidiges Haar war hochgesteckt und mit einem Smaragd verziert.

Mein Blick fiel sogleich auf die Perlen. Auf Clyties olivfarbener Haut erwachten diese zwei Reihen glanzvoller Schönheit zu wahrer Vollkommenheit, und als Clytie sich umwandte, traf mich ein grünlicher Blitz aus den Schlangenaugen an ihrem wohlgeformten Nacken.

»Clytie«, flüsterte ich, »du hast sie an!«

»Das ist bei solchen Gelegenheiten unumgänglich«, erwiderte sie. »Komm an meine Seite! Jedermann möchte dir vorgestellt werden. Du siehst bezaubernd aus. Diese Saphire …«

»Die hat Clinton mir vorhin geschenkt.«

»Sie sind vollkommen.«

Ich trat an ihre Seite, und die Gäste kamen einer nach dem anderen zu mir.

Clytie stellte mich vor, graziös wie alles, was sie tat; sie erklärte mir, wer die Leute waren und was sie in Ceylon machten. Ein paar Kautschukpflanzer waren darunter und einige, die ihre Geschäfte mit Kokosnüssen machten; die meisten aber waren in der Verwaltung der Insel tätig. Die einen waren schon seit Jahren im Land, andere waren Neulinge. Viele lebten in Kandy, doch etliche waren eigens aus Colombo gekommen. Fast die ganze englische Gemeinde, die sich fern der Heimat eng zusammenschloß, war hier versammelt. Sir William Carstairs, der Gerichtsrat, war mit einem oder zwei Herren aus seinem Bezirk anwesend. Mrs. Glendenning, die Dame, die wir beim Tee in Kandy getroffen hatten, begrüßte mich lautstark und erklärte mir, wie entzückt sie alle seien, mich auf Ceylon willkommen zu heißen. Ich müsse den Club in Kandy besuchen und unbedingt Mitglied werden. Ihre wachsamen Augen musterten mich und blieben auf den Saphiren haften. »Was für himmlische Steine!« rief sie aus. »Ein Geschenk des verliebten Ehemannes, dafür verwette ich mein Leben.«

»Sie sollten Ihr Leben nicht so leichtfertig verwetten, Mrs. Glendenning«, bemerkte ich.

»Erzählen Sie mir nicht, daß es nicht stimmt! Wer sonst dürfte es wagen! Lassen Sie es sich gesagt sein, meine liebe Mrs. Shaw, Ihr Gatte ist ein Mann, mit dem man sich nicht anlegt.« Sie rückte näher an mich heran. »Niemand würde es darauf ankommen lassen, ihn zu beleidigen. Ich möchte derjenige jedenfalls nicht sein. Höchstens ein mutiger Mann … Diese Männer! Ein Gesetz für sie, ein anderes für uns. Das würde ihnen so passen. Ah, Ihre Schwester trägt die berühmten Perlen. Mein Mann interessiert sich sehr dafür.«

Clytie hörte das, und ich sah, wie sie die Perlen nervös befühlte.

»Reggie will Sie bitten, sie sich genau anschauen zu dürfen, Mrs. Blandford«, fuhr Frau Glendenning fort. »Wir haben soviel von ihnen gehört.«

»Es wird immer viel geredet, wenn ich sie trage«, erwiderte Clytie.

»So ein kostbares Erbe«, plapperte Mrs. Glendenning weiter. »Sie sind gewiß soviel wert wie sämtliche anderen Juwelen in diesem Raum zusammen.«

Clytie hatte sich abgewandt. Die Erwähnung der Perlen war ihr unangenehm, und Mrs. Glendenning wurde mir immer unsympathischer. Ich suchte den Blick des Gerichtsrates und lächelte.

Er kam zu mir herüber, und ich trat einen Schritt vor. So gelang es mir, Mrs. Glendenning abzuschütteln.

Er war ein charmanter Herr. Vor zwanzig Jahren sei er hergekommen, erzählte er mir, und die Insel sei nun sein Zuhause. Etwa alle fünf Jahre besuche er die alte Heimat. Seine Familie freue sich jedesmal dai auf, und er natürlich auch.

»Sie sehen hier heute abend auch ein paar Singhalesen«, bemerkte er, »aber die meisten Anwesenden sind Engländer. Viele dieser Singhalesen arbeiten bei der Regierung, und einige stammen aus alteingesessenen Familien.«

»Die Damen sind so schön in ihren Saris«, sagte ich. »Ich hoffe, daß ich heute abend allen vorgestellt werde. Meine Schwester hat das Fest eigens zu diesem Zweck arrangiert.«

»Ich bin überzeugt, daß jedermann Ihre Bekanntschaft machen möchte. Ah, hier kommt Reggie Glendenning, Stationsvorsteher und Maschineningenieur; er trägt hier die Verantwortung für die Eisenbahn. Die Linie zwischen Colombo und Kandy ist für uns von größter Bedeutung.«

Ich wurde mit Reggie bekannt gemacht, einem unscheinbaren kleinen Herrn, der eine solche Frau vermutlich brauchte. Er langweilte mich mit einer weitschweifigen Schilderung seiner Aufgaben, und ich hörte nur mit halbem Ohr zu; als er aber auf die Perlen zu sprechen kam, merkte ich auf.

Die Ashington-Perlen hätten ihn schon immer fasziniert, erklärte er. Als er einmal bei den Ashingtons zu Besuch weilte, habe mein Vater die Perlen aus ihrem Krokodillederetui genommen, um sie ihm zu zeigen.

»Solche Perlen hatte ich noch nie gesehen«, sagte er. »Dieser Glanz. Ich bezweifle, daß es auf der ganzen Welt ein schöneres Kollier gibt. Es war das Geschenk eines Königs von Kandy an seine Frau, soviel ich weiß. Sie kamen in den Ruf, Unglück zu bringen, weil die Frau im Kindbett starb. Dann kamen sie in den Besitz der Ashingtons und wurden als die Ashington-Perlen berühmt. Ich werde Mrs. Blandford bitten, sie mich noch einmal genau anschauen zu lassen. Ich habe mich schon immer für Perlen interessiert. Ich hätte gern eine eigene Perlenfischerei, aber Ingenieure sind nun einmal keine Perlenfischer, nicht wahr?«

Ich dachte: Nicht, wenn sie von Ehefrauen beherrscht werden, die wünschen, daß sie Stationsvorsteher sind.

»Ich werde Mrs. Blandford jedenfalls ersuchen, daß ich einmal herkommen und die Perlen bei Tageslicht betrachten darf.«

»Sie wird sie Ihnen gewiß gern zeigen.«

»Sie ist eine schöne Frau«, sagte er, und ich stimmte ihm zu.

Clytie erlöste mich. »Wir wollen bald tanzen, und man erwartet von dir, daß du mit jedem tanzt, Sarah.«

Als der Tanz begann, war Clinton an meiner Seite. »Der erste Tanz gehört uns«, sagte er.

»Ich bin sehr ungeschickt«, erklärte ich ihm. »Auf Ashington Grange wurde nie getanzt. Celia Hansen hat mich allerdings ein wenig unterwiesen, und wir beide sind im Schulzimmer herumgehopst.«

»Wir müssen uns gegenseitig beistehen. Ich bin nämlich ungefähr so graziös wie ein Elefant.«

Er legte seinen Arm um mich und versuchte einen Walzerschritt. Ich war froh, daß wenigstens ich ein gewisses rhythmisches Gefühl besaß, woran es ihm deutlich mangelte.

»Du bist glücklich heute abend«, bemerkte er. »Du scheinst Gefallen an großen Gesellschaften zu finden.«

»Du nicht?«

»Ich ziehe es vor, mit dir allein zu sein.« Ich lachte, und er fuhr fort: »Manche Menschen finden an den seltsamsten Dingen Vergnügen. Du amüsierst dich zum Beispiel, indem du über diesen Boden walzt und deine armen Füße malträtieren läßt.«

»Von einem Elefanten«, ergänzte ich.

Er drückte mich fest an sich. »Auch das geht mal zu Ende. Dann fahren wir Seite an Seite in der Kutsche durch die duftende Nacht nach Hause ...«

»Bei solchen Anlässen kommt der sentimentale Mensch in dir zum Vorschein.«

»Der ist immer da, weißt du; er schlummert unter dem versteinerten Äußeren und wartet auf den Kuß, der ihn zum Leben erweckt… wie das schlafende Dornröschen auf seinen Prinzen.«

»Ich hätte nie gedacht, daß du dich in der Rolle des schlafenden Dornröschens wohl fühlst.«

»Ich bin offenbar in die falsche Geschichte geraten. Wir sind wie die Schöne und das Untier.«

Ich lachte laut auf. »Angefangen haben wir bei den Kleinen im Wald.«

»Ach ja, als wir uns verirrten.«

»Wir hätten auch Hänsel und Gretel sein können. Die haben das Knusperhäuschen entdeckt, und ihnen drohten schreckliche Gefahren. Du hättest dann die Rollen tauschen und die Hexe spielen können. Du hast mich schließlich aus Habsucht dorthin gelockt. Gott, das ist ja alles lächerlich!«

»Wir stehen, wie man so sagt, im Mittelpunkt der Bewunderung. Weißt du, die fragen sich jetzt alle: ›Wer hätte gedacht, daß Clinton Shaw so in *eine* Frau verliebt sein kann, und dazu noch in seine eigene!‹«

»Ich weiß, du stehst in dem Ruf, ein Freund flüchtiger Abenteuer zu sein.«

»Du hast eine Menge gelernt, nicht nur über Tee.«

Der Walzer war zu Ende, und wir kehrten an unsere Plätze zurück. Ich tanzte eine beschwingte Polka mit Sir William, und bei der Quadrille war Reggie mein Partner. Clintons Dame war eine außerordentliche schöne Frau, schwarzhaarig, in einem leuchtendroten Sari mit einer Mäanderborte aus Goldfäden. Ihr glattes üppiges Haar war hochgesteckt und mit einem Rubin geschmückt. Sie sah anders aus als die Singhalesinnen, die ich kannte, und ich vermutete, daß sie wie Clytie auch europäisches Blut in den Adern hatte. Dadurch fiel sie auf – wie eben auch Clytie hervorstach. Diese Frau war groß, wenn auch nicht so groß wie ich. Sie war überaus graziös und besaß dazu eine Vornehmheit, die auf den ersten Blick offensichtlich wurde. Sie war die auffallendste Erscheinung im Raum.

Clinton schien sie gut zu kennen, und mir wurde bewußt, daß sie zu den wenigen Leuten gehörte, die mir nicht vorgestellt worden waren. Bei der nächsten Gelegenheit erkundigte ich mich bei Clytie nach ihr. »Das ist Nankeens Tochter Anula.«

»Ah«, rief ich aus, »die berühmte Anula! O ja, sie ist wahrhaft ungewöhnlich. Du hast mir gar nicht erzählt, daß du sie eingeladen hast.«

»Nun, eigentlich hatte ich sie auch nicht …«

»Soll das heißen, daß sie uneingeladen kam?«

Clytie machte ein verlegenes Gesicht. »Ja, weißt du, sie kommt öfter zu solchen Veranstaltungen. Jemand bringt sie mit und …«

»Clytie, was redest du da?«

»Anula ist eben anders als ihre Angehörigen. Die arbeiten für uns; Anula hat nie für jemanden gearbeitet. Sie hat ihr eigenes Haus am äußeren Rand der Plantage. Sie hat ihre eigene Kutsche …«

»Dann ist sie also reich?«

»Oh, hm … ja. Sie ist zu Geld gekommen. Sie ist eine Dame und hat es nicht nötig zu arbeiten.«

»Und sie braucht auch nicht eingeladen zu werden. Sie kommt einfach so …«

Das war alles recht merkwürdig. Ich konnte Clytie jetzt nicht weiter ausfragen. Morgen würde ich sie bitten, mir mehr zu erzählen.

Durch die Hitze im Ballsaal und die Anstrengung beim Tanzen war meine Frisur in Unordnung geraten, und ich beschloß, mein Haar oben in Clyties Schlafzimmer, das den Damen als Garderobe diente, neu aufzustecken. Ich stieg leise die Treppe hinauf und betrachtete mein Spiegelbild. Ich zog die Nadeln heraus, und mein Haar fiel mir auf die Schultern. Es blieb mir nichts übrig, als es von Grund auf neu zu frisieren.

Ich war so in mein Tun vertieft, daß ich nicht hörte, wie die Tür aufging. Als ich aufblickte, stellte ich erschrocken fest, daß ich nicht allein war. Mein Herz fing lächerlich heftig zu klopfen an, als ich im Spiegel eine rotgewandete Frau hinter mir stehen sah: Es war Anula.

Ich wandte mich um – mein Haar halb hochgesteckt, halb offen, weshalb ich mich gegenüber diesem grazilen und anmutigen Wesen im Nachteil fühlte. »Ich habe Sie nicht hereinkommen hören«, sagte ich.

»Nein?« Die tiefe melodische Stimme paßte zu ihr.

»Ich wollte mein Haar feststecken«, erklärte ich, als müsse ich meine Anwesenheit entschuldigen.

»Das kommt vom Tanzen ... und von der Hitze. Sie sind mit diesen Temperaturen nicht vertraut.«

»Ich denke, ich werde mich daran gewöhnen.« Ich befaßte mich wieder mit meinem Haar, und sie sah mir schweigend zu.

»Ich wollte Sie unbedingt kennenlernen«, sagte sie.

»Ich vermute, ein Neuankömmling ist immer interessant.«

»Vor allem, wenn es sich um Clinton Shaws Gattin handelt. Darf ich Ihnen behilflich sein? Diese Strähne hier sitzt noch nicht richtig. Bei der Polka würde sie sich bestimmt lösen.« Sie ordnete mein Haar mit großem Geschick. »So! Ich denke, das wird halten.«

»Danke«, sagte ich. »Es sitzt nie so, wie ich es haben möchte.«

»Sie haben feines Haar«, sagte sie.

Ich stand auf. Diese Frau war irgendwie beunruhigend. Ich spürte, daß ihre sanften dunklen Augen etwas verbargen, daß sie versuchte, meine Gedanken zu ergründen, um auf gewisse Fragen eine Antwort zu finden.

»Ich habe ein kleines Geschenk für Sie«, sagte sie. »Ich hoffe, Sie nehmen es mir nicht übel.«

»Ein Geschenk? Oh, das ist sehr liebenswürdig.«

»Meine Schwester hat mir ein Stückchen von der blauen Seide für Ihr Kleid abgeschnitten; so hatte ich etwas, woran ich mich halten konnte. Die Damen hierzulande benötigen häufig einen Fächer. Ich habe Ihnen einen mitgebracht, der zu Ihrem Kleid paßt. Bitte, nehmen Sie ihn.«

»Vielen Dank. Darf ich aufmachen?«

»Bitte. Ich möchte wissen, ob er Ihnen gefällt.«

Er war in Seidenpapier eingewickelt. Als ich es entfernte, kam ein wunderschöner Fächer aus Pfauenfedern zum Vorschein. Dieses tiefe Blau war meine Lieblingsfarbe.

»Wie hübsch«, rief ich aus. »So schöne Farben!«

Anula neigte den Kopf. »Ich bin glücklich, daß er Ihnen Freude macht.«

»Ich werde ihn aber heute abend noch nicht benutzen, weil er beim Tanzen stört. Ich packe ihn wieder ein und nehme ihn mit nach Hause. Haben Sie vielen Dank!«

»Ich wollte Ihnen ein Geschenk machen, weil Sie jetzt hier bei uns leben und weil Sie Clinton Shaws Gattin sind.«

»Das ist wirklich lieb von Ihnen.«

Wir kehrten nicht zusammen in den Ballsaal zurück. Sie blieb in Clyties Schlafzimmer, und ich ging die Treppe hinunter, weil ich die Klänge des Kotillons hörte und unten ein Partner auf mich wartete.

Eine halbe Stunde später schlug Sir William Carstairs, nachdem er mit mir getanzt hatte, vor, in den Garten zu gehen.

»Zur Erfrischung«, sagte er. »Es ist so heiß hier im Saal.«

Draußen setzten wir uns auf eine Bambusbank unter den Rhododendronsträuchern, die mir viel höher erschienen als in England. Sir William erzählte mir von seiner Arbeit. Er hatte in England eine Anwaltspraxis gehabt, ehe er nach Ceylon kam. In seiner Freizeit beobachtete er Vögel, und er erforschte die Vogelwelt der Insel. Er erzählte von einer Eulenart, deren Schrei so unheimlich war, daß die Eingeborenen sie Teufelsvogel nannten.

»Eisvögel und Nektarvögel, Pirole und alle möglichen Sittiche kommen auf Ceylon in Massen vor«, sagte er, »aber besonders zahlreich sind hier die Stelzvögel. Sie müssen die Störche und Reiher beachten, vor allem die Silber- und Löffelreiher.«

Das versprach ich ihm, und dann vernahm ich flüsternde Stimmen. Es mußte, von dem Rhododendron verdeckt, noch eine Bank in der Nähe stehen.

Jemand sagte schrill und vernehmlich: »Sie hätte heute abend nicht kommen dürfen. Glaubst du etwa, daß Clytie Blandford sie eingeladen hat? Nie und nimmer!« Ich erkannte die Stimme von Mrs. Glendenning. Ihre Gesprächspartnerin murmelte etwas, und die schrille Stimme fuhr fort: »O ja, sie ist ganz bestimmt uneingeladen gekommen. Schließlich hat er es erzwungen, daß sie gesellschaftlich anerkannt wird, und nun glaubt sie wohl, daß sie auch jetzt noch, obwohl er mit seiner Frau hergekommen ist, gewisse Vorrechte genießt.«

»Am Sandstrand können Sie Flamingos beobachten«, sagte Sir Williams jetzt lauter, und ich dachte, er sei so in seine Vögel vertieft, daß er diese Gesprächsfetzen nicht gehört hatte.

»Ich fand es immer geschmacklos, wie er mit seinen Mätressen herumstolzierte«, fuhr Mrs. Glendenning fort. »Aber *sie* stand ja hoch über allen anderen … die *maîtresse en titre*, wie die Franzosen zu sagen pflegen. Aber wir sind keine Franzosen, meine liebe Emma. Clinton Shaw mit seinem ganzen Einfluß bildet sich freilich ein, er kann sich aufführen, wie er will. Na ja, nachdem er nun seine Frau mitgebracht hat, dürfen wir wohl eine Wandlung zur Ehrbarkeit erwarten.«

»Im Landesinnern«, sagte Sir William, »finden Sie Tauch- und Krickenten.«

Ich hielt es nicht mehr aus. Ich stand auf, und ein Blick von Sir William verriet mir, daß er die Unterhaltung ebenfalls gehört hatte und nur aus Anstand so tat, als habe er nichts bemerkt.

Hinterher kam es mir so vor, als ob jedermann Anula beobachtete, Clintons ehemalige Geliebte. Sie besaß ein Haus auf der Plantage und eigenes Geld. Natürlich von Clinton. Und während ich hier als seine Frau eingeführt wurde, war sie ebenfalls anwesend. Er hätte ihr Kommen verhindern können, aber er hatte es nicht getan. Im Gegenteil, er hatte mit ihr getanzt und sie höchstwahrscheinlich freudig begrüßt. Was war ich nur für eine Närrin gewesen, als ich glaubte, unsere Ehe würde doch noch in Ordnung kommen.

Wir kehrten in den Ballsaal zurück. Ich bewegte mich ganz mechanisch zur Musik. Ich sah Clinton mit Anula tanzen. Mir wurde übel vor Zorn und Kummer.

Clytie flüsterte: »Ist dir nicht wohl?«

Ich fragte: »Warum hast du die Frau eingeladen?«

Sie wußte sogleich, wen ich meinte. »Ich habe sie doch nicht eingeladen«, sagte sie. »Sie ist einfach gekommen.«

»Du empfängst also Leute, die du nicht einlädst.«

»Was sollte ich sonst tun?«

Es war nach Mitternacht, als wir aufbrachen. Jetzt war mir neben Clinton in der Kutsche erheblich anders zumute als auf dem Hinweg. »Du bist müde«, sagte er mit dieser Zärtlichkeit in der Stimme, die in mir aber nur noch rasenden Haß erweckte. Ich mußte meinen Zorn zurückhalten, bis wir allein waren. Dann wollte ich Clinton klarmachen, daß ich nicht gewillt sei, mich demütigen zu lassen.

Vier Gäste sollten die Nacht in unserem Haus verbringen, weil der Heimweg zu weit für sie war. Früh am Morgen wollten sie aufbrechen. Als wir ankamen, mußte ich ihnen ihre Zimmer zeigen, und ich war eine Weile beschäftigt, bevor ich mit Clinton allein war.

Ich blickte ihm ganz ruhig ins Gesicht und sagte: »Ich will die Wahrheit wissen.«

»Was ist denn in dich gefahren?« fragte er.

»Diese Anula, wie stehst du mit ihr?«

»Sie ist eine sehr gute Freundin von mir.«

»Du meinst … deine Geliebte?«

»Eine ganz besondere.«

276

»Sie hat den ruhmreichen Titel einer *maîtresse en titre*. So habe ich sie heute abend nennen hören.«

»Wirklich? Das klingt großartig. Ich bin sicher, das würde ihr gefallen.«

»*Mir* aber nicht.«

»Meine Liebe, du wirst doch nicht Anula ein bißchen Ruhm mißgönnen!«

»Ruhm nennst du das?«

»Davon hast du gesprochen.«

»Ich will alles wissen.«

»Du bist vom Wissensdrang besessen. Wenn's nicht Tee ist, dann sind es Edelsteine, und nun meine vorehelichen Beziehungen. Du verschwendest deine Kräfte, mein Liebling. Was vorbei ist, ist vorbei. Anula war einige Jahre meine Geliebte. Es war ein recht angenehmes Verhältnis. Sie war angesehen. Eine Zeitlang dachte ich daran, sie zu heiraten. Aber ich halte nicht viel von solchen Mischehen. Man muß an die Kinder denken. Für mich kam nur eine Engländerin in Frage.«

»Mit einer Plantage. Ich schätze, damit konnte Anula trotz all ihrer Vorzüge nicht aufwarten.«

»Da hast du recht. Das war ein Punkt zu deinen Gunsten.«

»Ich hasse dich«, sagte ich heftig. »Du bist so … kalt berechnend.«

»Man muß kühl und berechnend sein, wenn man zur richtigen Lösung gelangen will.«

»Du machst mich rasend.«

»Ich weiß. Ich mag dich, wenn du rasend bist.«

»Ich mag dich überhaupt nicht.«

»Liebe Sarah, sei nicht eifersüchtig. Anula ist ein hinreißendes Geschöpf, aber …«

»Du kannst zu ihr gehen, sooft du willst, und ich kehre nach England zurück.«

»Was? Zu Tante Martha? *Die* ist kein solcher Ausbund an Tu-

277

gend, dafür möchte ich mich verbürgen. Da bin ich womöglich doch vorzuziehen.«

Plötzlich verspürte ich das Bedürfnis, meiner Verzweiflung freien Lauf zu lassen. Als wir zu dem Ball aufbrachen, war ich von seinem Saphirgeschenk gerührt und richtig glücklich gewesen. Doch was ich an diesem Abend erfahren hatte, war so demütigend, daß ich es nicht ertragen konnte. Ich dachte fortwährend an all den Klatsch, der in einer solchen Gesellschaft entstehen mußte. Die Leute würden uns beobachten: mich, Clinton und Anula. Es ging mir nicht aus dem Kopf, wie sie leise, einem Panther gleich in das Schlafzimmer geschlichen war und mich betrachtet hatte.

Ich riß das saphirbesetzte Samtband herunter und warf es auf den Ankleidetisch. »Vielleicht schenkst du es lieber Anula«, sagte ich.

»Es würde ihr nicht stehen. Zu ihr passen Rubine ... Rubine und Smaragde.«

»Dann schenk es vielleicht einer, die weniger hoch in deiner Gunst steht?«

Er lachte und nahm mich in die Arme. »Liebste Sarah«, sagte er, »du hast überhaupt keinen Grund zur Eifersucht. Du bist hier, und du bist die einzige. Du bist meine Frau. Solange du mich glücklich machst, warum sollte ich da eine andere begehren?«

»Das ist eine Art Ultimatum, wie?«

»Gute Idee. Du hast eine Aufgabe. Sieh zu, daß du mich so bezauberst, daß ich keine andere Frau anschauen kann.«

»Nimm bitte deine Hände weg.«

Daraufhin hielt er mich nur noch fester. Ich versuchte vergebens, ihn wegzustoßen. Das gefiel ihm. Er genoß es, seine Überlegenheit zu beweisen.

»Hör zu«, schrie ich, »ich ertrage es nicht, von anderen Leuten bemitleidet zu werden.«

»Bemitleidet? Sie beneiden dich doch alle. Hast du das nicht gemerkt?«

»Ich spreche nicht von deinen verflossenen Geliebten. Ich habe im Garten eine Unterhaltung mit angehört. Mrs. Glendenning ...«

»Dieses Weib. Die ist giftiger als eine Kobra! Ich sage dir, in ihrem Umkreis gibt es niemanden, dem nicht irgend etwas angelastet wird.«

»Trotzdem. Ich mag das nicht.«

»Du hättest eben nicht im Garten herumstreunen sollen. Habe ich dir nicht gesagt, daß du dich vor Schlangen hüten sollst?« Er nahm mein Gesicht in seine Hände und sagte ernst: »Meine liebe, liebe Sarah. Ich habe viele Frauen gekannt. Was hast du denn erwartet? Anula paßte gut zu mir. Ich war oft in ihrem Haus ...«

»Das du ihr geschenkt hast ...«

»Das ich ihr geschenkt habe.«

»Wie den Schmuck, den sie trug?«

»Wie den Schmuck, den sie trug. Du weiß ja, wie großzügig ich bin.«

Ich sagte: »Jetzt hör mir mal zu! Ich bleibe nicht hier, oder erwartest du, daß ich deine Seitensprünge hinnehme? Nicht, daß es mir persönlich etwas ausmacht ...«

»Wirklich nicht, Sarah? Ich finde das ziemlich unmoralisch von dir.«

»Kannst du wohl *einmal* ernst sein? Ich will kein Mitleid. Ich lasse mich nicht demütigen, und wenn du erwartest, daß ich dich mit anderen Frauen teile, dann gehe ich.«

»Ich könnte den Gedanken nicht ertragen, daß du zu diesen garstigen Tanten zurückkehrst.«

»Ich kann mich ja auf meiner Plantage niederlassen. Ist dir das schon mal in den Sinn gekommen?«

»Ich hole dich zurück, wohin du auch gehst. Du hast mich geheiratet, mein Liebling, ›im Glück wie im Unglück‹, denk daran!«

»Es darf aber nicht zuviel Unglück geben.«

Er drückte mich an sich, und ich spürte, wie die Leidenschaft zwischen uns aufflammte. Im Nu änderte sich seine Stimmung. Er war jetzt nicht mehr überheblich. Er sagte: »Liebste Sarah, ich liebe dich … dich allein. Laß es dabei bewenden! Es kann das Wunderbarste sein, das je einem von uns widerfahren ist.« In solchen Augenblicken physischer Harmonie brachte er zuwege, daß ich ihm glaubte.

Unsere Gäste brachen früh am nächsten Morgen auf, und als sie fort waren, ging ich zu Clytie hinüber. Sie erwartete mich ungeduldig, um mit mir über den Ball zu sprechen.

»Ich glaube, es war ein Erfolg«, sagte sie. »Die Leute, die bei uns übernachtet haben, sind schon abgereist. Sie brechen immer früh auf – gleich bei Sonnenaufgang. Eure Gäste sind vermutlich auch schon weg. Alle waren von dir entzückt. Einige wirst du von nun an häufiger sehen. – Du schaust so nachdenklich aus, Sarah.«

Als wir es uns bequem gemacht hatten und aus hohen grünen Gläsern Limonade schlürften, blickte sie mich zweifelnd an und fragte, ob mir der Ball wirklich gefallen habe.

»Liebe Clytie«, sagte ich, »du hast dir meinetwegen so viele Umstände gemacht. Niemand hätte eine bessere Gastgeberin sein oder mehr Mühen auf sich nehmen können, um mich in die Gesellschaft einzuführen.« Ich blickte in ihr besorgtes Gesicht, und plötzlich entschloß ich mich, ihr den Grund meiner Beklommenheit anzuvertrauen: »Ich habe im Garten eine Unterhaltung über Clinton und Anula mit angehört.«

»Du liebe Güte!« Sie sah betroffen aus. »Ich wollte, sie wäre nicht gekommen. Sie ist noch nie eingeladen worden, aber wenn sie wollte, erschien sie einfach. Clinton hat sie manchmal mitgebracht, und niemand wagte etwas gegen ihre Anwesenheit einzuwenden aus Furcht, ihm zu nahe zu treten … oder ihr. Sie steht in dem Ruf, eine Art Zauberin zu sein.«

»Mrs. Glendenning war es, die ich über sie reden hörte.«

»Das ist ein boshaftes Weib mit einer gehässigen Zunge«, versuchte mich Clytie zu beruhigen.

»Sie sprach darüber, wie schockiert sie sei, weil Anula da war, und ich ahnte sogleich, in was für einer Beziehung Anula zu Clinton stand. Ich bin mit ihm deswegen gestern abend aneinandergeraten.«

»O Sarah!«

»Mach nicht so ein erschrockenes Gesicht! Clinton und ich verstehen einander. Ich habe ihm klargemacht, daß ich die Fortsetzung seines Verhältnisses mit ihr nicht dulden würde.«

»Ich bin sicher, daß er es nicht fortzusetzen gedenkt.«

Die gute Clytie! Ich begriff, daß ihre Beziehung zu Seth weniger aufreibend war.

Sie fuhr fort: »Es war ein unglücklicher Zufall, daß du gehört hast, was diese Frau sagte.«

»In deinem Schlafzimmer habe ich Anula getroffen. Sie brachte mir ein Geschenk. Ich habe es gestern abend hier vergessen. Anula kam ins Zimmer, als ich meine Frisur in Ordnung brachte. Sie war sehr freundlich.«

Clytie runzelte die Stirn.

»Beunruhigt dich das?« fragte ich.

Clytie zögerte. »Anula ist eine sehr leidenschaftliche Frau. Sie und Clinton haben sich oft heftig gestritten. Sie war schrecklich eifersüchtig. Einmal hat sie versucht, ihn umzubringen. Sie stach mit einem Messer auf ihn ein. Er hatte eine Wunde im Arm. Es wurde vertuscht, aber ich habe es nie vergessen. Du weißt, Sheba ist Anulas Tante. Sie hat mir erzählt, Anula sei eine wiedergeborene Königin von Ceylon. Es hat tatsächlich eine Königin Anula gegeben. Sie war die allererste Königin der Insel. Sie hatte unersättlichen Hunger nach Männern und hat fünf Liebhaber vergiftet. Ihr Stiefsohn hat sie bei lebendigem Leibe verbrannt. Sie wollte auch ihn vergiften, um ihren leiblichen Sohn auf den Thron zu bringen.«

»Und das glauben die Leute wirklich?«

»Ja. Sheba sagt, Anula habe besondere Kräfte. Die hat sie angewandt, um Clinton zu umgarnen. Sheba hat nicht geglaubt, daß
Clinton mit einer Frau zurückkehren würde.«

»Mir scheint, ich bin in ein Intrigengespinst geraten.«

»Das ist doch alles Unsinn. Anula ist lediglich eine Frau, die ihre
eigenen Wege gehen möchte, und das ist ihr bisher durchaus
gelungen.«

Ich stand auf. »Ich zeige dir ihr Geschenk. Es ist sehr hübsch,
und sie hat sich offensichtlich Mühe gegeben, um etwas Passendes zu meinem Kleid zu finden.«

Wir gingen ins Schlafzimmer. Mein in Seidenpapier eingewik-
kelter Fächer lag auf einem Tisch.

Ich packte ihn aus und entfaltete die prächtigen Pfauenfedern.

Clytie warf nur einen Blick darauf und schlug die Hand vor den
Mund. »Den hat sie dir geschenkt?«

»Ja. Ist er nicht hübsch?«

»Sarah, du darfst ihn nicht behalten. Du darfst ihn nicht im Haus
haben. Solche Fächer benutzen wir hier nie: Pfauenfedern bringen Unglück.«

Ich starrte sie an. »Du glaubst wirklich …«

»Diese Fächer werden gelegentlich für Fremde hergestellt. Hier
trägt sie niemand. Es bringt Unglück. Pfauenfedern bedeuten
den Tod.« Clytie schnappte mir den Fächer weg und rannte mit
ihm nach unten. Im Garten hielt sie ein Zündholz an die Federn.
Ich sah zu, wie sie in Flammen aufgingen.

»Clytie«, sagte ich. »Sie waren so hübsch …«

»Sie hat dir Böses gewünscht«, erklärte Clytie leise. »Sarah, du
mußt sehr vorsichtig sein!«

Das Lösegeld

Gegen Ende der folgenden Woche eröffnete mir Clinton, er müsse zu verschiedenen Besprechungen mit den Schiffsmaklern nach Colombo, anschließend in den Süden nach Galle und dann in den Norden zu den Perlenfischern. Er bleibe etwa zwei Wochen fort, und da er nicht wünsche, daß ich allein mit den Dienstboten im Hause sei, schlage er vor, daß ich solange zu meiner Schwester ziehen sollte.

Clytie war begeistert. Sie meinte, das erspare mir das Hin und Her zwischen den beiden Häusern; so verabschiedete ich mich denn von Clinton, und Clytie holte mich samt ein paar Kleidern und anderen Sachen, die ich benötigte, mit der Kutsche ab.

Von meinem Zimmer im Ashington-Haus überblickte ich den Garten und die angrenzenden Wälder. Clytie hatte als Willkommensgruß Geißblattblüten in einer großen Vase arrangiert. Sie versicherte mir unentwegt, wie glücklich sie sei, daß ich nun mit ihr unter einem Dach weilte.

Ich fragte mich fortwährend, ob Clinton sich nach wie vor mit Anula oder anderen Frauen traf. Ich würde seiner niemals sicher sein. Ungewißheit war das Grundelement unserer Beziehung: Es gab keine Sicherheit, kein Vertrauen.

Für kurze Zeit wollte ich nun versuchen, ihn zu vergessen. Ich würde mit Seth zusammensein, um mehr über die Plantage zu erfahren, und mit Clytie, die bald meine liebste Freundin wurde. Es war wundervoll, eine Schwester gefunden zu haben, mit der ich, obwohl sie mir in mancher Hinsicht fremd war, so harmonierte.

Ich begutachtete mein Zimmer mit den cremefarbenen Vorhän-

gen aus Madras-Baumwolle, den unvermeidlichen Moskitonetzen über dem Bett sowie dem feinen Maschendraht an den
Fenstern und fand es hübsch und anheimelnd. Ich war entschlossen, meinen Aufenthalt zu genießen. Ich wollte nicht
beständig an Clinton denken, mich nicht fortwährend fragen,
wie er wohl unterwegs die Zeit verbrachte. Nachdem ich Anula
von Angesicht zu Angesicht begegnet war und weil ich Clinton
kannte, hielt ich es durchaus für möglich, daß sie ihre frühere
Beziehung bedenkenlos wieder aufnahmen.

Jetzt wollte ich erst einmal Abstand gewinnen. Wenn diese
Ruhepause vorüber war, würde ich vielleicht zu einem Entschluß gelangen, wie ich mich am besten verhalten sollte.

Die Vormittage verbrachte ich mit Seth; ich ritt mit ihm über die
Plantage und betrachtete stolz die üppig bewachsenen grünen
Hänge, die uns so viel bedeuteten. Es war ein Vergnügen, den
Pflückern mit ihren über die Schulter geschlungenen Körben
bei der Arbeit zuzusehen. Es waren meist Frauen, nur von der
Taille aufwärts zu sehen, mit farbenfrohen Kopftüchern, die sie
vor der Sonne schützten. Alles andere war von den Pflanzen
verdeckt.

Am kurzweiligsten waren die Nachmittage mit Clytie, wenn der
kleine Ralph sich zu uns gesellte und wir durch den Garten und
den Dschungel streiften. Ralph stellte sich gern unter den Baum
mit dem eingeritzten Buchstaben und sprach mit ihm. Der
Junge war äußerst lebhaft und konnte eine Menge Pflanzen mit
dem richtigen Namen nennen. Er pflückte sie jedoch nie. »Das
tut ihnen weh«, erklärte er. »In der Erde gefällt es ihnen am
besten, da wollen sie wachsen.«

Er war ein Junge, auf den man stolz sein konnte, und Clyties
Liebe zu ihm kam in jedem Blick, in jeder Gebärde zum Ausdruck. Er war jedoch recht selbständig und mochte es gar nicht,
wenn man ihm allzuviel Zärtlichkeit entgegenbrachte. Er schien
älter als seine vier Jahre zu sein; er konnte bereits etwas lesen
und ließ sich gern Geschichten erzählen, wurde aber ungedul-

dig, wenn sie zu lange dauerten; oftmals gefiel ihm der Schluß nicht, und er beendete sie auf seine Weise.

Sheba hielt sich ständig in seiner Nähe auf, und mir fiel auf, daß sie mich aufmerksam beobachtete. Jetzt, da ich von ihrer Verwandtschaft mit Anula und von Anulas Beziehung zu meinem Mann wußte, war mir ihr Interesse klar. Ich fragte mich, ob sie wohl gehofft hatte, daß Clinton Anula heiraten würde. Es war vielleicht ganz natürlich, daß sie mir grollte; denn Gründe dafür gab es genug. Sie hatte gewiß angenommen, daß die Plantage an Clytie und Seth fallen würde, und dann hatte ich sie geerbt. So nahm es nicht wunder, daß Sheba über meine Anwesenheit wenig erfreut war. Das sagten mir die finsteren Blicke, mit denen sie mich bedachte. Wenn die Lampen angezündet waren und ich diesen Blicken begegnete, lief mir zuweilen ein Schauder über den Rücken.

Ein paar Tage nach meiner Ankunft bei Clytie erfuhr ich, daß in Manganiya ein Festzug stattfinden sollte. Das war eine glückliche Fügung. Ursprünglich wurde dieses Fest nur in Kandy begangen, und Clytie hatte erwogen, sich die Prozession dort anzuschauen. Doch die Veranstaltung fing erst abends an, und man hätte mit der Eisenbahn fahren müssen. Ralph hätte den Umzug liebend gern gesehen, doch Clytie meinte, sie könnte ihn unmöglich auf eine so weite Fahrt mitnehmen. Daher traf es sich gut, daß nun auch in der Nähe eine Prozession stattfinden sollte.

Die gesamte Plantage befand sich in heller Aufregung. Alle wollten nach Manganiya. Der Umzug fand anläßlich des Esala-Perahera-Festes statt und wurde von Fackelträgern begleitet.

»Wir gehen alle zusammen«, schlug Clytie vor.

Sheba meinte kopfschüttelnd, es werde zu spät für den Jungen, doch Clytie zerstreute ihre Bedenken, indem sie sagte: »Er würde es dir nie verzeihen, Sheba, wenn er wüßte, daß du dagegen warst. Schon aus diesem Grund müssen wir gehen. Es wird ihm doch nicht schaden, wenn er einmal länger aufbleibt.«

Den ganzen Tag über herrschte wie auch schon tags zuvor im Haus und auf der Plantage große Aufregung. Eine riesige Menschenmenge würde sich an diesem Abend in Manganiya versammeln. Um acht Uhr, bald nach dem Dunkelwerden, sollte der Festzug beginnen. Die Teilnehmer waren seit dem Morgen eingetroffen. Wir fuhren vor dem Lunch hin, um sie uns anzuschauen. Ralph konnte vor Aufregung nicht stillsitzen. Er hopste auf dem Sitz der Kutsche auf und ab und machte uns auf die Elefanten aufmerksam.

»Ich werde auf einem Elefanten reiten«, erklärte er. »Ich habe einen Elefanten. Der gehört mir ganz allein. Er läßt keinen anderen auf seinem Rücken reiten.«

Wir lächelten uns über seinen Kopf hinweg zu, und seine Mutter sagte: »Wenn du heute abend lange aufbleiben willst, mußt du heute nachmittag schlafen.«

»Ich will aber heute nachmittag nicht schlafen.«

»Aber dann schläfst du heute abend ein und versäumst den Festzug.«

»Bestimmt nicht«, sagte er, ohne sehr überzeugt zu wirken.

Als wir wieder zu Hause waren, trug Sheba ihn in sein Zimmer. Clytie und ich tranken zusammen Tee, und ich spürte, daß sie besorgt war. Ich fragte sie, was sie bedrücke. Sie zögerte einen Augenblick, dann sagte sie: »Ich weiß nicht, ob es richtig ist, ihn so lange aufzulassen. Er regt sich so auf.«

»Ach, einmal wird es ihm nicht schaden«, versicherte ich ihr. »Außerdem kannst du ihn jetzt nicht enttäuschen.«

Das leuchtete ihr ein, und sie erzählte mir von anderen Festen, die sie erlebt hatte. Als Ralph noch nicht auf der Welt war, hatte sie mit unserem Vater und später mit Seth die Darbietungen der Kandy-Tänzer besucht. Diese jahrhundertealten Tänze, die meist eine Legende ausdrückten, waren hochinteressant.

»Wir müssen sie uns eines Tages anschauen«, sagte sie. Sie beschrieb die Kostüme und die Tänze, doch ich merkte, daß sie mit den Gedanken woanders war.

Auf dem Weg zu meinem Zimmer schaute ich zu Ralph hinein. Er saß mit jammervoller Miene im Bett.

»Was ist denn, Ralph?« fragte ich. »Fehlt dir was?«

Er verzog das Gesicht und brach in Tränen aus. Es war das erste Mal, daß ich ihn weinen sah. Ich trat an sein Bett und nahm ihn in meine Arme.

»Sag doch, Liebling«, bat ich, »was fehlt dir?«

»Ich kann nicht einschlafen«, schluchzte er.

»Und warum ist das zum Weinen?«

»Weil ich dann heute abend einschlafe, wenn die Elefanten kommen und die Tänzer. Mama hat gesagt, wenn ich jetzt nicht schlafe, schlafe ich heute abend ein. Und dann ist alles vorbei, und ich kann's nicht sehen.«

Ich lachte erleichtert. »Unsinn«, sagte ich. »Du schläfst heute abend nicht ein. Du bist viel zu aufgeregt. Jetzt wisch dir die Tränen ab, und wenn du still liegenbleibst und dich ausruhst, bleibst du heute abend sicher wach.«

»Ganz bestimmt?« Seine Stimme hatte sich gewandelt. Ein glückliches Lächeln huschte über sein hübsches Gesicht. Ich konnte nicht anders, ich mußte ihn küssen, obwohl ich wußte, daß er das nicht mochte; doch diesmal ließ er mich gewähren, weil ich ihn beruhigt hatte.

»Es genügt, wenn du stilliegst«, sagte ich. »Ruh dich einfach aus! Du darfst nur nicht daran denken, daß du einschlafen mußt. Wenn wir nach Manganiya fahren, bist du ganz munter und versäumst gar nichts.«

»Tante Sarah, tanzen die Elefanten auch?«

»Hm, daß weiß ich nicht. Wir müssen's abwarten, nicht wahr?«

»Mein Elefant kann tanzen. Er tanzt besser als alle Elefanten von Kandy.«

Ich lächelte und deckte ihn zu. Ich legte meinen Finger an die Lippen. »Nicht vergessen«, flüsterte ich. »Bleib still liegen, und sei unbesorgt! Ruhen ist genausogut wie schlafen.«

Er nickte verschwörerisch, und ich ging auf Zehenspitzen hinaus. Fünf Minuten später schaute ich abermals hinein. Er war fest eingeschlafen.

Wir fuhren in einer offenen Kutsche. Ich, Clytie, Seth, Sheba und Ralph. Die Straßen waren voll von allen möglichen Fahrzeugen: Ochsenkarren, Kutschen in allen Variationen und Rikschas. Um uns herum war ein ungeheurer Lärm, da jedermann sehr aufgeregt war.

Ralph konnte sich nicht stillhalten. Er plapperte unentwegt auf mich ein; unsere Freundschaft hatte sich merklich gefestigt; seit ich ihm versichert hatte, daß ruhen ebensogut sei wie schlafen. Wir ließen den Wagen beim Gasthaus stehen und gingen zum Platz, wo wir die Darbietungen gut überblicken konnten. Ich hielt Ralph an der Hand, und er hüpfte neben mir her. Es herrschte ein großes Gedränge. Wir erspähten Ashraf in der Menge, und Ralph rief ihm etwas zu. Ashraf war sein besonderer Freund. Ich hätte gern gewußt, ob Anula auch da war.

Das Spektakel nahm seinen Lauf. Fackeln wurden emporgehalten, um die Szenerie zu beleuchten. Verschiedene Wagen waren mit Blumen geschmückt, und ich erblickte Leute in farbenprächtigen Kostümen. Die Saris der Damen waren wunderschön, die meisten Männer trugen dagegen die üblichen weißen Hemden, die lose über den weißen Hosen hingen. Die Aufregung zog auch mich in ihren Bann.

Als die Elefanten erschienen, zappelte Ralph vor Übermut. Sie waren prächtig herausgeputzt, mit Tausenden von Juwelen geschmückt, und oben auf ihrem Rücken saßen auf einem von einem Baldachin bedeckten Thron die Priester der verschiedenen Bezirke.

Vor den Tänzern schritten Trommler einher, und in der Mitte des Platzes bewegten sich die berühmten Kandy-Tänzer nach uralten Rhythmen. Der Schwerpunkt ihres Ausdrucks lag in den Händen, weniger in den Füßen. Dann folgten die Dämonentänzer; ihre groteske und unheimliche Aufmachung rief bei den

Zuschauern furchtsames Staunen hervor, und die Menge verharrte in ehrfürchtigem Schweigen.

Es war atemberaubend. Dergleichen hatte ich noch nie erlebt. Alles war so fremdartig, und ich hatte mich noch nicht an die eigentümliche Musik gewöhnt. Ich war entzückt von den langsamen, graziösen Bewegungen der Tänzer, den Farben der Kostüme, dem Duft der Blumen und dem Licht der Fackeln, das sich auf den Gesichtern um mich herum spiegelte.

Ralph hatte meine Hand losgelassen. Er klatschte im Takt zur Musik. Die Tänzer kamen dicht an uns vorbei. Schweigen senkte sich über die riesige Menschenmenge. Dann stimmten sie einen Gesang an, eine fremdartige Melodie, die mich seltsam berührte. Ich konnte meine Augen nicht von diesen tanzenden Körpern wenden.

Schließlich war es vorüber. Die Tänzer schritten gemessen über den Platz. Die Elefanten stampften davon, und die Menschen drängten vorwärts.

Plötzlich hörte ich Clyties Stimme, schrill vor Schrecken: »Wo ist Ralph?«

Bei mir war er nicht.

»Er ist sicher bei Sheba«, meinte Seth.

»Wo ist Sheba?« schrie Clytie.

Wir blickten uns um. Sie war nirgends zu erspähen. Clytie war sehr unruhig, und sie steckte mich mit ihrer Besorgnis an. Ich redete mir ein, daß Ralph gewiß bei Sheba sei. Sie hatte den Jungen während der ganzen Zeit bestimmt nicht aus den Augen gelassen. Es war sinnlos, sie in dem Gedränge zu suchen.

Seth sagte: »Gehen wir zum Wagen! Sie sind sicher dort.«

Clytie schaute herum. »Ich habe sie nicht weggehen sehen; du vielleicht?«

»Nein. Ich dachte, Ralph sei bei uns. Wir waren alle so in den Tanz versunken.«

»Ich dachte, du hältst ihn an der Hand.«

»Zuerst schon. Aber er ließ mich los, um zu klatschen. Er stand ganz dicht neben mir.«

Clytie biß sich auf die Lippen und erwiderte nichts.

Ich sagte: »Seth hat recht. Wir sollten zum Wagen gehen. Bestimmt sind sie dort.«

Wir brauchten eine Weile, bis wir uns einen Weg durch die Menge gebahnt hatten. Wir erreichten das Gasthaus und gingen in den Hof. Sheba schoß vom Wagen auf uns zu. »Jetzt muß der Junge aber nach Hause«, sagte sie. »Er war viel zu lange auf.«

»Da wir nun alle beisammen sind, können wir ja fahren«, meinte daraufhin Seth.

Die folgenden Worte Shebas ließen mich vor Angst erzittern: »Und wo ist der Junge?«

»Sheba!« schrie Clytie entsetzt. »Ist er nicht bei dir?«

»Bei mir? Er stand doch bei Ihnen.«

»O Gott!« murmelte Clytie.

Jetzt stand fest, daß wir Ralph verloren hatten.

Ein paar Sekunden lang waren wir alle vom Schreck gelähmt. Dann sagte ich: »Wir müssen etwas tun. Er muß irgendwo in der Menge sein. Er ist vermutlich hinter einem Elefanten hergelaufen.«

»Was können wir tun?« schrie Clytie außer sich. Sie zitterte am ganzen Leib.

»Zunächst müssen wir überall suchen«, sagte Seth. »Clytie und Sarah gehen zusammen. Ich gehe mit Sheba.«

»Und wenn wir ihn nicht finden …« Clytie war verzweifelt.

»Wir finden ihn«, versicherte Seth. »Wir müssen ihn finden.«

Wir durchstreiften die Straßen. Das Gedränge löste sich jetzt rasch auf, doch es waren immer noch eine Menge Leute unterwegs. Wir durchsuchten jeden Winkel. Wir sprachen kaum. Eine entsetzliche Furcht hatte mich ergriffen. Doch ich beruhigte mich, daß wir es längst wüßten, wenn es einen Unfall gegeben hätte. Der Schlingel hielt sich gewiß irgendwo versteckt. Wir fragten einen Elefantentreiber, ob er einen kleinen Jungen gesehen habe. Der Mann hatte mehrere kleine Jungen gesehen, aber keinen ohne Begleitung. Wir befragten die Leute. Einige beteiligten sich an der Suche. Schließlich kehrten wir zum Wagen zurück.

Wenige Minuten später erschienen auch Seth und Sheba. Ralph war nicht bei ihnen.

»Jetzt müssen wir etwas unternehmen«, sagte Seth. Er war ganz ruhig, und die gute Meinung, die ich von ihm hatte, verstärkte sich an diesem Abend noch. Ich war froh, daß er bei uns war. Es sei möglich, meinte er, daß Ralph, von der Aufregung überwältigt, davongelaufen und irgendwo in einer Ecke eingeschlafen war. Zu Hause mache er das oft. Wir sollten nach Hause zurückkehren, und Seth wollte Suchtrupps organisieren. Er war überzeugt, daß sie das Kind sehr schnell finden würden.

Er legte seinen Arm um Clytie. »Mein Liebes, du mußt heimfahren und warten. Mehr kannst du nicht tun. Sarah, du bleibst bei ihr, nicht wahr?«

Die Rückfahrt durch die Nacht werde ich nie vergessen. Ich malte mir aus, was einem Kind alles zustoßen kann. Ich dachte an den Fluß im Wald, die sumpfigen Ufer, das Krokodil Sleepy Sam und die Schlangen, die im Gras lauerten. Was würde Ralph tun, wenn er merkte, daß er sich verirrt hatte? Würde er sich zu helfen wissen? Würde er versuchen, uns zu finden, vielleicht gar nach Hause zu gelangen?

Ich durfte diesen unerträglichen Gedanken nicht nachhängen. Ich mußte versuchen, Clytie zu trösten.

Seth hatte Suchtrupps organisiert und brach mit ihnen auf. Clytie und ich saßen in dem Zimmer beisammen, wo wir so oft gemütlich Tee und Limonade getrunken hatten.

»Wo kann er nur sein?« fragte Clytie immer wieder. »Warum ist er bloß weggelaufen?«

Wir saßen still da und warteten. »Sie *müssen* ihn finden«, sagte ich zum zwanzigsten Mal. Mir fiel einfach nichts ein, womit ich sie hätte trösten können. Langsam verrannen die Stunden. Mitternacht ... ein Uhr, zwei Uhr. Ich dachte an den kleinen Jungen, der um diese Zeit allein draußen war. Ich erinnerte mich, wie er an diesem Nachmittag bekümmert in seinem Bett gelegen hatte, weil er glaubte, am Abend einschlafen zu müssen, wenn er mittags nicht schlief. Ob er jetzt wohl schlummerte – irgendwo an einem sicheren Ort? Es wäre ein tröstlicher Gedanke gewesen. Clytie saß schweigend da, ihre Finger zerknüllten die Seide ihres Saris. Bei jedem Laut sprangen wir hoffnungsvoll auf. Es wäre das Wundervollste auf der Welt gewesen, wenn wir Ralphs Stimme nach uns rufen gehört hätten.

Ich dachte, wenn Clinton hier wäre ... Ja, wäre er hier, er hätte den Jungen längst gefunden. Was für ein törichter Gedanke! Als täten die anderen nicht auch alles, um ihn zu finden. Was hätte Clinton mehr tun können? Er strahlte eben eine Kraft aus, die ihn unbesiegbar scheinen ließ. Wenn er doch nur hier wäre ...

»Was war das?« Ich sprang auf. Ich hatte etwas gehört. Leise Schritte ... Jemand an der Tür. Ich rannte hinaus, Clytie dicht hinter mir her. Nichts. Aber raschelte es da nicht in den Blättern? Ich spürte instinktiv, daß jemand in der Nähe war ... lauernd. Dann entdeckte ich das Papier zu meinen Füßen. Ich hob es auf.

»Was ist das?« rief Clytie.

»Das hat jemand hergelegt.«

Sie riß mir das Blatt aus der Hand und trug es ans Licht. Wir sahen ausgeschnittene Druckbuchstaben, die aufgeklebt waren.

WIR HABEN DEN JUNGEN.
ES WIRD IHM NICHTS GESCHEHEN,
WENN SIE LÖSEGELD ZAHLEN.
WIR MELDEN UNS WIEDER.
TUN SIE GENAU,
WAS MAN IHNEN SAGT,
ODER ER STIRBT.

Ich glaubte, Clytie würde ohnmächtig. Ich führte sie zu einem Stuhl und hieß sie sich setzen. Dann sagte ich: »Er ist in Sicherheit. Das wissen wir jetzt wenigstens.«

»Was soll das heißen? Zeig es mir noch mal, Sarah. Was *bedeutet* das?«

Es war klar, was es bedeutete. Ralph war entführt worden, und seine Entführer wollten Geld, ehe sie ihn freiließen.

Ich wiederholte immerfort: »Aber er ist in Sicherheit, Clytie. Er ist in Sicherheit.«

»Warum kommt Seth nicht? Was sollen wir tun?«

»Ruhig, ganz ruhig«, redete ich ihr zu. »Laß uns überlegen, was das heißt. Sie fordern ein Lösegeld. Das bedeutet, daß der Junge in Sicherheit ist. Sie haben ihn. Sie werden ihm nichts tun. Sonst würden sie ja ihr Lösegeld nicht bekommen, nicht wahr?«

»O Sarah, was glaubst du, werden sie mit ihm machen?«

»Ich bin sicher, er schläft jetzt fest und weiß nichts von unseren Sorgen.«

»O mein Baby!« murmelte sie. »Sarah, du ahnst ja nicht, was er für mich bedeutet.«

»Doch«, sagte ich. »Aber wir dürfen nicht verzweifeln. Wir müssen vernünftig sein. Wir müssen ihn wiederhaben.«

»Wenn nur Seth zurückkäme!«

Es dämmerte bereits, als Seth endlich kam – bleich, mit rotunterlaufenen Augen und verzweifelt. Als er den Zettel sah, machte er ein betroffenes Gesicht und sagte, wir müßten uns mit der Polizei in Verbindung setzen.

Eine bange Vorahnung hatte das Haus ergriffen. Seth war nach Kandy gefahren, um Sir William Carstairs aufzusuchen und sich mit ihm zu beraten. Clytie wollte das Haus nicht verlassen. Sie wartete ungeduldig auf Nachricht von den Leuten, die ihren Sohn in der Gewalt hatten. Sie war überzeugt, daß sie bald von sich hören ließen.

Die Nachricht kam kurz nach Mittag, als es wegen der Hitze

ganz still im Haus war. Wir bemerkten nichts. Die Botschaft lag, mit einem Stein beschwert, vor der Tür. Man hatte dieselbe Methode angewandt wie zuvor: auf einen Zettel aufgeklebte Druckbuchstaben.

AN MUTTER DES JUNGEN.
KEINE POLIZEI. SONST STIRBT JUNGE.
SIE BEKOMMEN KIND ZURÜCK, WENN SIE
ASHINGTON-PERLEN UM SIEBEN UHR UNTER BAUM
MIT R BRINGEN. DANN ERHALTEN SIE JUNGEN.
TUN SIE DAS NICHT, STIRBT ER.
NIEMANDEM ETWAS SAGEN, MUTTER DES JUNGEN!
BEHALTEN SIE DAS FÜR SICH.
WENN SIE ETWAS ERZÄHLEN, STIRBT JUNGE.

Clytie ließ das Papier fallen, hob es wieder auf und las es noch einmal. »Die Perlen«, flüsterte sie. »Die wollen die Perlen … Unglücksperlen. Immer wenn ich sie trage, passiert etwas. Ich hasse sie. Ich hasse sie. Wann muß ich gehen … heute abend … um sieben. O Gott, Sarah. Glaubst du, sie warten dort mit ihm?«
Ich hatte entsetzliche Angst. Ich sagte: »Clytie, das müssen wir Seth zeigen. Wir müssen die Polizei verständigen. Sie müssen versuchen, diese Leute zu fassen.«
»Sie sagen aber, ich darf es der Polizei nicht zeigen.«
»Natürlich, das müssen sie doch sagen.«
»Sarah, sie bringen Ralph um, wenn wir die Polizei einschalten.«
»Das würden sie nicht wagen.«
»Aber sie sagen es.«
»Ich finde, du solltest das auf keinen Fall allein in die Hand nehmen.«
»Aber sie sagen, daß sie ihn sonst umbringen.«
»Diese Schurken wollen die Perlen, weiter nichts.«
»Die können sie haben. Glaubst du etwa, zwei Reihen Perlen sind mir wichtiger als das Leben meines Kindes?«

»Natürlich nicht. Aber können wir ihnen trauen?«

Clytie hatte meinen Arm ergriffen und sah mich an. Ihr trauriges Gesicht, ihre wilden Augen verrieten ihre Qual. »Ich muß ihnen trauen, Sarah. Ich muß alles tun, um meinen Jungen wiederzubekommen.«

»Sir William Carstairs würde bestimmt raten …«

»Wenn wir ihn einschalten, töten sie meinen Sohn.«

»Woher wissen wir das?«

»Dürfen wir es darauf ankommen lassen? Nein, nein. Sie sollen die Perlen haben. Ich will mein Baby zurück.«

»Versuche, ganz ruhig zu sein, Clytie. Angenommen …«

Ich sprach nicht zu Ende. Es wäre zu grausam gewesen, ihr klarzumachen, daß sie ihnen vielleicht die Perlen gab, ohne ihren Sohn zurückzubekommen.

»Sarah, laß uns hinausgehen und sehen, wie lange man bis zu dem Baum braucht.«

Es blieb mir nichts übrig, als ihr nachzugeben. Wir traten hinaus in die Hitze. Ich war wie betäubt vor Angst und Kummer. Wir gelangten zu dem Baum mit dem eingeritzten R. Ich dachte an den Tag, als Ralph ihn mir voller Stolz gezeigt hatte.

»Die Zeit vergeht so schrecklich langsam, bis es dunkel wird«, sagte Clytie.

Mir erging es ebenso. Es schien mindestens eine Woche her zu sein, seit wir uns so erwartungsvoll zu dem Festzug begeben hatten, und dabei war es erst am Vortag.

Als hätte sie meine Gedanken lesen können, sagte Clytie: »Gestern um diese Zeit war er noch mit uns dort. Keiner ahnte etwas von einer Gefahr – ach, wären wir bloß nicht hingegangen! Hätte ich ihn nur die ganze Zeit an der Hand gehalten. Wie ist es nur passiert, Sarah? Wie konnte das alles geschehen?«

Ich schlug vor, zum Haus zurückzugehen. Ob sie versuchen könne, ein wenig zu ruhen? Sollte ich Tee machen?

Sie starrte mich verständnislos an, als wisse sie nicht, wovon ich sprach.

So saßen wir den ganzen Nachmittag bei zum Schutz vor der Sonne geschlossenen Blenden. Seth war in Kandy. Ich fragte mich, was er dort mache. Wir hätten ihn von dieser letzten Nachricht verständigen sollen. Clytie hatte versprochen, sobald sie etwas hörte, einen Boten zu Sir Williams Büro zu schicken. Aber jetzt weigerte sie sich.

Sheba setzte sich zu uns. Sie starrte stumm vor sich hin. Ich empfand erstmals eine leise Zuneigung zu ihr. Ihre Verehrung für Clytie und ihre Liebe zu dem Jungen waren ergreifend. Sie sagte: »Missie Clytie, er kommt heute abend zurück in meine Arme. Ich weiß es.«

»Hast du eine Vision gehabt?« fragte Clytie erregt.

Sheba nickte. »Ich sehe ihn im Wald. Er lacht. Er erzählt eine komische Geschichte. Heute abend ist er da.«

Darauf zeigte ihr Clytie den Zettel, und da wußte ich, daß sie ihr bedingungslos vertraute.

Sheba sagte: »Was steht da? Sagen Sie es mir, Missie!«

Clytie erklärte es ihr.

»Perlen ... dann haben wir unseren Jungen. Die bekommen Perlen ... wir bekommen den Jungen.«

»Heute abend«, sagte Clytie atemlos. »Gleich wenn es dunkel ist. Unter dem Baum mit dem R. Er liebt diesen Baum, mein Goldkind. Ich gebe ihnen die Perlen, und sie geben ihn mir zurück.«

Sheba klatschte in die Hände. »Er kommt zu uns zurück, unser Junge.«

Ich wünschte, ich hätte ihren Optimismus teilen können. Ralph befand sich in der Gewalt skrupelloser Menschen. Sie waren darauf aus, ein Vermögen an sich zu bringen, denn die Perlen waren unschätzbar. Ein höheres Lösegeld hätten sie nicht fordern können. Und sie wußten, daß Clytie besaß, was sie begehrten. Wenn sie die Perlen erst einmal hatten, wie konnten wir gewiß sein, daß sie auch den Jungen lebend zurückgaben?

Ich fand, Clytie und Sheba behandelten den Fall nicht mit der

gebotenen Umsicht. Clytie war hysterisch vor Qual und Angst –
und Sheba nicht minder. Sie wollten nur eines: das Kind. Sie
bedachten nicht, daß die skrupellosen Verbrecher sie unter
Umständen täuschen würden, daß sie die Perlen nehmen und
den Jungen dennoch nicht herausgeben konnten. Clytie und
Sheba hätten es nie ertragen, diese Möglichkeit in Betracht zu
ziehen.

Wenn doch Clinton hier wäre, dachte ich abermals. Er hätte
einen klaren Kopf behalten und gewußt, was am besten zu tun
sei. Ich versuchte, mir vorzustellen, wie er an die Sache herangehen würde. Er würde keinesfalls zulassen, daß die Perlen im
Wald hinterlegt wurden. Aber Clinton wäre sich schließlich des
unermeßlichen Wertes der Perlen bewußt gewesen. Für Clytie
waren sie nichts weiter als das Mittel, mit dem sie ihren Sohn
auslösen konnte.

Wie langsam die Zeit verstrich! Der Nachmittag zog sich hin.
Sechs Uhr. Noch eine Stunde. Clytie saß gespannt und lauschte.
Sie befürchtete wohl, Seth könne mit einem Justizbeamten zu-
rückkehren. Sie wollte, daß wir allein blieben … sie, ich und
Sheba, damit sie in den Wald hinausschlüpfen konnte.

Es war kurz nach sechs, als wir den nächsten Zettel fanden.
Es hatte an die Tür geklopft, und wir waren hinausgestürzt. Da
war aber niemand. Doch unter einem Stein steckte ein Stück
Papier.

MUTTER DES JUNGEN,
BRINGEN SIE KINDERFRAU MIT!
SIE WERDEN BEOBACHTET.
LEGEN SIE PERLEN UNTER DEN BAUM.
KINDERFRAU GEHT NACH RECHTS. FOLGEN SIE IHR,
SOBALD SIE PERLEN HINGELEGT HABEN.
SIE BEKOMMEN JUNGEN.
WENN SIE JEMAND ANDEREN MITBRINGEN,
WIRD JUNGE GETÖTET.

Clytie ging in ihr Schlafzimmer. Ich folgte ihr. Sie öffnete den Geldschrank in der Ankleidekammer und nahm das Schmucketui heraus. Ihre Finger zitterten, als sie es öffnete. »Unser letzter Blick auf die Ashington-Perlen, Sarah«, sagte sie mit hysterisch angespannter Stimme.

Sie lagen auf ihrem mitternachtsblauen Samt: erlesen, vollkommen. Das Smaragdauge der Schlange glitzerte boshaft, bildete ich mir ein. Clytie betrachtete die Perlen wie gebannt, so als hielten sie ihren Blick gegen ihren Willen fest. Ich dachte an all die Jahre, die sie im Besitz der Familie gewesen waren, an die Frauen, die sie getragen hatten, an Tante Martha, die wollte, daß mein Vater wieder heiratet und einen Sohn bekommt, damit dessen Frau diese verfluchten Perlen tragen kann. Sie hatten etwas Böses an sich, das die Menschen zur Gemeinheit treiben konnte. Ihretwegen war Ralph in den Händen grausamer, niederträchtiger Menschen. Die Perlen waren Legende und Tradition und sollten heute abend an diese Räuber ausgeliefert werden. Dazu war Clytie fest entschlossen.

Sie ließ das Etui zuschnappen. »Was bedeuten sie schon?« sagte sie weinend. »Nichts auf der Welt ist kostbarer als das Leben meines Jungen.«

Dieser Meinung war ich auch. Ich fürchtete nur, daß es nicht richtig war, aus einem gefühlsmäßigen Impuls zu handeln. Doch ich wußte, daß ich Clytie nicht überzeugen konnte. Sie sah nur die Chance, ihren Sohn zurückzubekommen, und sie war bereit, alles dafür zu wagen. Für sie war dies die einzige Möglichkeit. Sie traute den Beamten nicht, die sich um eine Lösung bemühten. Während die sich überlegten, wie sie vorgehen sollten, konnte Ralph getötet werden. Die Gefühle einer Mutter galten mehr als alle Pläne des Gerichtsrates und seiner Polizei. Clytie wurde ungehalten, als ich versuchte, ihr abzuraten. Ich wußte, es war zwecklos. Sie hatte sich entschlossen, mit Sheba in den Wald zu gehen und die Anweisungen genau zu befolgen.

In fünf Minuten würde es dunkel sein. Clytie war von fieberhafter Ungeduld ergriffen. Die Hände, die das Krokodillederetui hielten, zitterten mitleiderregend.

»Du mußt hierbleiben, Sarah«, sagte sie. »Niemand anderer darf dabeisein, haben sie verlangt. Du *mußt* im Haus bleiben. Wenn du dich sehen läßt, wer weiß, was sie dann tun.«

Sheba nickte. »Missie Sarah müssen bleiben.«

Ich schwieg. Es gab nichts, was ich hätte sagen können. Clytie sah so zerbrechlich aus in ihrem blaßrosa Sari, mit den klirrenden Silberreifen an den Armen, den vor Übermüdung geweiteten Augen und dem angespannten Gesicht.

Sheba dagegen wirkte ruhig und zuversichtlich. Sie hatte in einer Vision alles vorausgesehen und wußte, daß sie mit dem Jungen zurückkehren würden.

»Er ist bestimmt dort«, flüsterte Clytie. »Er ist im Wald. O mein Liebling. Ich hoffe, er ängstigt sich nicht.«

»Er ängstigt sich gewiß nicht«, sagte ich. »Für ihn ist es ein neuartiges Abenteuer.«

»Ja«, murmelte Clytie. »Nur ein Abenteuer ... weiter nichts.«

Gleich würde es sieben sein. Die Dunkelheit brach ganz plötzlich herein. Ich hatte immer wieder darüber gestaunt: In einem Augenblick strahlte die Sonne noch, dann versank sie plötzlich am Horizont, und schon war das Licht verschwunden, als falle eine Jalousie herab.

»Bleib hier, Sarah«, bat Clytie. »Versprich mir, daß du hierbleibst! Schwöre es!«

Ich schwor.

Es schien Stunden zu dauern, bis sie zurückkamen. Ich hörte sie im Garten und rannte hinunter. Clytie trug Ralph auf den Armen, und Tränen rannen über ihre Wangen. Sheba murmelte etwas, das sich wie eine Beschwörung anhörte.

»Sarah!« Clytie hatte mich erspäht.

»Ich habe euch gehört. Da mußte ich einfach herauskommen.«

»Hier ist er. Wir haben ihn wieder. Sarah ... Sarah ... ist das nicht wundervoll!«

Ralph blickte von einer zu anderen, als ich ihn erleichtert umarmte. »Ich war bei meinem Elefanten«, sagte er. »Er ist der größte und beste Elefant der Welt.«

»Wir müssen hineingehen.« Clyties Stimme vibrierte vor Glück. »Es wird höchste Zeit, daß du ins Bett kommst.«

Ralph fuhr fort: »Das war ein herrlicher Elefant. Er hatte Edelsteine auf dem Rücken, und ich saß auf einem Thron, und über mir war ein Schirm. Ich war der Chef. Und ich hab' in einem komischen Bett geschlafen ...«

»Laßt uns hineingehen«, sagte Sheba. »Morgen kann der Junge uns alles erzählen.«

So hatten wir den Jungen um den Preis der Ashington-Perlen zurückbekommen. Wenigstens war Ralphie nichts geschehen, und das war das einzige, das wirklich zählte.

Auf meinen Vorschlag schickte Clytie sogleich einen Boten nach Kandy, um Seth mitzuteilen, daß wir den Jungen wiederhatten.

Ralph war sichtlich müde. Er schlief ein, bevor er ausgezogen war. Clytie wich nicht von seiner Seite. Sie saß mit Sheba an seinem Bett. Ich war wie ausgehöhlt und zu keiner Gemütsregung mehr fähig. Ein Glück nur, daß alles so schnell gegangen war. Ich fragte mich, wie es Clytie ergangen wäre, wenn die Spannung mehrere Tage angehalten hätte.

Seth kam mit Sir William Carstairs zurück. Sie gingen nach oben und betrachteten den fest schlafenden Jungen. Clytie war noch zu aufgewühlt, um die Männer wirklich wahrzunehmen. Sheba wiederholte unentwegt, sie habe gewußt, daß es so kommen würde. Ihre Visionen hatten es ihr gesagt. Die beiden Männer unterhielten sich mit mir. Ich zeigte ihnen die Zettel und berichtete, daß Clytie die Perlen zu dem Baum gebracht hatte.

»Guter Gott!« sagte Seth. »Sie hat sich von den Perlen getrennt.«

»Das war es ihr wert, um das Kind heil zurückzubekommen.«

Seth nickte. Sir William meinte: »Sie hätte das uns überlassen sollen.«

»Sie fürchtete um das Leben des Kindes.«

»Die meisten Mütter hätten wohl genauso gehandelt.«

Davon war ich überzeugt.

Ich sagte: »Es dürfte für die Leute nicht ganz einfach sein, die Perlen zu veräußern, nicht wahr?«

»Wir haben eine vollständige Beschreibung der Perlen«, erwiderte Sir William. »Sie werden das Kollier natürlich nicht ganz lassen. Jedes einzelne Stück ist eine Rarität. Unter Umständen können wir ihre Spur verfolgen, aber das ist sehr unwahrscheinlich. Vermutlich wurden sie bereits außer Landes gebracht. Ich fürchte, wir müssen uns damit abfinden, daß sie für immer verloren sind.«

Seth sagte zu mir: »Geh doch zu Bett, Sarah! Das alles war für dich sicher eine ebensolche Tortur wie für Clytie!«

Ich wünschte gute Nacht und ging zu Bett.

Zuvor schaute ich zu Clytie hinein. Sie saß immer noch an Ralphs Bett und wollte zweifellos die ganze Nacht dort bleiben. Ich ging in mein Zimmer und fühlte mich benommen. Ich hatte nicht geschlafen, seit die Sache passierte.

Ich entkleidete mich und schlüpfte unter das Moskitonetz. Trotz meiner Erschöpfung konnte ich nicht schlafen. Ich lag wach und dachte über die Ereignisse nochmals nach, über das Papier mit den ausgeschnittenen und aufgeklebten Druckbuchstaben. Es war alles so melodramatisch … irgendwie unwirklich. Die Art und Weise, wie es geschehen war, wie wir Ralph verloren und wiederbekommen hatten … Ich wußte nicht, wie ich es beschreiben sollte. Zu glatt, raffiniert … wie ein Theaterstück. Nicht ganz echt. Die Gedanken kreisten in meinem Kopf. Dem Ganzen haftete etwas sehr Merkwürdiges und Unheilvolles an. Seit meiner Ankunft und der Entdeckung, daß meine Ehe von einem berechnenden Mann eingefädelt worden war, hatte mein Leben etwas nebelhaft Bedrohliches bekommen. Eine Warnung schien in der Finsternis der Nacht zu liegen, im Summen der Insekten, im gelegentlichen Aufklatschen, wenn eines gegen den Maschendraht prallte. Irgend etwas gab es hier, das ich nicht ergründen konnte. Und ich war mitten darin gefangen.

Sei auf der Hut, warnte mich die Nacht.

Die Aufregung hatte Clytie so mitgenommen, daß sie einen Tag lang unfähig war, das Bett zu verlassen. Erst jetzt, nachdem wir alles überstanden hatten, wurde uns bewußt, wie stark die Anspannung gewesen war.

Am nächsten Morgen benahm sich Ralph, als sei nichts Außergewöhnliches geschehen und als sei es die natürlichste Sache der Welt, entführt worden zu sein. Er plapperte fortwährend von den Elefanten, auf denen er geritten war, und das klang alles so unglaublich, daß es eigentlich nur seiner Phantasie entsprungen sein konnte. Aber ein paar Bemerkungen lieferten doch schwache Hinweise.

Er hatte in einem komischen Bett geschlafen. Er hatte Reis gegessen. Und Zucker. Mehr Zucker, als Sheba ihm gewöhnlich gab.

»Von wem hast du Reis und Zucker bekommen, Ralph?« fragte ich.

Er zog die Schultern hoch und lachte. »Von *ihm*.«

»Von einem Mann?«

»Eine Kobra war auch da«, fuhr er fort. »Die hatte gelbe Augen und wollte sich an mir hochringeln. Ich hab' sie mit Pfeil und Bogen totgeschossen ... mitten durch's Herz.«

»Was war das für ein Mann?« wollte ich wissen.

»Er hat mich zum Lachen gebracht. ›Ein gutes Spiel‹, hat er gesagt. Die Kobra ... Weißt du, wie eine Kobra auf einen losschießt, Tante Sarah? Ich hab' ein Bild in meinem Buch. Ich zeig's dir.«

Es war hoffnungslos, aus diesem Gewirr von Phantasie und Tatsachen etwas herausfinden zu wollen.

Clytie sagte zu mir: »Frag Ralph nicht aus! Er soll nicht merken, daß etwas Schlimmes geschehen ist. Er soll nicht erfahren, wie wir uns geängstigt haben.«

Das versprach ich ihr.

Seth unterhielt sich mit mir über die Angelegenheit. »Es war ein schreckliches Erlebnis für Clytie«, sagte er, »aber ich bin sicher, der Junge hat keine Ahnung von der Gefahr, in der er schwebte. Sie waren offenbar sehr nett zu ihm.«

»Merkwürdig«, sagte ich. »Man könnte fast meinen, es waren Leute, die er kannte.«

Seth machte ein nachdenkliches Gesicht. »Clytie trug die Perlen auf dem Ball«, sagte er. »Ich frage mich, ob dabei jemand ...«

»Ich finde es riskant, daß ihr etwas so Kostbares hier aufbewahrt habt.«

»Sie mußten ab und zu getragen werden, sonst hätten sie ihren Glanz verloren.«

»Das hörte ich zum erstenmal, als meine Mutter mir ein Bild zeigte, auf dem sie die Perlen trug.«

»Clyties Mutter hat sie auch getragen, und Clytie trug sie bei besonderen Anlässen oder auch hin und wieder, wenn wir allein waren.« Er zuckte die Achseln. »Nun, dies ist das Ende der Ashington-Perlen.«

»Vielleicht werden sie gefunden.«

»Schon möglich. Clytie hat recht, wenn sie nicht will, daß der Junge ausgefragt wird«, fuhr er fort. »Für ihn ist es das beste, den Vorfall so schnell wie möglich zu vergessen.«

Ich stimmte ihm zu. Einem Kind, das dermaßen in Phantasien schwelgte, mochte das, was in dieser Nacht geschehen war, durchaus wie etwas Alltägliches vorkommen.

»Ich bin froh, daß du hier bist«, fuhr Seth fort. »Clytie hat dich sehr gern. Sie wollte dich schon immer kennenlernen, und als du kamst, schloß sie dich sogleich ins Herz. Bleib eine Zeitlang hier, Sarah! Der Schock für sie war größer, als wir uns vorstellen können. Nicht nur wegen des Jungen, sondern auch wegen der

Perlen. Früher oder später wird ihr die Ungeheuerlichkeit dessen, was sie getan hat, bewußt werden. Und das wird sie zutiefst erschüttern.«

»Aber sie hätte sie doch nie verkaufen können.«

»Nein. Dein Vater hat sich einmal Geld auf die Perlen geliehen. Sie waren eine Art Sicherheit, sagte er. Ich nehme an, er war sogar bereit, im Notfall sämtliche Legenden und bösen Prophezeiungen zu vergessen und sie zu verkaufen. Ich kann mir vorstellen, daß Clytie sich vor einer Vergeltung fürchtet. Sie ist immerhin halb Singhalesin, und wenn sie auch wie eine Engländerin erzogen wurde, so hat sie doch von ihrer Mutter und Sheba die alten Geschichten gehört. Daher könnte ihr diese ganze Angelegenheit furchtbar nahegehen. Ich sorge mich jetzt nur noch um Clytie. Mit Ralph ist alles in Ordnung. Er hat von der Bedeutung des Vorfalls keine Ahnung. Unglücklicherweise muß ich ausgerechnet jetzt geschäftlich nach Colombo. Das kann ich leider nicht aufschieben. Ich lasse Clytie ungern allein, und ich wäre erleichtert, wenn ich wüßte, daß du hier bist.«

»Ich bleibe auf jeden Fall, bis Clinton zurückkommt.«

»Das erleichtert mich. Ich bin nur ein paar Tage fort.«

Er hatte recht, was Clytie betraf. Sie war verändert. Sie war gereizt und unsicher. Sheba gab ihr ein Schlafmittel, und wir mußten ihr beide versprechen, Ralph nie allein zu lassen. Ich versuchte, ihr klarzumachen, daß die Entführer ja nun die Perlen hätten und es deshalb keinen Grund für sie gebe, sich des Jungen zu bemächtigen. Doch sie wollte nichts davon hören. Eine von uns müsse ihn stets im Auge behalten, und zwar so, daß er nichts bemerke.

Clinton war nun schon seit einer Woche fort und sollte noch eine weitere Woche bleiben. Ich war sicher, daß Clytie sich bis dahin erholen würde.

Seth reiste ab, und ich versprach ihm, mich bis zu seiner Rückkehr um Clytie zu kümmern.

Als ich am nächsten Tag wie so oft zwischen den süß duftenden

Blumen umherschlenderte, hörte ich jemanden in den Garten kommen. Ich fuhr aufgeschreckt herum. Seit jener furchtbaren Nacht war ich genauso nervös wie Clytie.

»Clinton!« schrie ich.

Er stand ein paar Sekunden da und lachte mich an. Dann riß er mich in seine Arme. »Wie schön, dich zu sehen!« rief er. »Ich habe dich vermißt.«

Er hatte mich hochgehoben, und ich blickte auf sein Gesicht hinunter, auf die dichten, üppigen blonden Haare, die einen so starken Kontrast zu den dunklen Augen bildeten; ich betrachtete die sinnlichen Lippen, und schon spürte ich das Verlangen in mir aufsteigen.

»Du bist zeitig zurück«, sagte ich.

»Darüber solltest du dich eigentlich freuen«, hielt er mir vor.

»Ist alles gut gegangen … mit deinen Geschäften?«

»Bestens.«

»Und viel schneller, als du erwartet hattest.«

»Meine Sehnsucht nach dir war so groß, daß ich nicht länger fortbleiben wollte.«

Ich lachte ungläubig. »Du bist doch durch und durch Geschäftsmann«, gab ich zurück. »Halb Ceylon gehört dir. Du würdest niemals ein Geschäft wegen einer Laune vernachlässigen.«

»Wegen einer Laune? Mein rasendes Verlangen nach dir nennst du eine Laune?«

»Laß mich runter«, forderte ich. »Man kann uns sehen.«

»Nur unter einer Bedingung, daß du sofort deine Sachen packst.«

»Es ist etwas passiert, Clinton. Vermutlich weißt du es noch nicht.«

»Was?«

Ich berichtete ihm von der verhängnisvollen Nacht. Seine Lippen verzogen sich zu einem Schmunzeln. »Was gibt es dabei zu lachen?« wollte ich wissen. »Du findest das wohl komisch. Es war entsetzlich.«

»So ein Dilemma«, sagte er. »Die Perlen – oder der Junge.«

»Die arme Clytie ist vor Kummer zusammengebrochen. Ich kann sie nicht allein lassen, Clinton. Ich muß hierbleiben. Sie hat Alpträume, aber ich scheine sie etwas trösten zu können.«

»Du kommst mit nach Hause und kannst sie morgen wieder besuchen.«

»Ich muß bis Ende der Woche bleiben, so wie es ausgemacht war.«

»Rede keinen Unsinn. Es ist doch alles vorbei, oder? Der Junge ist heil zurück. Und ich bin zu Hause.«

»Ja, aber ich hatte dich noch nicht erwartet, und Seth ist fort. Clytie braucht mich. Ich habe versprochen, bei ihr zu bleiben. Sie bracht mich wirklich, Clinton.«

»Und was ist mit mir? Mach schon! Du kommst mit mir.«

»Ich komme Ende der Woche.«

»Du kommst jetzt.«

»Ich habe versprochen, zu bleiben, bis Seth wieder da ist, und ich halte mein Versprechen. Ich komme am Freitag nach Hause, so wie es ursprünglich geplant war.«

»Meine liebe Sarah, du kommst *jetzt* nach Hause.«

»Begreifst du denn nicht, was für einen Schock Clytie erlitten hat?«

»Das ist doch jetzt vorbei.«

»Sie hat die Ashington-Perlen verloren.«

»Sie hat sie weggegeben.«

»Für ihren Sohn. Um Himmels willen, sei doch *einmal* menschlich!«

Er lachte und sagte: »Ich bin *so* menschlich, Sarah, daß ich meine Frau will.«

»Ich verlasse Clytie jetzt nicht.«

Plötzlich wurde seine Miene hart. »Komm zurück, bevor es dunkel wird. Ich erwarte dich.« Damit machte er kehrt und ging davon.

Ich war bestürzt. Er hatte auf einmal so wütend ausgesehen. Er machte mir Angst. Sein Blick hatte etwas Mörderisches gehabt. Ich ging ins Haus. In der Halle trat Sheba zu mir.

»Missie Sarah«, sagte sie. »Ich habe Angst, Angst um Missie Clytie.«

»Sie schläft doch, oder?«

»Ja. Aber es war großer Schreck für sie. Sie hat den Jungen lieb ... oh, und wie lieb. Er ist ihr Leben, Missie Sarah.«

»Ich weiß.«

»Master Seth ... ein guter Ehemann, ein feiner Ehemann ... sehr lieb. Aber der Junge... der ist ihr Leben. Sie sind gut zu ihr, Missie Sarah. Missie Clytie Sie sehr lieben. Sagt zu mir: ›Missie Sarah so ruhig ... so gut für mich. Was tu ich ohne sie?‹ Bleiben Sie, Missie Sarah ... auf sie aufpassen.«

»Ich bleibe auf jeden Fall, bis ihr Mann zurückkommt«, versprach ich. Sheba nickte. Sie schien sehr erleichtert, und ich hatte den Eindruck, daß sie die Szene im Garten beobachtet hatte und fürchtete, ich würde heimgehen, da Clinton es verlangt hatte. Sie wollte, daß ich blieb ... um Clyties willen. Doch ich wünschte, ich hätte mich von dem Gefühl befreien können, ständig beobachtet zu werden.

Ich erzählte Clytie nichts von Clintons Rückkehr. Ich wußte, sie würde sonst darauf bestehen, daß ich zu ihm ging. Ich dachte viel an ihn. Ich wollte mit ihm zusammensein, aber ich war nicht gewillt, mich seiner Überheblichkeit zu beugen. *Er* hatte beschlossen zu verreisen; *er* war vor der verabredeten Zeit zurückgekommen. Nun durfte er nicht erwarten, daß ich seinetwegen meine Pläne änderte.

Im Laufe des nächsten Tages ging es Clytie besser. Sie verlangte immer noch, daß Ralph beobachtet wurde, und eine von uns war stets in seiner unmittelbaren Nähe. Dabei mußten wir geschickt zu Werke gehen, denn er durfte nicht ahnen, daß er bewacht wurde.

Ich war häufig mit ihm zusammen, immer auf der Lauer nach

einem Hinweis, der Licht in die Geschichte jener Nacht hätte bringen können.

Einmal sagte ich in seinem Spielzimmer: »Erinnerst du dich an die prächtigen Elefanten mit den goldenen Thronen und den Baldachinen?«

Er nickte. »Meiner war der schönste.«

»Du hast ja gar nicht auf einem Elefanten geritten.«

»Bin ich wohl. Mitten im Dschungel bin ich geritten. Meiner war der schnellste.«

»Und was geschah im Dschungel?«

»Da war ein kleines Haus und ein Mann.«

»Was für ein Mann?«

»Ein netter Mann.«

»Nur ein Mann?«

»Und eine Frau. Die hat gesagt: ›Alles ist gut. Bald bist du wieder bei deiner Mama.‹«

Mein Herz klopfte wild. »Und wo war deine Mama?« fragte ich.

»Das weißt du doch.«

»Nein«, sagte ich. »Wo war sie?«

»Bei den anderen.«

»Bei welchen anderen?«

»Bei dir und Papa und Sheba und … meinem Elefanten und Cobbler.«

»Wie sah der Mann aus?«

»Er hatte gelbe Augen.«

»Gelbe Augen?«

»Die leuchteten. Ich zeig’ dir was, Tante Sarah.« Er packte die Spielzeugschlange, dieses abscheuliche Ding, das so echt aussah. Kichernd drückte er auf den Kopf, und die Zunge schnellte heraus. »Fürchtest du dich, Tante Sarah? Sie könnte dich totmachen. Sie hat Gift in der Zunge. Keine Angst! Ich würde sie mit Pfeil und Bogen erschießen.«

Er hielt das Spielzeug noch einen Moment hoch, dann sank es langsam zu Boden. Er hob es wieder auf.

»Gelbe Augen«, sagte er.

»Du wolltest mir von dem Mann erzählen«, erinnerte ich ihn.

»Mama sagt, sie sind wie Topas. Das ist ein Stein. Der ist so gelb wie Cobblers Augen.«

Ich sah ein, daß es zwecklos war. Außerdem hatte ich Clytie versprochen, ihn nicht auszuhorchen. Er hatte tatsächlich keine Ahnung, daß sich in jener Nacht etwas Furchtbares zugetragen hatte. Er war mit netten Leuten fortgegangen, und nach einer Weile war er heimgekehrt. Ein harmloses Abenteuer … nichts im Vergleich zu dem, was er mit seinen Schlangen und Elefanten erlebte.

Seth kehrte schließlich zurück, und mich trieb es nach Hause zu Clinton. Ich ging am späten Nachmittag, als die Hitze nachgelassen hatte. Das Haus war ganz still. Ich vermutete, Clinton werde bei Einbruch der Dunkelheit kommen. Ich freute mich auf die Begegnung und hatte ihm doch deutlich bewiesen, daß er mir nichts befehlen konnte.

Ich hatte ihn vermißt. War ich in ihn verliebt? Ich verstand diese Empfindung nicht, von der ich besessen war. Sie war anders als alles, was ich mir in den romantischen Träumen ausgemalt hatte, die wohl jede junge Frau kennt. Ich war zwei Wochen von ihm getrennt gewesen, und das kam mir wie eine Ewigkeit vor. War es ihm ebenso ergangen? Aber vielleicht war er nur zurückgekehrt, weil seine Geschäfte früher als erwartet abgewickelt waren.

Als er aufgebrochen war, hatte er ein kriegerisches Leuchten in den Augen. Ich hätte gern gewußt, welche Verträge er wohl aushandelte. Sie nahmen ihn voll und ganz in Anspruch, und wenn sie zufriedenstellend abgeschlossen waren, sagte er: › Zeit für meine Frau‹, schnippte mit den Fingern und erwartete, daß sie angelaufen kam.

»So nicht, Clinton«, sagte ich laut.

Es schien ewig zu dauern, bis die Dunkelheit hereinbrach. Geräuschlos huschende Dienstboten zündeten die Lampen an.

Ich wartete und wartete. Es war fast Mitternacht, und er war immer noch nicht gekommen. Ich ging ins Schlafzimmer und lauschte die ganze Zeit auf seine Ankunft.

Ich setzte mich an meine Frisierkommode und löste mein Haar. Plötzlich vernahm ich ein Geräusch vor der Tür. Ich sprang auf. Ein leises Klopfen.

»Komm herein«, rief ich. Leila trat ein, die Augen von gespielter Unschuld geweitet. Sie verbarg ein Geheimnis, das sie wohl sehr befriedigend fand.

»Was ist, Leila?« fragte ich.

»Ich Bett herrichten?«

»Das ist nicht nötig.« Ich wandte mich wieder um und beobachtete sie im Spiegel. Sie machte keine Anstalten, hinauszugehen. Langsam kräuselten sich ihre Lippen zu einem Lächeln.

»Master kommen nicht nach Hause«, sagte sie. »War die ganze Zeit nicht hier, als Sie fort waren.«

»So?«

Leila ging zum Bett und schüttelte die Kissen auf. Sie drückte sich herum. Sie hatte etwas Gehässiges, Triumphierendes im Blick.

Ich wollte sie anschreien, sie solle sich hinausscheren, doch ich fürchtete, meine Unruhe zu verraten. Sie brauchte nicht zu merken, wie sehr ihre Worte mich verstört und erzürnt hatten. Meine Augen fielen auf den Bronzebuddha, der mich hochmütig zu betrachten schien.

»Ich will das Ding nicht hier haben, Leila«, sagte ich. »Möchtest du ihn?« Ihre Augen weiteten sich vor Entsetzen.

»O nein, Missie. Gibt Unglück.« Sie lächelte schüchtern. »Master mögen ihn sehr.«

»Ich glaube nicht an Unglücksboten«, sagte ich. »Du kannst ihn für dein Zimmer haben.«

Sie nahm ihn mir kopfschüttelnd ab. Dann senkte sie die Augen und ließ ein verschmitztes Kichern hören. »Geschenk von meiner Schwester Anula«, sagte sie. »Als sie hier war ...« Sie blickte sich im Zimmer um, als sei es, als ihre Schwester Anula hier war, ein Heiligtum gewesen. Ihre Augen verharrten auf dem Bett.

Am liebsten hätte ich sie hinausgeschickt, aber ich sagte nichts. Sie stellte den Buddha wieder hin, und da wurde mir klar, was sie mir mitteilen wollte. Jetzt wußte ich, wo Clinton war.

»Gute Nacht, Leila«, sagte ich.

Sie ging mit ihrem geheimnisvollen Lächeln hinaus.

Ich starrte auf mein Spiegelbild. Meine Wangen waren gerötet, und mein Herz war von bitterem Zorn erfüllt.

Dann lag ich unter dem Moskitonetz und dachte an Clinton und Anula; alle Welt wußte von ihrem Verhältnis, und er fand es nicht für nötig, es gänzlich zu beenden, obwohl er seine Frau mitgebracht hatte. Mich packte die Wut. Quälende Eifersucht ergriff mich. Ich versuchte, die Bilder zu verscheuchen, die mir beständig durch den Kopf gingen.

Ich schlief erst ein, als es schon beinahe Zeit zum Aufstehen war, und infolgedessen war ich spät auf den Beinen.

Ich war entschlossen, mir meine Verstimmung nicht anmerken zu lassen.

Ich wartete den ganzen Tag. Jedesmal, wenn ich Pferdehufe hörte, fuhr ich zusammen. Ich sprach vor mich hin, was ich zu ihm sagen würde. Leila beobachtete mich mit verschlagenem Blick.

»Missie nicht wohl?«

»Ich fühle mich sehr wohl, danke, Leila«, erwiderte ich kühl.

»Sehen müde aus. Nicht gut geschlafen?«

Es klang fast spöttisch, und sie hätte mich gewiß verhöhnt, wenn sie sich getraut hätte. Ich wußte, daß sie an ihre Schwester dachte, weil sie dabei immer so ein ehrfürchtiges Gesicht machte.

Mir war unbehaglich zumute, allein in einem Haus, das mir fremd war. Ich erwog, zu Clytie zu gehen. Nein, das war feige. Außerdem wollte ich ihr und Seth nicht entdecken, daß Clinton mir untreu war.

Ich schickte einen Boten hinüber, um mich zu erkundigen, wie es Clytie ging, und ich ließ ihr ausrichten, daß es hier nach meiner Abwesenheit eine Menge für mich zu tun gebe. Ich würde sie recht bald besuchen. Der Bote kam mit einem Brief von Clytie zurück. Sie dankte mir für alles, was ich für sie getan hatte; es gehe ihr besser und sie habe ohne Alpträume geschlafen.

Irgendwie brachte ich den Tag hinter mich. Clinton aber kam nicht. Noch ein Tag verging.

Er kam um Mitternacht zurück. Ich lag in unserem gemeinsamen Bett, als er hereinstürmte. Ich stellte mich schlafend. Er trat ans Bett und blickte ein paar Sekunden lang auf mich hinunter, bevor er das Moskitonetz zurückzog.

»Nun, Sarah?«

Ich antwortete nicht und hielt meine Augen geschlossen.

»Du schläfst nicht«, sagte er. »Du brauchst gar nicht so zu tun. Du hast in fieberhafter Ungeduld auf meine Rückkehr gewartet, gib's zu.«

Ich öffnete die Augen. »Da bist du ja.«

»Und du bist sehr wütend auf mich.«

»Warum sollte ich?«

»Weil ich nicht hier war, als du zurückzukehren geruhtest.«

Ich setzte mich auf. »Es ist mir einerlei, was du tust.«

»Jetzt lügst du auch noch, nachdem du dich so unziemlich benommen hast.«

»Es ist spät«, sagte ich. »Ich bin müde.«

»Möchtest du nicht wissen, was mich aufgehalten hat?«

Ich stieg aus dem Bett. »Ich glaube, das weiß ich bereits«, sagte ich. »Warum gehst du nicht dorthin zurück? Ich bin sicher, dort wirst du freundlicher empfangen als hier.«

»Ich gehe, wohin *ich* will«, antwortete er. »Nicht, wohin man mir befiehlt.«

»Und ich auch«, erwiderte ich. »Ich gehe in ein anderes Zimmer.«

An der Tür hielt er mich auf. Er legte einen Finger an die Lippen. »Die Dienstboten«, sagte er. »Sie beobachten uns. Sie flüstern über uns.«

»Laß sie doch!«

»Ja«, erwiderte er, »meinetwegen. Aber du wirst mich trotzdem nicht verlassen.«

»Ich gehe, wohin es mir beliebt.«

Er packte mich und hielt mich fest. »Mach das nicht noch einmal, Sarah! Ich mag das nicht.«

»Was meinst du damit?«

»Daß du mich zurückweist.«

»Und du? Wo bist du die beiden letzten Nächte gewesen?«

»Dich eine Lektion lehren.«

»Ich brauche keine Belehrung.«

»Ich hoffe, nie wieder.«

»Wenn du denkst, ich bin so eine Art Sklavin, und du brauchst nur in die Hände zu klatschen … Komm hierher, geh dorthin … dann irrst du dich.«

Statt einer Antwort hob er mich auf und trug mich zum Bett zurück. Er warf mich nicht eben sanft darauf, und ohne es zu wollen, spürte ich, wie mich die Erregung überkam. Ich wollte nicht weglaufen. Ich wollte bleiben und kämpfen. Wir wußten beide, wie das ausgehen wird. Der Sieg war sein, aber nicht ganz, denn ich wollte nicht zulassen, daß er glaubte, er habe mich durch etwas anderes als durch seine überlegene physische Kraft bezwungen.

Wen die Götter verderben wollen …

Er hatte gesiegt. Seine Miene zeugte von Selbstzufriedenheit. Am folgenden Morgen schlug er mir vor, mit ihm die Plantage zu durchstreifen. Ich hatte inzwischen genug gelernt, um zu erkennen, daß bei den Shaws eine Ordnung herrschte, an der es auf der Ashington-Plantage mangelte. Clintons Arbeiter schienen flinker – doch das war vielleicht nur vorübergehend, solange er zugegen war –, aber selbst das Grün der Pflanzen kam mir hier frischer vor.

»Wenn ich das nächste Mal fortgehe, nehme ich dich mit«, sagte er. »Ich möchte dir meine Gummibäume und vor allem die Perlenfischereien zeigen.«

»Wir werden sehen«, sagte ich, und er lachte.

Er wies mich auf die sorgfältig beschnittenen Pflanzen hin. »Das ist eine Kunst. Ich habe die besten Leute. Einige habe ich den Ashingtons weggelockt, als dein Vater noch lebte. Er sagte immer zu mir: ›Ich wage nicht, dich auf einen guten Mann aufmerksam zu machen, sonst nimmst du ihn mir fort.‹«

»Das kann ich mir lebhaft vorstellen.«

»Ich habe dir erlaubt, so viel Zeit auf der Ashington-Plantage zu verbringen, damit du in der Lage bist, die beiden Plantagen zu vergleichen. Ich denke, du verstehst jetzt etwas davon und erkennst den Unterschied.«

»Ich halte meine Plantage für vortrefflich.«

»Da sieht man, wie gefährlich ein beschränktes Wissen ist. Ich würde drüben gern einige Verbesserungen vornehmen, Sarah.«

»Ich bin überzeugt, daß Seth tut, was er für richtig hält.«

»Seth sollte lieber tun, was ihm aufgetragen wird.«

Ich sagte nichts. Unmut stieg in mir auf. Ich wußte, was er meinte. Er wolle Seth Befehle erteilen. Er wollte die Plantagen vereinigen. Er wollte die größte und einträglichste Plantage nicht nur von Ceylon, sondern von ganz Indien besitzen.

Nein! dachte ich. Das werde ich nicht zulassen. Die letzte Nacht ging mir nicht aus dem Sinn, und ich haßte mich selbst ebenso wie ihn. Ich war sicher, er hatte mich absichtlich zu Anulas Haus geführt. Es war ein hübsches, von Blumen umgebenes Anwesen. Nankeen arbeitete am Zaun.

»Wo sind wir hier?« erkundigte ich mich.

»Das ist das Haus von Nankeens Tochter.«

Nankeen blickte auf und verneigte sich vor uns.

»Viel zu tun, Nankeen?« fragte Clinton.

»Meine Tochter bat mich, diese Reparatur zu machen. Nur eine Kleinigkeit.«

»Der Garten schaut prächtig aus. Meine Frau liebt Gärten über alles, nicht wahr, Sarah?«

Ich murmelte etwas. Mein Unmut wuchs. Clinton war ein Teufel. Er zeigte mir, wo er die Nächte verbrachte, während ich auf ihn wartete.

»Sehr schöne Blumen, *mem-sahib*«, sagte Nankeen. »*Sahib* machen hübschen Garten hier.«

Sahib! Das war Clinton.

»Meine Frau möchte sich den Garten gern anschauen.«

Ich blickte auf meine Uhr.

»Zeit genug«, sagte Clinton mit einem Anflug von Gehässigkeit. Er war abgestiegen, und wollte ich nicht umkehren und davonpreschen, blieb mir nichts übrig, als es ihm gleichzutun.

Nankeen band unsere Pferde fest. Dann öffnete er mit einer Verbeugung das Tor. »Ich geben meiner Tochter Bescheid«, sagte er mit einem Lächeln, das verriet, daß er sich der gewissen Dramatik dieser Situation wohl bewußt war. Er ging ins Haus.

»Ich habe nicht die Absicht, deiner Mätresse einen Höflichkeitsbesuch abzustatten«, protestierte ich.

»Unhöflichkeit ist kaum das, was man von einer Dame erwartet, die erst kürzlich aus England gekommen ist.«

Anula stand in der Tür. Ich mußte zugeben, ihre Schönheit war atemberaubend: das glatte dunkle Haar, das wie Satin schimmerte, die riesigen dunklen Augen. Wie schön diese Frauen waren, vor allem, wenn sie sich bewegten. Ihre Körper hatten die Grazie eines Dschungeltieres, was bewirkte, daß ich mir unglaublich plump vorkam. Mein Haar war zerzaust, und mein Tropenhelm rutschte mir immer zu tief über die Augen. Ich trug eine Musselinbluse und einen schwarzen Reitrock. Einem Vergleich mit diesem schönen, eleganten Geschöpf hielt ich nicht stand. Sie vereinte die Anmut der Singhalesen mit der Würde ihrer portugiesischen Vorfahren – sie hatte von beiden Seiten das Beste abbekommen. Man hätte wirklich glauben können, daß sie die Reinkarnation jener tückischen Königin war.

»Es ist mir ein großes Vergnügen.« Ihre Augen waren auf mich gerichtet und weideten sich an meinem Unbehagen. »Bitte, kommen Sie herein!«

»Anula brennt darauf, dir ihr Haus zu zeigen«, sagte Clinton. »Und Sarah hält es vor Neugier nicht mehr aus. Unsere Häuser gefallen ihr, nicht wahr, Sarah? Sie sind so anders als in England.«

»Kommen Sie«, sagte Anula und klirrte mit ihren Armreifen. »Doch zuerst eine Erfrischung.«

Sie klatschte in die Hände. Dienstboten stellt er ihr also auch zur Verfügung, dachte ich.

»Anulas Spezialität«, bemerkte Clinton, als die Getränke gebracht wurden. »Das Rezept verrät sie nicht.«

»Es macht nicht betrunken«, sagte Anula. »Jedenfalls nicht sehr.« Sie lächelte mir zu. »Sie sind dabei, sich einzugewöhnen, höre ich von Leila.«

»Ja.«

»Meine Frau findet unsere Lebensart amüsant.«

Sie lachten verständnisinnig. Das Ganze mußte etwas zu bedeuten haben.

Anula lächelte unentwegt, doch hinter ihrem sanften Blick verbarg sich etwas Unergründliches. Sie schien ein wenig unsicher, und ich fragte mich, ob Clinton sie wohl ebenso warnen wollte wie mich. Es war eine lächerliche und entschieden demütigende Situation. Deutete er seiner Geliebten an: »Das ist meine Frau«, und seiner Frau: »Das ist meine Geliebte«? Wollte er uns beiden zu verstehen geben, daß dies seinen Wünschen entsprach und wir es infolgedessen hinzunehmen hätten? Das paßte zu seiner Arroganz. Er hielt sich für einen Feudalherrn, der über jedermann ein absolutes Recht besaß.

Das würde ich mir nicht gefallen lassen, gelobte ich mir. Und doch, gestern abend ...

Das Getränk hatte es in sich. Clintons und Anulas Stimmen schienen von weither zu kommen. Das Zimmer neigte sich leicht zur Seite. Ich hatte das Gefühl, meine eigene Stimme sei sehr weit weg, doch was ich sprach, muß wohl vernünftig geklungen haben, denn sie schienen nicht zu bemerken, daß etwas nicht stimmte.

Sie standen auf, und ich erhob mich ebenfalls. Ich schwankte etwas, doch Clinton hatte meinen Arm ergriffen.

»Nun denn«, sagte er, »eine kurze Besichtigung, und dann müssen wir aufbrechen.«

Anula zeigte mir ihr Haus. Es war klein, aber hübsch. Duftige weiße Gardinen hingen an den Fenstern mit dem unvermeidlichen feinen Maschendraht. Das Schlafzimmer war dunkel, weil die Vorhänge zugezogen waren. Ein rundes Bett stand da, von dessen Baldachin Portieren herabhingen, und ein Ankleidetisch mit einem dreiteiligen Spiegel und vielen dekorativen, meist mit Halbedelsteinen verzierten Tiegeln. Meine Augen fielen sogleich auf den Bronzebuddha; er war fast das genaue Gegenstück zu der Skulptur in meinem Zimmer. Anula folgte meinem Blick; sie nahm den

Buddha in die Hände und liebkoste ihn mit ihren langen Fingern.

»Er bedeutet mir viel«, sagte sie. »Ich spreche mit ihm. Wäre er nicht bei mir, könnte ich nicht gut schlafen!«

Ihre Augen waren geheimnisvoll, und ich schauderte innerlich; trotz der Hitze war mir kalt. Wie sie mit dem Buddha in den Händen dastand, konnte ich wahrhaft glauben, daß sie böse war, daß sie über unheilbringende Kräfte verfügte und daß sie diese gegen mich richtete.

Sie stellte den Buddha an seinen Platz zurück und wandte sich lächelnd zu mir um. Clintons Augen ruhten auf mir, hämisch, lauernd. Ich stellte mir vor, wie sie beisammenlagen, und er wußte es. Das war der Zweck dieses Besuches.

Ein fremdartiger Duft wehte durch das ganze Haus, aber in diesem Raum war er besonders stark. In einer Wandnische befand sich ein steinernes Bildnis. Ich trat näher und betrachtete es.

»Meine Namenspatronin«, sagte Anula hinter mir. »Die erste Königin von Ceylon.«

»Eine recht furchteinflößende Dame«, fügte Clinton hinzu.

»Das Volk hatte große Angst vor ihr«, fuhr Anula fort. »Sie war sehr mächtig.«

»Und sie verstand sich besonders gut auf Zaubertränke«, ergänzte Clinton. »Genau wie du, Anula. Ich glaube, dein Trank war heute etwas stärker als sonst. Fandest du ihn auch stark, Sarah?«

»War Gin darin?« fragte ich.

»Das ist mein Geheimnis«, erwiderte Anula lächelnd und entblößte ihre makellosen Zähne.

»Soviel ich weiß«, sagte ich mit einem Nicken zu der Statue in der Nische, »fand die Dame ein schlimmes Ende. Wurde sie nicht auf dem Scheiterhaufen verbrannt?«

»Sie vergaß ihre Klugheit«, erwiderte Anula. »Das war ihr Fehler. Wäre sie nicht töricht gewesen, so hätte sie weitergelebt.«

»Und sich Liebhaber genommen und ihnen vergiftete Tränke gegeben, wenn sie ihr nicht mehr gefielen«, meinte Clinton. »Das dürfte ihr eine Menge Ärger erspart haben.«

»Sie hätte ewig leben können«, sagte Anula, und ihre dunklen Augen glühten. »Sie war kurz davor, das Geheimnis ewigen Lebens zu entdecken.«

Ich verspürte den Wunsch, aus diesem bedrückenden Haus hinauszukommen, fort von den Andeutungen, den Demütigungen und dem schwülen Geruch.

»Was ist das für ein Duft?« erkundigte ich mich.

»Mögen Sie ihn?« fragte Anula. »Er wird aus Sandelholz gewonnen und ist seit alters her das heilige Parfüm der Hindus. Möchten Sie etwas davon?«

Ich wollte sagen: Nein, ich finde es widerwärtig, doch ich fürchtete, damit meine Gefühle zu verraten; daher murmelte ich nur ein höfliches Dankeschön.

Anula öffnete eine Schublade, nahm ein Fläschchen heraus und drückte es mir in die Hand.

»Es stammt von dem weißen Holz des Baumes *Santalum album* – ein Parasit, der die Wurzeln anderer Bäume angreift. Man braucht einen Zentner Späne, um dreißig Unzen Sandelöl zu gewinnen. Es ist ungefähr das einzige Holz, das die Termiten nicht angreifen. Man sagt, wenn man sich damit besprengt, so wäscht man alle Sünden ab, die man während des letzten Jahres begangen hat.«

»Da siehst du, warum es so beliebt ist«, sagte Clinton fröhlich.

»Wie bequem: Ich bin so böse, wie ich nur will, und dann … Wo ist das Sandelöl? Ein paar Tropfen, und ich bin ein Heiliger, weil alle meine Sünden abgewaschen sind.«

»Wie tröstlich«, gab ich zurück, »wenn man daran glaubt.«

»Du siehst, Anula«, sagte Clinton, »meine Frau ist das, was man skeptisch nennt.«

Ich fühlte mich erleichtert, als ich der bedrückenden Atmosphäre von Anulas Haus entkommen war.

Clinton beobachtete mich, als wir davonritten, doch ich war entschlossen, mir nicht anmerken zu lassen, daß ich vor Zorn kochte und mir überlegte, auf welche Weise ich mich rächen könnte.

Als mir dann die Idee kam, konnte ich es kaum erwarten, sie in die Tat umzusetzen. Ich ritt zum Anwesen der Ashingtons hinüber, wo Clytie mich erfreut begrüßte. Sie fühlte sich erheblich besser.

»Ich schlafe ruhig«, berichtete sie mir. »Die Alpträume scheinen aufgehört zu haben.«

»Nachdem alles überstanden ist, fragst du dich gewiß, wie es weitergehen soll. Du hast schließlich dein Erbe eingebüßt.«

»Ich weiß. Seth macht sich große Sorgen.«

»Ihr bleibt auf jeden Fall auf der Plantage. Ich werde niemals dulden, daß ihr … vertrieben werdet.«

Sie schwieg eine Weile, dann sagte sie: »Das ist es aber, was Seth befürchtet.«

»Ich habe mir überlegt, was ich tun werde. Ich kann euch beruhigen. Solange ich die Plantage besitze, seid ihr abgesichert, und ich setze euch in meinem Testament als meine Erben ein.«

»Aber du willst doch nicht sterben?«

»Das habe ich auch nicht vor, aber man kann nie wissen, nicht wahr? Angenommen, ich würde jetzt sterben …«

»Daran mag ich nicht denken; das ist zu schrecklich.«

»Man muß eben praktisch sein. Ich fahre nach Kandy zu einem Anwalt. Nicht zu dem von Clinton. Ich will sichergehen, daß alles seine rechtmäßige Ordnung hat. Dann braucht ihr euch keine Sorgen mehr zu machen. Solange ich lebe, seid ihr abgesichert, und wenn ich sterbe … ist auch für euch gesorgt.«

»Aber was sagt Clinton dazu?«

»Das geht ihn nichts an.«

Ich konnte mich eines grimmigen Lächelns der Genugtuung

nicht erwehren. Wenn ich ehrlich war, tat ich es nicht nur, um meiner Halbschwester Sicherhcit zu verschaffen. Ich wollte auch Clinton beweisen, daß er mich nicht als seine Sklavin behandeln konnte.

Clytie machte einen halbherzigen Versuch, mich umzustimmen; sie wollte mich dazu bewegen, es mir wenigstens noch einmal zu überlegen. Ich hörte nicht auf sie.

Schon am nächsten Tag fuhr ich nach Kandy, begab mich zu einem Anwalt und setzte das Testament auf, das von zwei Angestellten des Anwalts bezeugt und in sichere Verwahrung genommen wurde. Eine Kopie nahm ich mit.

Als alles geregelt war, beschlich mich ein Gefühl des Unbehagens. Clinton hatte mich wegen der Plantage geheiratet. Sonst hätte er vielleicht Anula zur Frau genommen. Warum auch nicht? Mischehen waren zwar auf beiden Seiten nicht beliebt, aber waren sie erst einmal geschlossen, so wurden sie in der Regel auch anerkannt. Die Ehe meines Vaters war ein Beispiel dafür.

Ich malte mir Clintons Wut aus, wenn er es herausfinden würde. Ich wollte es ihm jetzt noch nicht sagen. Das sparte ich mir für eine Gelegenheit auf, da ich eine wirksame Waffe brauchte, um ihn zu schlagen. Ich wußte, daß diese Gelegenheit kommen würde.

Als der Brief kam, war ich immer noch nervös. Manchmal, wenn ich mit Clinton zusammen war, wurde mir seine Macht zutiefst bewußt. Er war so sehr der Herr und Meister, daß auch ich ihn beinahe als solchen anerkannte. Ich konnte meiner Gefühle für ihn nie ganz sicher sein. Manchmal haßte ich ihn und sehnte mich danach, ihn zu besiegen. Dann wieder … ja, er vermochte in mir eine Erregung zu erwecken, die, solange sie anhielt, unwiderstehlich war.

Wenn ich daran dachte, was ich getan hatte, zitterte ich vor Angst. Der Brief war wie eine gütige Hand, die sich mir entgegenstreckte, ein geheimes Wissen, daß Hilfe nicht fern war, falls ich ihrer bedurfte. Zweimal in der Woche holte ich unsere Post vom Postamt in Manganiya ab. Für mich waren bisher lediglich zwei Briefe von den Tanten gekommen. Die meiste Post war für Clinton bestimmt.

Diesmal war ein Brief für mich dabei, und der Anblick der vertrauten Handschrift erfüllte mich mit Freude. Ich riß den Umschlag auf und las:

> *Meine liebe Sarah,*
> *ich wollte Dir schon lange schreiben und mich erkundigen,*
> *wie es Dir ergeht. Alles muß so fremd für Dich sein, und ich*
> *weiß, wie schlimm das Heimweh werden kann. Als ich*
> *hierher zurückkam, stürzte ich mich in die Arbeit; das half.*
> *Ich habe viel an Dich gedacht. Ich sehe wirklich nicht ein,*
> *warum wir nicht in Verbindung bleiben und uns nicht ab*
> *und zu schreiben sollen. Was hältst Du davon?*
> *Ich hoffe, von Dir zu hören, daß es Dir gutgeht.*
>
> *Herzlichst,*
> *Dein alter Freund und Lehrer Toby*

Es war lächerlich, daß ich mich so beschwingt fühlte und eine solche Erleichterung verspürte. Toby war gar nicht so weit weg. Ich blickte auf die Anschrift auf dem Briefkopf: Delhi. Unsere Insel lag direkt vor der Südspitze Indiens. Toby, der netteste Mensch, den ich je gekannt, war in der Nähe.

Ich sah keinen Grund, weshalb ich ihm nicht schreiben sollte. Welch ein Trost war das doch!

Angenommen, Clinton kam dahinter, daß ich ein Testament gemacht hatte, so würde er sehr wütend sein. Er hatte unsere Ehe so listig eingefädelt, weil ich die Plantage erbte. O ja, er würde wütend sein ... mörderisch wütend. Falls ich dann weglaufen wollte, könnte ich zu Toby fliehen.

Ich stopfte den Brief in meine Bluse. Es war ein Trost, ihn auf meiner Haut zu spüren. Sobald ich zu Hause war, schrieb ich Toby einen langen Brief. Ich erzählte ihm von der Plantage, von meiner Schwester, die ich erst seit kurzem kannte und bereits herzlich liebte, und von meinem reizenden Neffen Ralph. Die Entführung erwähnte ich nicht. Sie schien mir für den Anfang unserer Korrespondenz zu dramatisch. Als der Brief abgeschickt war, hielt mein Glücksgefühl an. Die Hülle des Unbehagens, die mich einzuschnüren drohte, hatte sich ein wenig gelockert.

Zwei oder drei Wochen, nachdem ich Tobys Brief beantwortet hatte, erlebte ich eine große Überraschung. Ich war morgens gerade im Garten, als Leila herausgelaufen kam und mir mitteilte, eine Dame wünsche mich zu sprechen. Ich ging ins Haus. Ich erstarrte vor Staunen und glaubte zu träumen. Da stand Celia Hansen und lächelte mich an. »Celia!« rief ich. »Sind Sie's wirklich!«

Sie kam mit ausgestreckten Armen auf mich zu. »Ich hätte Sie von meinem Kommen verständigen sollen. Ich war aber nicht ganz sicher, ob ich hier richtig bin. Ich konnte nicht fortgehen, ohne mich zu vergewissern. Ich mußte Sie einfach sehen.«

»Celia, so eine freudige Überraschung. Wie sind Sie hierhergekommen?«

»Sie wissen doch, ich war mit einer Cousine auf Reisen.«

»Ja. Sie schrieben, daß Sie das vorhatten, und dann habe ich nichts mehr von Ihnen gehört.«

»Ich war nie eine große Briefschreiberin. Es blieb immer bei dem Vorsatz zu schreiben. Ich war eine Weile unterwegs, dann kehrte ich zurück und machte einen Besuch auf Ashington Grange. Ihre Tanten erzählten mir, daß Sie verheiratet und mit Ihrem Gatten hierhergezogen sind. Ich sagte, ich wolle Ihnen schreiben, und sie gaben mir Ihren Namen und Ihre Anschrift. Dann begaben meine Cousine und ich uns abermals auf die Reise. Wir gelangten nach Indien, und da kam ich auf den Gedanken, Sie aufzusuchen sei besser, als Ihnen zu schreiben.

Ich verlor die Adresse und mußte mich auf mein Gedächtnis verlassen. Dann wurde meine Cousine plötzlich nach Hause gerufen. Ich hätte sie begleiten sollen, doch ich zog es vor, noch ein wenig zu bleiben und Sie ausfindig zu machen.«

»Ich bin froh, daß Sie gekommen sind. Sie müssen ja todmüde sein! Wie haben Sie uns denn gefunden?«

»Ich kam mit dem Schiff nach Colombo. Von dort nahm ich die Eisenbahn. Ich las im Hafen den Namen Clinton-Shaw-Plantage auf Warenballen und stellte ein paar Fragen. Ihr Gatte ist ja bestens bekannt. Gleich neben dem Bahnhof von Manganiya ist ein Hotel. Ich würde dort gern für etwa eine Woche absteigen. Ist Ihnen das recht?«

»Das kommt gar nicht in Frage«, erwiderte ich. »Wir haben hier genug Platz. Es tut ja so gut, Sie wiederzusehen, Celia.«

»Ach Sarah, wir haben eine Menge durchgemacht, nicht wahr? Ich denke oft an Ihre liebe Mutter.«

»Sie waren eine ihrer glühendsten Verehrerinnen. Sie hatte Sie gern. Es tat ihr gut zu wissen, daß es noch Menschen gab, die sie bewunderten.«

»Das war alles sehr traurig, aber nun liegt es hinter uns. Sie sind glücklich, Sarah?«

»Es ist sehr interessant hier«, erwiderte ich. »Ich habe eine Plantage geerbt und bin dabei, alles über Tee zu lernen. Und Sie brauchen jetzt einen.»

»Ein Tee wäre sehr erfrischend, und er schmeckt sicher besonders gut, da er auf Ihrer Plantage gewachsen ist.«

»Warum stehen wir noch hier herum? Es ist so eine freudige Überraschung, Sie zu sehen. Ich lasse Ihnen ein Zimmer herrichten. Sie müssen meine Schwester kennenlernen.«

Leila lungerte herum, ihre dunklen Augen brannten vor Neugier. »Dies ist eine Freundin von mir aus England«, sagte ich. »Ich wünsche, daß ein Zimmer für sie hergerichtet wird. Sie wird bei uns wohnen.«

Celias Gegenwart verlieh unserem Leben eine gewisse Norma-
lität. Die Anwesenheit einer Engländerin lenkte von der fremdartigen Atmosphäre ab, und ich fühlte mich etwas wohler. Celia
fand ihr Zimmer entzückend; sie entschuldigte sich, daß sie uns
so viele Umstände bereite, und ich mußte ihr wiederholt versichern, wie froh ich sei, sie hier zu haben.

Sie war von unserem Garten begeistert und interessierte sich
für alles. Es war ein Vergnügen, mit ihr zusammenzusein. Clytie
verstand sich gut mit ihr. Ralph zeigte ihr seine Elefanten und
versuchte, sie mit seiner Kobra zu erschrecken, und als ihm das
gelang, schloß er sogleich Freundschaft mit ihr. Celia war von
dem Jungen sehr angetan, und als sie von der Entführung
erfuhr, war sie entsetzt. Sie hatte volles Verständnis für Clyties
Bereitschaft, sich von den Perlen zu trennen. »Ich hätte an ihrer
Stelle genauso gehandelt«, sagte sie.

Es war eine Freude, mit ihr zu plaudern.

Clinton gefiel sie ebenfalls, und er meinte, es sei gut für mich,
eine Gefährtin aus der Heimat zu haben. Ich nahm sie mit
nach Kandy und in den Club, in dem ich inzwischen Mitglied
war; ich stellte sie etlichen Leuten vor, darunter auch der schau-
derhaften Mrs. Glendenning. Celia wurde herzlich aufgenommen.

Weihnachten rückte näher. Es kam mir unziemlich vor, das Fest
in der Hitze zu feiern. Ich glaube, die meisten von uns sehnten
sich nach der winterlichen Kälte daheim, nach Schnee, Weih-
nachtsliedern, Efeu und Stechpalmenzweigen. Wir bemühten
uns nach Kräften: Ralph hing seinen Strumpf auf, und Clytie
schmückte einen Baum. Wir verbrachten den Tag bei den
Blandfords, und am nächsten Tag kamen sie alle zu uns.

Es war wenige Tage später. Ich erinnere mich in allen Einzelhei-
ten an den Abend; denn danach setzte die Veränderung ein.
Celia und ich hatten im Wald mit Ralph gespielt, und er hatte
Celia stolz die Palme mit seinem eingeritzten Monogramm

gezeigt. Ich konnte den Baum nie ohne Schaudern betrachten, und ich war sicher, daß es Clytie ebenso ging.

Celia und ich waren dann heimgeritten. Clinton kam herein, und wir tranken etwas. Danach aßen wir zu Abend, und anschließend saßen wir im Wohnzimmer. Draußen war es zwar angenehm, doch die Moskitos waren eine Plage, und Clinton meinte, Celia sei besonders gefährdet, da die Insekten frisches englisches Blut liebten.

Wir redeten über dieses und jenes, bis das Gespräch auf den Tod meiner Mutter kam. Celia machte dabei einen ziemlich verstörten Eindruck. Schließlich sagte sie: »Es ging mir immer im Kopf herum. Ich weiß nicht, ob es richtig war, zu schweigen. Damals hielt ich es für besser …«

»Was meinen Sie, Celia?« wollte ich wissen.

Sie blickte zu Clinton, und er fragte: »Ist es ein Geheimnis?«

»Nein, nein«, erwiderte Celia rasch. »Ich bin sicher, daß Sarah vor Ihnen nichts geheimhalten möchte.«

Clinton beugte sich vor und legte seine Hand auf die meine. »Natürlich nicht«, sagte er. »Nicht wahr, Sarah?«

Ich antwortete nicht. Ich dachte an mein großes Geheimnis und stellte mir seine Wut vor, wenn er wüßte, was ich getan hatte.

»Es ist mir nicht aus dem Kopf gegangen, seit es passiert ist«, sagte Celia.

»Sagen Sie's uns«, bat Clinton.

Sie blickte ihn offen an. »Wissen Sie, wie es auf Ashington Grange zuging? Miss Martha und Miss Mabel …«

»Ich kenne sie. Ein Drachenpaar. Jedenfalls die eine. Die andere lebt in ihrem Schatten.«

»Ja, genauso war es. Manchmal glaube ich, ich habe es mir eingebildet. Ihre Tante Martha ist eine resolute Person, Sarah, eine Frau, die entschlossen ist, ihren Willen durchzusetzen.«

»Ein nicht ungewöhnlicher weiblicher Charakterzug«, murmelte Clinton.

»Sie hatte eine Zwangsvorstellung«, fuhr Celia fort. »Die hing

326

mit den Perlen zusammen. Sie hat mir davon erzählt. Sie hatte sich einen Plan ausgedacht. Er scheint verrückt ... der helle Wahnsinn. Ihr Vater war mit einer Frau vermählt, die ihm nie einen Sohn geschenkt hätte. Sie lebten getrennt. Ihre Tante wünschte verzweifelt, daß Ihr Vater einen Sohn zeugte, um den Familiennamen zu erhalten. Das alles schien ziemlich verworren. Ich wollte es fast nicht glauben. Doch ich merkte, daß auch Sie es geahnt hatten, Sarah. Ihre Tante Martha hatte *mich* als die nächste Frau Ihres Vaters auserkoren, als Ihre Mutter noch lebte. Ist das nicht verrückt?«

»Ich ahnte wirklich, was sie im Sinn hatte«, sagte ich.

»Meine Lebensumstände kamen ihr gerade recht. Ich besaß damals kein Geld ... aber es ging nicht um Geld. Sie wollte aus mir die dritte Mrs. Ashington machen; ich sollte einen Sohn zur Welt bringen, dessen Frau die Ashington-Perlen tragen konnte, bis diese einen Sohn gebar, dessen Gattin ... und so weiter. Das alles schien völlig verrückt und so gar nicht zu ihr zu passen. Sie war sonst so praktisch veranlagt ... stand mit beiden Füßen auf der Erde. Doch das war ihr Plan: Ihr Vater sollte nach Hause kommen und mich heiraten. Er hatte aber eine Frau. Ich weiß, es klingt unglaublich. Ich bin aber überzeugt, daß sie wahnsinnig war. Eine merkwürdige Form des Wahnsinns, wie sie aus einer Zwangsvorstellung erwächst.«

»Celia«, sagte ich erschrocken, weil mich dumpfe Vorahnungen beschlichen, »was wollen Sie damit sagen?«

»Es fällt mir schwer. Es klingt so kompliziert und gänzlich abwegig. Sie wissen, Sarah, mein Zimmer lag im gleichen Stockwerk wie das Ihrer Mutter. Ich hörte in der Nacht merkwürdige Geräusche. Ihre Mutter war krank. Es war nur ein Schnupfen; sie erkältete sich ja so leicht. Dieser Schnupfen entwickelte sich jedoch zu einer Bronchitis. Eines Abends sah ich Ihre Tante Martha in das Zimmer Ihrer Mutter gehen. Ich glaubte, sie bringe ihr heiße Milch oder dergleichen, und beachtete sie nicht weiter. Am Morgen ging es Ihrer Mutter schlechter. Dann kam

jene Nacht ... Erinnern Sie sich, Sarah? Sie gingen nach oben ...
Das kalte Zimmer, in das der eisige Wind hereinblies. Ich
wachte plötzlich auf und spürte, daß etwas nicht stimmte. Ich
erinnerte mich, wie Ihre Tante leise ... fast verstohlen ... in das
Zimmer gegangen war, und am nächsten Morgen war Ihre
Mutter so krank. Sie gingen in das Zimmer Ihrer Mutter und
fanden die Fenster geöffnet und das Feuer ausgelöscht. Wir
waren nicht sicher ... Sie hätte es auch selbst getan haben
können. Doch ich hatte Ihre Tante Martha zuvor in das Zimmer
gehen sehen ...«
»Sie meinen, sie hat meine Mutter ermordet?«
»In gewisser Weise war es Mord ... falls sie es getan hat. Ihre
Mutter starb an einer Lungenentzündung, doch diese bittere
Kälte muß ihr den Tod gebracht haben. Ich versuchte dahinter-
zukommen. Zuerst der Schlaftrunk, dann alle Fenster öffnen,
hinausschleichen und später zurückkommen, um die Fenster zu
schließen. Wenn das stimmt, war Ihre Tante wahnsinnig. Ich
kann mich natürlich irren. Deshalb wollte ich nicht darüber
sprechen. Doch es ging mir seither nicht mehr aus dem Sinn.
Ich konnte es nicht ertragen, das Geheimnis noch länger für
mich zu behalten.«
»Sie haben damals gar nichts gesagt?« fragte Clinton.
»Nein, weil ich nicht sicher war. Ich konnte es nicht glauben.
Ich dachte, Sarahs Mutter hätte es selbst getan, im Fieber, ohne
zu wissen, was sie tat. Das versuchte ich mir einzureden. Je mehr
ich darüber nachdenke, desto überzeugter bin ich, daß Martha
wahnsinnig war ... wahnsinnig ist.«
Ich schwieg. Die Geschichte überraschte mich nicht, weil ich
mir schon lange Gedanken über Tante Martha gemacht hatte.
Es stimmte gewiß, daß sie meine Mutter aus dem Weg haben
wollte, und auch ich hatte den Eindruck gehabt, daß sie Celia
Hansen zur dritten Frau meines Vaters auserkoren hatte.
Tante Martha: erbarmungslos, hart, eine willensstarke Frau –
verrückt! Ja, das war durchaus vorstellbar. Wir unterhielten uns

noch eine Weile. Celia schien wahrhaft erleichtert. Ich konnte mir denken, wie es eine empfindsame Persönlichkeit bedrücken mußte, so etwas für sich zu behalten.

Als Clinton und ich allein in unserem Zimmer waren, fragte ich ihn, was er von Celias Verdacht in bezug auf den Tod meiner Mutter hielt. Er zuckte die Achseln. »Das alte Mädchen ist zu allem fähig, dessen bin ich sicher. Sie gehört zu den Menschen, die sich etwas in den Kopf setzen und nicht ruhen, bis sie es bekommen, koste es, was es wolle.«

»Solche Menschen gibt es«, bemerkte ich spitz.

»Davon bin ich überzeugt.« Er zog mich an sich. »Ich sehe, ich muß auf meine Sarah achtgeben. Wahnsinn in der Familie, hm?«

An diese Unterhaltung sollte ich mich später wieder erinnern. Am Ende der Woche meinte Celia, sie müsse abreisen, doch ich bedrängte sie, noch ein wenig zu bleiben.

»Müssen Sie unbedingt schon fort?« fragte ich.

Sie schüttelte den Kopf. »Ich möchte nur nicht länger bleiben, als ich erwünscht bin, das ist alles.«

»Sie wissen doch, wie gern ich Sie hier habe. Und Clinton ist froh, weil er uns unbesorgt zusammen im Haus zurücklassen kann, falls er mal über Nacht wegbleiben muß.«

»Wenn Sie meinen ...«

»Meine liebe Celia, Sie müssen bleiben, so lange Sie mögen.«

»Dann bleibe ich noch etwas. Ich muß zugeben, ich hoffte, daß Sie mich dazu auffordern. Ich bin fasziniert von der Umgebung, und ich war immer gern mit Ihnen zusammen. Ralph ist ein wonniger Kerl. Es müßte ein Vergnügen sein, ihn zu unterrichten. Dazu wäre ich jetzt wohl eher geeignet als damals, als ich zu Ihnen kam.«

»Das ging doch recht gut«, sagte ich. »Es ist also abgemacht: Sie bleiben.«

Danach sprach sie nicht mehr von ihrer Abreise. Als ich Clinton erzählte, daß ich sie gebeten hatte zu bleiben, war er einverstanden. »Es ist besser für dich, wenn du Gesellschaft hast«, meinte er.

Ich vermutete, er hatte dabei nicht nur jene Anlässe im Sinn, wenn er geschäftlich von zu Hause fort mußte. Visionen von Anulas verführerischem Schlafgemach schwirrten mir durch den Kopf.

Die Tage vergingen rasch. Ich erhielt wieder einen Brief von Toby. Er mußte ihn sofort geschrieben haben, nachdem er den meinen bekommen hatte. Er war erfreut, von mir zu hören. Er berichtete mir von seiner Arbeit und von den Menschen, mit denen er lebte. Er schilderte mir den Bungalow, den er bewohnte, und beschrieb mir den ziemlich niederträchtigen *khansamah*, der ihn nach Strich und Faden betrog, ohne den er jedoch schwerlich auskommen könne. »Er geht für mich einkaufen und berechnet viel zuviel für alles, was er kauft, aber wenn ich versuchen wollte, es selbst zu erledigen, müßte ich noch viel mehr bezahlen. Du siehst, sie haben sich alle gegen den armen *sahib* verbündet; zumal er keine *mem* hat, die auf ihn aufpaßt. Ich gebe häufig Gesellschaften und werde oft eingeladen. Die Engländer halten fest zusammen. Ich bin sicher, daß es bei Euch genauso ist.«

Ich schrieb unverzüglich zurück und erzählte ihm frohgemut von unserem Club sowie dem Ball zu Ehren meiner Ankunft und von der aufdringlichen Mrs. Glendenning. Ich war überzeugt, daß ihr Typus in seiner Gesellschaft ebenso vertreten war wie in meiner.

Kurz nachdem ich Toby diesen Brief geschrieben hatte, geschah das erste merkwürdige Ereignis. Ich ging eines Tages zu Fuß von Clytie nach Hause. Es war eine der seltenen Gelegenheiten, ganz allein zu sein, und als ich durch den Wald schritt, dachte ich an meine Mutter und fragte mich, ob sie wohl jemals allein durch diesen Wald gegangen war. Eigentlich war es ja ein Dschungel. Einst hatte er sich über weite Flächen erstreckt, und wenn es nach Clinton ginge, würde auch dieses Stück noch abgeholzt, um für den Teeanbau genutzt werden zu können. Das werde ich nicht zulassen, dachte ich und lachte vor mich hin bei dem Gedanken, wie wütend Clinton wäre, wenn er wüßte, daß er die Plantage, um derentwillen er mich geheiratet hatte, nie bekommen würde.

Die Menschen tun seltsame Dinge im Aufruhr der Gefühle. Ich hatte mich dazu hinreißen lassen, rasend vor Wut zum Anwalt zu gehen. Nie würde ich die Demütigung vergessen, die Clinton mir angetan hatte, als er mit dieser Frau zusammen war. Am meisten ärgerte mich jedoch, daß ich ihm erlaubt hatte, die Nacht mit mir zu verbringen, als er zurückkam. Ich hätte mich mit allen Kräften wehren sollen; zwar hatte ich getan, als gebe ich widerwillig nach, doch er wußte genau, daß dies nicht ganz stimmte.

Wie ich ihn haßte! Wie hatte ich mich nur auf ihn einlassen können? Er war ganz und gar nicht der Mann, den ich mir zum Ehemann wünschte. Ich wollte einen zärtlichen, hingebungsvollen Menschen, der ausschließlich mich liebte. Einen Mann, der mich sein Leben lang beschützte und verehrte. Wie froh war ich, daß ich mit Toby in Verbindung stand.

An diesem Tag schaute das Dickicht anders als sonst aus. Was war das? Ich blieb stehen und lauschte. Hatte Clytie nicht gesagt, ich würde mich an die Geräusche des Dschungels gewöhnen? Sie hatte recht behalten. Ich kannte die Laute. Selbst wenn ich etwas durchs Unterholz huschen hörte, bekam ich keinen Schreck. Man mußte freilich immer vor Schlangen auf der Hut sein. Doch wenn man vorsichtig war, bestand keine Gefahr. Leila sagte, sie habe neulich im Dschungel am Wasser eine Anakonda gesehen; die waren ziemlich selten. Und ich hatte tatsächlich eine Kobra erspäht – ein erschreckender Anblick. Sie lag zusammengeringelt unter einem Baum und schlief. Ich war schnell vorübergeeilt. An den sumpfigen Flußufern sah ich oft Krokodile, meist schlafend und anscheinend harmlos, doch wenn sie anfingen, mit den Schwänzen zu peitschen, mußte man sich schleunigst davonmachen. Die sonderbaren Stabheuschrecken jagten mir keine Angst mehr ein, auch nicht das plötzliche Auftauchen einer Eidechse oder eines Chamäleons. Geckos waren längst etwas Alltägliches, und ich hatte sie oft im Haus an den Wänden hinaufflitzen sehen. Ich gewöhnte mich allmählich an diese Welt, wo in der dampfenden Hitze Lebensformen gediehen, die zu Hause nicht denkbar waren.

Aber an diesem Nachmittag war etwas im Dschungel, das mich erschreckte. Ich spürte, noch bevor es mir richtig bewußt wurde, daß jemand hinter mir herschlich.

Da – das plötzliche Knacken eines Zweiges … Schritte. Es konnte ein kleines Tier sein, ein Schweinshirsch vielleicht, der vorsichtig durchs Unterholz zog, darauf gefaßt, daß ihn überall Gefahr umlauerte. Leilas Anakonda würde kurzen Prozeß mit ihm machen, wenn sie ihn entdeckte.

Nein, das war kein Tier. Ich begriff selbst nicht, warum mich diese plötzliche Angst überkam.

Allein mitten im Dschungel. Ja, aber das Haus war nahe. Ich war diesen Weg durch den Wald schon oft allein gegangen und hatte mir nichts dabei gedacht. Da – wieder! Der behutsame Schritt. Wenn ich stehenblieb, war er nicht mehr zu hören, ging ich weiter, war er wieder da … Etwas schlich hinter mir her.

Eine unerklärliche Panik ergriff mich. Ich fing zu laufen an. Die Schritte kamen hinter mir her, sie tappten durch das Holz. Ein Tier? Unmöglich. Es würde nicht stehenbleiben, wenn ich stehenblieb. Ich hielt an. Mein Herz hämmerte so wild, daß es schmerzte.

»Wer ist da?« rief ich.

Keine Antwort. Wer immer mich verfolgte, war schlagartig stehengeblieben, als ich anhielt.

Jetzt wußte ich, was wirkliche Angst war. Ich fing wieder zu laufen an. Es kam hinter mir her. Ich rannte, so geschwind ich konnte. Ich verspürte ungeheure Erleichterung, als ich zu der Stelle kam, wo das Gehölz sich lichtete. Ich hatte den Garten erreicht. Ich lief hinein und blickte in den Dschungel zurück in der Erwartung, daß dort jemand auftauchte.

Niemand erschien.

»Wer ist da?« rief ich nun mit fester Stimme aus der Geborgenheit des Gartens.

Keine Antwort. Niemand kam heraus. Langsam ging ich zum Haus. Jemand hatte mich verfolgt in der Hoffnung, mich zu erwischen, bevor ich in Sicherheit war. Aber wer? Weshalb jagte man mich durch den Wald?

Ich ging ins Schlafzimmer hinauf, setzte mich vor den Spiegel und betrachtete mich darin. Welch ein Anblick! Zerzaustes Haar, in wilder Angst starrende Augen. Ich wusch mich, kleidete mich um und ging nach unten.

Celia saß lesend im Wohnzimmer. Sie blickte auf und lächelte.

»Ist Ihnen nicht wohl?« fragte sie.

»Ich weiß nicht. Ich habe mich im Wald erschreckt.«

»Wieso?«

»Ich dachte, ich werde verfolgt. Es war richtig ... unheimlich.«

»Aber wer könnte Sie denn verfolgen?«

»Das weiß ich auch nicht. Aber es war irgendwie ... beängstigend.«

»War es ein Tier?«

»Sie meinen, ein Tier war hinter mir her?«

»Möglicherweise. Sie wissen mehr über den Dschungel als ich.«

»Celia, es war furchtbar. Ich hatte wirklich Angst.«

»Es war sicher nur Einbildung«, sagte sie.

»Nein«, erwiderte ich. »Ganz bestimmt nicht.«

»Kommen Sie, setzen Sie sich! Sie sehen ja ganz mitgenommen aus.« Sie fing an, von anderen Dingen zu reden, und ich wußte, daß sie versuchte, mich zu beschwichtigen.

Das war der Auftakt zu merkwürdigen Begebenheiten.

Der nächste Vorfall ereignete sich zwei Tage später. Es war eine allgemeine Gepflogenheit, nachmittags während der heißesten

Tageszeit zu ruhen. Außer Clinton zogen wir uns alle zur Siesta zurück. Seit Celia bei mir war, ging ich nicht mehr so oft zu Clytie hinüber, und wenn ich es tat, nahm ich den Einspänner und machte nur eine Morgenvisite.

An diesem Vormittag war die Hitze besonders stechend gewesen. Celia und ich hatten zusammen die Blandfords besucht. Ich war bei Clytie und Seth geblieben, und Celia hatte mit Ralph den Garten aufgesucht. Celia und der Junge waren gute Freunde, und es belustigte mich, wie gern Celia in ihrer belehrenden Art seine Kenntnisse zu vertiefen suchte. Da er ein sehr begabtes Kind war, gefiel ihm das recht gut. Es war ein vertrauter Anblick geworden, die beiden zu sehen, wie sie, in eine Unterhaltung vertieft oder über einem seiner Bücher, aus dem sie ihm vorlas, die Köpfe zusammensteckten.

Seth hatte mir eine neue Bewässerungsmethode erklärt. Er sprach angeregt, und es war offensichtlich, daß ich ihm mit meinem Besuch beim Anwalt eine schwere Last von der Seele genommen hatte. Jetzt fühlte er sich angespornt, härter zu arbeiten, um die Plantage erfolgreich zu bewirtschaften. Zwar hatte er sich auch vorher bemüht, aber die Tatsache, daß er sich seines Postens nun sicher war, zeigte eindeutig ihre Wirkung.

Als Celia und ich nach Hause kamen, nahmen wir ein leichtes Mittagsmahl zu uns und zogen uns auf unsere Zimmer zurück. Ich schlief nachmittags selten. Meistens las ich, und zuweilen verweilten meine Gedanken bei allem, was sich ereignet hatte, seit ich hierhergekommen war. Wie schon gesagt, hatte Celias Ankunft unser Leben in gewisser Weise in normalere Bahnen gelenkt. Clinton war verändert, und wir stritten nicht so oft wie sonst. Celias Gegenwart hinderte uns daran. Ich weiß nicht, ob ihm das gefiel oder nicht, doch er fand es ganz gewiß in Ordnung, daß sie tagsüber bei mir war.

Ich lag wach auf meinem Bett, als es plötzlich an die Tür pochte. »Herein«, rief ich und erwartete, Celia zu sehen. Es war kaum anzunehmen, daß Clinton anklopfte, wenn er kam. »Wer ist da?«

Ich erhielt keine Antwort.

Ich erhob mich vom Bett und ging zur Tür. Da war niemand. Merkwürdig! Das Klopfen war so laut gewesen. Vielleicht war es jemand von den Dienstboten. Aber warum kamen sie nicht herein, wenn sie dazu aufgefordert wurden? Und warum gingen sie weg, nachdem sie angeklopft hatten?

Zuerst mein Erlebnis im Wald und dann dies. Ich war verstört. Ich ging zu Celias Zimmer und klopfte.

»Herein«, rief sie.

Sie lag lesend auf ihrem Bett.

»Haben Sie an meine Tür geklopft?« fragte ich.

»Warum sollte ich?«

»Es hat geklopft. Ich rief ›herein‹, und niemand kam. Ich stand auf und sah nach. Es war niemand da.«

»Vielleicht war es Leila, die etwas heraufbringen wollte.«

»Aber warum sollte sie anklopfen und dann weggehen?«

Celia zog die Schultern hoch. Es war klar, daß sie dem Vorfall keine große Bedeutung beimaß.

»Leila«, fragte ich später, »hast du heute nachmittag an meine Tür geklopft?«

Sie hatte mir warmes Wasser gebracht, damit ich mich waschen konnte, bevor ich mich zum Abendessen umzog.

»Klopfen, Missie? Ich … klopfen?«

»Ja, heute nachmittag. Jemand hat angeklopft, und als ich ›herein‹ rief, ist niemand gekommen.«

Sie schüttelte den Kopf. »Ich war's nicht.«

»Das ist sehr merkwürdig. Es war so deutlich. Ich lag auf meinem Bett, und da hörte ich das Pochen.«

»Heute nacht ist Vollmond«, sagte Leila, und ihre schwarzen Augen blickten nachdenklich. »Vielleicht war es Geist von Vollmond.«

»Wieso sollte der an meine Tür klopfen?«

»Vielleicht er denken an Sie bei diesem Vollmond.«

»Leila, bist du sicher, daß du nicht irgendwas bringen wolltest und es dir dann anders überlegt hast und mich lieber nicht stören wolltest?«

Leila schüttelte heftig den Kopf.

»Nun, irgendwer hat jedenfalls geklopft«, sagte ich fast zornig.

»Geist von Vollmond«, meinte Leila wichtigtuerisch.

Ich merkte, daß ich aus ihr nichts Vernünftiges herausbringen würde. Ich sah ein, daß ich mich mehr verwirren ließ, als es die Sache vielleicht wert war. Es war so irritierend, ein solch deutliches Klopfen zu hören und dann alle so teilnahmslos zu finden, ausgenommen Leila mit ihren absurden Vorstellungen vom Mondgeist. Celia schien anzunehmen, ich hätte geträumt, und sah nicht ein, warum man sich deshalb aufregen sollte.

Clinton kam herein, während ich mich umkleidete. Er war guter Laune und küßte mich innig. »Hattest du einen schönen Tag?« erkundigte er sich.

»Ja, und du? Clinton, was bedeutet es, wenn die Leute sagen, man wird vom Geist des Mondes verfolgt?«

»Das bedeutet, Wahnsinn liegt in der Luft.«

Auf einmal war mir schrecklich bange. Ich beschloß, nichts von dem Pochen an meiner Tür zu sagen.

Etwas Merkwürdiges war im Gange. Abermals geschah es, daß ich mich im Wald verfolgt fühlte. Es war dasselbe behutsame Tappen. Ich geriet in echte Panik.

Keuchend erreichte ich die Lichtung. Dort wartete ich. Falls es ein Tier war, würde es gewiß jetzt herausgeprescht kommen. Nichts. Es konnte kein Tier gewesen sein. Es war jemand, der nicht gesehen werden wollte. Aber wer?

Am Abend erzählte ich es Clinton und Celia.

»Das sind die Dschungelnerven«, meinte Clinton.

»Was um alles in der Welt ist das?«

»Es überkommt einen im Dschungel, und dann bildet man sich Erscheinungen ein.«

»Das war keine Einbildung. Jemand hat mich verfolgt.«

»Höchst unwahrscheinlich«, sagte Clinton.

Ich fing einen Blick von Celia auf. Sie sah mich besorgt an. Sie dachte vermutlich an das Pochen an meiner Tür, das ich mir, wie sie glaubte, eingebildet hatte.

Wenn ich das nächste Mal verfolgt werde, finde ich heraus, wer es ist, gelobte ich mir.

Ein paar Tage später ereignete sich wieder etwas Merkwürdiges. Es war abermals während der Siesta, und ich lag lesend auf meinem Bett. Plötzlich vernahm ich ein Geräusch, und ich starrte zur Tür. Der Knauf drehte sich kaum merklich. Diesmal sagte ich nichts. Ich blieb liegen und schaute genau hin. Die Tür ging ganz langsam auf.

Ich wußte nicht, warum ich so erschrak. Ich spürte die Stille im Haus. Ich wartete. Gleich würde jemand leise in mein Zimmer treten. Der Geist des Mondes? Eine gespenstische Gestalt, die auf mich deuten und sagen würde: »Wir denken an dich«?

Nichts geschah … Alles blieb still.

Ich sprang aus dem Bett. Der Flur war leer. Das alles war höchst sonderbar. Ich mußte Gewißheit haben, und diesmal würde ich behutsam vorgehen.

Als Leila wieder mit dem heißen Wasser hereinkam, fragte ich sie: »Du hast doch heute nachmittag meine Handtücher heraufgebracht, nicht wahr?«

Sie blickte mich verständnislos an. »Nein, Missie. Ich ausgegangen, ganzen Nachmittag, Nähgarn kaufen.«

»Um welche Zeit bist du fortgegangen?«

Sie zog die Stirn kraus. Drei Uhr sei es gewesen, erinnerte sie sich. Es war halb vier, als meine Tür sich auf so geheimnisvolle Weise geöffnet hatte. Freilich, Leila konnte gelogen haben.

Später berichtete ich Celia, was geschehen war.

»Ich habe niemanden gehört«, sagte sie.

»Aber es muß jemand dagewesen sein, der meine Tür aufgemacht hat. Warum nur?«

»Das kommt mir so albern vor. Völlig sinnlos.«

»Völlig sinnlos«, bestätigte ich.

»Gewiß war es Leila, die etwas bringen wollte, und dann besann sie sich darauf, daß Sie ruhten.«

»Sie war zu der Zeit nicht im Haus, sagt sie.«

»Sind Sie sicher, daß Sie die Tür richtig geschlossen hatten? Vielleicht hat ein plötzlicher Luftzug …«

»Ich lasse die Tür nie offen.«

»Aber diesmal vielleicht doch. Das scheint die einzige Erklärung, es sei denn …«

»Was?«

»Es sei denn, Sie sind eingenickt und haben geträumt.«

»Celia, ich war wach. Ich stieg aus dem Bett, und die Tür war auf.«

Sie zuckte die Achseln.»Na ja, eigentlich ist es nicht so wichtig, oder?«

Sie sah mich forschend an, und ich sagte: »Es *ist* wichtig. Es sind zu viele merkwürdige Dinge passiert. Zweimal ist mir jemand im Wald gefolgt. Es hat keinen Sinn zu sagen, ich hätte es mir eingebildet. Ich wurde wirklich verfolgt. Und dann das Klopfen an meiner Tür.«

»Was soll das alles?«

Ich sah, daß sie glaubte, ich würde viel Getue um nichts machen, und ließ das Thema fallen. Doch beschloß ich, mit Clytie darüber zu sprechen. Ich ging zu ihr. Sie war mit Ralph im Garten. Er kam zu mir gelaufen und umklammerte meine Knie – eine liebenswerte Gewohnheit von ihm. Sie gab den Besuchern das Gefühl, daß er sich wirklich freute, sie zu sehen.

»Ich hab' einen neuen Elefanten«, verkündete er. »Der kann laufen.«

»Man muß ihn aufziehen«, erklärte Clytie. »Ralph ist ganz aus dem Häuschen mit ihm. Er läßt alle anderen Spielsachen liegen.«

»Er will mit mir zum Baden«, sagte Ralph. »Wir gehen ins Wasser, ich auf seinem Rücken, und das Wasser reicht dann bis zu mir hinauf. Ich sitze auf einem goldenen Thron mit einem

Schirm über mir. Mein Elefant fürchtet sich ein bißchen, aber ich sage ihm, daß er keine Angst zu haben braucht. Ich lasse ihn schon nicht ertrinken. Dann gehen wir Panther jagen. Mama, kann ich einen Panther bekommen? Einen, der rennt, damit mein Elefant ihn jagen kann?«

»Abwarten«, erwiderte Clytie. »Zuerst müssen wir deinen Panther finden.«

»Panther sind prima«, bemerkte Ralph, »aber Elefanten sind viel besser.«

Er rannte davon, um mit seinem Elefanten auf die Jagd zu gehen, und Clytie und ich ließen uns im Schatten einer Palme nieder.

»Stimmt etwas nicht?« fragte Clytie.

»Ich weiß nicht recht. Es sind so merkwürdige Dinge vorgekommen.« Ich erzählte ihr alles.

Sie hörte mit ernster Miene zu. Ich war dankbar, daß sie nicht sagte, es sei Einbildung gewesen. »Es sieht so aus«, meinte sie schließlich, »als ob dir da jemand einen bösen Streich spielen möchte.«

»Aber warum?«

Sie dachte nach. »Das Schleichen im Dschungel. Möglicherweise versucht jemand, dir einen üblen Streich zu spielen, um dich in Panik zu versetzen. Das Pochen an der Tür, die Tür geht auf … das ist wirklich sonderbar.«

»Das nächste Mal springe ich sofort aus dem Bett und laufe hinterher. Ich will wissen, wer mich verfolgt.«

»Sei vorsichtig, Sarah!«

»Wie meinst du das, Clytie? Du sprichst, als würdest du annehmen, ich sei in Gefahr.«

»Wer immer dahintersteckt, er muß einen Beweggrund haben.«

»Manche Leute würden behaupten, es sei Einbildung.«

»Es könnte sein, daß jemand versucht, dich nervös zu machen.«

»Aber wer?«

»Ich weiß nicht«, sagte sie, aber es klang nicht sehr überzeugt.

»Clytie, willst du mir helfen?«

»Natürlich.«

»Dann sag's mir, wenn du etwas weißt.«

»Ich weiß nichts. Ich habe nur einen Verdacht. Es ist peinlich. Ich denke, es hat etwas mit … Nein, ich bin sicher, daß ich mich irre. Die Vermutung ist einfach zu abwegig.«

»Clytie, ich bin deine Schwester. So abwegig deine Vermutung auch sein mag, ich will es wissen.«

»Die Menschen hier sind anders als du, Sarah. Sie haben andere Regeln … andere Vorstellungen … Ich dachte an Anula. O nein … das ist unmöglich. Ich hätte es nicht erwähnen sollen.«

»Doch! Und mehr brauchst du nicht zu sagen. Ich weiß, daß Anula Clintons Geliebte war. Er hat es gestanden. Sie hat etwas dagegen, daß ich hier bin. Vielleicht hat sie die Absicht, mich zu vertreiben.«

»Es war allgemein bekannt«, gab Clytie zu. »Sie haben kein Geheimnis daraus gemacht. Vielleicht hat sie geglaubt, er würde sie heiraten. Es wäre durchaus möglich gewesen. Mütterlicherseits stammt sie aus einer angesehenen Familie, und weil sie schon in ihrer Kindheit etwas Besonderes war, sorgten ihre Eltern für eine Erziehung, wie sie die anderen Kinder nicht bekamen. Sie ist die älteste, und als sie heranwuchs, lebte ihre Mutter noch. Sie starb, als Ashraf geboren wurde. Leila war damals noch sehr klein. Anula wurde nach europäischen Maßstäben erzogen. Dadurch unterscheidet sie sich von den anderen, und sie würde wohl eher in unsere Gesellschaft passen. Ich halte es für denkbar, daß sie dir grollt und versucht, dich mit ihren Tricks zu erschrecken und womöglich zu vertreiben.«

»Sie kann doch nicht hoffen, daß ihr das gelingt, indem sie im Dschungel hinter mir herschleicht oder Leila an meine Tür klopfen läßt.«

»Ich sagte dir doch, es war nur so eine Vermutung. Anula ist ein sonderbares Wesen. Eine Menge Leute glauben, daß sie wirklich die Reinkarnation jener ersten Königin von Ceylon ist, die den gleichen Namen trug. Die wurde durch Heirat mit dem

König zur Königin. Es gibt Leute, die Clinton als den König von Kandy bezeichnen. Er ist so mächtig und erwirbt mehr und mehr der einträglichsten Betriebe des Landes. Auf seinem Gebiet ist er gewissermaßen ein König. Vielleicht hat Anula gehofft, durch die Heirat mit König Clinton zur Königin zu werden. Dadurch hätte sich ihr Karma erfüllt. Einmal hat sie es verfehlt, aber diesmal sollte es ihr gelingen. So hatte sie sich das wohl ausgedacht. Und dann kam Clinton mit einer Ehefrau aus England zurück.«

»Glaubst du wirklich, daß sie so große Anstrengungen unternehmen würde, um mich loszuwerden?«

»Ich weiß nicht recht. Ich versuche nur, eine Erklärung zu finden.«

»Ich kann mir nicht vorstellen, daß dieses elegante Geschöpf im Dschungel hinter mir herschleicht.«

»Vielleicht hat sie Ashraf geschickt. Leila hätte das Klopfen an der Tür besorgen können. Die würden ihr bedingungslos gehorchen. Sie hat ihnen weisgemacht, daß sie ganz besondere Kräfte besitzt, und sie wagen nicht, sie zu kränken.«

»Was soll ich tun, Clytie?«

»Nimm es nicht zu schwer. Laß dir keine Angst machen.«

»Clinton und Celia glauben, ich hätte mir das alles eingebildet.«

»Dann sprich mit ihnen nicht mehr darüber. Behalte es für dich. Sei wachsam, und versuche herauszubekommen, wer dir Angst einjagen will.«

Das klang recht vernünftig. Ich mußte bedenken, daß ich mich in einem fremden Land befand, und was zu Hause verrückt und absurd erschien, das war hier alltäglich. Die Menschen hier dachten anders; sie waren der Natur sozusagen näher; ihre Anschauungen mochten mir fremd erscheinen, aber für sie waren sie selbstverständlich. Ich durfte nicht den Fehler begehen, die Menschen hier nach den gleichen Maßstäben zu beurteilen wie die Leute in meiner Heimat.

Es war durchaus denkbar, daß Anula glaubte, sie und Clinton

seien füreinander bestimmt. Clytie hatte gesagt, Clinton werde sogar als der König von Kandy bezeichnet – König in einem anderen Sinn als die alten Herrscher. Doch er war der mächtigste Mann hier, und auch er beherrschte gewissermaßen die Insel.

Es schien so lächerlich, aber ich war Clytie dankbar, daß sie mir zuhörte und mich ernst nahm. Anula! Das war jedenfalls die plausibelste Erklärung.

Es war, als senke sich allmählich ein Alpdruck auf mich herab. Es geschahen so alberne Dinge. Ich legte etwas an den Platz, wo es immer war, und fand es woanders wieder. Ich versuchte, das einfach abzutun, doch es wurde von Mal zu Mal schwieriger. Clinton meinte, ich sei konfus. Leila warf mir geheimnisvolle Blicke zu, und ich wußte, sie dachte an den Geist des Mondes. Celia machte sich Sorgen und bemühte sich ihrerseits, sich nichts anmerken zu lassen. Und mir wurde wirklich angst und bange. Es mochte meiner Furcht zuzuschreiben sein, daß ich immer mehr dazu neigte, seltsame Dinge zu tun. Ich konnte es nicht begreifen.

Ich war nervös, wenn ich ins Schlafzimmer ging. Ich fragte mich jedesmal, was ich wohl vorfinden würde. Wenn ich auf meinem Bett lag und auszuruhen versuchte, starrte ich auf die Tür in der Erwartung, daß sie plötzlich aufging.

Clinton war dann und wann fort, und da Celia im Haus war, ging ich nicht zu Clytie. Manchmal wünschte ich, ich könnte zu ihr ziehen, denn ich spürte, daß das Unheil an dieses Haus gebunden war.

Im Haus der Ashingtons fühlte ich mich wohler. Mit Clytie konnte ich unbefangener sprechen als mit Celia, doch selbst Clytie zeigte jetzt eine leichte Beklommenheit.

Was war mit mir geschehen? Es war fast, als sei ich behext. Manchmal hatte ich verschwommene Träume wie in einem Narkoseschlaf, und ich bildete mir ein, seltsame Gestalten in meinem Zimmer zu sehen. Das alles blieb natürlich nicht ohne sichtbare Wirkung. Ich wurde blaß, ich verlor an Gewicht, und ich hatte dunkle Schatten unter den Augen. Ich versuchte, es vor Clinton zu verbergen. Er gehörte zu den Menschen, die Krankheit für eine Verfehlung der Leidenden hielten; ich wußte, er würde keine Geduld mit einer Kranken haben. Mit einer Kranken? Ich war doch nicht krank. Ich war das Opfer eines sonderbaren … Zaubers, einer Hexerei, die mich mit ihrem Bann belegt hatte. Eines Nachts, als ich in tiefem Schlummer lag, hörte ich Stimmen im Zimmer. Clinton war über Nacht fort, und ich war auf Celias Anraten früh zu Bett gegangen. Leila hatte mir einen warmen Trunk bereitet, der, wie sie sagte, beruhigend wirkte. Ich schlief fest und wurde von etwas geweckt; ich glaubte, eine leichte Berührung an meiner Wange zu spüren. Es war kein Licht im Zimmer, aber ich hörte meinen Namen: »Sarah, Sarah, der Geist des Mondes ruft dich …«

Ich zwang mich, vollends aufzuwachen. Natürlich war niemand im Zimmer. Es war nur ein Traum.

Eines Tages nahm ich in meinem Zimmer einen schwachen Sandelholzgeruch wahr. Mir wurde schwindelig davon, und ich mußte an Anula denken. Die Parfümflasche, die sie mir geschenkt hatte, war in der Kommode. Ein Tropfen wusch die Sünden eines Jahres ab. Ich konnte Clinton noch darüber lachen hören.

Die Flasche mußte undicht sein. Rund um den Stöpsel war alles feucht, und ich atmete diesen merkwürdigen, exotischen Duft ein.

Dann kam Leila. »Ich rieche Sandelholz«, sagte sie.

»Deine Schwester hat mir diese Flasche geschenkt.«

Ihre Augen leuchteten respektvoll auf. »Dann ist es besonders gut. Es macht heilige Stätte aus diesem Zimmer.«

»Das glaube ich kaum«, sagte ich.

»Es ist ein ganz bedeutsamer Duft, Missie Sarah. Wenn Feste

sind, Leute geben viel Geld für Sandelholzstäbchen. Das bedeutet, sie bereuen ihre Sünden.«

»Mir scheint, dieses Parfüm ist mit der Sünde verbunden.«

»O ja. Es wird Sterbenden auf die Füße gegeben, damit der Duft mit ihnen geht, wenn sie zum Himmel wandern.«

»Sehr interessant. Ich finde es allerdings ein bißchen widerlich.«

»Missie Sarah, das ist Sünde gegen Heiligtum.«

Nachdem ich die Flasche angefaßt hatte, haftete der Geruch an meinen Händen. Celia bemerkte ihn, als ich hinunterkam. Ich erklärte ihr, daß Anula mir das Parfüm geschenkt hatte. Sie wußte von Anula – wieviel, konnte ich nicht sagen –, aber sie machte kein Hehl daraus, daß sie ihr nicht gewogen war. Ich erzählte ihr, was ich von Leila über die kultischen Bezüge des Sandelholzes erfahren hatte.

»Ein merkwürdiger Duft«, meinte sie. »Ich kann nicht sagen, ob ich ihn mag oder nicht.«

Als ich das nächste Mal in mein Zimmer ging, nahm ich einen starken Sandelholzgeruch wahr. Er schien an den Vorhängen zu haften. Das erinnerte mich an Anulas Haus, und ich wünschte, ein frischer Wind würde durch das Zimmer wehen.

Eines Morgens erwachte ich aus tiefem Schlaf; ich fühlte Druck auf meinen Augen, und ich sträubte mich, wie so häufig in letzter Zeit, ganz aufzuwachen.

Als ich meine Strümpfe anzog, roch ich Sandelholz, und ich stellte fest, daß der Geruch an meinen Füßen haftete. Ein Schauer durchfuhr meinen ganzen Körper, und mir war, als ob die Haare in meinem Nacken sich sträubten. Man gab den Sterbenden Sandelöl auf die Füße. Hatte Leila das nicht gesagt?

Ich glaube, das zermürbte mich mehr als alles, was bis dahin geschehen war.

Zwei Tage später schrieb ich an Toby. Es war mir klargeworden, daß ich etwas unternehmen mußte. Ich hatte mich zunächst geweigert, den Tatsachen ins Gesicht zu blicken; doch ich dachte viel über Tante Martha nach und hatte ein- oder zweimal von ihr geträumt, wie sie durch den Flur ins Zimmer meiner Mutter schlich. Sie hatte meine Mutter getötet. Ich hatte es vermutet, aber jetzt war ich ganz sicher. Sie war vom Wahnsinn besessen. Wenn man ihr begegnete, schien sie ganz normal. Penibel, konventionell, selbstsicher – und doch zur Besessenheit fähig. Und das alles wegen der Perlen. Die hatten von ihr Besitz ergriffen, die bargen den Wahnsinn in sich.

Wahnsinn! Ein entsetzliches Wort. Ich hatte seit geraumer Zeit vermieden, es zu benutzen … seit diese merkwürdigen Geschehnisse angefangen hatten.

Konnte es wirklich wahr sein, daß unsere Familie vom Wahnsinn geschlagen war? War Tante Martha denn nicht wahnsinnig, als sie durch den Flur schlich, entschlossen, meine Mutter zu beseitigen? Sogar die Braut für meinen Vater hatte sie ausgewählt. Ja, das war Wahnsinn. Furcht befiel mich. Ich war immer eine ausgeglichene Natur gewesen. Ich bekam keine Wutanfälle. Ich konnte einigermaßen vernünftig und logisch denken, und doch handelte ich jetzt eigenartig. Ich sah sonderbare Dinge, die andere nicht sahen: Halluzinationen. Die Gestalten, die ich in meinem Zimmer zu sehen geglaubt hatte … Was hatte ich eigentlich gesehen? Ich wußte es nicht. Das Licht war zu schwach. Es war etwas spürbar Gegenwärtiges … weiter nichts.

»Sarah, Sarah, ich bin der Geist des Mondes …«

Der Geist des Mondes brachte den Wahnsinn.

Konnte ich Clinton von meinen Ängsten erzählen? Nein. Er würde darüber lachen. Er war zwar mein Ehemann, aber es gab kaum Zärtlichkeiten zwischen uns. Er begehrte mich mit einer wilden Leidenschaft, die sich aus unseren Zusammenstößen nährte. Mir erging es mit ihm genauso. War das Liebe? Wenn ja, dann war es nicht das, was ich mir immer unter Liebe vorgestellt hatte. Er würde kein Verständnis für meine Schwäche haben, da er selbst so stark war. Er mochte mich, wenn ich mich gegen ihn wehrte. Er wollte keine schwache und verängstigte Frau. Ich konnte mir vorstellen, daß auch Anula sich ihm widersetzte und mit ihm stritt. Sie war die richtige Frau für ihn. Nein, ich konnte es Clinton nicht erzählen. Ich hatte mich Clytie anvertraut, und ich war bereit, falls es nötig war, gegen Anula zu kämpfen, aber ich fühlte mich kraftlos und unsicher. Anula hätte nicht bei Nacht in mein Zimmer kommen können. Sie war weit weg … vielleicht mit Clinton zusammen. Mit Celia konnte ich bis zu einem gewissen Punkt reden, doch ihre Einstellung erschreckte mich. Sie wußte ja über Tante Martha Bescheid, und ich ertappte sie häufig dabei, daß sie mich mit tiefer Besorgnis beobachtete. Celia war eine gute Freundin, und sie hatte Angst um mich. Sie war zugegen gewesen, als meine Mutter starb, und sie glaubte, daß Tante Martha wahnsinnig war.

Werde ich wahnsinnig? fragte ich mich. Fängt es so an?

Dann besann ich mich auf die Tage meiner Kindheit, und ich erinnerte mich, daß es immer jemanden gab, dem ich meine Sorgen anvertrauen konnte. Er hatte mich nie im Stich gelassen; er hatte mir immer geholfen; er hatte mich aufgerichtet, wenn mein Mut schwand; er hatte mir stets versichert, daß ich etwas Besonderes an mir habe. »*Du* kannst es, Sarah«, pflegte er zu sagen. »Wenn es jemand kann, dann du.«

Toby! Wie gut, daß ich mit ihm in Verbindung stand.

Also schrieb ich ihm. Ich hatte ihm bereits einiges berichtet. Er wußte, daß Celia bei mir war, und er war froh darüber. »So wie Du sie schilderst, scheint sie ein nettes, verläßliches Mädchen zu sein«, schrieb er. Von Anula hatte ich ihm nichts erzählt. Er wäre über die Vorstellung, daß sie sich immer noch mit Clinton traf, entsetzt gewesen. Ich zog es vor, nichts davon zu erwähnen. Aber ich wollte ihn wissen lassen, welch merkwürdige Dinge sich neuerdings in meinem Leben zutrugen. Also schrieb ich:

Zuerst hatte ich das sichere Gefühl, im Wald verfolgt zu werden. Eigentlich ist es ein Dschungel. Du wirst das ja kennen. Man kann sich dort schon ängstigen wegen all dieser fremdartigen Lebewesen ... so anders als die Tiere daheim. Nie werde ich das Kribbeln in meinem Rücken vergessen, als ich zum erstenmal eine Kobra erblickte. Die Eidechsen an den Mauern ... zuerst ganz unbeweglich, und dann flitzen sie auf einmal los! Am schlimmsten sind die Ameisenstraßen. Meine Phantasie hätte mir also im Dschungel durchaus einen Streich spielen können. Aber es ist zweimal passiert. Ich wurde wirklich verfolgt. Toby, ich bin ganz sicher, daß ich es mir nicht eingebildet habe. Ich vernahm deutlich Schritte. Und dann dieses bestimmte Gefühl ... Es war unheimlich. Dann das Klopfen an meiner Tür ... und niemand da. Und auf einmal ging die Tür auf, und dann diese sonderbare Schläfrigkeit und das Bewußtsein, daß jemand in meinem Zimmer war. Toby, denk darüber nach und schreibe mir, was Du davon hältst.

Und dann noch etwas: Sicher kennst Du den Geruch von Sandelholzöl. Es ist ein heiliges Parfüm. Jemand hat mir eine Flasche davon geschenkt. Ich mag den Duft nicht. Als ich eines Tages in mein Zimmer kam, hing dieser Geruch in der Luft. Meine Flasche war halb leer. Ich hatte mein Zimmer nicht damit parfümiert, Toby, aber der Duft war da, in den Vorhängen ... überall. Ich wollte herausfinden, wie das geschehen konnte. Ich fragte jeden, der Zugang zu meinem Zimmer hatte. Sie schworen, sie hätten es nicht parfümiert. Und sie haben mich so komisch angeschaut. Ich wußte, was sie dachten. Ich habe mich in letzter Zeit etwas sonderbar benommen. Sie glaubten, ich hätte den Geruch selbst in meinem Zimmer verbreitet. Erst tags zuvor hatte ich mit Leila über das Parfüm gesprochen. Sie erzählte mir, daß es heilig sei. »Ich vermute, Missie haben es getan, in Gedanken, ohne zu wissen«, sagte sie. Toby, kannst Du Dir vorstellen, daß ich das Zeug in meinem ganzen Zimmer verteile, ohne es zu wissen? Eines Morgens war es an meinen Füßen. Man reibt die Füße der Sterbenden damit ein. Das ist so eine Art

*Ritual. Jemand muß es mir an die Füße getan haben,
während ich schlief. Das hat mich mehr erschüttert als alles
andere. Es macht das Ganze noch unheimlicher, als es
ohnehin schon ist. Es war, als würde mir jemand sagen, daß
ich bald sterben werde.*

*Es fällt mir so schwer, mir nicht anmerken zu lassen, wie
sehr diese Dinge mich bedrücken. Manchmal frage ich mich,
ob mit* mir *etwas nicht stimmt. Bilde ich mir das alles ein?
Das muß ich mich fragen, Toby, und ich hoffe, daß Du mich
beruhigen kannst, wie Du es immer getan hast.*

*Laß mich Dir nun berichten, was sich dann abgespielt hat.
Ich ging mit der halbleeren Flasche Sandelholzöl in den
Dschungel und warf sie fort, mitten in das verschlungene
Gestrüpp. Ich hatte das komische Gefühl, daß mich jemand
beobachtete, ein sonderbares Gefühl, Toby, das ich neuer-
dings häufig habe. Ich ging ins Haus zurück. Ich spürte den
Geruch noch in meinem Zimmer, fand aber, er sei schwächer geworden, und hoffte, er würde allmählich verfliegen.
Und jetzt kommt etwas ganz Schreckliches, Toby. Ich machte
meine Kommode auf, und da stand die halbleere Flasche
Sandelholzöl. Ich nahm sie in die Hand. Rund um den
Stöpsel war sie feucht. Es war zweifellos dieselbe Flasche, die
ich im Dschungel fortgeworfen hatte. Toby, was soll ich
davon halten? Ich hatte sie draußen weggeworfen – und jetzt
war sie wieder da. Ich habe versucht, logisch zu denken. Ich
besann mich darauf, was Du immer sagtest, daß man seinen
Schwierigkeiten geradewegs ins Gesicht blicken müsse. Ich
denke viel an Dich, Toby. Also, das kann nicht dieselbe
Flasche sein, sagte ich mir. Es war eine andere. Es sei denn,
jemand hat die alte Flasche zurückgebracht. Weshalb? Ich
zweifelte an mir selbst. Hatte ich die Flasche wirklich weggeworfen, oder hatte ich es nur vorgehabt und mir dann
eingebildet, ich hätte es getan?*

Ich ging zurück in den Dschungel, um die Flasche zu suchen.

Es war am späten Nachmittag. Ich kam zu der Stelle, wo ich sie weggeworfen hatte. Das Gestrüpp ist dort sehr dicht. Ich schob die Blätter beiseite, und dort, wo die Flasche gelegen haben mußte, lag eine zusammengerollte Kobra.

Stell dir meinen Schrecken vor! Ich sprang zurück und rannte so schnell ich konnte ins Haus. Clinton war inzwischen heimgekommen. Ich warf mich in seine Arme und schrie, ich hätte im Wald nahe beim Haus eine Kobra gesehen. Er ging mit Nankeen und ein paar anderen hinaus. Ich folgte ihnen, um ihnen zu zeigen, wo ich die Schlange gesehen hatte. Die Männer nahmen Stöcke und Waffen mit. Es war ganz nahe am Waldrand, weißt Du, und sie fürchteten, die Kobra könne in den Garten oder ins Haus kommen.

»Sie war zusammengerollt und schlief«, schrie ich. »Ich hab' sie ganz deutlich gesehen.« Aber es war nichts zu sehen. Die Männer suchten die Umgebung ab, doch es war keine Spur von dem Ding zu finden. Der alte Nankeen schüttelte den Kopf und sagte: »Keine Kobra hier. Keine Spur von Kobra.« Als hätte ich mir das eingebildet.

Ich bin sicher, daß sie das alle dachten. Clinton lachte mich aus, und die anderen Männer lachten auch. »Keine Kobra, Missie«, wiederholte Nankeen. Ich kam mir ausgesprochen albern vor. Aber ich habe sie wirklich gesehen, Toby.

Toby, etwas geht hier vor. Schreib mir, was Du davon hältst. Ich habe Grund anzunehmen, daß meine Tante Martha nicht ganz richtig im Kopf war. Ehrlich gesagt, ich habe Angst. Dies ist ein Hilferuf. Ich fühle, daß Du der einzige Mensch auf der Welt bist, der mir wirklich helfen kann. Das wußte ich am Denton Square, und ich weiß es auch jetzt. Toby, bitte, bitte, schreib bald ...

Nachdem ich diesen Brief geschrieben hatte, wollte ich ihn unbedingt sofort aufgeben, obwohl er erst am nächsten Tag, wenn die Post kam, abgehen würde. Trotzdem mochte ich mit dem Abschicken nicht mehr warten.

Celia ritt mit mir nach Manganiya, und als ich sagte, daß ich zur Post wolle, meinte sie: »Kommt die nicht erst morgen?«

»Ja«, erwiderte ich, »aber ich möchte heute etwas aufgeben.«

Sie sah mich merkwürdig an, und ich glaubte, sie hielt das für ein neuerliches Zeichen meines sonderbaren Benehmens. Wir gingen also ins Postamt, und ich warf den Brief eigenhändig in den Sack.

»Es ist wohl ein sehr wichtiger Brief«, meinte Celia leichthin.

»An einen alten Freund in Indien. Toby.«

»Ach ja, ich erinnere mich.«

Mir war beinahe fröhlich zumute, als wir nach Hause ritten, so groß war mein Vertrauen in Toby.

Der größte Schock in dieser mysteriösen Geschichte aber sollte erst noch kommen. Er erschütterte mich dermaßen, daß es unmöglich war, diese merkwürdigen Halluzinationen noch länger zu ignorieren.

Ich hatte mit Clinton und Celia bei den Blandfords zu Abend gegessen. Clinton und Seth unterhielten sich über die Plantagen, und bei solchen Gelegenheiten fürchtete ich immer, Clinton könnte entdecken, daß ich dafür gesorgt hatte, daß er die Ashington-Plantage nicht bekommen würde. Aufgrund der jüngsten Vorfälle fühlte ich mich gar nicht mehr so tapfer, und ich hatte wahrhaftig – wie Janet sich einst ausgedrückt hätte – »Angst vor meinem eigenen Schatten«. Doch zuweilen gewann meine wahre Natur die Oberhand, und dann war ich überzeugt, daß es für all die Geschehnisse eine natürliche Erklärung gab und ich lediglich denjenigen zu erwischen brauchte, der mir diese bösen Streiche spielte. Hatte ich ein paar Nächte gut geschlafen, so war mein natürlicher Kampfgeist wiederhergestellt, und meine Befürchtungen kamen mir absurd vor.

In einer solchen Stimmung befand ich mich an diesem Abend.

Clytie, Celia und ich unterhielten uns über häusliche Belange, über Ralph und sein drolliges Benehmen, über Dienstboten und dergleichen. Dann beteiligte ich mich am Gespräch der Männer, was Clinton jedesmal amüsierte; ich muß aber zugeben, daß er, so sehr es ihn auch ergötzte, meine Unkenntnis bloßzustellen, wenn wir allein waren, dies niemals in Gesellschaft tat. Celia und Clytie redeten immer noch über Ralph. Clytie war sehr von Celia angetan, was wohl hauptsächlich an deren Zuneigung zu Ralph lag.

Schließlich wurde es für uns Zeit aufzubrechen, und wir fuhren in der Kutsche heim. Diese Fahrten durch die Nacht waren jedesmal sehr aufregend. Zwar befanden wir uns auf der Straße, doch der Dschungel war nahe, und ich lauschte auf die Tiere, die nachts umherstreiften. Hin und wieder erspähte man im Gebüsch das Aufflackern eines phosphoreszierenden Lichtes, das Glitzern eines wachsamen Auges, eine Gestalt, die plötzlich durchs Unterholz brach, und zuweilen konnte man den Lärm einer Balgerei oder einen Schrei der Angst und Wut vernehmen. Zu Hause erwartete uns Nankeen. Unter den Leuten habe es einen kleinen Streit gegeben, erklärte er Clinton in schmeichelndem Ton. Ob er ihn wohl schlichten möchte? Gopals Frau habe wieder Unruhe gestiftet. *Sahib* Shaw werde das sicher in Ordnung bringen.

Clinton ging mit Nankeen, Celia begab sich in ihr Zimmer, und Leila erschien, um mir von Gopals Frau zu erzählen, die Gopal keine gute Ehefrau sei. »Sie ist sehr schön. Männer lieben Gopals Frau. Meine Schwester Anula sagen, wo sie ist, gibt es böses Blut.«

Ich gähnte, denn ich war müde. Ich wollte wissen, wie lange Clinton wohl ausbleiben würde.

»Er bald kommen«, meinte Leila. »Gopals Frau haben Angst vor *Sahib* Shaw.«

Auf dem Frisiertisch war eine Lampe angezündet. Sie spendete genügend Licht zum Auskleiden. Die feindseligen Augen des

Buddha schienen mich zu beobachten. Ich nahm ihn in die Hände und betrachtete ihn. Ich werde ihn wegwerfen, dachte ich, und dann mußte ich über mich selbst lachen. Das wäre dumm. Es wäre das Eingeständnis, daß ich mich vor ihm fürchtete. Am besten, ich beachtete ihn gar nicht. Es war doch nur ein Stück Metall, oder?

Ich trat ans Bett und prallte erschrocken zurück. Aufgeringelt auf dem Bett – genau wie neulich im Unterholz – lag eine Kobra.

Eine Kobra im Haus! Ich starrte sie sekundenlang an. Sie war von olivgelblicher Farbe, und ich erkannte deutlich das weiße Kreuzbandmuster auf ihrem Rücken. Gottlob, sie schlief! Jede unbedachte Bewegung konnte sie aufstören, und das würde ein zorniges Erwachen. Sie würde mich angreifen.

Ich eilte zur Tür hinaus und raste schreiend die Treppe hinunter. »Kommt schnell … Leila … ihr alle … Im Schlafzimmer ist eine Kobra!«

Celia kam heruntergerannt.

»Sarah! Was ist passiert?«

Leila erschien mit zwei anderen Dienstboten. Dann kam Clinton zur Tür herein. Ich warf mich in seine Arme.

»Clinton«, sagte ich, »sie ist da … im Schlafzimmer, auf dem Bett … aufgerollt; sie schläft.«

»Wer!«

»Die Kobra. Sie liegt auf dem Bett.«

Clinton ergriff einen Spazierstock. Drei Männer waren inzwischen dazugekommen. Sie liefen alle nach oben. Ich folgte mit Celia. Leila war dicht hinter uns.

Clinton stieß die Schlafzimmertür auf und ging vorsichtig hinein, die anderen folgten einen Schritt hinter ihm. Es war ganz still. Ich war hinterhergeschlichen. Alle blickten aufs Bett. Da war nichts.

Ich vernahm einen tiefen Seufzer hinter mir. Celia hatte fürsorglich meinen Arm ergriffen.

Clinton sagte: »Wir sollten auf jeden Fall eine gründliche Durchsuchung vornehmen.«

Sie durchsuchten das ganze Haus. Sie fanden nichts.

Clinton nahm mich in seine Arme und fragte: »Sarah, was ist mit dir?«

»Ich hab' sie gesehen, Clinton. Ich hab' sie ganz deutlich gesehen«, beharrte ich.

Er streichelte mein Haar und sagte nichts.

»Du glaubst es mir nicht, nicht wahr? Du denkst, ich habe mir das eingebildet.«

Er sagte noch immer nichts.

»Sie war da … Sie lag auf dem Bett … Sie war gelblich. Das war kein Irrtum.«

»Hör zu, Sarah! Das kann nicht sein. Du hast die Tür zugemacht, als du hinausliefst. Sie hätte unmöglich aus dem Zimmer gekonnt. Und wenn doch, so müßte sie irgendwo im Haus sein. Sie ist aber nicht da. Außerdem ist es unwahrscheinlich, daß eine Kobra nachts um diese Zeit schläft. Kobras sind Nachttiere. Sie gehen nachts auf Futterjagd.«

»Sie war aber da. Sie *war* da.«

»Vergessen wir das.«

»Vergessen? Wie kann ich das vergessen!«

»Sarah, was ist los mit dir?«

»Ich weiß nicht, was mit mir los ist.«

»Du scheinst anzunehmen, daß jemand … daß jemand etwas gegen dich hat und versucht … ja was? Erzähl's mir.«

»Vielleicht will mich jemand verscheuchen.«

Er lachte. »So ein Unsinn. Und ausgerechnet du wirst dich verscheuchen lassen?«

»Ich bin anscheinend nicht mehr dieselbe, die ich war, als ich herkam.«

»Du darfst deinen Kampfgeist nicht aufgeben, Sarah.«

Plötzlich hatte ich das Bedürfnis, mich an ihn zu klammern, bei ihm Trost zu suchen. Ich wollte sagen: Ich werde nicht verrückt, nicht wahr? Was hältst du von Tante Martha? Statt dessen sagte ich: »Du glaubst nicht, daß ich die Kobra gesehen habe, nicht wahr?«

»Du kannst sie einfach nicht gesehen haben, Sarah.«

»Und was war es dann?«

»Eine optische Täuschung. Vielleicht hat dir die Beleuchtung einen Streich gespielt.«

»Ich hab' sie deutlich gesehen.«

»So etwas kann leicht passieren. Dir geht etwas durch den Sinn, und schon wird aus einer flüchtigen Impression eine vermeintliche Tatsache. Du scheinst von Kobras besessen, Liebling.«

»Du glaubst, daß mit mir etwas nicht stimmt, nicht wahr?«

»Ich glaube, die Dschungelnerven haben dich erwischt. Du kommst hierher. Es ist so anders als zu Hause. Du gewöhnst dich ein … das denkst du jedenfalls. Aber du hast dich noch nicht ganz eingelebt. Gräme dich nicht mehr! In ein paar Wochen lachst du darüber.«

Seine Haltung hatte etwas Tröstliches. Der vernünftige, lässige Ton war vielleicht genau das, was ich brauchte. Clinton hob mich auf die Arme und küßte mich.

»Wir wollen's vergessen«, sagte er.

»Ich will's versuchen, aber sie werden alle darüber reden.«

»Laß sie doch!«

»Sie werden sagen, der Geist des Mondes habe mich auserwählt.«

»Es kann dir doch einerlei sein, was sie sagen.« Er löschte die Lampen. Die dunkle Nacht hüllte mich ein. »Ich verspreche dir, dich vor allen Kobras in Ceylon zu schützen«, sagte er.

Später verkündete er: »In etwa einer Woche fahren wir zusammen fort. Ich muß zu den Perlenfischern im Norden. Ich lasse dich nicht hier allein.«

»Da wollte ich schon immer hin.«

»Ich weiß. Die ewige Verlockung. Du wirst sehen, wie sie nach den Perlen tauchen. Die Saison beginnt bald – und dort oben habe ich noch nie eine Kobra gesehen.«

O ja, er besaß die Kraft, mich zu trösten.

Am Morgen kehrte die Beklommenheit zurück. Ich konnte mich nicht mit dem Gedanken abfinden, daß ich keine Kobra auf dem Bett gesehen hatte. Sie war ganz eindeutig dort gewesen. Aber wie konnte ich sie gesehen haben, wenn es tatsächlich unmöglich war, daß eine dort gelegen hatte?

Die Ängste wirbelten in meinem Hirn. Ich war heilfroh, daß ich Toby geschrieben hatte. Es war vielleicht dumm von mir, denn ich sah natürlich ein, daß er in Delhi nichts für mich tun konnte. Ich glaubte einfach, daß er mir den Rat erteilen würde, dessen ich bedurfte. Ich wollte, daß er wußte, was hier vorging; ich wollte ihm meine Empfindungen erklären und seine Meinung hören.

Clinton war früh aus dem Haus gegangen. Er hatte gesagt, daß er in etwa einer Woche zu den Perlenfischern aufbrechen würde. Ich fragte mich, ob ich wirklich mitfahren sollte. Gewiß, ich hätte gern gesehen, wie sie nach den Perlen tauchten, und ich wollte diesen Erwerbszweig in Clintons Königreich auch kennenlernen. Doch mit meinem Unbehagen wuchs auch der Wunsch, die Wahrheit herauszufinden. Halb wollte ich entfliehen, fort aus diesem grausamen Schatten, der über mir schwebte und mit jedem neuen Vorfall bedrohlicher zu werden schien; andererseits war es bezeichnend für mich, daß ich mich diesem Etwas, was immer es auch war, stellen wollte, um herauszufinden, was dahintersteckte.

Sollte ich wahnsinnig werden, dachte ich, ist es auf jeden Fall besser, wenn ich Bescheid weiß. Ich kann mit dieser Ungewißheit nicht weiterleben. Und wenn ich das nächste Mal eine Kobra sähe, wollte ich nahe herangehen und sie anfassen, um mich von ihrer Echtheit zu überzeugen. Welch törichter Gedanke! Kein Mensch würde es wagen, eine Kobra zu berühren.

Leila brachte mir warmes Wasser. Sie war schweigsam und hielt die Augen gesenkt. Sie dachte gewiß an den Vorfall von gestern abend, sagte aber nichts, und das war bezeichnend genug. Ich fragte mich, was die Dienstboten wohl über mich redeten. Daß ich vom Mondgeist besessen sei? Daß ich von den Dschungelnerven gepackt sei?

Ich wusch mich hinter dem Vorhang. Als ich ins Zimmer zurückging, um mich anzukleiden, traten meine nackten Füße auf etwas Hartes. Ich bückte mich und hob es auf.

Es war ein Stein – sehr klein –, und er sah aus wie ein Topas. Ich glaubte nicht, daß er echt war. Ich nahm an, er war aus Glas. Er mußte sich aus einem Knopf oder einer Verzierung gelöst haben. Ich wollte Leila fragen. Ich legte ihn in ein kleines Schälchen auf meinem Frisiertisch, während ich die Kobra aus meinen Gedanken zu drängen und mich ganz auf die bevorstehende Reise zu den Perlenfischern zu konzentrieren versuchte.

Ich fragte mich, was ich zum Anziehen brauchen werde. Vielleicht konnte mir Leila etwas nähen. An neue Kleider zu denken war eine angenehme Ablenkung. Vielleicht sollten Clytie, Celia und ich nach Kandy fahren und ein paar Stoffe aussuchen.

Dann fiel mir ein, daß Celia, wenn ich zu den Perlenfischern fuhr, gewiß nicht mit den Dienstboten allein im Haus bleiben wollte. Ich konnte sie nicht bitten abzureisen. Schließlich hatte ich sie mehrmals zum Bleiben überredet. Es war schon fast, als gehörte sie zur Familie. Außerdem wollte ich gar nicht, daß sie uns verließ. Dazu schätzte ich ihre Freundschaft viel zu sehr. Wir hatten unser vertrautes Verhältnis, das wir auf Ashington Grange hatten, wieder aufgenommen, wie es bei echten Freundinnen selbstverständlich ist.

Ich ging hinunter. Celia war im Garten. Sie blickte ein wenig schüchtern, als sie mir einen guten Morgen wünschte, und ich wußte, sie dachte an gestern abend.

Ich sagte zu ihr: »Es hat keinen Sinn, dem Thema auszuweichen,

Celia. Ich weiß, daß ich eine Kobra gesehen habe, und nichts kann mich dazu bewegen, etwas anderes zu denken.«

»Sie muß irgendwie entkommen sein«, meinte sie begütigend. »Was haben Sie heute vor?« fuhr sie rasch fort.

»Zuerst möchte ich zu den Blandfords. Ich würde gern nach Kandy fahren.« Ich kam sogleich auf das Problem zu sprechen, das mir am meisten auf der Seele lag. »Clinton will mich mitnehmen, wenn er demnächst zu den Perlenfischern fährt. Er besteht darauf, daß ich ihn begleite.«

Celia nickte langsam.

Ich fuhr fort: »Celia, ich habe mir überlegt, daß Sie …«

Ein Lächeln erstrahlte auf ihrem Gesicht. »Oh, meinetwegen brauchen Sie sich nicht zu sorgen, Sarah, wirklich nicht. Ich kann im Hotel wohnen. Eigentlich hätte ich längst abreisen sollen … Ich möchte Sie nur nicht verlassen … gerade jetzt.«

Ihre Hand umschloß die meine. Ich war gerührt. Ich wußte, was sie meinte: Sie wollte mich nicht verlassen, solange ich mich in diesem seltsamen Zustand befand. Ihre Stimme zitterte leicht.

»Ich kann Ihnen gar nicht sagen, was es für mich bedeutet, Sie hier zu haben«, versicherte ich ihr. »Sie waren mein Trost auf Ashington Grange, und hier sind Sie's auch.«

»Ich möchte so lange bleiben, wie ich Ihnen irgendwie helfen kann. Sie werden wieder zu Kräften kommen. Sie werden wieder gut schlafen … und dann erscheint Ihnen dies alles wie eine flüchtige Krankheit. Übrigens, ich habe eine Idee. Ich könnte vielleicht bei Clytie wohnen und mich ein bißchen um Ralph kümmern. Ich habe den Kleinen wirklich gern. Er ist so klug und so drollig.«

»Ich weiß, daß Sie ihm sehr zugetan sind. Ich glaube, die alte Sheba ist ziemlich eifersüchtig. Natürlich wird Clytie Sie gern bei sich aufnehmen. Ich möchte, daß Sie und Clytie mit mir nach Kandy kommen, um Stoffe zu kaufen. Lassen Sie uns zu ihr hinüberreiten, dann können Sie alles mit ihr besprechen.«

Sie war einverstanden, und wir ritten am späten Vormittag hinüber. Clytie begrüßte uns wärmstens, und als sie erfuhr, daß ich mit Clinton verreisen würde, stimmte sie sogleich zu, daß Celia, da sie ohne mich nicht im Haus bleiben wollte, solange zu ihr zog.

»Laßt uns erst morgen nach Kandy fahren«, schlug sie vor. »Heute ist es zu spät. Wenn wir jetzt aufbrechen, kommen wir mittags an, und da sind die Geschäfte geschlossen. Und erst nachmittags abzufahren hat auch keinen Sinn. Am besten, wir fahren zeitig morgen früh. Ist dir nicht gut, Sarah?«

»Wieso, sehe ich so aus?«

»Du wirkst ein bißchen müde, finde ich.«

Ich wollte ihr jetzt nichts von der Kobra erzählen. Ich wollte damit warten, bis wir allein waren. Celia schien das zu spüren und wechselte das Thema.

Ich dachte, was für eine gute Freundin sie doch war und wie ich sie vermissen würde, wenn sie eines Tages nach England zurückkehrte.

Am folgenden Tag verbrachten wir einen vergnügten Vormittag in Kandy, wo wir ein paar hübsche Seidenstoffe aussuchten: tiefrot und eisvogelblau. Ich fühlte mich besser. Ich hatte gut geschlafen, und nichts Ungewöhnliches war geschehen. Ich wartete auf Nachricht von Toby, doch dazu war es noch zu früh. Ich konnte kaum auf eine Antwort hoffen, bevor ich mit Clinton abreiste.

Ich versuchte, den Tatsachen ins Auge zu blicken. War es möglich, fragte ich mich, daß eine Frau wie Anula jemanden, der ihr im Weg war, mit einem Zauber belegen konnte? Besaß sie wirklich die Fähigkeit, mich Dinge sehen zu lassen, die nicht existieren? Ich hatte viel vom indischen Mystizismus gehört, und dieser Glaube herrschte auch hier. Ich wußte von dem berühmten Seiltrick, hatte ihn allerdings bisher nie gesehen und kannte auch niemanden, der ihn schon erlebt hatte. Es hieß, daß es sich dabei um eine optische Täuschung handelte, um eine Art Hypnose, die einen einzigen Mann befähigte, einer Menschenmenge vorzugaukeln, daß sie etwas sieht, was ganz unmöglich war. Besaß Anula diese besonderen Kräfte? Ich schauderte angesichts dieser Möglichkeit. Falls das wirklich stimmte, so wäre ich gewissermaßen ihr Geschöpf, das sie aus der Ferne lenken konnte. Das war ein unheimlicher Gedanke, der mir ganz und gar nicht behagte.

Aber wie … Und damit war ich wieder beim Anfang angelangt, und ich hatte mir doch gelobt, die Sache zu vergessen und nur an die bevorstehende Reise mit Clinton zu denken. Rote Buchara-Seide würde mir gut zu Gesicht stehen. Ich mußte wieder zu meinem Selbstbewußtsein finden, mußte wieder dieselbe werden, die ich war, bevor ich von diesen Halluzinationen und Ängsten heimgesucht wurde.

Wir feilschten um die Seide, wie es von uns erwartet wurde. Sowohl Clinton wie Clytie hatten mir eingeschärft, daß die Händler einen Käufer verachteten, der den zuerst verlangten Preis zahlte, und sich um ein Vergnügen betrogen fühlten, wenn man einen Handel abschloß, ohne zu feilschen.

Wir gingen auch in den Club und tranken köstlich erfrischende Limonade mit einem Schuß Gin.

Mrs. Glendenning steuerte auf uns zu und erkundigte sich, was wir in Kandy machten und warum wir uns so selten sehen ließen. Sie vernahm mit Entzücken, was wir gekauft hatten und daß Clinton und ich in Kürze zu verreisen gedachten.

»Alle werden sagen, das ist recht«, meinte sie, womit sie andeutete, es sei im Hinblick auf Clintons Ruf nur gut, daß seine Frau ihn begleitete, wenn er von zu Hause fort war. Ich hätte am liebsten spitz gefragt, was sie das eigentlich angehe, doch ich hielt mich zurück.

Mrs. Glendenning wußte jedenfalls nichts von meinen »seltsamen Zuständen«, wie ich die jüngsten Vorgänge insgeheim nannte, was bewies, daß das Geflüster der Dienerschaft – und

ich war sicher, daß über die Geschehnisse geklatscht wurde –
noch nicht über unser Anwesen hinausgedrungen war.

Als Mrs. Glendenning fort war, kamen Sir William und Lady
Carstairs in den Club und leisteten uns Gesellschaft. Sir William
erkundigte sich, ob wir noch etwas von jener unerfreulichen
Angelegenheit gehört hätten. Er meinte Ralphs Entführung.

»Schrecklich!« Sir William blickte Clytie vorwurfsvoll an, worauf
sie den Kopf schüttelte und sagte: »Es war der einzige Ausweg.«

»Diese Schurken. Wir hätten sie vielleicht erwischt, und die
Perlen wären Ihnen erhalten geblieben.«

»Das konnte ich nicht riskieren«, sagte Clytie gereizt. »Ich
mußte meinen Sohn unversehrt zurückbekommen. Ich würde
es wieder tun. Das müssen Sie doch verstehen.«

»Vollkommen«, erwiderte Sir William. »So ist es immer in solchen Fällen. Die Mütter warten nie auf unser Eingreifen. Doch
ich bin fest überzeugt, daß wir die Perlen eines Tages wiederfin-
den.«

Ich wünschte, wir wären ihm nicht begegnet, denn er machte
Clytie sichtlich nervös und verdarb uns den Tag. Doch während
der Rückfahrt kehrte ihre gute Laune wieder, und weder Celia
noch ich erwähnten die Perlen noch einmal. Celia besaß ein
gutes Gespür für die Stimmungen anderer und verhielt sich stets
überaus taktvoll.

Da wir zeitig aufgebrochen waren, kamen wir kurz vor dem
Lunch zurück. Wir aßen eine Kleinigkeit und vertrödelten den
frühen Nachmittag mit Plaudereien über Schnittmuster und die
neueste Mode. Um vier Uhr, als die Hitze nachließ, gingen wir
in den Garten, und Ralph gesellte sich zu uns.

Ich schlenderte mit ihm allein umher. Er wolle mir den Elefanten
zeigen, sagte er. Er nahm mich bei der Hand und plapperte über
seine Tiere, und ich fragte mich, ob er wohl manchmal an jene
Nacht dachte, die er in einem fremden Bett verbracht hatte, als
er entführt worden war. Clytie meinte, es sei gut, daß er in seiner
Traumwelt lebe; denn so bleibe für ihn der Vorfall nur ein

weiteres phantastisches Abenteuer. Er sagte gerade etwas über die ungezogene Cobbler.

»Oh, war sie ungezogen?« fragte ich.

»Sie ist weggelaufen.«

»Wohin?«

»Sie ist ganz von selbst weggelaufen. Sie hat mit einem Mungo gekämpft und wäre fast gestorben. Aber ich bin auf meinem Elefanten vorbeigekommen, und wir haben die unartige Cobbler gerettet. Komm mit, schau sie dir an!«

Er zog mich an der Hand und lief mit mir über das Gras. Er kroch unter einen Strauch und zerrte die Kobra hervor. Ein Schauer jagte mir über den Rücken. Das Ding war der echten so ähnlich ... die Größe, die Farbe ... alles.

»Da!« sagte Ralph. »Sie weiß, daß sie ungezogen war. Tante Sarah mag dich nicht mehr, Cobbler. Sie hat Jumbo viel lieber.« Er sah zu mir auf.

»Du bist sehr böse auf sie. Arme Cobbler. Jetzt tut es ihr leid. Sie will nie mehr weglaufen. Weißt du, sie wußte nicht, daß Mungos gefährlich sind. Mein Papa kauft mir einen Mungo. Aber einen lieben. Der tut Cobbler nichts. Cobbler hat trotzdem Angst vor ihm. Sie hat sehr schlechte Laune.«

Das lebensechte Ding lag aufgeringelt zu meinen Füßen. Ralph kniete sich ins Gras und beugte den Kopf ganz tief, so daß er beinahe das Spielzeug berührte.

»Arme Cobbler.« Er blickte mich an. »Sie ist ein bißchen blind, Tante Sarah. Das kommt von dem Kampf mit dem Mungo. Es wäre aus mit ihr gewesen, wenn ich nicht gekommen wäre.« Er lachte. »Ich gucke sie an, aber sie kann mich nicht sehen. Sie ist auf dieser Seite blind.« Ich schaute hinunter. Die Kobra hatte ein Auge verloren. Ich kniete nieder und sah die leere dunkle Höhle.

»Aus Schaden wird man klug, Cobbler«, sagte Ralph. »Wenn du das andere auch noch verloren hättest, könntest du überhaupt nichts mehr sehen.«

Der Anblick des Viehs war mir zuwider. Es gemahnte mich so sehr an das, was mir widerfahren war. Mir kindlichem Gespür begriff Ralph, daß ich die Kobra nicht anfassen mochte. Er hob sie auf und legte sie behutsam unter den Strauch.

Der Gedanke überkam mich plötzlich, während wir heimritten. Nein. Das war denn doch zu abwegig.

Sobald ich im Haus war, ging ich ins Schlafzimmer hinauf und sah in dem kleinen Schälchen auf meinem Frisiertisch nach. Das Stück Glas lag noch da – ein kleiner gelber Stein.

Angenommen, es stimmte: Wie war das Auge von Ralphs Kobra auf den Fußboden meines Schlafzimmers gelangt? Weil die Spielzeugkobra hier gewesen war!

Ich hielt den Glassplitter in der Hand. Ich mußte Gewißheit haben. Ich blickte auf meine Uhr. Es war halb sechs. Ich mußte bis morgen warten, um festzustellen, ob das Glasstückchen in die leere Höhle paßte.

Ich war drauf und dran, Celia einzuweihen, doch irgend etwas hielt mich zurück. Falls das Stück Glas tatsächlich das Auge von Ralphs Kobra war, so wäre es interessant herauszufinden, wie es in mein Schlafzimmer gelangt war; doch falls es sich nur als irgendein Glassplitter erwies, so würden alle meine Aufregung für einen neuerlichen Beweis meiner »Kobrabesessenheit« halten. Ich mußte deshalb vorsichtig zu Werke gehen; denn wenn ich meinem Impuls folgte und augenblicklich zu den Blandfords eilte, so würde das gewiß Anlaß zu Bemerkungen geben. Ein weiteres Beispiel für Sarahs seltsames Benehmen, würde es bestimmt heißen. Daher mußte ich mich gedulden und bis morgen warten.

Ich legte den Glassplitter in das Schälchen zurück. Ich mußte achtgeben, daß er nicht verlorenging, und bei der ersten Gelegenheit wollte ich mich zum Anwesen der Ashingtons begeben.

An diesem Abend war ich ein wenig zerstreut. Mehrmals spürte ich Celias besorgte Blicke. Clinton tat so, als bemerke er nichts.

Er glaubte, mich am besten von meinen merkwürdigen Zuständen heilen zu können, indem er sie nicht beachtete.

Am Nachmittag des folgenden Tages – um vier Uhr, als die Hitze ein wenig nachgelassen hatte – entschloß ich mich, durch den Wald zu den Blandfords hinüberzugehen, und zwar allein, um niemandem den Grund meines Besuches erklären zu müssen.

Als ich von der Siesta aufstand, vergewisserte ich mich als erstes, ob der Glassplitter noch da war. Angesichts der Vorfälle der letzten beiden Wochen hatte ich beinahe erwartet, daß er verschwunden sei. Aber nein. Da lag er. Ich steckte ihn behutsam in eine kleine Seidenbörse, die ich in meiner Tasche verstaute, so daß ich ihn ab und zu befühlen konnte.

Als ich hinkam, war Clytie wie gewöhnlich zu dieser Stunde im Garten; Ralph war mit seinen Tieren bei ihr. Clytie freute sich wie immer, mich zu sehen, und ging ins Haus, um Tee bereiten zu lassen. So blieb ich mit Ralph allein.

»Ralph«, sagte ich. »Komm her! Ich muß dir was zeigen.«

Er kam angelaufen; seine Augen leuchteten erwartungsvoll.

»Ich glaube, ich habe Cobblers Auge gefunden«, verkündete ich ihm.

»Wo ist es, Tante Sarah? Wo ist es?«

Ich nahm es aus der Börse; mein Herz schlug aufgeregt, denn ich hatte halbwegs erwartet, daß der Splitter weggezaubert sei. Er lag auf meinem Handteller, und Ralph betrachtete ihn.

»Das ist ja bloß ein Stein«, meinte er.

»Ja, aber es könnte ebensogut ein Auge sein. Arme Cobbler. Wir müssen schauen, ob es paßt. Wo ist sie? Im Garten?«

Ralph blickte mich vorwurfsvoll an. »Mit nur einem Auge lasse ich sie doch nicht draußen. Stell dir vor, wenn ein Mungo käme …«

»Wo ist sie denn?«

»In meinem Zimmer.« Er lief ins Haus, ich hinterdrein.

Sheba war im Vestibül. »Wo rennst du denn hin, mein Junge?« fragte sie.

»Sheba! Tante Sarah hat Cobblers Auge.«

»Vielleicht ist es nur eine Glasperle«, erklärte ich.

»Es ist ihr Auge! Es *ist* ihr Auge!« rief Ralph.

»Diese gräßliche Schlange«, murmelte Sheba. »Zeit, daß die mal verschwindet.«

»Komm, Tante Sarah«, schrie Ralph und stürmte die Treppe hinauf.

Auf einem Tisch neben seinem Bett stand eine Giraffe, eine kleine Maus lag unter ihren lagen Beinen. Ralph verschwand unterm Bett und tauchte mit der Spielzeugkobra wieder auf.

»Gib sie mir«, sagte ich, »laß sehen, ob es paßt.«

Mit zitternden Fingern nahm ich den Glassplitter und verglich ihn mit dem verbliebenen Auge der Kobra. Dann legte ich ihn in die leere Höhle.

»Schau, Ralph«, rief ich triumphierend. »Es paßt!«

»Du hast ja Schüttelfrost, Tante Sarah.«

»Ach was, ich bin nur so aufgeregt, weil Cobbler ihr Auge wieder hat. Jetzt brauchen wir Klebstoff.«

Sheba stand in der Tür.

»Sheba, hol Klebstoff«, rief Ralph. »Cobbler hat ihr Auge wieder, aber es muß festgeklebt werden.«

»Ich gehe schon«, sagte Sheba.

Ralph blickte mich ernst an. »Sheba kann Cobbler nicht leiden. Sie will sie mir wegnehmen. Sie sagt, sie sieht wie eine echte Schlange aus. Cobbler *ist* doch eine echte Schlange, nicht wahr, Tante Sarah?«

»Für dich schon«, erwiderte ich.

»Sheba sagt, ich kann eine lebendige Schlange nicht von Cobbler unterscheiden. Ich erkenne Cobbler überall. Sie gehört doch mir.«

Sheba war leise wieder erschienen. »Hier ist Klebstoff«, sagte sie. Als sie ihn mir reichte, blickten ihre Augen mich durchbohrend an. Sie wußte gewiß von meinem Ausbruch. Leila hatte es ihr sicherlich erzählt. Sie wunderte sich wohl, wo ich die Glasperle gefunden hatte. Ralph sah mir andächtig zu, als ich das Auge anklebte.

»So«, sagte ich. »Du darfst es nicht anfassen, bis es trocken ist. Roll deine Schlange zusammen, und leg sie unters Bett! Laß sie bis morgen in Ruhe! Versprichst du mir das?«

Ralph überlegte. »Ich könnte doch heute abend mal nach ihr sehen.«

Ich schüttelte ernst den Kopf. »Am besten, du vergißt sie bis morgen früh. Bis dahin hält ihr Auge wieder fest.«

Clytie kam ins Zimmer. »Was ist denn hier los?«

Ich erklärte: »Ralphs Kobra hat ein Auge verloren, und ich hab's gefunden. Wir haben es eben festgeklebt.«

Ich glaubte, eine nervöse Spannung zu verspüren – vielleicht war es aber nur Einbildung. Davon abgesehen, befand ich mich in Hochstimmung.

»Komm, der Tee ist fertig«, sagte Clytie. »Bist du den ganzen Weg hergelaufen, nur um das Auge zu bringen?«

»Ich dachte, es sei sehr wichtig«, erwiderte ich mit einem Blick auf Ralph, der heftig nickte.

»Ich hoffe, du hast dich bei Tante Sarah bedankt«, sagte sie zu dem Jungen.

Er machte ein verdutztes Gesicht. »Hab' ich danke schön gesagt, Tante Sarah? Cobbler muß sich bei dir bedanken. Sie wollte es vorhin schon tun, als du das Auge festgeklebt hast, aber sie ist ein bißchen schüchtern.«

»Sie will wohl erst abwarten, ob es hält, bevor sie sich bedankt«, meinte ich.

»Sie muß sich bedanken, weil du's gebracht hast. Das wird ihr eine Lehre sein. Sie hätte nicht weglaufen dürfen, nicht wahr? Sie war weg, und auf einmal war sie wieder da. Sie hat genau gewußt, wie ungezogen das war.«

Ja, allmählich ging mir ein Licht auf. Sie war weg, und auf einmal war sie wieder da. Natürlich war sie weg. Jemand hatte sie ins

Gestrüpp und später in mein Zimmer gebracht. Daß sie dabei ihr Auge verlor, war ein glücklicher Zufall.

Ich fürchtete, Clytie würde fragen, wo ich es gefunden hatte. Ich wollte es ihr nicht erzählen. Ich wollte mit niemandem darüber sprechen, nicht einmal mit Clytie, ehe ich in aller Ruhe über alles nachgedacht hatte.

Bevor Sheba mit Ralph verschwand, ermahnte ich ihn noch einmal, das Auge nicht anzufassen, und er versprach es.

Dann sagte ich, ich wollte heimgehen, um vor Einbruch der Dunkelheit zu Hause zu sein. Clytie stimmte mir zu. Man müsse den Wald bei Tageslicht durchqueren, meinte sie.

Ich brach auf, und bald war ich tief in Gedanken versunken. Ich befaßte mich mit den Tatsachen. Die Schlange im Gebüsch war Cobbler gewesen. Man mußte mich beobachtet haben, als ich das Parfüm wegwarf, und in der Annahme, daß ich möglicherweise zurückkehrte, hatte derjenige, der mich dermaßen zu drangsalieren suchte, Cobbler dort hingelegt. Das Ding auf meinem Bett war das Spielzeug gewesen, das in dem dämmerigen Licht wie eine echte Kobra aussah. Niemand, der bei vollem Verstand war, würde so ein Tier näher in Augenschein nehmen, und so war es die nächstliegende Sache der Welt, das lebensechte Spielzeug für eine wirkliche Schlange zu halten. Jemand hatte es dort hingelegt und es, nachdem ich es gesehen hatte, schnell wieder fortgenommen. Doch dabei war das Auge herausgefallen.

Welch unfaßbarer Zufall! Jetzt war das Glück auf meiner Seite! Wer an meine Tür geklopft, wer sie aufgemacht hatte, der hatte auch die Kobra auf mein Bett gelegt. Man wollte mich glauben machen, daß ich an Wahnvorstellungen litt.

Ein altes Sprichwort kam mir in den Sinn: »Wen die Götter verderben wollen, dem rauben sie zuerst den Verstand.«

Oh, wie dankte ich Gott für Cobblers Auge!

Jetzt hatte ich zu meinem alten Ich zurückgefunden. Ich fühlte mich wunderbar gestärkt, und ich wollte der Sache auf den

Grund gehen, herausfinden, wer mir dies alles angetan hatte und was für ein Motiv dahintersteckte.

Ich blieb ruckartig stehen. Ich befand mich mitten im Wald, und jemand folgte mir. Sekundenlang überkam mich schreckliche Angst. Doch dann gewann mein neues Selbstvertrauen die Oberhand. Ich wollte nicht davonlaufen. Ich hatte eine Entdeckung gemacht, und jetzt gedachte ich die nächste zu machen.

Ich verharrte ganz ruhig und lauschte. Rundum war alles still. Die Sonne stand tief am Himmel. Gleich würde sie am Horizont versinken, und die Dunkelheit würde hereinbrechen. Doch ich fürchtete mich nicht mehr, denn heute nachmittag hatte ich erfahren, daß mein Verstand so klar war wie eh und je und daß es nicht meine Schwäche war, die mich zugrunde richtete, sondern daß ein menschliches Wesen mich zu zerstören versuchte.

Ich faßte einen Entschluß. Die Lage hatte sich umgekehrt. Jetzt wollte *ich* der Verfolger sein. Ich wollte herausfinden, wer im Wald hinter mir herschlich, denn dann hätte ich die Antwort auf alles, was geschehen war.

Ich ging den Weg zurück, den ich gekommen war. Dann blieb ich stehen und horchte. Kein Zweifel. Ich hatte das Blatt gewendet. Jemand lief vor *mir* davon. Mitleidslos ging ich hinterher, weiter und weiter. Ich hatte den Wald beinahe schon wieder verlassen, als ich feststellte, daß mir die Spur abhanden gekommen war.

Ich blieb lauschend stehen. Kein Laut, nach dem ich mich richten konnte. Ich wartete eine Weile, dann begab ich mich auf den Heimweg.

Ich hatte nicht entdeckt, wer mein Gegner war, aber dies war dennoch ein Triumph. Ich war nicht verrückt. Ich war ich.

Die anderen mußten die Veränderung in mir bemerkt haben. Der gehetzte Blick verschwand. Meine Augen waren wieder klar, und die frische Farbe kehrte in meine Wangen zurück. Jetzt erst erkannte ich, welche Ängste ich ausgestanden hatte. Ich glaube, es gibt nichts Schlimmeres als den Gedanken, den Verstand zu verlieren, und das war es, was ich befürchtet hatte. Ich mußte ständig an dieses Sprichwort denken.

Jemand wollte mich vernichten. Aber wer?

Sobald ich mich während der Hitzestunden in mein Zimmer zurückzog, dachte ich über alle Dinge nach ... und über alle Menschen. Ich durfte niemanden ausnehmen ... nicht einmal Clytie.

Was konnte der Beweggrund sein? Jemand wünschte, daß man mich für wahnsinnig hielt, damit es eine Erklärung gab, wenn sich etwas Tragisches ereignete. »Sie war verrückt«, würde es dann heißen. »Denkt doch nur, wie sie sich die ganze Zeit aufgeführt hat.«

Meine Gedanken wanderten zwangsläufig zu Anula. Leila hätte all die Dinge bewerkstelligen können. Anula hatte Leila in der Hand, ebenso ihre anderen Angehörigen. Nankeen, Ashraf, sie würden tun, was Anula ihnen gebot. Sie war ans Licht getreten, als sie mir den Fächer aus Pfauenfedern schenkte. O ja, ich begriff, wie sehr meine Ankunft sie empört haben mußte. Sie wünschte mir Böses. Sie wollte Clinton heiraten, um an seiner Seite als Königin zu herrschen. Ich war ihr im Weg. Die raffinierte Methode ließ mich als erstes an Anula denken. Und Clinton? War es möglich, daß er ihre Pläne kannte? Was geschehen war, schien kaum zu ihm zu passen. Diese langsame, tückische Art und Weise, mit der eine vollkommen normale Frau überzeugt werden sollte, daß sie wahnsinnig ist, das war nicht seine Art. Er würde sich etwas ausdenken und versuchen, ohne Umschweife zum Ziel zu kommen. Andererseits, wenn er etwas wünschte, setzte er alles daran, es zu erreichen. Und er konnte weit vorausplanen. Das hatte er mit den Vorbereitungen für jene Nacht in der Papageienhütte bewiesen. Er hatte mich heiraten wollen, weil er wußte, daß ich die Plantage erben würde.

Clytie? Unsinn. Nicht meine sanftmütige Schwester, zu der ich mich vom ersten Augenblick an hingezogen fühlte. Und doch, wenn ich sterbe, wird sie die Plantage erben; und diese merkwürdigen Vorfälle hatten nach meinem Besuch bei dem Anwalt in Kandy angefangen. Welch abwegige Gedanken! Wie hätte Clytie die Kobra auf mein Bett legen können? Es sei denn, einer der dunkelhäutigen Dienstboten arbeitete als Spitzel gegen mich.

Ich war von Intrigen umringt, doch jetzt blickte ich ihnen offen ins Gesicht. Es hatte keinen Sinn, so zu tun, als befände ich mich nicht in Gefahr. Ich mußte nur noch herausfinden, aus welcher Richtung diese Gefahr kam.

Seit ich Cobblers Auge zurückgebracht hatte und im Wald zum Angriff übergegangen war, hatte sich nichts mehr ereignet. Natürlich nicht. Mein Verfolger war gewarnt.

Ich mußte beständig auf der Hut sein. Aber ich fühlte mich unendlich erleichtert.

Die Ashington-Perlen

Clinton freute sich auf unsere Reise. Er hatte mir die Perlenfischereien schon immer zeigen wollen, und dies war die
geeignete Zeit dafür.

Clinton war beim Aufbruch ausgesprochen liebevoll. Er war so
erpicht darauf, mir seine Besitztümer vorzuführen, daß er sich
nahezu jungenhaft aufführte und mich ein wenig an Ralph erinnerte, der auch so stolz war, wenn er seiner Menagerie ein neues
Spielzeug einverleibte. Clinton schien unsere gemeinsame Reise so zu freuen, daß ich über die Verdächtigungen, die mir in
letzter Zeit durch den Kopf gingen, nur noch lachen konnte. Ich
fühlte mich in Hochstimmung, als wir in den Zug stiegen, mit
dem wir einen Teil des Weges zurücklegten. Clinton machte
mich auf die Schönheiten des Landes aufmerksam. Er wurde
geradezu poetisch, was mich sehr überraschte; mir war, als
entdeckte ich einen ganz neuen Clinton. Ich war so glücklich
wie lange nicht mehr.

Wir wollten zwei oder drei Wochen fortbleiben, und bei meiner
Rückkehr hoffte ich einen Brief von Toby vorzufinden. Ich hatte
ihm vor der Abreise geschrieben und ihm die Geschichte von
dem Auge der Kobra geschildert. Ich hatte den Brief wieder
eigenhändig zur Post gebracht und wollte unbedingt wissen,
was Toby von alledem hielt und was er mir raten würde. Daß ich
ihm zu schreiben wagte, was ich keinem in meiner Umgebung
anvertrauen konnte, hing mit der Tatsache zusammen, daß ich
es nach wie vor für nötig hielt, meinem Vorsatz treu zu bleiben
und niemanden von meinem Verdacht auszunehmen.

Die heißeste Jahreszeit rückte näher; es war drückend heiß und dunstig. Danach würde der Sommermonsun das Land durchtränken und die Teepflanzen mit dem lebensnotwendigen Wasser versorgen. Wir fuhren durch Dschungelgebiete mit dicht wuchernden Bäumen: immergrüne Gewächse, Baumfarne, Palmen und Bambusdickicht. Die Blumen verliehen der Landschaft ein farbenfrohes Gespränge: der Rhododendron blühte üppig, und Orchideen gediehen hier in allen Schattierungen. Wir sahen die Wälder, die das Nutzholz lieferten: Ambra- und Ebenholz. Es war ein fesselnder Anblick, die Elefanten mit ihrer Last aus dem Wald auftauchen oder in den Flüssen baden zu sehen. Dann verließen wir die Eisenbahn und fuhren auf der Straße nach Norden. Clinton saß zurückgelehnt in der Kutsche und beobachtete mich, die Arme verschränkt, mit einem selbstgefälligen Lächeln auf den Lippen.

»Weißt du, daß einige der berühmtesten Perlen der Welt aus Ceylon stammen?« fragte er. »Gewiß weißt du das. Sind die Ashington-Perlen nicht auch von hier?«

»Wo sie wohl jetzt sein mögen?« meinte ich.

Er zuckte die Achseln. »Man sagt, die Fische, die das Meer beherbergt, sind so gut wie die, die man schon herausgeholt hat. Laß uns hoffen, daß wir in den Austern noch mehr so schöne Perlen finden wie diejenigen, die wir schon haben. Ich brenne darauf, dir die Fischereien zu zeigen, Sarah. Ich bin froh, daß du mitgekommen bist. Du siehst besser aus als während der letzten Zeit.«

»Danke.«

»Sicher hast du die Dschungelnerven überwunden.«

»Ich glaube nicht, daß sie mich geplagt haben.«

»Komm, du warst ein bißchen nervös ... hast dir Sachen eingebildet.«

Ich errötete leicht. »Vielleicht war es keine Einbildung.«

»So?«

Ich blickte an ihm vorbei in die Landschaft hinaus.

»Geheimnisse?« Er musterte mich eindringlich.

Ich hatte nicht beabsichtigt, davon zu reden, doch er besaß von jeher die unheimliche Fähigkeit, meine Gedanken zu lesen.

»Geheimnisse, nein. Ich nehme nur an, daß es Leute gibt, die wünschen, ich wäre nie gekommen.«

»Ich kann dir jemanden nennen, der überaus froh ist, daß du hier bist.«

»Ach ja?«

»Er sitzt dir in diesem Augenblick gegenüber«, sagte er, indem er sich vorbeugte und mich auf die Nasenspitze küßte.

»Ich fürchte, deine Mätresse Anula ist nicht so glücklich, mich hier zu sehen.«

»Natürlich nicht.«

»Ich hoffe, das Verhältnis ist beendet, Clinton.«

»Ich glaube gar, du bist eifersüchtig. Wie erfreulich für mich.«

»Nicht eifersüchtig. Nur neugierig. Sie ist eine ungewöhnliche Frau. Sie verfügt gewiß über alle möglichen Mittel und Wege, um …«

Er wartete.

Aber ich sagte nur: »Ach, nichts.«

»Komm, sag schon«, beharrte er. »Das interessiert mich. ›Mittel und Wege, um …‹?«

»Na ja …« Ich verhaspelte mich. »Wenn diese Leute jemanden nicht leiden können … wenn sie ihn nicht hier haben wollen … versuchen sie vielleicht, ihn loszuwerden.«

»Deine Phantasie geht wieder mal mit dir durch. Du bist genauso schlimm wie der kleine Ralph. Anula ist vollkommen im Bilde.«

»Daß es zwischen dir und ihr aus ist?«

»Meine liebe Sarah, du bist mein innig geliebtes Weib. Es liegt allein an dir, dafür zu sorgen, daß du mich mit keiner anderen teilen mußt.«

»Du hältst dich wohl für eine Art Belohnung?«

»Du nicht? Das ist übrigens eine rein rhetorische Frage. Ich

372

kenne die Antwort, liebe Sarah. Du hast es mir hundertmal gesagt.«

Ich war verstimmt und wütend. Ich fragte mich, wie er wohl reagieren würde, wenn er wüßte, daß ich Clytie die Plantage vermacht hatte. Ich konnte mir seine Wut vorstellen, und es war mir unmöglich, ihm in die Augen zu sehen.

Auf einmal mußte ich an Toby denken. Gewiß war er um mich besorgt. Er würde mir mit seinem Rat helfen, so wie er es früher immer getan hatte. Ich war der guten Fügung dankbar, die Toby in mein Leben zurückgeführt hatte.

Clinton beobachtete mich eindringlich. »Du machst ein Gesicht, als würdest du ein ausgesprochen erfreuliches Geheimnis hüten«, sagte er.

Ich antwortete nicht, und er bestand nicht auf einer Erklärung. Er begann vielmehr, mir zu beschreiben, was mich erwartete.

»Wenn du verstehst, worum es geht«, sagte er, »findest du es noch viel interessanter. Die Natur ist wunderbar, Sarah. Stell dir vor: Ein Fremdkörper dringt zwischen Schale und Mantel der Auster. Sie wiederum verfügt über ein bestimmtes Sekret, mit dem sie das lästige Etwas einkapseln kann, und das ergibt dann die kostbare Substanz, die wir Perle nennen. Seltsam, nicht wahr, ausgerechnet die ungleichmäßig geformten, die von Parasiten befallen wurden, enthalten höchstwahrscheinlich das, wonach wir suchen.«

»Das klingt phantastisch. Ich weiß, die Männer setzen dafür ihr Leben aufs Spiel. Ich möchte wissen, warum sie das machen.«

»Sie tauchen nur ein paar Wochen im Jahr und verdienen eine Menge Geld. Ich glaube, sie möchten gar nichts anderes tun. Es ist nicht übel, hin und wieder gefährlich zu leben, findest du nicht?«

»Wenn Gefahr bedeutet, daß man mit dem Tod rechnen muß …«

»Man kann kaum von Gefahr sprechen, wenn kein Risiko dabei ist. Würdest du ein abenteuerliches Leben nicht einem ruhigen

Dasein vorziehen, bei dem man genau weiß, wie jeder Tag verlaufen wird?«

»Das kommt auf die Gefahr an.«

»Oh, meine Sarah wird vorsichtig.«

»Erzähl mir mehr über die Perlenfischerei!«

»Du wirst es selbst sehen. Ich möchte dir ein paar schöne Perlen zeigen, die wir heraufholen. Sie werden sortiert, zusammengestellt und verkaufsfertig gemacht. Du wirst allerhand Interessantes erfahren. Vielleicht schenke ich dir einen hübschen Schmuck. Was hältst du davon, Sarah?«

»Danke«, sagte ich.

»Wir werden an der Küste wohnen. Ich habe dort ein Haus ... klein, aber ausreichend für die kurze Zeit, die ich dort verbringe.«

»Du breitest deinen Besitz nach und nach vor mir aus.«

»Das ist doch eine gute Methode. Würde ich dir alles auf einmal vorführen, so wärst du längst nicht so beeindruckt.«

Er setzte sich an meine Seite und legte seinen Arm um mich.

»Liebe Sarah, ich brenne ja so darauf, dir meine Perlen zu zeigen.« Er lachte leise in sich hinein, als hüte er ein höchst amüsantes Geheimnis.

Es war ein außergewöhnlicher Tag. Wir waren am Vormittag bei Clintons Haus angelangt. Es lag in hübscher Umgebung an einem palmengesäumten Ufer. Von hier aus brachen die Fischer zu den Austernbänken auf, die ungefähr zehn Kilometer von der Küste entfernt waren. Ein Garten voller Blumen und Sträucher umgab das Haus. Es hatte einen Wohnraum, ein kleines Eßzimmer und ein Arbeitszimmer. Eine kurze Stiege führte zum Schlafgemach hinauf. Es war ein Doppelzimmer, und ich fragte mich, wen Clinton wohl früher mit hierhergebracht hatte. Ein Frisiertisch mit Kerzen in Messingleuchtern ließ auf die häufige Anwesenheit einer Frau schließen, und ich stellte mir vor, wie Anula an diesem Toilettentisch saß. Das große Bett war mit den üblichen Vorhängen versehen – und dem unvermeidlichen Moskitonetz. Die Dienstboten bewohnten ein eigenes, an das Haus angrenzendes Quartier, und ich vermutete, daß sie sich jederzeit für Clintons Ankunft bereithielten. Er war alljährlich um diese Zeit hier, wenn, wie er es ausdrückte, die Ernte einge-bracht wurde.

Ich war an allem ungemein interessiert, und es machte ihm Vergnügen, mich einzuweihen. Er hatte eine unbändige Freude an seinem Erfolg. Das war mir schon früher aufgefallen, eine jungenhafte Eigenart, die, gerade weil sie so schlecht zu der überlegenen männlichen Arroganz paßte, nicht ohne Reiz war. »Schau doch nur«, sagte er mit leuchtenden Augen. Und wenn er über etwas sprach, das ihn bewegte, so wirkte seine Begei-sterung ansteckend.

Die Boote und die Hütten, in denen sie untergestellt waren, lagen entlang der Küste verstreut, doch die Palmen schirmten sie vor den Blicken ab, so daß sie das Landschaftsbild nicht störten. Clinton erklärte mir, daß das eigentliche Fischen zwar nur vier oder sechs Wochen dauere, daß sich aber das Sortieren, das Schätzen und der Verkauf über das ganze Jahr hinzogen.

»Du wirst zugegen sein, wenn die Flotte ausläuft«, verkündete er. »Das ist ein imponierender Anblick. Sie brechen um Mitter-nacht auf, um bei Sonnenaufgang bei den Austernbänken zu sein. Du solltest dich heute nachmittag ausruhen.«

Ich sagte ihm, ich hätte kein Bedürfnis, mich auszuruhen.

»Ich bestehe aber darauf. Du darfst nicht müde sein. Ich möchte, daß du das siehst.«

»Ich bin ganz bestimmt nicht müde. Dafür ist es viel zu interes-sant.«

»Es macht Spaß, dich dabeizuhaben, Sarah. Das gefällt mir an dir: Du interessierst dich für alles.«

»Es freut mich, daß es wahrhaftig etwas gibt, das dir an mir gefällt.«

»Es gibt noch mehr ... das weißt du genau. Doch das verschieben wir auf später.«

Es war wirklich ein denkwürdiger Tag, an den ich mich noch lange erinnern sollte. Ich erfuhr eine Menge über Perlen. Ich sah zu, wie sie nach unterschiedlichen Merkmalen sortiert wurden. Wunderschöne Perlen waren dabei mit einer makellosen sogenannten Haut und einem feinen Lüster, weshalb man sie zur höchsten Güteklasse zählte. Neben dem feinen Glanz, der reinen, durchscheinenden Farbe und dem irisierenden Schimmer mußte sie eine vollkommene Kugel bilden. Farbe, Glanz und Form bestimmten den Wert einer Perle, erklärte mir Clinton, und ich konnte mir vorstellen, wie aufgeregt die Männer nachschauten, was die Muschel preisgeben würde. Es gab hohle und unregelmäßige Bläschenperlen; eine andere Sorte, die sogenannte *coq de perle*, war mit winzigen Knötchen behaftet; dann gab es Barockperlen, die schön, jedoch ungleichmäßig geformt waren; jedermann aber hoffte auf die vollkommene Kugel mit schöner Haut und reinem Lüster – das war dann wirklich eine Perle von hohem Wert.

Wir aßen spät zu Abend, und ich merkte, daß Clinton innerlich erregt war. Er konnte es kaum erwarten, mir die Abfahrt der Fischerflotte vorzuführen.

Ich hüllte mich in einen leichten Mantel, und wir gingen in die Nacht hinaus. Es war ein wunderschöner Anblick; der Mond schien auf das Wasser, die Boote waren zum Ablegen bereit. In jedem Boot waren zehn Taucher. Sie würden nackt arbeiten, erklärte Clinton. »Dann haben sie mehr Bewegungsfreiheit«, fügte er hinzu.

»Und die Haie?« fragte ich.

»Das ist ihr Risiko. Jeder Mann hat seine Hartholzspieße dabei, und zwei Haibeschwörer sind auch mit von der Partie. Einer fährt im Boot mit, und der andere bleibt am Ufer. Sie singen Zauberformeln, während die Taucher am Werk sind, und keiner der Männer würde ohne sie an die Arbeit gehen. Sie sind deshalb für das Unternehmen unentbehrlich.«

Er erklärte mir, daß die Taucher paarweise arbeiteten – während der eine tauchte, beobachtete der andere die Leine, an der sein Kamerad hinabgelassen wurde. Die Zeit, die ein Mann unter Wasser verbringen konnte, war naturgemäß begrenzt. Der Durchschnitt betrug fünfzig Sekunden; einige brachten es auf achtzig, und einer hatte es sogar einmal sechs Minuten ausgehalten. Doch solche Rekordsucht unterstützte Clinton nicht. Jeder sollte so lange unten bleiben, wie es seiner Leistungsfähigkeit entsprach. Die Männer nahmen ohnehin genug Gefahren auf sich.

Wir standen am Ufer und sahen die Boote davongleiten; es war ein bewegender Anblick mit dem Mondlicht auf dem Wasser und dem Rauschen der Palmen rings umher.

»Du bringst ihnen Glück, dessen bin ich sicher«, sagte Clinton. »Morgen kommen sie bestimmt mit einem herrlichen Fang zurück.«

Wir gingen wieder ins Haus. Ein Diener erschien, um sich zu erkundigen, ob wir etwas bräuchten. Clinton entließ ihn, und wir stiegen die Treppe zum Schlafzimmer hinauf.

Clinton gebot mir, mich an den Frisiertisch zu setzen.

»Deine erste Nacht hier, Sarah. Gefällt es dir?«

»Ich fand es sehr interessant«, erwiderte ich. »Wie weit die Boote jetzt wohl sein mögen?«

»Noch nicht sehr weit draußen. Sie erreichten die Bänke nicht vor Sonnenaufgang. Du mußt mit mir kommen, wenn sie zurückkehren.« Er stand hinter mir, und ich betrachtete sein Spiegelbild. Er machte ein geheimnisvolles Gesicht, und ein eigentümliches Leuchten war in seinen Augen.

Ich drehte mich unvermittelt um und sah ihn an. Er sagte: »Ich habe dir doch ein Geschenk versprochen. Du hast heute etliche herrliche Perlen gesehen, Sarah. Ich denke, du kannst dir jetzt ein Urteil bilden. Du verstehst etwas von der Haut und dem Lüster der schönsten Perlen, hm?«

Er hatte sich abgewandt und öffnete eine Schranktür, hinter der ein Tresor verborgen war. Clinton stellte die Zahlenkombination ein, und die Tür ging auf. Er nahm eine Schatulle heraus, und als er auf die Feder drückte, sprang der Deckel auf.

Ich erstarrte. Vor mir lagen zwei Reihen Perlen von erlesenster Qualität. Der Diamantenverschluß stellte eine zusammengeringelte Schlange dar, deren Auge aus einem Smaragd bestand.

Ich blickte Clinton fassungslos an. »Das ist ja …«

Er nahm das Halsband aus der Schatulle und hielt es vor mich hin. Dann schwenkte er mich herum und sagte: »Komm, probier's an. Es heißt, es verwandelt eine Frau.«

»Das sieht ja genau so aus wie …«

Er hatte mich in den Sessel geschoben, drehte mich zum Spiegel und legte das Halsband um meinen Nacken. Ich spürte die Perlen auf meiner Haut. Ich starrte auf mein Spiegelbild. Mein Gesicht war ganz bleich geworden.

Ich sagte: »Das ist ja eine Kopie der …«

»Eine Kopie?« rief er. »Glaubst du, ich schenke meiner Frau etwas anderes als das Original?«

Ich griff mir an die Kehle. Ich sah meine Lippen sich bewegen. Ich hörte mich flüstern: »Das kann nicht wahr sein. Es ist unmöglich.«

»Sie stehen dir gut, Sarah. Ich bezweifle, daß sie je einer Ashington so gut zu Gesicht standen wie dir.«

»Ich begreife überhaupt nichts mehr.«

»Wirklich nicht? Man hätte meinen sollen, du würdest die Familienperlen sofort erkennen.«

»Aber wie …«

»Du kannst dir leicht einen Reim darauf machen.«

Ich schwenkte herum und sah ihm ins Gesicht. »Du warst das also. Du … hast sie dir angeeignet.«

»Ach komm. Es war ein anständiger Tausch.«

»Du hast den Jungen entführt! *Du* hast die Perlen als Lösegeld verlangt. Das hätte ich mir denken können …«

»So? Was hast du nur für eine Meinung von mir?«

»Die hast du dir selbst zuzuschreiben. Ich will die Dinger nicht. Ich gebe sie Clytie zurück.«

»Das wirst du nicht tun. Sie gehören mir.«

»Ich dachte, du hättest sie mir geschenkt.«

»Du weißt doch, die Ashington-Damen haben sie nur leihweise. Sie sind für unseren Sohn bestimmt, dessen Frau sie eine Weile tragen wird. Du kennst doch die Regeln …«

Ich konnte seinen Anblick nicht mehr ertragen. Ich dachte an Clyties kummervolle Miene und wie wir die ganze qualvolle Nacht hindurch dagesessen und geredet hatten, wie wir vor Angst gezittert hatten bei dem Gedanken, was Ralph zustoßen könnte, und an allem war er – Clinton – schuld! Er hatte das geplant, um die Ashington-Perlen an sich zu bringen. O ja, ich war überzeugt, daß sie jeden, der sie besaß, ins Unglück stürzen würden.

Ich wollte sie mir vom Hals reißen. Mir war, als würden sie mich erwürgen. »Du bist ein Teufel«, sagte ich.

Er lachte. »Und deshalb magst du mich?«

»Ich verachte dich auf ewig … weil du das getan hast.«

»Und doch findest du mich unwiderstehlich … wie immer.«

Ich versuchte, den Verschluß zu öffnen.

»Er hat eine zusätzliche Sicherung«, erklärte Clinton, »und ich will, daß du sie eine Weile trägst.«

»Ich werde sie nie tragen«, sagte ich leise. »Die Leute werden es wissen. Sie werden wissen, daß du ein Dieb bist.«

»Ich wollte sagen«, fuhr er fort, »ich möchte dich gern mit ihnen sehen, Sarah. Das war schon immer mein Wunsch. Findest du denn nicht, daß sie zu dir gehören? Perlen sind nicht dazu geschaffen, in Schatullen verwahrt zu werden. Sie sind zum Tragen bestimmt. Du wirst sie für mich tragen, Sarah, wenn wir allein sind.«

Ich schwieg und dachte: Ich gebe sie Clytie zurück. Sie gehören ihr. Ich wandte mich jäh zu ihm um. »Du wolltest alles, nicht wahr?«

»Ich will immer alles«, gab er zurück.

»Das Leben ist aber nicht so.«

»Verzeih, daß ich dir widerspreche, aber das Leben ist durchaus so. Wenn man etwas will, muß man es sich nehmen. Damit hat man fast immer Erfolg.«

»Aber alles hast du nicht bekommen, mußt du wissen. Du hast mich wegen der Plantage geheiratet, nicht wahr?«

»Ich habe dich geheiratet, weil ich dich unbedingt haben wollte.«

»Wegen der Plantage.«

»Die als Zugabe, meine liebe Sarah. Jetzt bist du wütend. Du haßt mich wie nie zuvor. Das ist köstlich. Ich liebe es, wenn du mich haßt ... wenn du auf mich eingehst, weil du nicht widerstehen kannst ... selbst im Haß. Ich habe auf diesen Augenblick gewartet. Ich wußte genau, wie du reagieren würdest, und ich hatte recht; in jedem Punkt hatte ich recht. Ich begehre dich, wie ich dich von Anfang an begehrt habe. Nein, noch mehr. Sarah, wir werden herrliche Zeiten miteinander erleben.«

Ich sagte: »Ich bleibe nicht bei einem Dieb, der fähig ist, einer Mutter solche Qualen zuzufügen, bloß wegen ein paar jämmerlicher Perlen.«

»Jämmerliche Perlen? Es wundert mich, daß der Blitz der Götter von Kandy dich nicht auf der Stelle erschlägt. Jämmerliche Perlen! Das legendäre Halsband, das vor langer Zeit einem Ashington als Belohnung für die Rettung des Lebens eines Kindes verehrt wurde, ein Halsband, das jahrelang gehütet wurde und die Grundlage der Ashingtonschen Tradition bildet.«

»Sei still!« schrie ich. »Ich will nichts mehr hören. Nimm mir die Dinger vom Hals! Leg sie in ihre Schatulle! Ich gebe sie Clytie zurück.«

»Du glaubst doch nicht, daß ich sie mir deshalb verschafft habe, was? Sie gehören dir, Sarah, und du bist meine Frau, und wenn ich sage, du sollst sie tragen, dann wirst du sie tragen.«

Ich blickte ihm ins Gesicht. Ich spürte die Perlen auf meinem Hals. Die Berührung gab mir ein merkwürdiges Gefühl. Es war fast, als seien es Lebewesen, die sich immer enger um meinen Hals schnürten.

Wenn er fähig war, das zu tun, dann war er zu allem fähig. Dann konnte er auch derjenige sein, der versucht hatte, mich glauben zu machen, ich sei im Begriff, wahnsinnig zu werden. Aber warum? Er hatte gewiß seine Gründe. Er hatte für alles einen triftigen Grund.

Ich sagte zu ihm: »Immer gewinnst du nicht, mußt du wissen. Du dachtest, die Plantage sei dir sicher, wie?« Plötzlich schoß mir ein Gedanke durch den Kopf: Wenn ich geistesgestört wäre, hätte er die Plantage übernehmen können. Hatte er darauf hingearbeitet? »Die bekommst du nicht, Clinton, niemals. Sie gehört mir, und wenn ich sterbe, vermache ich sie Clytie.«

Er war sichtlich bestürzt.

»Ja«, fuhr ich fort, »ich war bei einem Anwalt. Ich habe alles geregelt. Wenn ich sterbe oder nicht in der Lage bin, die Plantage zu verwalten, bekommt sie Clytie.«

»Das ... hast du fertiggebracht?«

»Ich habe meinen eigenen Willen.«

»Du kleiner ... Teufel.«

»Ah«, sagte ich, »ich sehe, deine Meinung von mir stimmt mit meiner Meinung von dir überein. Aber laß dir eines gesagt sein: Was *ich* getan habe, liegt im Rahmen des Gesetzes. Was aber würde Sir William Carstairs wohl sagen, wenn er wüßte, daß du Ralph entführt und um seine Freilassung geschachert hast? Das ist das gemeinste Verbrechen – besonders, wenn ein Kind betroffen ist.«

Er schien mich nicht zu hören. Er war offenkundig tief erschüttert über das, was ich getan hatte. Ich glaubte, er würde mich schlagen. Kalte Wut sprach aus seiner Miene. Sekundenlang stand er da und starrte mich an. Ich glaube, es fiel ihm schwer, seinen Zorn zu bezähmen. Dann lächelte er matt, und ich bildete mir ein, in diesem Lächeln widerwillige Bewunderung zu lesen.

»Es ist Zeit fürs Bett«, sagte er. »Es war ein aufreibender Tag.«

»Nimm mir diese Dinger ab! Mach das Schloß auf!«

»Ich will, daß du sie trägst.«

»Ich aber nicht.«

»Eine unfreundliche Art, ein Geschenk anzunehmen.«

»Es steht dir nicht zu, diese Perlen zu verschenken.«

»Sie gehören mir.«

»Nimm sie runter!«

»Nein.«

»Ich gehe in ein anderes Zimmer.«

»Du bleibst hier. Du schenkst mir diese besondere Mischung aus Liebe und Haß, die ich nicht mehr entbehren kann. Du hast mich verhext, Sarah. Du hast mir soeben eröffnet, wie du mich hintergangen hast. Ich sollte dich eigentlich schlagen. Das hättest du verdient. Statt dessen will ich dich lieben, denn du bist meine großartige Sarah, die mich im Grunde ihres Herzens trotz meiner Sünden begehrt, so wie ich sie trotz ihrer Sünden begehre.«

»Du betrügst dich selbst, so wie du andere betrogen hast.«

»Andere vielleicht … aber niemals mich selbst. Ich kenne dich, Sarah. Die sinnliche, leidenschaftliche Sarah, für die Liebe geschaffen … für meine Liebe. Für keinen anderen außer mir, Sarah … niemals.«

»Würdest du bitte den Verschluß aufmachen?«

»Laß mich lieber dein Kleid aufmachen.«

»Wag es nicht, mich anzurühren!«

»Eine verlockendere Aufforderung hättest du mir nicht bieten können.« Er zerrte an meinem Mieder, und die Knöpfe sprangen auf. Ich spürte seine physische Kraft, die mir nicht fremd war. Einerlei, wie sehr ich mich auch wehrte, am Ende würde er siegen. Das war es, was er sich wünschte. Mein Widerstand übte einen sinnlichen Reiz auf ihn aus. Er lachte mich aus und war entschlossen, mich zu bezwingen, wie es ihm stets gelungen war. Und er würde durchsetzen, daß ich das Halsband trug.

Ich wehrte ihn ab, verzweifelt, was ihn jedoch lediglich zu amüsieren schien. »Schrei, wenn du willst, Sarah«, murmelte er. »Sie werden es nicht beachten. Sie werden verständnisvoll lächeln und sagen, das geht nur den Herrn etwas an.«

»Wie viele Frauen hast du schon hierhergebracht?«

»Ich führe kein Protokoll.«

»Wie viele von ihnen schmücken sich mit gestohlenen Juwelen?«

Er lachte. »Ich habe die Perlen redlich erworben, Sarah. Ich habe sie dahin gebracht, wohin sie gehören. Du wirst sie für mich tragen.«

»Laß mich gehen«, forderte ich.

»Ich lasse dich nie gehen, niemals.«

»Ich hasse dich. Ich hasse alles, was mit dir zu tun hat. Siehst du denn nicht ein, daß ich dich wegen dem, was du getan hast, um an die Perlen zu kommen, auf ewig hassen muß?«

»Dein Haß ist mir willkommener als die Liebe einer anderen.«

»Es ist mein Ernst, Clinton. Ich will dich nicht.«

»Dann wirst du jetzt eine neue Erfahrung machen.«

»Das ist … Vergewaltigung!«

»Eine pikante Situation, das muß ich zugeben«, spottete er.

Ich konnte ihn nicht abwehren. Ich war vom Kampf erschöpft, und als ich sein triumphierendes Lachen hörte, haßte ich mich ebenso wie ihn.

Ich lag unbeweglich, schlaflos. Ich dachte: Nimmt diese Nacht denn nie ein Ende? Da lag ich neben ihm, und die Perlen trug ich immer noch. Ich verlasse ihn, dachte ich. Jetzt kann ich nicht mehr bleiben. Toby würde mir helfen. Ich mußte hier weg. Ich würde Clytie die Perlen zurückgeben und nach Neu-Delhi gehen. Ja, das war die Lösung. Ich wollte Toby bitten, mir zu helfen.

Plötzlich merkte ich, daß Clinton wach war. Seine Hand legte sich um meine. Ich blieb still liegen, stellte mich schlafend. Ich spürte die Perlen auf meiner Haut.

»Sarah?« flüsterte er. »Bist du wach, Sarah?«

Ich gab keine Antwort.

Er fuhr fort: »Ich muß dir etwas sagen.«

»Ich will nichts von dir hören.«

Seine Hand schob sich zu den Perlen hinauf. »Ich habe den Jungen nicht entführt, Sarah.«

Ich schwieg.

»Du glaubst mir nicht, hm?«

»Nein.«

»Ich erzähle dir, wie es sich zugetragen hat.«

»Ich will die abscheulichen Einzelheiten gar nicht wissen.«

»Es ist nicht so, wie du denkst.«

»Verschone mich damit!«

»Wann hätte ich dich je verschont?« Er beugte sich zu mir herüber und küßte mich auf die Lippen.

»Ich bin sehr müde«, sagte ich.

»Du bist hellwach, und ob du es willst oder nicht, ich erzähl's dir jetzt. Ich habe die Perlen schon seit geraumer Zeit. Ich hatte sie schon, bevor dein Vater starb.«

»So ein Unsinn! Ich habe sie gesehen, bevor du sie gestohlen hast. Clytie hat sie mir gezeigt.«

»Was Clytie dir gezeigt hat, waren nicht die Ashington-Perlen.«

»Ich habe sie mit eigenen Augen gesehen.«

»Was du gesehen hast, war eine Kopie der Ashington-Perlen.«

Ich rückte unwillig von ihm ab.

»Liebe Sarah, du würdest den Unterschied nicht merken. Diese Kopie ist ein wahres Meisterwerk. Sie wurde in meinem Auftrag angefertigt.«

»Du hast dir diese Ausrede wohl ausgedacht, weil du nicht
weißt, was ich jetzt tun werde, wie?«

Darüber mußte er lachen. »Wann hätte ich je vor dir Angst
gehabt!«

»Jetzt, in diesem Augenblick. Du hast dich verraten und weißt
nicht, wie's weitergeht.«

»Glaubst du etwa, ich hätte das nicht bedacht, bevor ich dir die
Perlen gezeigt habe? Sei doch vernünftig, Sarah. Hör mir zu.
Einige Zeit vor dem Tod deines Vaters kamen Clytie und Seth
in höchster Verzweiflung zu mir. Sie waren in finanziellen
Schwierigkeiten. Dein Vater wußte nichts davon. Er war über
ein Jahr schwer krank, bevor er nach England ging. Er überließ
Seth die gesamte Verwaltung der Plantage. Seth hat seine
Schwächen, er ist nämlich ein leidenschaftlicher Spieler. Er war
in großen Schwierigkeiten. Er hatte aufgrund der Aussicht, daß
Clytie die Plantage bekommen würde, Geld geliehen. Er brauch-
te nun dringend Geld. Er und Clytie wollten aber nicht, daß dein
Vater erfuhr, daß sie in seinem Namen Schulden gemacht hat-
ten … das heißt, auf den Namen der Plantage. Hörst du zu,
Sarah?«

»Ja«, sagte ich schwach.

»Das Resultat war, daß sie eine große Summe benötigten, um
eine Katastrophe abzuwenden. Sie kamen zu mir.«

»Willst du damit sagen, daß du ihnen das Halsband abgekauft
hast?«

»Ich erzähle dir klipp und klar, was ich getan habe. Ich wußte,
daß ich dich heiraten würde …«

»Bevor du mich überhaupt gesehen hattest!«

»Ich hatte so viel von dir gehört. Ich war in dich verliebt, ehe ich
dich sah. Und dann fand ich dich viel begehrenswerter als in
meinen Träumen. Das war mein großes Glück.«

»Weiter«, drängte ich. »Erzähl mir den Rest!«

»Wie du bereits vermutet hast, kaufte ich das Halsband. Natürlich für weit weniger, als es wert ist. Und zusätzlich zum Kauf-

preis überließ ich ihnen ein anderes Halsband, das – für unge-
übte Augen – eine exakte Kopie des echten war. Ich habe die
Perlen für dich verwahrt, Sarah. Ich wußte, daß es nicht einfach
sein würde, das zu erklären, daher hielt ich sie verborgen. Doch
neulich fiel mir auf, daß ihr Glanz ein wenig verblaßt ist. Sie
bedürfen der Wärme deiner Haut, damit sie ihren Schimmer
zurückgewinnen. Die berühmten Perlen dürfen nicht unter
Seths Verantwortungslosigkeit leiden.«

»So … demnach hat Clytie mir also eine Kopie gezeigt.«

»So ist es.«

»Und die hat sie den Entführern gegeben.«

»Meine liebe, süße Sarah! Merkst du immer noch nicht, was da
gespielt wurde? Clytie trug die Kopie auf deinem Willkommens-
ball. Das Halsband verursachte jedesmal eine Sensation. Ich
hörte, wie Reggie Glendenning davon sprach und Clytie bat, es
einmal näher in Augenschein nehmen zu dürfen. Er ist aber ein
ausgesprochener Kenner. Clytie war bestürzt. Man kann die
falschen Ashington-Perlen bei Kerzenschein ohne weiteres am
Hals zur Schau stellen, aber so gut sie auch sind, einer einge-
henden Untersuchung durch einen Experten bei Tageslicht
würden sie nie standhalten.«

»Willst du damit behaupten, die Entführung war vorgetäuscht?«

»Natürlich.«

»Das glaube ich nicht.«

»Warum denn nicht? Lief denn nicht alles viel zu glatt? Ashraf
war Clyties Komplize. Sheba hat auch mitgemacht. Sie würde
alles für Clytie tun. Du kannst dir denken, wie es sich zugetragen
hat. Ihr wart alle auf dem Fest. Ashraf schleicht hinzu und paßt
den richtigen Augenblick ab. Ralph geht bereitwillig mit ihm,
und der Junge wird über Nacht bei Leuten untergebracht, die
er kennt. Das Erlebnis wird ihm nicht schaden. Die falschen
Perlen werden ausgehändigt, und es würde mich nicht überraschen, wenn Clytie sie noch hätte.«

Ich war fassungslos. Clytie, die so zart schien, so zerbrechlich, so aufrichtig, diese Clytie hatte die Entführung geplant, hatte den Kummer, der mich so erschütterte, nur vorgetäuscht?

Clinton wußte, was ich dachte. »Clytie ist eine gute und liebevolle Ehefrau«, sagte er. »Sie würde zu Seth halten, einerlei, was er tut. Seine Spielleidenschaft hatte sie so weit gebracht; sie tat alles, was sie konnte, um ihn zu retten. Und dabei durfte niemand erfahren, daß sie das Halsband verkauft hatte. Ich glaube, sie war dazu gar nicht berechtigt. Doch seit ich es zum erstenmal sah, juckte es mich in den Fingern, es zu erwerben. Wenn ein Mann, der mit Perlen zu tun hat und etwas von Perlen versteht, ein Kollier zu sehen bekommt, das wohl zu den herrlichsten Exemplaren der Welt zählt, so erwacht in ihm natürlich der Wunsch, es zu besitzen. Verstehst du das, Sarah?«

»Ich verstehe deine Beweggründe durchaus.«

»Und du verachtest mich nicht mehr. Du haßt mich nur, nicht wahr?«

»Ich muß erst nachprüfen, ob das alles stimmt.«

»Du lieber Himmel! Du nimmst doch nicht etwa an, daß ich zu meinen vielen Sünden auch noch Lügen hinzufüge?«

»Dir würde ich alles zutrauen!«

»Sarah, liebste Sarah, ich bin so froh, daß du das Halsband hast. Du wirst es tragen, wenn wir allein sind. Ich denke, wir sollten es eine Weile dabei belassen. Später können wir meinetwegen bekanntgeben, ich hätte einem Hehler eine große Summe dafür bezahlt. Jetzt gehört es dir. Du bist eine Ashington. Eines Tages wird die Frau unseres Sohnes es tragen, und die Götter sind zufrieden, dessen bin ich sicher. Jetzt brauchst du nur noch den Sohn dazu beizutragen. Du bist sehr säumig, Sarah. Nun ja, wir haben noch Zeit. Und laß dir eines sagen: Kein Mann könnte mit seiner Ehe zufriedener sein, als ich es mit der meinen bin. Das darf sich nicht ändern, Sarah, niemals.«

Ich antwortete ihm nicht. Ich dachte über all das nach, was er mir erzählt hatte: Clyties Betrug; jene entsetzliche Nacht kam mir in den Sinn, als wir beisammen gesessen hatten und ich vergeblich versucht hatte, sie zu trösten; und während der ganzen Zeit hatte sie mir etwas vorgespielt! Wem kann ich jemals wieder trauen, fragte ich mich ratlos.

Ich stellte mir vor, wie ich an Clintons Seite weiterleben, wie ich Kinder gebären würde, und ich fragte mich, was wohl bleiben würde, wenn diese wilde physische Leidenschaft, die, wie ich zugeben mußte, zwischen uns bestand, erloschen war – und es lag in ihrer Natur, daß sie einmal enden mußte. Auf einer solch dürftigen Grundlage konnte man keine Zukunft aufbauen. Das war so, als errichte man ein Haus auf Treibsand. Ich brauchte ein solides Fundament aus Freundschaft, Liebe und Vertrauen. Ich dachte an Toby. Wenn ich zurückkehrte, erwartete mich gewiß ein Brief von ihm. Schließlich schlief ich ein und träumte, daß Hände sich um meinen Hals legten und mich würgten. Es waren sanfte, zarte Hände. Zuerst liebkosten und streichelten sie mich, und plötzlich drückten sie zu, fester und fester. Ich konnte nicht atmen. Ich fuhr entsetzt auf. Meine Hand griff an meine Kehle. Ich berührte die Perlen. Natürlich, die Perlen hatten den Traum ausgelöst. Wie unsinnig, daß ich sie tragen mußte, während ich schlief. Aber das war bezeichnend für Clinton. Er zwang mich, die Perlen zu tragen, weil er wußte, daß es mir zuwider war. Er wollte, daß ich sie trug, während er sich meiner gegen meinen Willen bemächtigte. Sie waren ein Symbol seiner Macht über mich … ein Halfter, das man einem Sklaven um den Hals legt. Nein, das war übertrieben. Es hatte ihm Spaß gemacht, mir seine Schandtat zu offenbaren und mir zu beweisen, daß er auch dann noch unwiderstehlich war. Das war sein Ziel gewesen, als er mich in dem Glauben ließ, er habe den Jungen entführt. Und nachher, als er mir bewiesen hatte, daß er meine Leidenschaft zu entflammen vermochte, gleichgültig, wie sehr ich ihn verachtete, da hatte er mir die Wahrheit gesagt. Wir befanden uns gewissermaßen im Kriegszustand, und Krieg ist nicht der richtige Weg zu einem glücklichen Familienleben.

Wie anders wäre alles verlaufen, wenn Toby rechtzeitig zurückgekommen wäre, noch bevor Clinton und mein Vater eintrafen. Dann hätten wir unsere einzigartige Beziehung, die uns am Denton Square verband, fortführen können. Er war zu spät gekommen. Das hatte meine Zukunft besiegelt.

Clinton war in Hochstimmung. Solange wir an der Küste waren, trug ich die Perlen jeden Abend. Er bestand darauf, und ich mußte gestehen, daß sie eine gewisse Faszination auf mich ausübten. Seit ich von ihnen geträumt hatte, kam es mir so vor, als seien sie von eigenem Leben beseelt. Ich hätte gern etwas über alle die Frauen gewußt, die sie vor mir getragen hatten, die Damen in der Galerie auf Ashington Grange und vor ihnen die Gattinnen der mächtigen Herrscher von Kandy.

Meine Mutter hatte gesagt, sie brächten Unglück. Der Künstler, der sie mit den Perlen porträtierte, hatte sich das Leben genommen; Clytie war in Schwierigkeiten geraten – sie hatte die Perlen verkauft und war so weit gegangen, eine Entführung ihres Sohnes in Szene zu setzen, um die Leute glauben zu machen, das Halsband sei abhanden gekommen. Perlen, die so vielen Menschen so viel bedeuteten, mußten ein Eigenleben haben.

Oft betrachtete ich den ausgeklügelten Verschluß, der sich so schwer lösen ließ. Clinton fand das ganz richtig; er sagte, da es sich um ein Sicherheitsschloß handle, dürfe es nicht leicht zu öffnen sein. Das grüne Auge der Schlange glitzerte feindselig. Ich untersuchte den kleinen Hohlraum im Innern, den einer der Besitzer mit Gift gefüllt hatte, um sich seiner Gattin zu entledigen.

Wenn diese Perlen sprechen könnten, was für Geschichten hätten sie wohl zu erzählen! Allmählich gewannen sie ihren Schimmer zurück. Clinton behauptete, sie würden glänzend und satt, als nährten sie sich von den Menschen, die sie trugen.

»Dein Hals ist für Perlen geschaffen«, sagte er. »Sie fühlen sich offensichtlich wohl bei dir. Sieh dir die Haut dieser Perlen an!

Schau, diesen Lüster! Weißt du noch, wie sie aussahen, als du sie das erste Mal getragen hast? Erkennst du den Unterschied? Ich habe dich mir so oft mit ihnen vorgestellt. Es macht mir Freude, dich anzusehen, wenn du sie trägst.«

Es gefiel ihm, das Kollier eigenhändig in meinem Nacken zu schließen, es zu berühren und zu betrachten, wenn ich es trug. Dabei trat ein Leuchten in seine Augen, als sei etwas, das er sich seit langem gewünscht hatte, in Erfüllung gegangen.

Ich hatte die Perlenfischer mit ihrem Fang zurückkommen sehen; ich beobachtete, wie die Austern geöffnet wurden, und betrachtete staunend das Innere der Schalen. Ich strich sanft über die Perlmuttschicht und bewunderte die schönen, kostbaren Auswüchse. Ich sah auch beim Sortieren der Perlen zu und ließ mich von Clintons Begeisterung anstecken. Und als die Saison vorüber war, kehrten wir zur Plantage zurück.

Ich war sehr enttäuscht, als ich keinen Brief von Toby vorfand. Von Tante Martha war ein Brief gekommen, den ich recht lustlos las. Auf Ashington Grange schien alles seinen gewohnten Gang zu gehen. Mabel hatte sich im Verlauf des Winters zweimal erkältet, Tante Martha dagegen war gesund und munter wie immer. Ich konnte nie an Tante Martha denken, ohne daß ich sie über den Flur zum Zimmer meiner Mutter schleichen und ihr den Tod bringen sah.

Am Tag nach meiner Rückkehr lenkte ich den Einspänner zu den Blandfords hinüber. Celia würde gewiß mit mir zurückkommen wollen. Sie war mit Clytie und Ralph im Garten, und der Junge begrüßte mich überschwenglich. Als ich meine schöne, zierliche Halbschwester betrachtete, konnte ich einfach nicht glauben, daß sie an den Komplott zu Ralphs Entführung beteiligt war. Ich brannte darauf, mit ihr allein zu sein und sie frei heraus zu fragen, ob es stimmte, was Clinton mir erzählt hatte. Im Laufe des Vormittags bot sich mir die Gelegenheit. Clytie war in ihr Zimmer gegangen, und ich folgte ihr.

»Clytie«, sagte ich, »ich muß mit dir sprechen.«

Sie machte ein verdutztes Gesicht, und ich fuhr rasch fort: »Clinton hat mir die Perlen gegeben. Er behauptet, es seien die Ashington-Perlen, und er habe sie dir abgekauft.«

Sie stemmte ihre Hand gegen den Ankleidetisch, als müsse sie sich stützen, und setzte sich dann.

»Es ist also wahr?« drängte ich.

Sie nickte. »Ach Sarah, ich war einfach ratlos. Weißt du, wir steckten in solchen Schwierigkeiten. Wir hätten es Vater nie erzählen können. Er hätte es nicht verwunden, Seth ...«

»Seth hat im Club von Kandy gespielt, nicht wahr?«

Sie nickte. »Wir wußten nicht, was wir tun sollten. Seth hatte sich aufgrund der Erwartung, daß ich die Plantage bekomme, Geld geliehen. Das klingt schrecklich, aber jedermann wußte, wie krank unser Vater war. Es galt als sicher, daß Seth und ich ihn eines Tages beerben würden. O Sarah, bitte versuche, uns zu verstehen.«

»Ja gewiß«, sagte ich. »Ihr wart in Schwierigkeiten, und Clinton half euch heraus. Er kaufte das Halsband und gab euch eine Kopie, damit ihr geheimhalten konntet, daß ihr es verkauft habt.«

Clytie nickte. »Es hätte gelingen können. Das Augenlicht unseres Vaters ließ ja ständig nach. Er konnte fast nichts mehr sehen, weißt du. Er hätte es nicht gemerkt ... O ja, ich weiß, daß es unrecht war. Ich hätte die Perlen nicht verkaufen dürfen. Ich war so erleichtert, als ich sie erbte. Das machte die Sache etwas einfacher, fand ich.«

»Ich verstehe, was du getan hast, Clytie«, sagte ich. »Ich hätte an deiner Stelle wahrscheinlich genauso gehandelt. Clinton hätte euch das nicht anbieten dürfen.«

»Es war der einzige Ausweg.«

»Also war das Halsband, das du unter den Baum gelegt hast, die Kopie.«

Sie senkte den Kopf und sagte leise: »Ich habe sie hier. Man hat sie mir zurückgebracht. Ich habe sie versteckt. Sheba war mir behilflich. Sie würde alles für mich tun. Ich mußte es machen, Sarah, sonst wäre alles herausgekommen. Reggie Glendenning hätte es sofort gemerkt. Ich habe das Halsband ungern getragen. Ich hatte jedesmal Angst, jemand würde den Schwindel aufdecken. Einige Leute hier verstehen eine Menge von Perlen.«

»Es war ein raffinierter Plan, Clytie.«

»Eigentlich war es ganz einfach. Ich wußte, daß Ralph nichts zustoßen würde. Wir haben verabredet, daß er mit Ashraf ging und die Nacht bei Verwandten von Sheba verbrachte. Er war schon zuvor über Nacht dort gewesen, damit er sich daran gewöhnte. Er hatte keine Ahnung, was wir damit bezweckten. Du hast also das echte Halsband. Ich dachte mir, daß Clinton es dir schenken würde. Jetzt ist alles so gekommen, wie es eigentlich sein sollte. Du hast das Halsband und die Plantage, aber du hast ja gesagt, daß wir sie später bekommen – für Ralph. Ich finde, so hätte es von Anfang an sein sollen, obgleich das Halsband mir zustand, weil ich die ältere bin. Aber schau uns beide an, Sarah! Du bist diejenige, der die Ashington-Perlen gehören sollten. An dir sehen sie bestimmt herrlich aus. Das Schicksal hat es so gewollt. So sehe ich es jedenfalls.«

»Ich werde sie nie in der Öffentlichkeit tragen können, selbst wenn ich es wollte.«

»Sicher, man würde sie erkennen. Aber zuweilen wirst du sie doch tragen. Ich hatte sie manchmal an, wenn ich allein war. Sie schienen mich zu erdrücken. Das Halsband war zu schwer für mich.«

»Ich bin froh, daß ich jetzt wenigstens die Wahrheit weiß.«

»Sarah, es tut mir leid. Bitte verstehe, weshalb ich es getan habe.«

»Natürlich.«

»Und jetzt hast du es. Es ist ein Vermögen wert.«

»Clinton hat euch natürlich weniger dafür gegeben, als es wert ist.«

»Es reichte, um unsere Schulden zu bezahlen und uns über die nächsten Jahre hinwegzuhelfen. Es war wundervoll, von dieser Last befreit zu sein. Wir sind Clinton dankbar. Und dann gab er uns noch diese Kopie, eine so hervorragende Imitation, daß nur Kenner den Unterschied merken. Alles stimmt, sogar das Schloß mit dem winzigen Giftbehälter im Schlangenmaul.«

»Clytie«, sagte ich, »du siehst angegriffen aus. Du mußt dich beruhigen. Wir wollen doch nicht, daß jemand merkt, daß du dich aufgeregt hast.«

Sie legte ihre Arme um mich. »Ach Sarah«, seufzte sie. »Ich bin so froh, daß du Bescheid weißt. Das alles hat mich schrecklich bedrückt.«

Ich küßte sie. »Ich verstehe dich ja«, versicherte ich ihr. »Liebe Clytie, bitte gräme dich nicht mehr. Es wird alles gut, du wirst sehen.«

Celia war bei Ralph, als wir uns wieder zu ihr gesellten, und ich erschrak ein wenig, als ich Cobbler zu ihren Füßen aufgeringelt sah. Celia blickte von mir zu Clytie, und ich fragte mich, ob sie wohl ahnte, daß sich soeben eine bewegende Szene zwischen uns abgespielt hatte.

Als wir im Einspänner zurückfuhren, sagte sie zu mir: »Es tut mir leid, daß ich Sie verlassen muß, aber ich habe Nachricht von meiner Cousine. Es geht ihr nicht gut, und sie möchte, daß ich ihr Gesellschaft leiste. Sie hat ein Haus in Südfrankreich gemietet.«

»O Celia, müssen Sie wirklich fort?«

»Es war wunderschön, Sie wiederzusehen, Sarah, und es scheint Ihnen jetzt viel besser zu gehen. Eine Zeitlang ... neulich ...«

»Ja, ich weiß.«

»Da schienen Sie ein bißchen ... seltsam ... zerstreut ... als ob Sie sich vor etwas fürchteten.«

Ich zögerte. Der Anblick, wie Cobbler da im Gras lag, hatte lebhafte Erinnerungen in mir geweckt. Ich wollte nicht darüber

sprechen. Mit der Rückkehr zur Plantage war alles, was geschehen war, wieder lebendig geworden. Jetzt wollte ich herausfinden, wer für diese üblen Streiche verantwortlich war, und ich hatte mir geschworen, niemanden ins Vertrauen zu ziehen …
nicht einmal Celia.

Ich sagte leichthin: »Ach, ich glaube, ich war nur ein bißchen erschöpft. Die Reise zu den Perlenfischern hat mir gutgetan.«

Die Schlangenzunge

Ich trug die Perlen nun sehr oft, und sie übten eine Faszination auf mich aus. Ich nahm sie aus ihrer Schatulle, hielt sie an mich, von dem unwiderstehlichen Wunsch besessen, sie mir um den Hals zu legen. Sie veränderten sich. Sie erglühten in neuem Leben. Wenn ich sie anhatte, schienen sie meine Haut zu liebkosen. Es war fast, als wollten sie zu mir gehören.

Ich träumte sogar von ihnen – verschwommene, nebelhafte Träume … sie krochen aus ihrer Schatulle und legten sich um meinen Hals. Es waren bizarre Träume, und doch erlebte ich sie im Schlaf als Wirklichkeit. Einmal hatte ich denselben Traum wie in jener Nacht, als ich die Perlen zum erstenmal trug. Ich dachte, sie schnürten sich fester und fester um meinen Hals und trachteten, mich zu erwürgen. Solche Hirngespinste wurden natürlich durch all die Geschichten ausgelöst, die ich über dieses Erbstück gehört hatte, durch die vorgetäuschte Entführung und die unvergeßliche Nacht, als Clinton mir die Perlen schenkte und mich das Allerschlimmste von ihm annehmen ließ.

Die Perlen faszinierten mich; sie stießen mich aber auch ab, und doch war ich unfähig, ihnen zu widerstehen. Manchmal dachte ich, sie seien ein Symbol für meine Beziehung zu Clinton.

Ich begriff nicht, wieso ich keinen Brief von Toby erhielt. Ich hatte ihm einen Hilferuf geschickt, und er schien ihn zu ignorieren. Vielleicht war er umgezogen, und mein Brief hatte ihn nicht erreicht. Dieser Gedanke versetze mich in Panik. Wieder hatte ich jenen Traum. Die Perlen lagen um meinen Hals, liebkosten meine Haut, saugten ihre Nahrung aus mir … Sie wurden enger und enger, sie würgten mich. Sie hatten sich verändert, waren feindselig geworden. Das Böse war in ihnen. Ich hörte die Stimme meiner Mutter durch die Leere des Raumes zu mir dringen. »Sie waren verflucht, diese Perlen. Jedem, der sie besaß, haben sie Unheil gebracht.« Im Traum packte ich die Perlen und versuchte, sie mir vom Hals zu reißen, sie zu zerbrechen, zu vernichten, sie auf immer loszuwerden. Dann wandelte sich der Traum. »Toby«, schrie ich, »wo bist du, Toby? Warum kommst du nicht, wenn du weißt, daß ich dich brauche?« Er erschien, er war da. Er löste das Halsband, und ich sank erleichtert schluchzend in seine Arme.

Ich sträubte mich gegen das Erwachen aus diesem Traum. Ich wollte in ihm verweilen … mit Toby.

Die Perlen lagen in ihrer Schatulle, Toby war weit fort, und ich hatte nichts von ihm gehört. Es war unmöglich, die Perlen versteckt zu halten. Ich sagte zu Clinton, es sei unvernünftig, sie zu tragen.

»Nein«, erwiderte er, »die Leute im Haus halten sie für das Geschenk eines zärtlichen Gatten an sein liebendes Weib. Schließlich bin ich in dem Geschäft, und da ist es doch selbstverständlich, daß mir das Beste, das es auf diesem Gebiet gibt, in die Hände gerät.«

»Ich wünsche aber nicht, daß bekannt wird, daß ich die Ashington-Perlen habe. Ich muß auf Clytie Rücksicht nehmen.«

»Clytie hat dir bewiesen, daß sie allein zurechtkommt. Du mußt dich lediglich hüten, die Perlen zu tragen, wenn du dich in Gesellschaft von Experten begibst.«

Ich gewöhnte mir an, sie am Abend zu tragen, wenn Clinton, Celia und ich allein speisten.

Celia bewunderte sie glühend. Sie liebte es, sie anzuprobieren. Ich sagte ihr natürlich nicht, daß es die Ashington-Perlen waren. Sie sollte annehmen, daß Clinton mir ein großzügiges Geschenk gemacht hatte. Wenn Leila in mein Schlafzimmer kam, um aufzuräumen oder heißes Wasser zu bringen, legte sie den Kopf auf eine Seite und betrachtete die Perlen in ehrfürchtiger Bewunderung.

»Sie sind schön. Meine Schwester Anula hat so ähnliche«, erzählte sie. »Meine Schwester hat viel schönen Schmuck.« Sie blickte verschlagen und hinterhältig drein und ließ keinen Zweifel daran, daß Anula diesen Schmuck von ihrem Liebhaber bekommen hatte.

Celia bereitete ihre Abreise vor. Sie hatte ihre Passage nach Bombay gebucht, von wo sie der große Überseedampfer »Oranda« nach Europa bringen würde. Die Reise von Colombo nach Bombay wollte sie auf der »Lankarta«, einem kleineren Dampfer, zurücklegen. Beim Gedanken an ihre Abreise überlief mich ein leichter Schauder des Unbehagens. Ohne sie würde mir das Haus einsam vorkommen – und ich hatte immer noch nicht entdeckt, wer mich bedrohte. Die Gefahr lauerte nach wie vor, wenn ich mich jetzt auch stark fühlte und bereit war, mich ihr zu stellen.

Ungefähr eine Woche, nachdem ich von den Perlenfischern zurückgekehrt war, hatte ich vor, am späten Nachmittag zu Clytie hinüberzufahren und vor Einbruch der Dunkelheit zurückzukommen. Ich war höchstens fünf Minuten in dem Einspänner unterwegs, als ich merkte, daß etwas nicht stimmte.

Auf einmal rollte der Wagen im Zickzack über die Straße. Ich zog die Zügel an … und im Bruchteil einer Sekunde sah ich eines der Räder vor mir herrollen. Es ist erstaunlich, wieviel man in einem so kurzen Moment der Anspannung erleben kann. Es war, als habe die Zeit sich verlangsamt. Ich wußte, daß ich in großer Gefahr war. Ich wußte, daß sich ein Rad gelöst hatte und daß ich umstürzen würde, doch einen Augenblick lang schien alles zu stocken. Ich versuchte verzweifelt, mich zu besinnen, was ich tun mußte, um mich zu retten. Dann bäumte sich das Pferd auf, und ich wurde in die Luft geschleudert. Jäh senkte sich Finsternis auf mich herab.

Ich lag im Bett. Clinton war bei mir. Auch Celia, Leila und ein Dienstmädchen waren zugegen. Clinton saß auf der einen Seite des Bettes, Celia auf der anderen.

»Sie kommt zu sich.« Das war Clinton. »Sarah … Sarah … hörst du mich?«

Ich öffnete die Augen. Mein Körper fühlte sich schwer an. Ich versuchte, mich zu erinnern. Im Geiste sah ich das Rad über die Straße trudeln. Ich schloß die Augen wieder und versank sogleich in einem Nebel des Nichts.

Es dauerte zwei Tage, bis ich wieder bei Bewußtsein war. Ich erfuhr, daß ich einen schweren Unfall gehabt hatte und froh sein könne, daß ich noch lebte. Ein Rad hatte sich vom Wagen gelöst. Ich war in die Luft geflogen und auf der Straße gelandet. Mein Knöchel war gebrochen; ich hatte Prellungen, Beulen und eine Gehirnerschütterung. Clinton hatte zwei Ärzte kommen lassen, weil ich so übel zugerichtet war. Der Knöchel würde heilen und vermutlich keine allzu großen Beschwerden bereiten. Schwerer wog die Tatsache, daß ich so lange bewußtlos war. Dennoch schien ich keinen wirklich ernsten Schaden davongetragen zu haben, und nach ein paar Tagen konnte ich bereits aufstehen. Ich war allerdings nicht in der Lage, mein Schlafzimmer zu verlassen. Das ließ mein Knöchel nicht zu. Ich konnte mit Hilfe eines Stockes umherhumpeln, doch der Arzt mahnte mich, daß ich den Knöchel nicht belasten und auf keinen Fall auftreten dürfe, wenn ich wieder ganz gesund werden wolle.

Clinton war häufig bei mir, ebenso Celia, die wegen ihrer bevorstehenden Abreise sehr betrübt war. Ich war froh über ihre Gesellschaft. Sie las mir vor, und es war kurzweilig, sich mit ihr zu unterhalten. Mir graute bei dem Gedanken, daß sie fortging. Meine alte Beklommenheit war wiedergekehrt, und Celia war so besonnen und vernünftig.

Clinton erzählte mir, er habe versucht, der Sache auf den Grund zu gehen, und könne nicht begreifen, wieso sich das Rad des Einspänners gelöst habe. Die Stallburschen hatten Anweisung, alle Fahrzeuge in Ordnung zu halten, und schworen, sie hätten erst wenige Tage zuvor sämtliche Kutschen inspiziert.

»Es ist mir ein Rätsel«, meinte Clinton. »Irgend jemand war unachtsam, daran ist nicht zu zweifeln. Ich wollte, ich könnte herausfinden, wie es passiert ist.«

Die Post wurde gebracht. Es war wieder kein Brief von Toby dabei. Heimtückisch wie ein Nebel beschlich mich die Furcht. Anfangs war sie noch kaum wahrnehmbar, doch dann webte sie ihr Netz um mich und hüllte mich in böse Vorahnungen. Ich hatte das Geheimnis der ersten Stufe des Angriffs auf mich, der darauf abzielte, mich als wahnsinnig hinzustellen, noch nicht gelüftet. Nachdem ich Cobblers Auge gefunden und anschließend die Perlenfischer besucht hatte, glaubte ich mich in Sicherheit, und die Tatsache, daß irgendwo in meiner Nähe ein unbarmherziger Feind lauerte, hatte ich vorübergehend vergessen.

Ich *mußte* herausfinden, wer dies war, doch in meinem Zustand war ich dazu kaum in der Lage. Warum hatte sich das Rad des Einspänners gelöst, während ich darin unterwegs war? Ich benutzte ihn häufig. Er galt mehr oder weniger als mein Fahrzeug, weil niemand ihn so oft in Anspruch nahm wie ich. War der »Unfall« arrangiert worden? Verfluchte mein Gegner jetzt den Umstand, daß ich dem Tod entronnen war?

Ich konnte jetzt nicht durch den Wald wandern, um festzustellen, wer hinter mir herschlich. Doch ich mußte etwas herausfinden, bevor die üblen Streiche wieder einsetzten. Ich konnte nicht wissen, wie sie das nächste Mal aussehen würden. Hatte ich neuerliche Versuche, mir Angst einzujagen, zu erwarten? Oder würden die Anschläge eine noch bedrohlichere Gestalt annehmen? War die Sache mit dem Einspänner wirklich ein Unfall? Oder hatte sich da jemand einen teuflischen Plan ausgedacht? Wenn ja, dann war eines sicher: Wer immer es war, er würde es wieder versuchen.

Clinton wurde beinahe zärtlich zu mir. Er war sehr erbost über das schadhafte Rad und gab den Stallburschen die Schuld. Die fürchteten seinen Zorn und beteuerten inbrünstig ihre Unschuld. Er war häufig bei mir und bestand darauf, mich abends von meinem Sessel zum Bett zu tragen, obgleich ich in der Lage war, mich mit Hilfe meines Stockes im Zimmer zu bewegen.

Clytie kam mich besuchen und brachte Ralph mit. Leila machte ein großes Getue um mich und erging sich in – vielleicht allzu wortreichen – Tiraden über die Unachtsamkeit der Stallburschen.

Ich setzte mich vor den Spiegel, und Leila frisierte mich. Sie erzählte mir, ihre Schwester Anula habe sie gelehrt, wie man eine Dame schön mache. Ich erkundigte mich nach Anulas Befinden.

»Anula ist frohgemut, Missie. Anula sehen die Zukunft, und die ist gut für sie.«

»Das freut sie, nehme ich an.«

»Sie ist sehr zufrieden.«

»Sag ihr, ich gratuliere ihr zu dieser wundervollen Zukunft«, sagte ich.

»Wie meinen Missie?«

»Ich freue mich über ihre gute Zukunft.«

»Das ihr gefallen, Missie. Sie sprechen von Ihnen ... viel.«

»Über meinen Unfall?«

»Sie sagen, das war Bestimmung. Ein Zeichen.«

»Ein Zeichen wofür, Leila?«

»Ich fragen.«

Einmal bildete ich mir ein, wieder einen schwachen Sandelholzduft im Zimmer wahrzunehmen, und als Celia hereinkam, fragte ich sie, ob sie ihn bemerke.

Sie schüttelte den Kopf.

»Er ist ganz schwach, das gebe ich zu. Als sei eine Frau mit diesem Parfüm im Zimmer gewesen und habe ihren Duft zurückgelassen.«

»Es ist ein eigenartiger Duft«, sagte Celia. »Aber jetzt rieche ich nichts.«

Als Leila kam, fragte ich sie, ob sie das Parfüm rieche. Sie schüttelte den Kopf. »Meine Schwester Anula hat es. In ihrem Haus es riechen. Sandelholz hier, Sandelholz überall. Das erinnern mich an sie.«

Als ich allein war, mußte ich ständig an den Duft denken. Ich bildete mir ein, ihn zu riechen, und wenn ich herauszufinden versuchte, wo er herkam, war er weg. Es war ein unbestimmbarer Duft, der ebensogut nur in der Erinnerung vorhanden sein konnte. Ich ermahnte mich, diesen Geruch ja nicht zu einer Wahnvorstellung werden zu lassen.

Während der Siestastunden herrschte Ruhe im Haus. Clinton war meistens abwesend, weil er morgens fortging und nicht vor dem Abend zurückkehrte. Ich lag dann auf meinem Bett und horchte auf die leisen Geräusche im Haus. Ich fuhr plötzlich auf, wenn ein Insekt gegen den Maschendraht prallte. Ich lag gespannt und lauschte. Mir war bange zumute.

Als ich vor meinem Zimmer vorsichtige Schritte vernahm, konnte ich nichts tun als liegenbleiben und warten, daß etwas geschah. Falls jemand in mein Zimmer kam und mich bedrohte, konnte ich mich nicht wehren. Ich war eine Gefangene. Niemand trat ein. Vielleicht hatte ich mir nur eingebildet, die Schritte zu hören; vielleicht hatte ich mir nur eingebildet, den Sandelduft zu riechen.

Während ich so lag, stellte ich mir viele Fragen. Wer hatte versucht, mich als wahnsinnig hinzustellen? Wer wünschte mir Böses? Wer versuchte, mich im Einspänner umzubringen? Die Angst hatte sich wieder ins Zimmer geschlichen, und ich war hilflos ... so hilflos wie noch nie. Wenn Toby mir schreiben würde, wenn er mich fühlen ließe, daß er nicht weit entfernt war, wenn er herkäme ... mit ihm könnte ich sprechen wie mit niemandem sonst.

O ja, mir war bange, vor allem abends, wenn die Sonne plötzlich am Horizont versank. Ich hatte Leila angewiesen, die Lampen anzuzünden, bevor das Tageslicht erlosch.

Einmal vergaß sie es; ich saß im Dunkeln und hatte wirklich Angst. Kein Mondschein war da, nichts, was die Finsternis erhellt hätte ... und dann das plötzliche Aufgehen der Tür, diese sekundenlange Stille, bevor Leila hereinkam.

»O je, sind Sie aber nervös, Missie«, kicherte sie.

Und selbst als sie die Lampen anzündete, wich die Angst nicht von mir. Ich dachte, wenn jemand ins Zimmer käme, um mir etwas anzutun, so wäre ich unfähig davonzulaufen.

Der Abschied von Celia rückte immer näher. Mir graute vor diesem Tag, denn dann war ich ganz allein. Womöglich wartete mein Feind nur auf Celias Abreise.

Celia wollte am nächsten Tag aufbrechen. Alles war gepackt und zur Abfahrt bereit. Ich war sehr betrübt, weil sie fortging, und mehr noch ... ich hatte Angst.

Sie war den ganzen Tag über mit Packen beschäftigt, und manchmal glaubte ich, sie wich mir aus, weil der Gedanke an unsere Trennung sie ebenso traurig machte wie mich und weil es ihrer Persönlichkeit widerstrebte, Gefühle zu zeigen. Leila kam herein, um die Lampen anzuzünden.

»Meine Schwester Anula erkundigen sich nach Ihnen«, sagte sie. »Ich ihr sagen, Sie mögen kein Sandelholz. Sie sagen, sie machen Ihnen Duft, der Ihnen gefällt.«

»Wie nett von ihr.«

»Meine Schwester Anula sehr klug. Sie kann viele Sachen ... Duft, der Frauen geliebt macht ... Wasser, das die Haut schön macht... Trank, der Schlaf bringt ... Und sie sehen die Zukunft.«

»Für wahr, eine sehr vielseitig begabte Dame.«

Ich fühlte mich wohler, wenn die Lampen brannten.

Leila entfernte sich, und fast unmittelbar darauf klopfte es leise. Ich starrte auf die Tür, mein Herz pochte wild.

»Wer ist da?« Meine Stimme klang schrill.

Die Tür ging auf, und Celia kam herein. Das Lächeln auf ihrem Gesicht erstarb, als sie mich ansah. »Fehlt Ihnen etwas?« fragte sie besorgt.

»Nein ... nein. Wieso?«

»Sie sahen irgendwie erschrocken aus.«

»Nein. Kommen Sie, setzen Sie sich, Celia!«

»Wie fühlen Sie sich heute abend?« fragte sie sichtlich beunruhigt.

»Ganz gut, danke.«

»Sie finden es gewiß etwas unerquicklich, so auf Ihr Zimmer verbannt zu sein. Es tut mir leid, daß ich fort muß. Ich wollte, ich hätte meine Passage nicht gebucht. Heute ist unser letzter Abend.«

»Ich werde Sie vermissen, Celia.« Ich schauderte bei dem Gedanken, wie es ohne sie sein würde. Sie war eine so gute Gesellschafterin und hatte es vorzüglich verstanden, mich aufzuheitern. Immer wieder ging es mir im Kopf herum: Und ich bleibe allein. Manchmal wird es spät, bis Clinton heimkommt. Dann werde ich allein im Haus sein, abgesehen von den Dienstboten, die mir allezeit fremd bleiben. Das Haus war für mich zum Gefängnis geworden, weil ich ihm nicht entrinnen konnte. Wie hilflos würde ich sein, wenn Celia fort war!

»Ich werde an Sie denken. Sie müssen mir schreiben, Sarah«, sagte sie. »Ich schicke Ihnen meine Adresse. Ich wollte, ich müßte nicht fort. Es widerstrebt mir, Sie jetzt zu verlassen. Aber bald werden Sie wieder richtig gehen können. Was sagt der Arzt?«

»Er wollte nicht recht mit der Sprache heraus. Aber es wird natürlich besser. Es ist so beschwerlich, wenn man sich nicht richtig bewegen kann.«

»Clytie kommt Sie gewiß oft besuchen, nicht wahr?«

»O ja.«

»Und ich nehme an, sie wird noch öfter kommen, wenn ich fort bin.«

»Das denke ich auch.«

Meine Meinung über Clytie hatte sich ein wenig geändert, seit ich wußte, was mit den Perlen geschehen war. Ich konnte nicht vergessen, wie aufgewühlt sie schien, als sie mich glauben ließ, Ralph sei entführt worden. Clytie war eine gute Schauspielerin. Ein entsetzlicher Gedanke kam mir in den Sinn: Wenn ich stürbe, würden sie und Seth die Plantage bekommen. Ich mußte ständig an Clintons Worte denken: »Clytie würde eine Menge für Seth tun.«

»Sie dürfen an unserem letzten Abend nicht so traurig sein«, sagte Celia. »Bald sind Sie wieder auf den Beinen. Es geht Ihnen ja jetzt besser als vor Ihrer Reise. Damals habe ich mir ernsthaft Sorgen um Sie gemacht. Meine liebe Sarah, Sie brauchen sich nicht zu beunruhigen. Sie haben wirklich Glück gehabt.«

Ihre Augen hatten einen wehmütigen Ausdruck angenommen, und da dachte ich daran, daß ihr Leben doch eigentlich recht traurig und einsam verlaufen war. Sie sprach wenig von ihrer Vergangenheit, doch ich wußte, daß sie ihre Eltern zärtlich geliebt hatte. Wie alt war sie wohl jetzt? Sie mußte Ende Dreißig sein. Sie gehörte zu den Millionen von Frauen, die in der Blüte ihres Lebens von liebevollen Eltern behütet wurden und später einsam zurückblieben.

Ich glaubte, sie wollte mich aufheitern, als sie mich bat, einen letzten Blick auf die Perlen werfen zu dürfen. Ich nahm sie aus ihrer Schatulle, die ich in der oberen Schublade meines Toilettentisches aufbewahrte. Celia nahm die Perlen in die Hände und betrachtete sie versonnen. »Das Geschenk Ihres Gatten«, sagte sie. »Er muß Sie innig lieben. Das ist tröstlich für Sie. Wie edel diese Perlen sind! Eine jede paßt vollkommen zur anderen. Der Verschluß ist ebenso außergewöhnlich wie die Perlen selbst. Was für ein herrlicher Stein, dieser Smaragd! Ich sah Leilas Schwester heute nachmittag im Garten. Ich vermute, sie hat Leila besucht. Sie trug ein hübsches Halsband mit Steinen, die wie Smaragde aussahen. Ich glaube nicht, daß sie echt waren, aber es waren ausgezeichnete Imitationen. Sie ist ein schönes Geschöpf … graziös wie eine Kreatur des Dschungels, finden Sie nicht?«

Das fand ich auch.

»Eine eigenartige Frau. Man hört allerlei Gerüchte über sie.«

»Welche Gerüchte?«

»Ich achte nicht so genau darauf. Leila spricht oft von ihr. Sie soll sehr verführerisch sein. Es heißt, die Männer seien so betört von ihr, daß sie für sie sogar einen Mord begehen würden! Arme Leila, sie ist auch noch stolz darauf, mit einer solchen Sirene verwandt zu sein.«

»Ich glaube, die Familie ist ihr sehr ergeben.«

»Dessen bin ich sicher. Werden Sie die Perlen heute abend tragen?«

»Das hatte ich nicht vor.«

»Ach bitte … es ist mein letzter Abend. Ich sehe Sie so gern damit. Sie scheinen Sie zu verwandeln. Soll ich sie Ihnen zumachen? Der Verschluß ist etwas schwierig zu handhaben, nicht wahr?«

»Ja, das stimmt.«

Sie befestigte die Perlen in meinem Nacken und trat zurück, um sie zu bewundern.

»Sie sind sehr kleidsam. Aber mit einer prächtigen Ballrobe kämen sie erst richtig zur Geltung. Wenn Sie wieder nach England gehen, was Sie gewiß tun werden, und sei es nur für einen Urlaub, so müssen Sie große Bälle geben, um sich mit den Perlen zu zeigen.«

Ich lehnte mich in meinem Sessel zurück. Hin und wieder warf ich einen Blick in den Spiegel und betrachtete die Perlen. Ich spürte, wie sie sich warm an meine Haut schmiegten.

Während wir uns unterhielten, klopfte Leila an die Tür. Nankeen sei unten. Er wolle mich sprechen. Ob ich ihn empfangen wolle? Ich bat, ihn heraufzuführen.

»Soll ich hinausgehen?« fragte Celia.

»Nicht nötig. Ich vermute, er bringt eine Nachricht von Clinton.«

Nankeen kam herein und verbeugte sich mit unterwürfigem Lächeln. »Botschaft von *sahib, mem-sahib*. Er heute abend verhindert. Kommt erst morgen.«

»Danke, Nankeen«, sagte ich.

Als er gegangen war, blickte Celia mich besorgt an.

»Sie wissen doch, seine Geschäfte halten ihn häufig fern«, erklärte ich.

Sie nickte, und ich fragte mich, ob sie jetzt wohl daran dachte, daß Anula an diesem Nachmittag im Garten gewesen war. Warum war sie gekommen? Ob sie Clinton gesehen hatte?

»Ich bin froh, daß Sie heute abend hier sind, Celia«, sagte ich.

»Morgen um diese Zeit bin ich schon fort.«

»Ich werde Sie sehr vermissen.«

»Wollen wir heute abend zusammen in Ihrem Zimmer essen? Dabei könnten wir über alte Zeiten plaudern.«

Ich war einverstanden.

»Zu diesem Anlaß werden Sie die Perlen wohl nicht tragen«, meinte sie. »Kommen Sie, ich nehme sie Ihnen ab.«

Sie legte sie in die Schatulle. Dann ließ sie mich allein und kam später zurück. Wir verbrachten einen angenehmen Abend, abgesehen von der Tatsache, daß ich mich ständig fragte, ob Clinton wohl bei Anula sei, und dessen war ich beinahe sicher. Wenn ich ihn fragte, würde er mir die Wahrheit sagen. In diesem Punkt war er anders als die meisten ungetreuen Ehemänner.

Ich bleibe nicht hier, dachte ich. Wenn Anula wirklich seine Geliebte ist, will ich nicht mehr seine Frau sein. Wenn ich doch nur Nachricht von Toby hätte. Vielleicht sollte ich ihm noch einmal schreiben.

Ich schlief tief in dieser Nacht. Ich hatte mehrere Träume. Einmal träumte ich, jemand sei im Zimmer; eine schemenhafte Gestalt ging zum Toilettentisch, öffnete die Schublade und nahm die Perlen heraus.

Ich war halb wach und glaubte zu hören, wie die Tür geschlossen wurde. Es war nichts … nur ein Traum.

Am Morgen sah ich als erstes in der Schublade nach. Die Schatulle war da. Du sollst dich von den Perlen nicht behexen lassen, ermahnte ich mich.

Es war wirklich unklug, sie so leicht erreichbar aufzubewahren. Wir hätten sie in einem Tresor unterbringen sollen. Das würde allerdings auf ihren Wert hinweisen, und mit Rücksicht auf Clytie durfte doch nicht bekanntwerden, daß es sich in Wirklichkeit um die Ashington-Perlen handelte.

Ich frühstückte im Bett, weil das mit meinem gebrochenen Knöchel bequemer war, und anschließend dachte ich noch einmal über den Traum nach. Ich stieg aus dem Bett und humpelte mit Hilfe meines Stockes zum Toilettentisch. Ich nahm die Schatulle heraus und öffnete sie. Ich starrte sie entgeistert an. Sie war leer.

Ich konnte es nicht fassen. Es war also doch kein Traum gewesen. Jemand war hereingekommen, hatte die Perlen entwendet und die Schatulle zurückgelassen.

Ich war fassungslos. Ich wußte nicht, was ich tun sollte. Ich zog an der Klingelschnur, und Leila erschien. Ich wollte ihr nicht erzählen, was passiert war, und sagte: »Geh zu Miss Hansen und richte ihr aus, ich muß sie sofort sprechen.«

Ein paar Minuten später war Celia bei mir.

Ich sagte: »Ist gut, Leila, danke.« Sie ging ein wenig widerstrebend hinaus. Ich hätte gern gewußt, ob sie an der Tür horchte.

»Was um alles in der Welt ist geschehen?« fragte Celia.

»Die Perlen … sie sind weg.«

»Das kann doch nicht wahr sein!«

»Doch. Ich habe eben die Schatulle aufgemacht. Sie sind nicht darin.« Celia sah mich ungläubig an. Sie ging zu der Schublade, öffnete den Schmuckkasten und starrte auf den mitternachtsblauen Samt.

»Wo …?« stammelte sie. »Was …?«

»Jemand ist in der Nacht hereingekommen und hat sie gestohlen.«

»Haben Sie jemanden gesehen?«

»Nun ja … es war wie ein Traum. Ich war im Halbschlaf. Ich glaubte, jemand wäre hereingekommen. Dann dachte ich, ich hätte es geträumt. Ich träume viel in letzter Zeit. Ich träume oft von den Perlen. Celia, was soll ich tun? Ich muß wohl Alarm schlagen.«

»Warten Sie«, sagte sie. »Lassen Sie uns überlegen, was am besten zu tun ist. Wir müssen Ruhe bewahren, Sarah.«

»Diese Perlen … sie sind unschätzbar.«

Celia dachte nach. Sie blickte mich eindringlich an. »Wer hätte in der Nacht hereinkommen können?« fragte sie.

»Ich weiß es nicht.«

»Niemand könnte unentdeckt eindringen. Die Dienstboten bemerken es doch, wenn ins Haus eingebrochen wird. Es muß jemand gewesen sein, der einen Schlüssel hatte.«

»Clinton?« flüsterte ich.

»Ist er hereingekommen?«

»Ich habe ihn nicht gesehen. Ich hatte diesen Traum … im Halbschlaf.«

»Sie hatten in letzter Zeit eine Menge Träume.« Sie runzelte die Stirn. »Sie dürfen es mir nicht übelnehmen, aber ich muß es Ihnen sagen, Sarah …«

»Nur zu.«

»Sie haben sich vor einiger Zeit … ein bißchen seltsam benommen.«

»Ich kann alles erklären. Jemand hat mit üble Streiche gespielt. Ich habe Beweise.«

Sie schwieg eine Weile und biß sich nachdenklich auf die Lippen. »Schauen Sie«, meinte sie schließlich, »Ihnen war nicht wohl. Sie hatten kürzlich einen schlimmen Unfall, der böse hätte enden können. Sie haben von diesen Perlen geträumt.«

»Ja, ich weiß, aber …«

»Die Leute haben einiges mitbekommen, Sarah.«

»Die Leute?«

»Leila zum Beispiel. Die Dienerschaft. Sarah, Sie schienen so nervös, so überreizt.«

»Ich weiß. Jemand versuchte zu beweisen, daß ich wahnsinnig sei.«

»Hören Sie zu. Ich kann mich irren, aber ich möchte Sie beschützen. Verstehen Sie? Es war mir zuwider, wenn die Leute solche Andeutungen über Sie machten. Ich habe es nicht einen Augenblick geglaubt. Ich wußte, daß es eine Erklärung geben mußte. Leilas Beziehung zu dieser Anula behagt mir nicht. Das Ganze gefällt mir nicht. Wir müssen uns wehren.«

»Was wollen Sie damit sagen, Celia?«

»Ich meine das so: Sie waren gereizt. Dieser niederträchtige Versuch, Sie nervös zu machen … dann der Unfall. Und diese Träume. Ich könnte mir vorstellen, daß Sie schlafgewandelt sind.«

»Schlafgewandelt! Ich kann doch kaum gehen.«

»Sie können sich mit Ihrem Stock im Zimmer bewegen. Vielleicht irre ich mich, Sarah, aber lassen Sie uns ganz sichergehen. Wir wollen denen doch keinen neuen Grund für ihre Behauptungen geben.«

»Was schlagen Sie vor?«

»Daß wir dieses Zimmer gründlich durchsuchen. Möglicherweise waren Sie es selbst, die im Traum die Perlen geholt hat … im Schlaf. Sie könnten sie aus der Schatulle genommen und irgendwohin gelegt haben.«

»Nein, Celia. *Nein!*«

»Ich weiß, es klingt lächerlich, aber haben Sie Nachsicht mit mir. Ich denke nur an Sie. Ich bitte Sie, bevor Sie irgend jemandem erzählen, daß Sie die Perlen vermissen, lassen Sie mich das Zimmer durchsuchen. Kommen Sie, setzen Sie sich in Ihren Sessel. Ich nehme mir jeden Winkel vor, jedes mögliche Versteck. *Bitte,* Sarah, ja?«

»Ach, Celia, ich bin so froh, daß Sie hier sind. Was fange ich nur an, wenn Sie fortfahren?«

»Sie waren so gut zu mir. Setzen Sie sich hin.«

»Ich helfe suchen.«

»Nein, es tut Ihrem Knöchel nicht gut, wenn Sie sich zuviel bewegen. Überlassen Sie das mir!«

Sie durchsuchte das ganze Zimmer, öffnete Schubladen, spähte unters Bett, machte den Schrank auf und durchwühlte meine Kleider. Sie blieb mitten im Zimmer stehen und blickte ratlos um sich.

»Es hat keinen Zweck, Celia«, sagte ich. »Jemand hat sie gestohlen.«

»Gibt es noch eine Stelle, an der ich nicht nachgeschaut habe?« fragte sie mit zusammengezogenen Augenbrauen.

Plötzlich schritt sie auf das Bett zu und hob mein Kopfkissen. Mit einem triumphierenden Aufschrei hielt sie die Perlen in die Höhe.

Ich konnte es nicht glauben. »Also muß ich sie selbst herausgenommen haben!«

»Sie spuken Ihnen im Kopf herum. Ich finde, Sie sollten Clinton vorschlagen, sie an einem sicheren Ort aufzubewahren. Lassen Sie es gut sein. Grämen Sie sich nicht länger. So etwas kann jedem einmal passieren.«

»Tun Sie die Dinger in die Schatulle, Celia. Ich will sie nicht sehen.«

Sie tat wie gebeten und legte die Schatulle in die Schublade. »Sie sollten zumindest einen Schlüssel haben, um die Schublade abzuschließen«, meinte sie.

»Ich werde mir einen besorgen.«

Sie küßte mich sanft auf die Stirn. »Bis nachher«, sagte sie.

Celia verbrachte den Morgen mit mir, und wir redeten über alles mögliche, nur nicht über die bevorstehende Trennung. Ich war sehr verzagt. Celias Gepäck war bereits in Colombo und wartete auf die Ankunft der »Lankarta« aus Bombay, die am Abend dort eintreffen würde.

Clinton kam im Laufe des Vormittags vorbei. Er sagte, er sei durch ein paar Unannehmlichkeiten auf der Plantage aufgehalten worden und habe lange im Büro gearbeitet. Da er wußte, daß er erst spät nach Mitternacht fertig würde, habe er beschlossen, in dem Zimmer zu übernachten, das er dort für solche Zwecke für sich oder einen der Verwalter hatte einrichten lassen.

»Es ist unbequem«, erklärte er. »Ich habe mich heute morgen beim Rasieren geschnitten. Der Spiegel hängt am falschen Platz, und es war ziemlich dunkel.« Er zeigte auf eine tiefe Schnittwunde am Mundwinkel. »Hab' geblutet wie ein Schwein«, fügte er hinzu.

»Es tut hoffentlich nicht weh.«

Er schüttelte den Kopf. »Aber es wird ein bis zwei Tage dauern, bis es ganz verheilt. Du hast mir gefehlt, Sarah. Heute abend bin ich bei dir. Wir wollen es uns besonders schön machen, ja? Wir sind allein. Um welche Zeit reist Celia ab?«

»Der Zug nach Colombo fährt kurz nach sechs von Manganiya ab. Die Kutsche bringt sie hin.«

»Dann will ich mich lieber schon jetzt von ihr verabschieden – falls ich nicht rechtzeitig zurück bin.«

Er schien gut gelaunt, und ich hatte nicht den Eindruck, daß er über Nacht bei Anula gewesen war.

Celia nahm den Lunch mit mir in meinem Zimmer ein. Unsere letzte gemeinsame Mahlzeit. Ich ließ beim Essen meine Gabel fallen, und Celia hob sie auf. Als sie sich aufrichtete, fragte sie: »Was haben Sie da am Nacken? Es sieht so aus, als hätten Sie sich gekratzt.«

Ich hob meine Hand. »Ich fühle nichts.«

»Es ist ein winziger Kratzer. Komisch … Sie müssen auf den Perlen gelegen haben. Mir ist an dem Verschluß eine ziemlich scharfe Kante aufgefallen.«

411

»Kann schon sein«, sagte ich.

»Ich gebe nachher etwas Jod darauf. Erinnern Sie mich daran!«

»Das ist doch nicht nötig.«

»Man kann nie wissen. Es ist hier nicht wie zu Hause. Ich habe mich einmal gekratzt, und irgendein giftiges Insekt witterte Blut und machte sich an der Wunde zu schaffen. Es hat geeitert und sah eine Zeitlang ziemlich übel aus. Ich bringe Ihnen nachher das Jod. Nur zur Sicherheit.«

Wir plauderten, und ich dachte nicht mehr an den Kratzer. Celia aber vergaß ihn nicht und kam später mit einer kleinen Flasche Jod zu mir. »Es brennt vielleicht ein bißchen«, meinte sie.

Ich bekam es zu spüren, als sie hinter mich trat und die Stelle mit einem Wattebausch betupfte, den sie vorsorglich mitgebracht hatte.

»So«, sagte sie, »das dürfte gut heilen. Es ist kaum zu sehen, aber man kann nicht vorsichtig genug sein.«

Sie schraubte die Flasche zu und verstaute sie in ihrer Rocktasche. Im Laufe des Tages spürte ich noch ab und zu ein leichtes Brennen, aber ich dachte mir nichts dabei und vergaß den Kratzer schließlich.

Der Nachmittag war sehr heiß. Bald würde der Regen einsetzen. Wir rechneten jeden Tag damit. Die Sträucher brauchten ihn, und wir ebenfalls. Er würde die Luft kühlen und uns von den vielen Insekten befreien, die uns zu dieser Jahreszeit besonders plagten.

Der Gedanke an Celias Abreise betrübte mich mehr und mehr. Wie einsam würde ich mich ohne sie fühlen!

Um fünf Uhr kam sie herein, in Reisekleidung und mit tieftrauriger Miene. »Es widerstrebt mir, Sie zu verlassen«, sagte sie.

»Wann kommt Clinton nach Hause?«

»Bald. Aber er rechnete damit, daß Sie schon fort sein könnten, bevor er hier ist.«

»Ich weiß. Er hat mir Lebewohl gesagt. Ach Sarah, wenn ich doch noch etwas bleiben könnte ... bis Sie wieder richtig auf den

Beinen sind. Oh, ich sehe, Sie haben sich für Clinton hübsch gemacht.«

Ich trug mein blaues Buchara-Seidenkleid; ich hatte mich zeitig umgezogen, weil ich wußte, daß Celia zum Verabschieden kam und ich ihr meine ganze Aufmerksamkeit widmen wollte.

»Wie geht's Ihrem Hals?« erkundigte sie sich.

»Danke, gut. Ich habe gar nicht mehr daran gedacht.«

Sie trat hinter mich, hob mein Haar an und begutachtete die Stelle. »Ich glaube, Sie werden's überleben«, sagte sie munter und fügte hinzu: »Darf ich einen letzten Blick auf die Perlen werfen? Sie sollten sie zu diesem Kleid tragen. Ich mache Ihnen den Verschluß zu. Darf ich?«

Ich mußte lachen. »Ich glaube, es macht Ihnen Spaß, die Perlen anzufassen.«

»Wem würde das nicht Spaß machen?«

Sie nahm sie behutsam aus der Schatulle und legte sie mir um den Hals. Ich setzte mich vor den Spiegel und blickte von den Perlen zu Celia. Sie betrachtete sie, als sähe sie einen Liebhaber an.

»Welch ein Glück, einen Gatten zu haben, der einen mit solchen Geschenken verwöhnt!« sagte sie.

Ich erwiderte nichts.

Mit ihren geschickten Fingern machte sie den Verschluß zu, und ich fuhr zusammen, weil sie die wunde Stelle berührt hatte.

»Warten Sie«, sagte sie. »Ich rücke den Verschluß etwas zur Seite, damit er nicht auf die Wunde drückt. Man muß die Stelle ja nicht unnötig reizen.«

»Blutet es?« wollte ich wissen.

»Nein … nicht richtig. So. Jetzt spüren Sie nichts mehr, nicht wahr?« Ich schüttelte den Kopf.

»Die Perlen sehen herrlich aus.« Sie küßte mich feierlich auf die Stirn. »So möchte ich Sie in Erinnerung behalten, mit den Perlen. Sie sehen so wunderschön an Ihnen aus, Sarah.«

Sie hielt inne und lauschte. »Ich glaube, ich höre die Kutsche vor dem Eingang. Ich muß gehen.«

»Haben Sie alles?«

»Ich habe nur wenig Handgepäck. Alles andere ist ja schon weg und dürfte bereits an Bord sein. *Au revoir,* Sarah. Ich werde nie vergessen, was Sie für mich getan haben.«

Ich war tieftraurig. Ich hatte mich so an ihre Gegenwart gewöhnt. Ich fragte mich wieder und wieder, was ich ohne sie anfangen würde.

Sie ging rasch zur Tür. Dort blieb sie einen Augenblick stehen und sah mich an. Sie hatte Tränen in den Augen. Dann war sie fort.

Ich lehnte mich in meinem Sessel zurück und lauschte auf das Rattern der Kutschenräder.

Plötzlich ging etwas Sonderbares mit mir vor. Ich mußte ungefähr zehn Minuten in meinem Sessel gesessen haben, ehe ich die Veränderung gewahr wurde, die von mir Besitz ergriff. Die Perlen lagen schwer um meinen Hals. Mir war, als kröchen sie näher und näher; sie wurden enger und enger. Sie erstickten mich. Das war noch nicht alles. Das Zimmer wurde verschwommen. Etwas sehr Merkwürdiges geschah mit mir.

Ich versuchte aufzustehen. Das Zimmer schwankte. Ich packte den Stuhl und klammerte mich an ihn.

In diesem Augenblick kam Clinton herein.

»Sarah!« Es klang, als ob er flüsterte. »Was ist passiert? Sarah … *Sarah!*«

Er fing mich auf, als ich umkippte. Ich hörte mich sagen: »Die Perlen … sie erwürgen mich.«

Ich fiel in den Sessel, und Clinton beugte sich über mich.

»O mein Gott«, rief er. »O mein Gott, *nein!*«

Die Perlen lagen in meinem Schoß. Clinton war an der Tür. Ich hörte seine Stimme: »Schnell! Schnell … holt den Arzt! Sofort! Hört ihr mich? Auf der Stelle!«

Dann war er wieder bei mir. Er hielt die Schale, in der ich meine

Haarklammern aufbewahrte, in der Hand, und seine Lippen lagen auf meinem Hals. Ich war zu schwach und zu matt, um zu merken, was er tat. Ich wurde ohnmächtig.

Als ich wieder zu mir kam, hörte ich Stimmen. Ich sah Clinton. Er lag auf dem Boden. Er sieht so groß aus, dachte ich unsinnigerweise. Er ist viel größer, als ich annahm. Sein Gesicht war weiß, und er sah so eigenartig aus.

Ich hörte die Stimme des Arztes. »Schafft Mrs. Shaw sofort ins Bett.« Man trug mich zu Bett. Ich war noch immer nur halb bei Bewußtsein. Ein neuer Alptraum, dachte ich. Bald werde ich erwachen.

Jemand saß an meinem Bett: Clytie. Sie hielt meine Hand.

»Sarah«, murmelte sie, als sie sah, daß ich die Augen aufschlug. »Es wird alles gut, Sarah. Der Arzt ist rechtzeitig gekommen.«

Ich öffnete die Augen vollends. Mein Kopf dröhnte.

»Ich habe keine Ahnung«, murmelte ich, »was passiert ist.«

»Laß nur, du mußt schlafen.«

»Ich will es wissen …« Meine Stimme verlor sich, und ich versank sogleich in Schlaf. Ich befand mich in einer fremdartigen Welt. Ich war auf dem Meeresboden, und der Haibeschwörer sang sein düsteres Klagelied. Der ganze Meeresboden war mit Perlen übersät. Sie scharten sich um mich, sie bedeckten mich und hielten mich fest. Ich wehrte mich.

Ich hörte Clyties Stimme von weit her. »Ist ja gut. Ist ja gut.«

Ich glaube, sie verbrachte die ganze Nacht an meinem Bett. Es dämmerte, als ich die Augen wieder öffnete.

»Clytie, bist du noch da?«

»Ja, Sarah. Ich bin bei dir.«

»Wo bin ich … Was ist geschehen?«

»Du bist in deinem Bett. Jetzt ist alles gut.«

»Was war denn mit mir?«

»Du bist vergiftet worden. Du hattest einen Kratzer im Nacken, und aus dem Verschluß des Halsbandes ist Gift in deinen Körper gedrungen.«

415

»Das Halsband!« sagte ich.

»Dieses verfluchte Halsband«, ergänzte Clytie.

»Gift … nach all den Jahren.«

»Nicht nach all den Jahren.«

»Wer wollte mich vergiften?«

»Das wissen wir nicht.«

»Clinton …«, murmelte ich.

»Clinton ist in einem anderen Zimmer. Wenn er nicht gekommen wäre …«

»Was hat Clinton damit zu tun?«

»Er hat dir das Leben gerettet, sagt der Arzt. Er kannte das Gift. Er hat es gerochen und wußte sofort, was mit dir los war. Er hat es aus deiner Wunde gesaugt, Sarah. Er konnte nicht warten, bis der Arzt kam. Dann wäre es zu spät gewesen. Bis dahin wäre es in deinen Blutkreislauf gedrungen. Es ist ein tödliches Gift … tödlich wie das Gift der Kobra. Clinton kam gottlob rechtzeitig. Er versteht eine Menge von Giften; auch von den hiesigen. Er erkannte den Geruch und wußte, daß er sofort handeln mußte. Er bediente sich der primitiven Methode, die hier im Dschungel gang und gäbe ist: nämlich das Gift auszusaugen und auszuspukken. Damit hat er dir das Leben gerettet.«

Clinton … rettete mir das Leben! Und ich hatte einmal gedacht, daß er sich meiner entledigen wollte, daß er mit Anula unter einer Decke steckte. Anula! Die hatte das Gift in den Verschluß getan. Und Leila war ihr dabei behilflich.

»Da ist noch etwas, Sarah«, fuhr Clytie fort. »Clinton geht es schlecht … sehr schlecht.«

»Was sagt du da?«

»Er hatte eine offene Wunde im Gesicht. Er hat sich beim Rasieren geschnitten. Als er das Gift aussaugte, drang etwas davon in diese Wunde und vermischte sich mit seinem Blut.«

»Es geht ihm schlecht, weil er mich gerettet hat.«

»Ja. Es ist immer sehr gefährlich, Gift aus einer Wunde zu

416

saugen. Man riskiert sein Leben dabei. So etwas tun nur ganz mutige Menschen.«

»Ich muß zu ihm.«

»Noch nicht. Er ist bewußtlos. Der Arzt ist bei ihm. Wir haben noch einen zweiten kommen lassen.«

»Dann ist er also ernstlich krank?«

»Er ist aber auch sehr widerstandsfähig.«

»Clinton!« Ich wiederholte seinen Namen. Es war kaum vorstellbar. Clinton, der sich für mich opferte. Clinton, ernstlich krank, weil er das getan hatte …

»Noch etwas«, sagte Clytie. »Ein Freund von dir ist aus Indien gekommen. Er traf gestern abend auf der ›Lankarta‹ aus Bombay ein. Er wollte dich heute morgen besuchen, doch ich sagte, du seist zu krank, um ihn zu empfangen. Er wollte nicht weggehen. Er bestand darauf, hier zu warten. Er war so beharrlich und so besorgt um dich. Er habe dir etwas von größter Wichtigkeit mitzuteilen, sagte er. Als er von deinem Unfall erfuhr, wurde er nur noch hartnäckiger.«

»Hat er seinen Namen genannt?«

»Ja. Tobias Mander.«

»Toby! Oh, ich muß ihn sehen. Ich muß ihn auf der Stelle sehen.«

Es tat gut, ihn wiederzusehen. Er hatte sich verändert, war älter, sonnengebräunt, aber dennoch derselbe Toby mit seinen gütigen, humorvollen Augen.

»Sarah!« rief er. Er trat zu mir und ergriff meine Hände. Er beugte sich herab, und ich schlang meine Arme um seinen Hals.

»Ach Toby«, schluchzte ich. »Ich hatte solche Angst. Du hast meine Briefe nicht beantwortet.«

Abermals ergriff er meine Hände. Er sah mir in die Augen. »Sarah, das alles ist schrecklich. Sobald ich davon erfahren hatte, fuhr ich nach Ceylon. Du warst in Gefahr … in entsetzlicher Gefahr. Hast du meine Erklärung nicht gelesen, die ich dir in meinem Brief ausführlich dargelegt habe?«

»Brief, Toby? Ich habe mich nach einem Brief von dir gesehnt. Du hast meinen nicht beantwortet.«

Er machte ein bestürztes Gesicht. »Ich habe dir zweimal geschrieben und dir von meinem Verdacht erzählt.«

»Verdacht? Was für ein Verdacht?«

»Hör zu! Ich habe ihn Neu-Delhi die Bonningtons getroffen ... ganz zufällig in einem Geschäft. Du kennst die Bonningtons. Er war damals Hilfsgeistlicher in Epleigh und hat dann Effie Cannon geheiratet, erinnerst du dich?«

»Richtig.«

»Ich war ihnen nur kurz beim Begräbnis deines Vaters begegnet, aber wir erkannten uns wieder. Mrs. Bonnington erzählte mir, daß ihr Mann Missionar geworden sei und daß sie auf ihrem Weg nach ... ich weiß nicht mehr ... nur ein paar Tage in Neu-Delhi blieben. Sie meinte, unsere Begegnung sei doch sehr merkwürdig, denn tags zuvor hatten sie noch jemanden getroffen, den sie aus Epleigh kannten. Celia Hansen, die mit ihrer Cousine auf Reisen war, wohnte ihm gleichen Hotel wie die Bonningtons, im Shalimar. Die Bonningtons waren nur für eine Nacht dort abgestiegen und dann zu Freunden gezogen, und sie fanden es sehr nett, Celia wiederzusehen.«

»Celia hat nie erwähnt, daß sie die Bonningtons getroffen hat. Komisch, denn wir haben uns so oft über die Zeit auf Ashington Grange unterhalten.«

»Das ist schon sehr merkwürdig. Ich wollte unbedingt mit jemandem über dich sprechen, deshalb beschloß ich, Miss Hansen im Shalimar aufzusuchen. Zu meinem Erstaunen sagte man mir, im Hotel wohne keine Celia Hansen, und sie sei auch nie dort abgestiegen. Das machte mich stutzig. Ich meinte, da müsse ein Irrtum vorliegen. Ich forschte ein wenig nach. Eine Dame aus England mit einer Cousine, ebenfalls Engländerin? Schließlich erfuhr ich, daß zwei englische Damen im Shalimar gewohnt hatten. Sie waren tags zuvor abgereist: Eine Miss Jessica und eine Miss Cecilia Herringford.«

»Herringford?«

»Vor langer Zeit war ich einmal mit meinem Vater im Landhaus von Everard Herringford zu Gast. Ich war damals etwa dreizehn. Es ging um ein Projekt, zu welchem mein Vater die Unterstützung der Regierung benötigte. Wir verbrachten das Wochenende dort. Ich erinnere mich an eine Tochter, Cecilia. Sarah, die Frau, die als Celia Hansen nach Ashington Grange kam, die Frau, die hierher kam, war in Wirklichkeit Cecilia Herringford. Ich dachte noch, komisch, daß die als Gouvernante zu euch gekommen ist, aber jetzt war sie weg, und damit schien die Sache erledigt. Dann schriebst du mir von den merkwürdigen Vorgängen, und daß Celia Hansen bei dir zu Besuch ist. Da wurde ich unruhig. In der Familie ihrer Mutter hat es Wahnsinnige gegeben, und ich dachte, das könnte sich auf die Tochter vererbt haben. Sie war zu dir gekommen. Seltsame Dinge ereigneten sich. Ich schrieb dir deshalb sofort, was ich in Neu-Delhi entdeckt hatte: daß deine Celia Hansen und Cecilia Herringford ein und dieselbe Person sind.«

»Aber ich habe den Brief nie bekommen.«

»Glaubst du, sie hat ihn abgefangen? Sie wußte doch sicher, daß du mir geschrieben hattest.«

»Sie hatte aber keine Ahnung von deiner Begegnung in Neu-Delhi.« Ich schüttelte den Kopf. »Ich kann's nicht glauben, Toby. Selbst wenn sie Everard Herringfords Tochter ist – warum sollte sie herkommen und mich töten wollen? Was habe ich ihr getan? Ich glaube zu wissen, wer dahintersteckt. Clinton hat hier eine Geliebte. Sie versteht sich auf die Zubereitung von Düften, Zaubertränken und, dessen bin ich sicher, Giften. Ihre Schwester arbeitet bei uns und würde alles tun, was diese Anula von ihr verlangt. Aber es ist gut, daß du da bist, Toby. Und du bist eigens den weiten Weg vom Festland herüber gekommen.«

»Ich hatte es im Gefühl, daß ich kommen mußte. Ich bin einmal zu spät gekommen. Das sollte mir nicht ein zweites Mal passieren.«

»Ich bin froh, daß du hier bist.«

»Du solltest doch wissen«, sagte er, »daß ich vom anderen Ende der Welt kommen würde, wenn du mich brauchst.«

Clinton war sehr krank. Ich trat an sein Bett. Er sah so fremd aus. Seine Augen waren glasig, seine Haut hatte eine blaßgelbe Farbe, sein blondes Haar war leblos. Er schenkte mir dieses verwegene Lächeln, das ich so gut kannte und über das ich nun hätte weinen mögen.

»Hallo Sarah«, sagte er. »Es ist aus mit mir. Wer hätte das gedacht?«

»Hör zu«, rief ich entschlossen, »du schaffst es. Du wirst wieder gesund.«

Er schüttelte den Kopf. »Es hat mich erwischt, Sarah. Ich kenne dieses Gift. Die alten Könige haben es benutzt, um ihre Feinde auszulöschen. Er hat einen eigenartigen Geruch, den man nur wahrnimmt, wenn man ihn ganz genau kennt. Das Gift wird aus Pflanzen, die im Dschungel wachsen, gewonnen. Es gibt kaum Hoffnung, wenn man es erst einmal im Blut hat. Man kann vielleicht mit Gegengiften das Ende um ein bis zwei Tage hinauszögern … aber es bringt einen um.«

»Du hast das gewußt … und dennoch hast du …«

»Ich dachte, ich würde es überleben. Das hätte ich auch, wenn dieser Schnitt nicht gewesen wäre. Den hatte ich vergessen. Purer Zufall, Sarah. Hätte ich mich nicht beim Rasieren geschnitten … Aber so ist das Leben. Das ist die Abrechnung. Punktum. Schicksal nennt man das. Wäre ich nicht über Nacht weggewesen … Nun, ich habe zu lange meinen Willen gehabt. Das ist Anulas Werk. Sie wollte dich partout loswerden. Oh, ich hätte dich nie glücklich machen können. Ich bin kein Mann für eine einzige Frau. Ich hätte mich nie geändert, und das hättest du nicht ertragen. Du bist zu klug – denk nur an das Testament, das du gemacht hast. Das hat mich erschüttert, das darfst du mir

420

glauben. Sie wäre vergangen ... unsere glühende Leidenschaft. Das ist etwas für die Jugend ... und Jugend hält nicht ewig. Ich höre, er ist da. Der gute alte Toby. Heirate ihn, Sarah! Er ist der Richtige für dich. Und du gehörst nicht hierher. Du mußt wieder nach Hause. Ich sehe es vor mir ... gemütliches Heim, angenehmes Leben ... Kinder ... der Sohn, dessen Frau später stolz die Ashington-Perlen tragen wird. Ich habe sie dir geschenkt. Sie sind dein, Sarah. Du bist die Ashington, der sie zustehen.«

»Du kannst doch nicht einfach aufgeben, Clinton. Wie ich dich kenne, kämpfst du doch weiter.«

»Ich bin ein Mensch, der den Tatsachen ins Gesicht blickt. In zwei Tagen werde ich tot sein. Sie können das Gift nicht aus mir herausholen. Sie verlangsamen den Prozeß nur, mehr nicht.«

»Clinton, hör mir zu! Du hast dir immer ein Kind gewünscht, nicht wahr? Ich glaube, daß ich eins bekomme.«

Ein freudiges Lächeln verklärte seine Züge. »Dann hast du jemanden, der dich an mich erinnert.«

»Mich braucht niemand an dich zu erinnern, auch wenn du nicht da wärst. Aber du wirst da sein.«

»Es ist aus mit mir, Sarah. Ich will mir nichts vormachen. Ich hatte ein feines Leben. Ich habe gemacht, was ich wollte. Ich habe mir genommen, was ich wollte. Du wirst bestimmt glücklicher, so wie's jetzt gekommen ist. Ich bin froh, daß er da ist. Eigens vom Festland herüber, den weiten Weg, wie ich höre. Nun, der Vorhang fällt. Sarah, verzeih ...«

»Es gibt nichts zu verzeihen, Clinton.«

»Keine Phrasen, Sarah. Es gibt so vieles zu verzeihen. Ich habe dich verführt, damit du mich heiratetest. Ich wäre nie ein guter und treuer Ehemann geworden. Ich bin von Natur aus polygam, ein Dschungeltier. Ich habe mir genommen, was ich wollte und wann ich es wollte ... und früher oder später rechnet das Leben mit uns ab.«

421

»Aber du hast etwas Großartiges für mich getan. Wenn du stirbst, bist du für mich gestorben.«

Ein Schatten des vertrauten Schmunzelns huschte über sein Gesicht. »Nicht aus Seelengröße«, sagte er. »Ich wollte unsere Haßliebe, unsere Kämpfe nicht entbehren.«

Ich saß an seinem Bett und dachte über unser gemeinsames Leben nach. Ich dachte auch an Anula. Jetzt hatte sie ihn verloren.

Er lag in seinem Sarg in dem Zimmer neben unserem Schlafgemach. Ich konnte nicht glauben, daß er – mein vitaler, männlicher Gegner und Geliebter – tot war. Ich betrauerte ihn zutiefst, obgleich ich wußte, daß es stimmte, was er gesagt hatte. Das ideale Glück hätte ich bei ihm nie finden können. War ich denn jemals wirklich glücklich mit ihm gewesen?

Ich brauchte Liebe. Mein Leben lang hatte ich mich nach Liebe gesehnt. Ich wollte Zärtlichkeit; ich wollte ein starkes Fundament, um ein Familienleben darauf aufzubauen. Und ich sehnte mich nach den grünen Gefilden der Heimat, nach einer milden Sonne, die wärmte, ohne zu dörren, nach einem sanften Regen, der unerwartet herabfiel. Ich wollte Felder voller Butterblumen und Gänseblümchen und gelbem Schöllkraut. Doch am allermeisten wünschte ich mir einen Gefährten, auf den ich mich verlassen konnte, der immer da war, um mich zu lieben und zu umsorgen. Ich wußte genau, was ich wollte. Und doch trauerte ich tief um Clinton.

Morgen würde man ihn begraben, denn Beerdigungen mußten in diesem Land rasch geschehen. Das Zimmer würde leer sein, der Sarg fort, der stolze Clinton für immer verloren.

Die Dunkelheit war hereingebrochen, während ich am Sarg stand, und auf einmal drehte sich der Türknauf – leise, behutsam. Die Tür ging auf, und ich spürte, wie sich die Haare an meinem Hinterkopf sträubten. Die Stille hatte etwas seltsam

Unheimliches. Ich wußte nicht, was mich erwartete. Dann dachte ich: Es ist Anula, die seine Leiche holen kommt.

Ich wich vom Sarg zurück. Jemand war ins Zimmer getreten. Eine vermummte Gestalt, unkenntlich in der Düsternis. Ich trat wieder an den Sarg. Die Gestalt warf die Kapuze nach hinten.

»Celia!« flüsterte ich.

Sie antwortete nicht, sondern stand ganz still und blickte ein paar Sekunden lang auf Clintons Gesicht hinab. Dann sagte sie ruhig: »*Er* ist also gestorben.«

»Ich denke, Sie sind auf dem Schiff. Wie sind Sie ins Haus gekommen?«

Diese Frage war gewiß nicht von Belang, aber es war das erste, was mir einfiel.

»Ich habe den Hausschlüssel behalten. Ich konnte nicht abreisen. Ich mußte wissen, wie es ausgeht.«

»Was soll das bedeuten, Celia?«

»Es bedeutet, daß Sie nicht tot sind. Aber jetzt werden Sie sterben.« Ich bewegte mich auf die Tür zu, aber Celia war vor mir dort. Ich sah einen Revolver in ihrer Hand, mit dem sie auf mich zielte.

»Celia, sind Sie verrückt geworden?«

»Man sagt, ich arte meiner Mutter nach. Er hat sie in den Wahnsinn getrieben ... Durch ihn ist es schlimmer geworden ... durch ihn und Ihre Mutter. Die haben sie umgebracht.«

»Celia, ich weiß, wer Sie sind. Sie sind Everard Herringfords Tochter.«

»Ja«, sagte sie. »Das hat Ihr Freund herausgefunden, nicht wahr? Ich hab's in dem Brief gelesen, den er Ihnen geschickt hat. Mein Vater hat sich wegen Ihrer Mutter erschossen. Deswegen mußte sie sterben. Dafür habe ich gesorgt. Es war sehr einfältig von Ihnen, anzunehmen, Ihre rechtschaffene alte Tante Martha könne einen Mord begehen.«

»Sie haben mich hinters Licht geführt, Celia. Dabei waren Sie immer so gütig.«

Sie nickte. »Ich bin gütig. Wir sind zwei: Celia Hansen ist gütig und sanft, sie liebt die Menschen und will ihnen helfen. Cecilia Herringford ist anders. Als ihre Eltern tot waren, wollte sie Rache. Diese zwei Menschen waren ihr ein und alles, und sie schwor sich, ihren Tod zu rächen. Es gibt ein Gedicht, das Ihnen so gut gefiel. Erinnern Sie sich …« Sie fing an zu rezitieren, und ihre Stimme klang hohl in diesem Totenzimmer. Es war eine eigenartige, makabre Szene.

> O Weibes Liebe! Seligkeit und Pein!
> Du schöner, aber unheilschwangrer Schatz!
> Sie setzt auf einen Wurf ihr Alles ein,
> Und, wenn der fehlschlägt, gibt es nie Ersatz:
> Dann beut die Welt ihr nichts als leeren Schein,
> Und ihre Rach' ist wie des Tigers Satz,
> Schnell, tödlich und zermalmend …

Sie schwieg einen Augenblick, dann brach es aus ihr hervor: »Der Dichter spricht von der Liebe einer Frau zu einem Mann. Die Liebe einer Tochter zu ihren Eltern kann ebenso groß sein. Sehen Sie, Sarah, ich hatte nie einen Geliebten; dennoch weiß ich, was Liebe ist. Meine Eltern waren mein ein und alles. Ich war so stolz auf meinen Vater. Er war ein sehr bedeutender Mann. Aus aller Welt kamen die Leute, um sich bei ihm Rat zu holen. Er wäre eines Tages Premierminister geworden. Wenn meine Mutter krank gewesen wäre, dann wäre ich die Gastgeberin gewesen. Er sprach oft mit mir darüber. ›Wir werden in der Downing Street Nummer zehn wohnen, du und ich, Cecilia‹, pflegte er zu sagen. Dann ließ er sich mit einer Schauspielerin ein – mit Ihrer Mutter. Ich fand es heraus. Einmal habe ich das Haus beobachtet.«

»Ich habe Sie gesehen«, sagte ich. »Ich wünschte … ich wünschte, ich hätte es gewußt. Ich wünschte, ich hätte mit Ihnen darüber reden können.«

Sie schüttelte den Kopf. »Meine Mutter war immer etwas seltsam, aber dies war zuviel für sie. Dann erschoß sich mein Vater, und sie wurde vollends wahnsinnig. Ich wußte, was sie dahin getrieben hatte. Sie brachte sich um ... und ich war allein. Ich habe sie beide verloren. Es gab nur eines, das mich am Leben hielt: der Wunsch nach Rache. Vendetta. Dieser Plan belebte mich.«

»O Celia, ich kann Ihren Schmerz verstehen. Sie haben schon meine Mutter getötet. Aber mich trifft keine Schuld. Ich war nicht beteiligt.«

»Die Sünden der Väter werden den Kindern vergolten«, sagte sie.

»Das ist ungerecht. Ich dachte, Sie haben mich gern. Sie machten immer den Eindruck, als würden Sie mich mögen.«

»Ein Teil von mir hatte Sie gern. Aber ich lebte um der Rache willen. Ich konnte die schrecklichen Tage nicht vergessen, den Skandal und wohin er die beiden getrieben hat. Es war entsetzlich, als mein Vater sich umbrachte. Mit diesem Revolver. Deshalb muß ich ihn jetzt benutzen. Damit schließt sich der Kreis.«

»Sie wollten mich glauben machen, daß ich wahnsinnig werde, nicht wahr?«

»Ja ... wahnsinnig, so wie sie. Es ist furchtbar, seinen Verstand zu verlieren und sich dessen bewußt zu sein. Ich glaube, das ist das Schlimmste, was es gibt. Ich wollte, daß Sie leiden, wie sie gelitten hat. Anders war es zu einfach. Ihre Mutter hatte einen viel zu leichten Tod. Aber damals dachte ich nur, sie müsse sterben ... und damit sei's genug. Also kam ich unter falschem Namen und mit meiner Geschichte, daß ich Arbeit brauchte, zu Ihnen. Und als es vorbei war und ich fortging, fühlte ich eine Leere in meinem Leben. Ich dachte an Sie. Ich hatte nur *ein* Leben ausgelöscht, dabei waren mein Vater *und* meine Mutter gestorben. Ich wollte Leben für Leben. Doch zuweilen ist es eine größere Tragödie, wenn man den Verstand verliert und nicht das Leben. Ich kenne das. Ich habe es mit angesehen. Deshalb beschloß ich, Sie sollten wahnsinnig werden.«

»Sie haben mir also die üblen Streiche gespielt. Das Klopfen, der Sandelholzgeruch …«

»Ja, um den Verdacht auf die Geliebte Ihres Gatten zu lenken.«

»Und die Kobra?«

»Ja, die Spielzeugkobra.«

»Und schließlich entschlossen Sie sich, mich zu töten.«

»Ja, weil ich erkannte, daß es um Leben gegen Leben gehen mußte. Sie überlebten den Unfall im Einspänner, und da kam ich auf die Perlen. Ich war von diesen Perlen fasziniert, und ich wollte, das Sie bis zuletzt glaubten, die Geliebte Ihres Mannes stecke dahinter. Sehen Sie, Ihre Mutter war die Geliebte meines Vaters. So paßte eines zum anderen.«

»Celia, Sie sind grausam.«

»Ja, aber ich habe meine Eltern geliebt. Sie waren mein ein und alles. Ich hatte nichts, gar nichts mehr, als sie tot waren. Durch die Schuld einer sündigen Frau wurden sie mir geraubt. Ich finde erst Frieden, wenn ich mich gerächt habe. Ließe ich Sie am Leben, so würden Sie Toby Mander heiraten. Ich fing die Briefe ab, die er Ihnen schrieb. Es war ein Schock für mich zu lesen, daß er entdeckt hatte, wer ich bin. Ich wußte, daß er auf der »Lankarta« aus Bombay kam. Das hatte er in seinem Brief geschrieben. Ich mußte schnell handeln. Hätte ich mehr Zeit gehabt, so wäre ich raffinierter vorgegangen.«

»Stecken Sie den Revolver weg, Celia!«

Sie schüttelte den Kopf. »Zwei Kugeln sind darin. Eine für Sie, eine für mich.«

»Das ist ja verrückt«, rief ich.

»Ich *bin* verrückt«, erwiderte sie.

Sie hob den Revolver. Er war geradewegs auf mich gerichtet.

»O Vater, o Mutter«, hörte ich sie murmeln, »das ist das Ende. Ich komme zu euch. Sie sperren mich ein, wenn ich am Leben bleibe, so wie sie dich eingesperrt haben, Mutter. Aber ihr seid gerächt.«

Dieser Augenblick bleibt meinem Gedächtnis auf ewig eingeprägt: die schattenhafte Gestalt der Verrückten, und zwischen uns der tote Clinton in seinem Sarg.

Fast war es, als sei Clinton in diesem Moment lebendig geworden. Ich schien seine Stimme zu hören, die mir zurief: Du mußt leben. Leben! Du schuldest es mir, daß du lebst. Ich will nicht umsonst gestorben sein.

Ich warf mich auf den Boden, und die Kugel schoß über meinen Kopf hinweg. Ich hörte Celia murmeln: »Tot. Das ist das Ende. Jetzt komme ich zu euch, ihr Lieben.«

Ich lag wie betäubt, als der zweite Schuß fiel.

Postskript

Das alles hat sich vor so langer Zeit zugetragen, daß es mir wie aus einem anderen Leben erscheint. Ich könnte beinahe glauben, es sei nie geschehen, hätte ich nicht meinen großen Sohn als lebenden Beweis. Ich nannte ihn Clinton, und er ist genau wie sein Vater: stark, rücksichtslos, entschlossen, seinen Willen durchzusetzen, tollkühn und des materiellen Erfolges sicher. Ich liebe ihn zärtlich und weiß, daß sein Vater stolz auf ihn wäre.

Er war sechs Monate alt, als ich Toby heiratete. Ich habe großes Glück gehabt. Ich habe zwei Ehen erlebt, und eine jede hat mir eine Menge gegeben. Ich habe jetzt einen ausgeglichenen Zustand von Liebe und Verständnis erreicht, und das ist wohl das Höchste, was man sich im Leben wünschen kann; doch wenn ich zurückblicke, möchte ich jene Zeit der lodernden Leidenschaft, die mich so viel über mich selbst gelehrt hat, nicht missen.

Toby aber ist der Mann, der für mich ausersehen war, um mein Leben mit ihm zu teilen. Wir haben eine Familie gegründet und Kinder aufgezogen – zwei Knaben und zwei Mädchen –, und ich bin so glücklich, wie es sich nur irgendwer erhoffen kann.

Ich habe einen Verwalter von England nach Ceylon geschickt, unter dessen Händen die Shaw-Plantage blüht und gedeiht. Die Ashington-Plantage habe ich gänzlich Clytie und Seth vermacht. Toby und ich besuchen sie etwa alle drei Jahre. Es ist ein seltsames und gespenstisches Erlebnis für mich, wieder durch den Dschungel zu wandern und an all die Schrecknisse zu denken, die mir in jenem Haus widerfuhren. Ich weiß, daß kein

Dienstbote allein in das Zimmer gehen mag, wo Clintons Sarg stand und Celia sich umbrachte.

Anula hat einen wohlhabenden singhalesischen Geschäftsmann geheiratet, den sie wohl zuvor Clintons wegen zurückgewiesen hatte. Leila erzählte mir: »Sie jetzt sehr reiche Dame.«

Die beiden Tanten sind gestorben und haben mir das Gut vererbt. Toby vertraute den in Indien ansässigen Zweig der Familienfirma einem Geschäftsführer an und ist die meiste Zeit in London. Wir besitzen ein Haus in der Stadt, aber die Kinder lieben Ashington Grange, und so sind wir oft hier.

Mein Porträt – mitsamt den Perlen – hängt nun in der Galerie. Der verhängnisvolle Verschluß wurde gründlich gereinigt, und man zeigte mir, daß der Schlangenleib hohl war: ein vorzügliches Behältnis für das Gift.

Ich trage das Halsband hin und wieder, denn Tobys Stellung in der Finanzwelt erfordert es, daß wir häufig Gesellschaften geben, in London und in Ashington Grange. Ich glaube, die Tanten wären mit allem zufrieden, abgesehen von der Tatsache, daß es keine Frau namens Ashington mehr geben wird, die das Perlenhalsband trägt.

Eines Tages wird das Porträt der Gattin von Clintons Sohn in der Galerie hängen. Ich bin sicher, daß ihm das Spaß machen würde.